детектив–событие

детектив–событие от Евгении МИХАЙЛОВОЙ?

Её истории покоряют с первой страницы. Многолетний опыт журналистских расследований помогает ей выбирать острые, как лезвие, темы – и населять романы неординарными, вызывающе яркими персонажами. Но самое главное – каждый из героев получает в финале то, чего заслуживает. Потому что истина и любовь должны побеждать всегда!

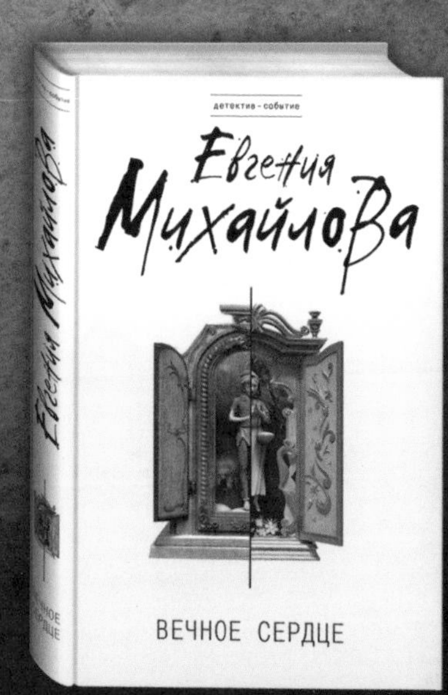

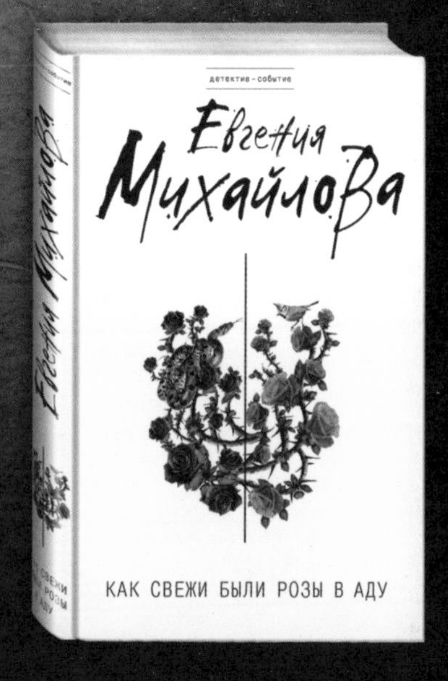

www.eksmo.ru

Прочитано 2016.
август.

детектив – событие

Читайте детективы Евгении Михайловой, в которых истина и любовь побеждают всегда, несмотря на самые тяжелые испытания!

▪

Сломанные крылья

Закат цвета индиго

Спасите наши души

Две причины жить

Апостолы судьбы

Последнее прости

Исповедь на краю

Танцовщица в луче смерти

Длиннее века, короче дня

Вечное сердце

Как свежи были розы в аду

Совсем как живая

Испить чашу до дна

В новой книге Евгении Михайловой «Испить чашу до дна» непростые судьбы и взаимоотношения героев тесно переплелись с детективной интригой. Книга густо населена такими разнохарактерными персонажами, что читатель и сам начинает испытывать эффект присутствия, ощущать себя участником событий. Евгения Михайлова так мастерски рассказывает истории своих героев с их трагедиями и триумфами, разочарованиями и восторгами, что полностью захватывает внимание своего читателя, отпуская его лишь на последнем слове. Так что, смело открывайте книгу и приготовьтесь получить удовольствие от прочтения достойного произведения, написанного глубоким и красивым русским языком, редким для современной прозой.

Платова Анна,

Главный редактор женского сайта Passion.ru

Евгения

Михайлова

ИСПИТЬ ЧАШУ ДО ДНА

Москва
«Эксмо»
2013

УДК 82-3
ББК 84(2Рос-Рус)6-4
М 69

Оформление серии *С. Груздева*

Михайлова Е.

М 69 Испить чашу до дна : роман / Евгения Михайлова. — М. : Эксмо, 2013. — 352 с. — (Детектив-событие).

ISBN 978-5-699-63824-6

Когда-то Лиля разрушила жизнь Ильи. Она разорвала помолвку и ушла к его брату. После гибели Андрея Лиля вернулась к Илье, но ей не давала покоя одна мысль — ее первый муж жив, просто попал в беду...

Илья был обречен на эту женщину. Когда она осталась одна, он без колебаний бросился ей на помощь. Вместе с ней он начал искать Андрея, не думая о том, чем для него обернется возвращение брата...

Частный детектив Сергей Кольцов не верил, что Андрей Семенов мог остаться жив. Но почему тогда убили его давнюю поклонницу Валерию, гибель которой Сергей сейчас расследовал? Возможно, она знала о Семенове больше остальных...

Обещание легко дать, но трудно выполнить... Ведь порой невозможно удержать чувства под властью разума...

УДК 82-3
ББК 84(2Рос-Рус)6-4

ISBN 978-5-699-63824-6

Все события
и действующие лица романа
вымышленные

Часть первая

Глава 1

Серое влажное утро. Тяжелый воздух липнет к земле. Утро не дышит из-за не пролившихся за ночь слез. Лиля выпустила из рук плотную штору, и она закрыла кусочек окна, сквозь который Лиля смотрела на мир. На странный, неузнаваемый, не узнающий ее мир. Без него.

Лиля включила верхний свет в спальне, сняла длинную ночную рубашку из легкого шелка, бросила ее на широкую кровать. Муж Илья говорит, что рубашку темно-фиолетового цвета могла купить только женщина, уверенная в том, что ей идет абсолютно все. Лиле нравится этот цвет, эта рубашка, и ей идет и правда все. Она подошла к зеркалу во всю стену и строго, придирчиво рассмотрела свое отражение. Как странно. Она засыпает на рассвете, сразу проваливается в один и тот же кошмар, просыпается в испарине, в горячечной тоске. Сворачивается в клубок, старается дышать ровно и притворяется спящей, пока Илья не уйдет на работу. Только когда хлопнет входная дверь, она открывает глаза, встает, смотрит в окно, затем подходит к зеркалу. И всякий раз готова увидеть изможденное, сожженное мукой лицо старухи, тело калеки, по которому жизнь проехалась катком... А видит все то же молодое и красивое лицо: правильный, нежный овал, карие бархатные глаза, полные, яркие губы, тело, как у античной статуи, без единого пятнышка и волоска, округлые бедра, полная грудь, плоский живот... Он не увеличился? Еще как будто не должен... Да, ей видимо повезло. В одном. Она даже не ухаживает за собой, как положено, просто «носит» аккуратно свою внешность. Как одежду, которая никогда не выглядит поношенной, сколько бы раз ее ни надевала. Внешность и есть одежда человеческой сути.

Лиля провела обеими руками по волосам, подняла их над гладким лбом и вновь услышала голос матери, как будто кто-то каждое утро нажимал кнопку диктофона в ее мозгу: «Будь проклята твоя красота! Из-за нее ты отказалась поступать в институт, из-за нее у тебя нет нормальной профессии, из-за нее у тебя нет нормальной семьи, как у других женщин. У тебя все не так! Мне сказали, что я умру, если рожу тебя. Но мы так хотели ребенка... Я была готова умереть, чтобы дать тебе жизнь. Я не думала, что увижу свою дочь в таком несчастье...»

Мама осеклась, заплакала, не сказала страшных слов о том, что Лиле лучше было не родиться. То есть она их почти сказала тогда. И сейчас сердце Лили забилось гулко, больно. Тогда она хотела выбежать из комнаты, чтобы не слышать больше ничего, но не смогла. Ноги отказались идти. И так продолжалось два месяца. К ним ходили врачи, ее куда-то возили на обследование, не могли поставить диагноз! Она целыми днями лежала на мокрой от слез подушке, а мама бегала, нервничала, пила сердечные капли, пыталась чем-то ее накормить, уводила из спальни дочку Вику, чтобы та не видела Лилю в таком состоянии.

Все изменилось, когда пришел Илья и сказал, что останется с Лилей навсегда. Что она поправится, встанет, и все у них будет хорошо. А пока лучше Вике пожить у Лилиной матери. И всем успокоиться. Других вариантов нет. Они послушались. Он, как всегда, оказался прав. Чего это ему стоило, знает только он один. Илья на месяц оставил фирму, он навсегда оставил свою семью. Когда Лиля встала, они зарегистрировали брак. С первой женой брак был гражданским. Это оказалось единственным импульсивным поступком в жизни очень разумного, логичного, уравновешенного Ильи. Потеряв однажды все, как ему казалось, он хотел хоть кому-то быть полезным... Восемь лет назад он праздновал помолвку с двадцатилетней красавицей Лилей. Все было на высшем уровне. Лиля в длинном синем платье с глубоким декольте чувствовала себя замужней дамой и уже почти «как за каменной стеной». Илья — на десять лет старше — идеально ее оттенял. Все восхищались прекрасной парой. В разгар вечера в квартире появился младший брат Ильи — Андрей. Он вернулся из-за границы, где бросил очередной университет. Он был путешественник, путаник, охотник за счастьем, и невероятно хорош собой. Они с Лилей сошли с ума оба в одну минуту. И ушли с той помолвки вместе, разбив сердца Илье, родителям... Лиля и Андрей поженились без всяких помолвок. Когда у них родилась девочка, Илья решил и свою судьбу: он стал жить с вдовой погибшего друга, которая осталась одна с тремя детьми.

Полгода назад Лиля осталась без Андрея, перестала ходить, не хотела жить. Илья занял свое место рядом с ней. Разумеется, теперь он содержал две семьи. Да, у них с Лилей — настоящая семья. Илья терпеливо ждал, пока она сама скажет, что он ей нужен не только как нянька, помощник, близкий родственник, но и как муж. Они оба не сомневались в том, что она забеременела в первую же их ночь. Так было и с Андреем.

Лиля прижала руку к животу. Это девочка, она точно знает. Она почувствовала ее в первые недели. И сразу сказала Илье:

— У нас по маминой линии рождаются только девочки. У мамы, у бабушки, прабабушки. Но, главное, я чувствую, что это наша дочка. Как с Викой. С мальчишкой было бы иначе. Я даже не буду делать лишний раз УЗИ, беспокоить ее.

— Конечно, — ответил Илья. — Я не сомневаюсь, что ты права. Ты так последовательна во всем.

Доченька живет в ней уже два месяца. Они с Викой станут друг другу и родными и двоюродными сестрами. Лиля всегда будет любить Илью, она будет скрывать от него, как рвется и тоскует ее душа по Андрею.

— Боже мой, — сжимает она руки. — Где ты? Как ты мог меня оставить? Я к тебе приросла. Ты не имел права погибнуть. Если ты погиб...

Глава 2

Она вышла из ванной в черном махровом халате, сварила себе кофе, после первой чашки в груди потеплело, она оглянулась и подумала о том, что надо, наконец, выйти из дома и купить что-то яркое на кухню. Вазу для фруктов, например, забавную картину на стену, новый плед на диван. Потом позвонила маме и сказала, что после зимних каникул Вике лучше вернуться домой. Мама явно загрустила.

— Ну, тогда переезжайте к нам вместе. Действительно: что тебе сидеть там одной.

— Время еще есть, подумаем, — примирительно сказала Ирина Викторовна. Понятно, ей хорошо с внучкой и она боится что-либо менять после того, что они все пережили.

Лиля вошла в гостиную, села перед журнальным столиком, на котором стояли фотографии в серебряных рамках. Вот ее любимая: молодые родители, между ними она, серьезная, сосредоточенная, с огромной куклой Зоей. Лиля не выпускала ее из рук, даже когда пошла в школу. Она взяла фото и прижала его к губам. Тогда они были счастливы. Мама родила ее, действительно рискуя своей жизнью. У Ирины Викторовны тяжелый порок сердца, она пролежала на сохранении практически все девять месяцев. Ее наблюдал очень опытный врач, он присутствовал при родах и сказал ей:

— Ирочка, все получилось. Ты справилась и родила красавицу. Девочка — просто цветок.

— Лилия, — прошептала мама.

А папа никогда не болел. Когда сбылась их с женой мечта — родилась дочка, да еще такая удачная, — он хватался за все. Работал без выходных и отпусков. Он хотел сделать Лилю счастливой, чтобы она ни в чем не нуждалась, чтобы замуж вышла по любви и не зависела от мужа. Эту квартиру он подарил дочери на восемнадцатилетие. Вскоре из армии поклонников Лиля выделила Илью, который нравился родителям не меньше, чем ей самой. А через два года она внезапно вышла замуж за Андрея, брата Ильи. Их безумная страсть почему-то была не слишком похожа на безмятежное счастье, о котором мечтали для Лили родители. К тому же они очень переживали из-за Ильи. Но отец продолжал работать, почти исступленно. Теперь он старался всем обеспечить не только дочь, но и внучку. Ему не было сорока семи, когда он, въехав во двор своего дома, не вышел из машины. Ирина Викторовна, которая, как всегда, смотрела в окно, ожидая его, выбежала на улицу. Дверцу машины пришлось вскрывать. Муж был мертв. Загнал себя.

— Бедный мой папочка, — у Лили дрогнул подбородок, повлажнели глаза. Она считала себя виновной в его смерти. В том, что жизнь ее родителей очень быстро перестала быть похожей на сказку с девочкой-цветком.

Лиля помнила себя очень рано. У нее был чудесный характер, спокойный и доброжелательный. Мама, преподаватель математики, оставила работу, чтобы все время посвятить ребенку, и очень умело развивала ее способности. Папа, человек с широким кругозором, открывал для дочки мир, как будто между ними не существовало разницы в возрасте, в опыте. Лиля в школе стала отличницей, ее любили учителя, к ней тянулись одноклассники, она была интеллигентной, демократичной и скромной. Мама задолго до окончания школы стала выбирать для нее институт, профессию: «МГУ? Мед? А может, ВГИК?..» Лиля со всем соглашалась. Но однажды ее остановил на улице человек, оказавшийся известным художником. Она тогда закончила седьмой класс. Он предложил ей позировать для одной работы, пришел к ним домой, поговорил с родителями, пригласил их в мастерскую. Они отнеслись к его предложению как к эпизоду. Лилю постоянно куда-то приглашали: то сниматься в детском кино, то в телепередаче. Ирина Викторовна сказала:

— Ну, как хочешь. Если тебе это интересно. Художник действительно хороший. Но это тяжелая работа. И я, конечно, буду ходить с тобой.

Картину купил зарубежный музей. Потом была другая картина, другие художники. Вскоре Лиля поняла, что это занятие стало серьезной частью ее жизни. Она помогала появиться на свет другим девочкам, девушкам, женщинам... Они были похожи на нее, но все — со своей судьбой, своим счастьем или несчастьем. Она всегда внимательно выслушивала замысел будущего полотна, научилась работать на этот замысел. И после выпускного вечера спокойно сказала маме:

— Я не буду никуда поступать. У меня уже есть профессия.

Возможно, для родителей это было катастрофой. Но они приняли ее решение. У каждого — свой талант и свое призвание. Деньги за работу она стала брать только после восемнадцати лет. Когда она вышла замуж за Андрея, самостоятельный заработок ей очень пригодился. Андрей был человеком горячих идей и страстей. Мог увлечься серьезным проектом, заработать большие деньги, мог спустить их за пару дней на скачках или в казино. Мог разочароваться в деле и месяцами читать редкие книги по истории, логике, философии... Лиля никогда не протестовала, но бреши в семейном бюджете старалась скрывать от родителей, заполнять собственным заработком.

Кстати, ей вчера звонил один художник, спросил, не собирается ли она вернуться к работе. Она обещала. Вдруг ей очень захотелось погрузиться в атмосферу мастерской, где пахнет краской, где валяются наброски, скрывающие до поры тайну... И она там нужна, от нее многое зависит... Лиле стало почти хорошо. Возможно, она выбирается из своего провала, возможно, наступит спокойная и ясная жизнь... Илья, мама, Вика... Она обязательно познакомится с бывшей женой Ильи, ее детьми. Они будут дружить, помогать друг другу. Лиля протянула руку к мобильному телефону, чтобы позвонить Илье. Она почти никогда не звонила ему сама. А сейчас... Сейчас он сразу поймет, что в ней все изменилось, повернулось к жизни...

Но она не успела. Зазвонил домашний телефон. Совершенно незнакомый голос спросил:

— Лилия Александровна? Добрый день. Вас беспокоит следователь отдела убийств Вячеслав Михайлович Земцов. Вы не могли бы к нам подъехать?

— Что случилось?

— Убита Валерия Осипова. Вы были знакомы?

— Я видела ее два раза.

— Давайте поговорим об этом не по телефону.

— Но что я могу сказать?..

— Что сможете, то и скажете. Это обычная практика. Мы опрашиваем всех знакомых. Запишите, пожалуйста, адрес. Когда вы могли бы приехать?

— Сегодня.

Глава 3

Илья три раза возвращал на доработку проект детского спортивно-развлекательного комплекса. Сейчас он внимательно рассматривал четвертый вариант, пытаясь в уме выстроить замечания так, чтобы они, наконец, были поняты. Архитекторы смотрели на него довольно грустно. Илья поднял глаза и улыбнулся.

— Мы немного продвинулись вперед. Но мне кажется, что в этой работе была допущена ошибка в самом начале. Прошу не воспринимать то, что я скажу, как попытку кого-то обидеть. Но, друзья, вы точно видели детей? Представляете, какого они размера, какие у них привычки, как их требуется обезопасить от самих себя? Ну, вот эти ступени, этот зал, вполне интересный с архитектурной точки зрения, эта пирамида — однозначно эксклюзивная, — разве нормальный взрослый человек отпустит сюда ребенка младшего школьного возраста? А комплекс рассчитан и на дошкольников. Как отец скажу: ником-да! У меня такое предложение. Взять тайм-аут. Походите по детским площадкам, спортивным залам в школах и садах, посмотрите, как ведут себя детишки, как падают, как играют. Давайте вернемся к проекту через неделю. Время есть. Извините, я отвечу, это жена звонит... Да, Лиля. Что? Я не понял. Подожди минуту. Я тебе перезвоню, — он не сразу смог переключиться. — Все свободны. У меня серьезный разговор с женой, прошу прощения.

Когда сотрудники вышли, Илья закурил, пытаясь успокоиться. Хотя покой и Лиля — для него вещи несовместимые. Он ничего не понял из того, что она сказала, кроме одного: случилась очередная большая неприятность. Он набрал ее номер.

— Лиля, у меня было совещание, я, наверное, чего-то не понял. Кого вызывают в отдел убийств?

— Меня, Илюша.

— Ты действительно знала женщину, которую убили?

— Давай я к тебе заеду и все объясню.

Она вошла в его кабинет через час. Сбросила на спинку стула черное пальто на искусственном леопардовом меху — Лиля не носила шкуры убитых животных, — села перед ним ровно, как школьница на уроке. Лицо бледное, взгляд беспокойный.

— Ты только не волнуйся, — быстро сказал Илья. — Дело в том, что по любому убийству опрашивают множество случайных людей. Кто-то назвал тебя в числе ее знакомых, поэтому тебя вызвали.

— Я понимаю. Просто я не успела тебе рассказать. Или даже не хотела... Валерия Осипова — дочь декана института, где пару лет учился Андрей. Они встречались, он сам мне рассказал. Это было еще до нашей с ним встречи. Потом... В общем, недавно, примерно год назад, мне сказали, что их видели вместе. Я ничего у него не спрашивала. Он вскоре должен был лететь в Канаду от фирмы, где в последнее время работал. Сказал, что рейс днем, не нужно его провожать. Но мне очень захотелось... сюрприз ему сделать. Потом я поняла, что таких сюрпризов мужьям делать нельзя. Я вошла в зал в тот момент, когда к Андрею подошла женщина... Они обнялись. Я плохо ее рассмотрела. Тут же ушла. Дома нашла по Интернету фото Валерии Осиповой в социальных сетях.

— И это все?

— Нет. Ты знаешь, как погиб Андрей. Мы поехали в мае, как всегда, в Киев, он очень любил цветущие каштаны, Днепр...

— Лиля, зачем ты это рассказываешь? Я знаю, как утонул мой брат. Он решил переплыть Днепр, была холодная вода...

— Да. Мы с Викой ждали его на берегу четыре часа. Потом появились спасатели... Я плохо все помню... Они не нашли его ни в тот день, ни потом. Искали долго. Мы жили там две недели. Папа приехал... Всех поднял на ноги.

— Лиля, я знаю.

— Ты не знаешь, о чем я тогда подумала. Я подумала, что он не мог утонуть. Он отлично плавал, для него это не расстояние. Была нормальная погода. И потом: его бы нашли. Я решила, что он меня бросил. Переплыл на другой берег, там могла быть приготовлена другая одежда, документы... он мог куда-то уехать с ней.

— Что дальше?

— Дальше я болела, как ты помнишь, не могла ходить... А потом... Я стала искать Валерию: есть ли она в Москве. Нашла в «Одноклассниках». Она писала, что работает в лаборатории диагностического центра, не замужем. По фамилии я нашла домашний телефон, по нему — адрес, приехала к ней. Мы разговаривали. Я спрашивала, где Андрей. Мне кажется, я кричала на нее.

— Ты не помнишь, что говорила?

— Нет. Не помню. Это был кошмар. После этого мне каждую ночь снится, как он выходит из воды, она бежит к нему, потом... Потом они иногда пытаются утопить меня. Иногда я пытаюсь задушить ее. Недавно мне приснилось, как они уводят от меня Вику.

— Тебе это снится каждую ночь?! Рядом со мной?

— Да, дорогой. Как я могла тебе такое рассказать.

— Тебя кто-нибудь видел? В квартире кто-то был?

— Квартира большая. Я помню только, что требовала, чтобы она меня провела по всем комнатам. Она возмущалась, даже смеялась... Или мне показалось. Я не знаю, был ли там кто-то еще. Я была как безумная. Я считала, что там Андрей.

— Лиля, ты сказала, что кричала. Ты могла ей угрожать?

— Я ее проклинала, думаю... Но я не вспомню точных слов.

— Мы поедем к следователю вместе. Ты сейчас в возбужденном состоянии, тебе все кажется страшно драматичным. А вопрос у следователя к тебе, скорее всего, самый формальный. Просто кто-то сказал, что ты к ней приезжала. Наверное, в квартире кто-то был.

— Да, думаю, кто-то сообщил. Иначе как бы они узнали.

— И больше ты с ней не виделась?

— Нет.

Глава 4

Илья прохаживался по коридору у кабинета следователя: элегантный, худощавый, лицо интеллигентное, — такой человек мог оказаться в отделе по расследованию убийств только случайно, буквально на минуту... Он ходил по этому коридору уже час. Сидеть было еще тяжелее. У него горел лоб, а сердце как будто обледенело. Пришла беда. Чем дольше Лиля не выходила из этого кабинета, тем меньше оставалось надежд на то, что все окажется формальностью, они уйдут и постараются забыть о чужом несчастье.

Лиля вышла, обессиленно опустилась на стул.

— Он сказал, что ты можешь войти.

— Как вы поговорили?

— Мне показалось, плохо, — Лиля измученно улыбнулась. — Я все рассказала, потом прочитала то, что записано с моих слов... Какой-то ужас получился.

— Лиля, ты говорила о своей беде, и это не могло тебе самой показаться веселой историей. Следователь каждый день выслушивает десятки подобных исповедей.

— Сомневаюсь, — шепнула Лиля. — Ну, ты иди. Я подожду.

Илья решительно вошел в кабинет, поздоровался, представился, какое-то время они с Земцовым внимательно смотрели друг на друга.

— Садитесь, Илья Кириллович, — сказал Слава. — Ваша жена сказала, вы хотели что-то сказать. У вас есть какие-то соображения, дополнения? Вы знали Валерию Осипову?

— Господь с вами. Я услышал это имя сегодня от Лили. Я понятия не имел о том, что Андрей был с ней знаком, что Лиля к ней приходила... Лиля не уверена в гибели Андрея. Я пришел к вам за советом и разъяснениями. Насколько это все серьезно, с вашей точки зрения? Жена все драматизирует, но вы же понимаете...

— Илья... Можно без отчества? Мы с вами говорим без протокола, я стараюсь не держать в голове лишнюю информацию.

— Да, конечно.

— Так вот. Мне пока понимать нечего. У меня еще нет улик — ни прямых, ни косвенных, не очерчен круг подозреваемых. Из свидетелей... Есть один серьезный свидетель — отец погибшей. И он заявил, что ваша жена была у них в квартире в конце октября. То есть чуть больше месяца назад. Он не выходил из своего кабинета, но разговор слышал. Вернее ссору. Лилия обвиняла его дочь в том, что та пыталась отбить у нее мужа, говорила, что он не погиб, якобы Валерия его где-то прячет. Отец заявил, что она угрожала, приводил ее слова: «Люди всегда отвечают за свои преступления».

— Вы считаете, это угроза?

— Отец Осиповой так считает. У него крайне негативное отношение к вашему брату. Он заявил, что Андрей сделал его дочь несчастной. В общем, он допускает причастность вашей семьи... Других врагов, соперниц у его дочери не было.

— Как она погибла?

— Они живут на семнадцатом этаже восемнадцатиэтажного дома. Валерия много курила. У матери астма, поэтому она выходила на площадку между своим и верхним этажом. Там почти всегда открыто окно с широким подоконником, она на нем сидела. Там же стояла ее пепельница. Валерию столкнули.

— Она не могла упасть нечаянно или покончить жизнь самоубийством?

— Экспертиза еще не пришла, но, по мнению эксперта, Осипову столкнули. Ускорение, угол падения, она однозначно сопротивлялась: на подоконнике остались следы ее крови — ногти оказались сорванными на нескольких пальцах.

— Полагаю, вы уже выяснили, что у Лили на это время есть алиби?

— На какое время? Разве я назвал время?

— Не надо меня так наивно ловить. Вы не назвали, я не спрашивал. У Лили на любое время есть алиби. Она практически не выходит из дома. За последний месяц сегодня точно вышла первый раз.

Это легко проверить. У нас много праздных и внимательных соседей. Консьержка, опять же, активная.

— Если бы я строил версию в отношении вашей жены, то это скорее была бы версия заказа или чьей-то услуги, мести за нее... Но я этого не делаю на данном этапе.

Илья вытер пот со лба.

— Вячеслав Михайлович, я понимаю, что вы разберетесь во всем сами, но я просто не могу бездействовать в такой ситуации. Лиля столько пережила, она ждет ребенка, ей нельзя волноваться. Как вы думаете, может, мне нанять адвоката?

— Пока ему нечего будет делать. Я никому не предъявил обвинения.

— Но ждать этого... Согласитесь...

— Можно узнать, в чем бы вы хотели участвовать?

— Ну, кто ж меня допустит. Но я скажу. Я хотел бы во всем разобраться сам. И в том, что, возможно, неважно для вас. Например, Лиля сказала сегодня, что не верит в гибель моего брата. Я сейчас ждал ее в коридоре, думал... Действительно странно. Разве бывает, чтобы не нашли тела утонувшего человека?

— Так бывает очень часто. Тем более такой заплыв: через Днепр. То есть наоборот: шансов найти его было мало.

— Да, я не то, наверное, сказал. Просто брат был физически удивительно сильным человеком, опытным пловцом. Короче, вы не знаете, к кому бы я мог обратиться за помощью в получении или проверке информации? Не сейчас, но на всякий случай...

— Ну, есть один частный детектив, который иногда помогает нам в получении информации. Возможно, будет помогать и в этом деле. Сергей Кольцов.

— Я могу к нему обратиться с вашей рекомендацией?

— Вы можете к нему обратиться, вот его карточка. Просто взвесьте этот поступок заранее. Это бывший следователь генпрокуратуры, он часто помогает официальному следствию, это значит — он работает не на клиента, а на истину. То есть, как говорится, все, что вы скажете, может быть использовано против вас.

Илья не смог сдержать улыбки:

— И зачем мне ваша подсадная утка за мои же деньги?

— Так это вообще не моя идея, а ваша. Вы попросили у меня рекомендацию, вы же не надеялись, что я посоветую человека, который будет обманывать меня, не правда ли?

— Нет, конечно. Шучу. Скрывать нам нечего. К тому же вы можете завтра поймать убийцу, и эта история для нас закончится.

— Всякое бывает, — неопределенно сказал Земцов.

Глава 5

Сергей Кольцов вошел в кабинет Земцова и уставился на товарища преданным взглядом голубых глаз.

— Ну чего? — скучно спросил Слава, скрывая некоторое оживление, как перед началом спектакля.

— Ничего особенного, — Сергей, точно уловив настроение друга, скрестил руки на груди и принял позу Гамлета, принца Датского. Он играл его в школьных спектаклях. — Просто иногда, может раз в жизни, судьба бросает подарок под усталые ноги путника, идущего своей прямой одинокой тропой... Слава! Это действительно случилось? Ты послал ко мне клиента?

— Послал.

— Из каких соображений ты это сделал? Чтобы спасти его, возвысить меня или — я не решаюсь об этом даже мечтать, — помочь твоему следствию? Которое — опять же не решаюсь это допустить — терпит крушение? Как обычно, впрочем.

— Свинья. А начал хорошо. Садись, кончай валять дурака. Я предупредил Илью Семенова, что ты будешь работать не на него, а в интересах следствия.

— Он мне рассказал об этой милой шутке, — Сергей расслабленно развалился на диване. — Что, по твоей задумке, я буду за его деньги делать твою работу. Мне понравилось. Я сначала смеялся, потом плакал, сейчас улыбаюсь сквозь слезы.

— Выступил? На самом деле ты мне, скорее всего, и не нужен. Хотя, конечно, от помощи не откажусь. У этого свидетеля, точнее мужа свидетельницы, возникли личные вопросы, довольно любопытные. Вдруг что-то прояснится, и фильм будет полнометражным, если выражаться твоим слогом.

— А. Ты в смысле искусства? Я — всегда «за».

— Сережа, полистай дело. Там пока ничего нет. Только факт: кто-то выбросил женщину с высокого этажа ее же дома. Все может оказаться проще пареной репы: сосед-психопат, подружка-завистница, подростки-хулиганы... Просто отец погибшей вывел нас на жену этого Семенова. А она рассказала версию вполне в твоем духе. Я даже не знаю, как к этому подступиться. Бери. Чтения там на десять минут.

Сергей читал дольше: пятнадцать минут. Слава смотрел на него с любопытством. Кольцов закрыл папку, встал, положил ее на стол.

— Не ожидал. «Санта-Барбара» в натуре. Одна жена, два брата. По всему должны появиться или исчезнуть какие-то младенцы.

— Ты хорошо читал? Она беременна. Твой новый клиент ради нее оставил семью с тремя детьми.

— А, ну да. От кого, как ты думаешь, она беременна?

— Кончай идиотничать, честное слово. Ну от кого! Один муж утонул полгода назад, она на втором месяце. От кого бы это, как ты думаешь?

— Ты так понял. А я считаю, что все сложнее. Она говорит, что не верит в то, будто этот Андрей утонул. А если она точно знает, что он не утонул? И даже знает, где он? И второй муж, Илья, это подозревает и нанимает частного детектива, то бишь меня, а?

— Я участвовать в развитии твоих фантазий от балды не собираюсь, но, если что-то подобное обнаружится, она станет подозреваемой.

— А сейчас разве нет?

— Одно дело — проклинать соперницу, когда муж мертв, другое — когда он жив.

— То есть ты не поверил в то, что она думает, будто его как раз эта Валерия прячет?

— Почему? Допускаю. И любой другой вариант допускаю. Там мужик был шальной, его кидало из стороны в сторону, он мог переметнуться к Валерии, потом вернуться к Лилии... Но, скорее всего, он утонул. Представляешь, какое расстояние, май, вода еще холодная...

— Да, скорее всего. А она не производит впечатления сумасшедшей?

— Откуда я знаю. Сумасшедшие очень часто производят впечатление нормальных людей. Но она вроде не выходила из дома в последние месяцы. Это можно проверить.

— Нельзя. Она могла выйти в куртке слесаря с повязкой на лице из-за флюса. К примеру.

— Сережа, что-то я от тебя устал. Может, ты пойдешь поработаешь для разнообразия? А то такое впечатление, что Семенов тебя нанял, чтобы ты его жену посадил за убийство.

— Я настолько широко мыслю, что даже этот вариант не исключаю. Зачем он меня нанял, мне пока неведомо. Но я знаю одного мужика, Отелло его фамилия, который из-за ревности такого натворил!..

— Не очень глупая мысль для тебя. Из-за ревности даже братьев убивают. А жену посадить, чтоб не позировала другим, это вообще пустяк.

— Да, она же натурщица. Что означает широкий круг разношерстных друзей, которые могли за нее отомстить сопернице.

— Нет. Она — не такая «натурщица», которых привозят в обезьянники из наркопритонов. Это — дама. Работает с известными художниками.

— Как она выглядит?

— Картина.

— Я в офигее! Слова Земцова, музыка Огинского. Значит, «картина» убить не могла?

— Могла. И муж ее, твой клиент, мог и брата убить, и его любовницу, если та о чем-то догадывалась.

— Ты не просто профи, Слава. Ты еще очень добрый. Сказал человеку, попавшему в беду, что ему может помочь частный детектив, полагая, что я вместо одного убийцы притащу тебе в мешке целое преступное семейство. А ты двухмесячного зародыша ни в чем не подозреваешь?

— И ты профи. По ходу начал работать на платного клиента. У него неплохой бизнес, — сварливо сказал Слава.

— Служу России!

Глава 6

Лиля сидела на диване в гостиной, сложив руки на коленях. Ее лицо было спокойным. Но временами она смотрела на Илью, и он на расстоянии ощущал жар ее взгляда. Он мог только догадываться, какие мысли и страсти испепеляют ее изнутри. Разговор не получался. Он смотрел на Лилю: у нее не бывает неловких поз, неприятного выражения лица. Никогда, даже во сне. При этом она не позирует, не контролирует себя, у нее просто талант. Талант — быть скрытной. Поэтому ее так любят художники: они видят в ней то, что хотят. А он... И он тоже видел то, что хотел. Пришел тогда, посмотрел на любимую женщину в горе, беспомощном состоянии, почувствовал, что ей нужны не врачи, а его любовь. Когда он будет умирать, он вспомнит эти два месяца, как самые счастливые в своей жизни. Как он ее кормил и купал, как учил ходить, улыбаться, слушать музыку, читать книжки, говорить... Ведь она даже с дочкой и матерью не могла говорить. Он возвращал ее к жизни, уживаясь с собственной мукой — он предал Веру и ее троих детей, которые любили его как отца. Просто у него не было выбора. Он приговорен к Лиле. И был сверкающий миг блаженства, когда она сама потянулась к нему, к своему мужчине... Все кончено. Отныне он не сможет вспоминать это без унижения и боли. О ком она думала в тот миг — о нем или об Андрее? Она забеременела в ту ночь и пошла с его младенцем под сердцем искать Андрея у соперницы, хотела его видеть, угрожала той женщине. Илья любил брата. Любил? После того, как Андрей украл у него Лилю, он просто запретил себе его ненавидеть. Но он хочет, чтобы тот оказался живым каким-то чудом. И чтобы каким-то чудом они с Лилей стали бы друг к другу равнодушны. Но это невозможно! Лиля разбила иллюзию их с ним, Ильей, счастливой семейной жизни. И теперь он должен быть готов к любому повороту событий.

— Илюша, ты знаешь все, — тихо сказала Лиля.

— Что ты имеешь в виду?

— Я искала Андрея у этой женщины, потому что хотела знать: вдруг он таким образом меня бросил.

— Это я понял. Меня интересует другое. Допустим, ты бы его там нашла, выследила. Он бы увидел тебя и сказал: «Давай начнем все сначала. Как на той помолвке. Сбежим вдвоем от всех». Он ведь мог, правда? И ты бы все пустила под откос, да? Мою жизнь, судьбу моего ребенка? Он своего не пожалел, если не погиб, а сбежал. И еще бы не раз сбежал... А ты бы опять умирала, и никто бы тебе был не нужен, как не нужна была Вика в те два месяца.

— Жестоко. Но ты, конечно, имеешь право так говорить.

Лиля встала, подошла к Илье, который стоял у окна, напряженный, с трудом удерживающий нервную дрожь. Она робко положила руки ему на плечи, посмотрела глазами в пол-лица:

— Мой дорогой, случилось ужасное. Я даже не знаю, веришь ли ты, что я не столкнула Валерию... Я сама не уверена, что не сделала этого в каком-то помрачении. В тот день, когда я у нее была, я могла ее убить, мне кажется... И потом. Счастья я ей не желала, мягко говоря. Что теперь будет, от нас вообще не зависит. Я только хочу тебе сказать: в ту нашу ночь я желала одного: чтобы ты был моим мужем навсегда. Я хотела, чтобы у меня был твой ребенок. Ты веришь? Для нас это самое главное.

Илья как будто услышал об отмене собственной казни. Он опустился на колени и прижался лицом сразу к ним двоим — к своей жене и нерожденной дочке. Он спрятал мокрые глаза, жалкий и жадный рот раба, который может дышать только у этих ног.

Глава 7

Анна Осипова мыла пол в прихожей. Очень часто останавливалась, чтобы выровнять дыхание. Она старалась не подчиняться своей астме, а сосуществовать с ней. Выполняла все дела по дому, пыталась предупреждать приступы, училась их купировать. Ее все считали волевым человеком. Она сама думала, что мучительная болезнь сделала ее борцом, закалила настолько, что она внезапную страшную гибель своей старшей дочери перенесла более стойко, чем муж, Виктор. Анне нужно было держаться самой и держать дом, чтобы сохранить хотя бы видимость покоя и порядка. «Ради ребенка», — постоянно говорила она себе. Ребенком она считала младшего сына — восемнадцатилетнего Стаса. Собственно, он и был таким: наивным и непосредственным. Девочки всегда старше своего возраста, мальчики —

младше. Валерия была старше брата на восемь лет. Когда им сказали, что Валерию кто-то выбросил из окна, Стас, красный, взъерошенный, метался по квартире и кричал: «Я найду того, кто это сделал! Я убью его!» Потом Виктор рассказал о том, что дочери приходила угрожать жена Андрея, с которым Валерия встречалась раньше, Анна страшно испугалась. Она долго объясняла сыну, что это ничего не значит. Что Андрей погиб, а Лиля вышла замуж второй раз. Что женщины часто выясняют отношения из-за мужчин. Стасу это даже надоело.

— Да ладно тебе, мам. Не сходи с ума. Ты что, подумала, что я эту тетку пойду убивать из-за такой ерунды? Хотя, если подумать, то она может быть ненормальной. Пришла искать утопленника у нас! Значит, и на Леру могла накинуться. Но тогда ее и без нас возьмут. Сумасшедших всегда ловят.

— Умница, — погладила Анна сына по голове. — Для меня главное, что ты нормально оцениваешь ситуацию. Мы можем только ждать. Ты ведь говоришь мне правду, Стасик? Ты не собираешься мстить убийце Валерии, кем бы он ни оказался?

— Не знаю, — ответил Стас. — Этим судам никто не верит.

— Но есть Божий суд...

— Ой, мама, не надо только этого бреда. Ты хочешь услышать, что я убивать никого не собираюсь. Пожалуйста. Не собираюсь! Лере лучше не станет от того, что меня посадят.

— Вот теперь ты меня успокоил. Твоя жизнь — это самое главное сейчас для меня. Ты — мой любимый малыш.

И она поднялась на цыпочки, чтобы обнять своего двухметрового малыша, который совсем по-детски чмокнул ее в щеку.

...Анна передохнула, намочила и отжала швабру в ведре, хотела продолжить уборку и вдруг услышала странные звуки. Кто-то то ли смеялся, то ли кричал за входной дверью... Анна выглянула на площадку. Шум и возня раздавались сверху, с той самой площадки, где курила раньше Валерия. Женский голос громко произнес: «Ой, я падаю!» Голос Стаса пробасил: «А ты как думала!»

Анна выбежала из квартиры, пролетела лестничный пролет до окна на площадке... Словно сквозь плотный туман увидела Стаса и женщину, которая выталкивала его в открытое окно! Он, странно согнувшись, почему-то даже не сопротивлялся. Анне показалось, что у нее лопнули сосуды в глазах: туман стал багровым, она как будто со стороны слышала собственный хриплый крик, ее руки насмерть вцепились в длинные светлые волосы женщины...

Пришла в себя Анна уже в квартире. Она лежала на диване в мокром халате, а Стас продолжал лить воду из кувшина ей на лицо и на грудь. Увидев, что она открыла глаза, он позвал ее несмело и жалобно:

— Ма, ты чего? Ты жива?

Анна не смогла ничего сказать. Она только смотрела на него расширившимися от ужаса глазами. Что это было? Может, ей все показалось? Галлюцинации? Стас сел рядом, взял в руки ее ладони, начал их разжимать. Он вынимал из них пряди белых волос!

— Ты хоть понимаешь, чего сделала, ма? Ты ж со Светки чуть скальп не сняла. Это Светка была! Сейчас она ревет в ванной. Мы дурачились! А ты что подумала? Ладно, молчи. Ясно, что подумала. Че делать–то? Отцу звонить? «Скорую» вызывать?

Анна отрицательно покачала головой. Ей показалось... Ей привиделось самое страшное несчастье, какое только может произойти. Значит, гибель Валерии — это еще не самое страшное горе для нее. Такого дикого отчаяния она тогда не испытала. Она сделала большое усилие, поднялась, с помощью сына добралась до спальни. Там кивнула ему на вешалку с халатами, он помог ей переодеться в сухое, накрыл одеялом.

— В баре у отца есть коньяк, — прошептала Анна. — Налей мне капельку, сынок.

— С удовольствием, — оживился Стас. — И себе можно? Давай дерябнем по такому случаю. Ну ты, как зверь, чесслово! Светка теперь на драную курицу похожа. — Он вышел в гостиную, вернулся с бутылкой коньяка и двумя бокалами. — Светку приглашал, но она тебя боится. Домой пошла.

Анна приподнялась на локте, сделал пару глотков, смогла глубоко вдохнуть.

— Ты ей позвони, извинись за меня. Я ничего не видела, в глазах потемнело. Показалось, что тебя кто–то сталкивает, как Леру...

— Да понял я, ма, — Стас явно повеселел. — Давай еще выпьем за то, что ты ее не выкинула в окно. Могла ведь запросто! Я уж подумал, что на ней мне точно жениться не придется.

— В каком смысле — жениться? — спросила Анна.

— В прямом! Замуж она хочет по–настоящему! Представляешь? Печать в паспорт, свадьба, ну и прочая хрень.

— А ты? Ты объяснил ей, что у тебя только жизнь начинается? Полгода всего в институте учишься. Ни профессии, ни своей квартиры, ни... Не то я говорю. Просто зачем тебе так рано себя связывать?

— А. Не заморачивайся. Чего ей говорить? Она, как дятел, одно и то же долбит. Может, и женюсь.

— Ты ее любишь?

— Нормально отношусь. Ладно, раз тебе уже лучше, я пойду, посплю. Только сначала поем.

Вскоре в спальню вошел Виктор, озабоченный, нахмуренный, как всегда, в последнее время.

— Как ты себя чувствуешь? — он присел на край кровати. — Что произошло, я знаю. Стас поведал.

— Ничего, — Анна смущенно улыбнулась. — Что–то случилось со мной, так стыдно перед ними.

— Брось. Они точно это переживут. Это последствие нашего несчастья, вот что с тобой произошло.

— Витя, Стас сказал, что Светлана хочет, чтобы он на ней женился. И он как будто рассматривает такой вариант.

— О чем ты думаешь, не понимаю? Стас нам приведет еще дюжину таких Светлан до своей свадьбы и не меньше — после. Несерьезный он парень. Болтает, что в голову взбредет. Преподаватели им недовольны, кстати. Зря я его в свой институт устроил. Это не Валерия. Она понимала, что такое учеба, работа, репутация семьи...

Анна с тоской посмотрела на мужа. Он продолжает считать Валерию идеалом, образцом. Он не может смириться с тем, что ее нет! У них было всего двое детей, при этом у каждого — свой любимчик. Виктор больше любил Леру, серьезную, целеустремленную, немного замкнутую. А для Анны Стасик, открытый, непосредственный, инфантильный, ленивый и несобранный — свет в окошке. Но теперь они оба должны жить ради сына. Как Виктор этого не понимает...

Глава 8

Виктор Павлович Осипов, декан факультета биологии университета, вошел в свой кабинет с чувством облегчения. Наконец-то он один. Ночи стали для него пыткой. Анна притворяется спящей, лежит, не шевелясь, чтобы его не разбудить, пытается дышать ровно, не включает свет, чтобы выпить свои таблетки, воспользоваться ингалятором, бежит в ванную, когда уж совсем невтерпеж, и там долго, включив воду, борется с подступающим приступом. И ему тоже приходится притворяться спящим, не беспокоиться, не задавать вопросы, потому что это бессмысленно: Анна непреклонно следует своему алгоритму действий. Он будет ей только мешать. А он... вообще стал бояться засыпать. Потому что после полного провала в сон просыпается с минутной и нестерпимо острой надеждой: гибель Лерочки была сновидением. Она дома. Он слышит, как она ходит по квартире, стоит под душем, варит себе кофе и жарит глазунью. Надежда сменяется еще более острым отчаянием. Оно не проходит. Депрессия не проходит. Желание отомстить всем, кто причинял зло Лере при жизни, не проходит. Об убийце он старается не думать до конкретных результатов следствия. Чтобы не отравить себя ядом ненависти и агрессии до того момента, когда враг будет объявлен. Тогда... Будет видно, что тогда.

Виктор сел за стол, какое-то время собирался с духом, потом придвинул документы, включил компьютер, начал работать. Самым неприятным делом был приказ об отчислении «бесплатника» Григория Видова. Первый парень на факультете, мечта всех девиц, коих, как водится, у них большинство. И это не единственное его достоинство. Видов поступил с золотой медалью, с почти выдающимися результатами ЕГЭ и в том, что у него большие способности, никто из преподавателей не сомневается. Но они жалуются на его вызывающее поведение: он любит выставлять их перед аудиторией недоучками, которые не в курсе последних тенденций науки. Он пропускает занятия, не ходит на лекции, и тот факт, что Видов отвечает на экзаменах лучше других, опять же на основании информации, полученной не на лекциях, — преподаватели считают почти издевкой. Скорее всего, так оно и есть.

Виктор Павлович долго не ставит подпись под приказом. Он пытается строго и честно разобраться с самим собой. Он не предложит Видову остаться на факультете на платной основе, потому что тот не согласится. И не только из гордости, которой у него выше крыши. Этот красавец со светлой головой происходит из очень бедной многодетной семьи. Для таких чудо — среднюю школу так блестяще закончить. Найти работу, чтобы платить за учебу, можно только в теории. Деньги нужны приличные, за такие придется вкалывать, тут не до науки... Вот он мысленно произнес слово «наука». Он, декан факультета серьезного вуза, ученый не в первом поколении, в очередной раз совершает преступление против науки. У него нет альтернативы. Вытеснение бесплатных умников — не просто система, навязанная свыше. Это единственная возможность уцелеть самому, поддерживать на современном уровне факультет. Содержать семью, в конце концов. «На мое место может прийти еще больший негодяй», — жестко сказал себе Осипов. Ничего, Видов переживет.

Наверняка через какое-то время они узнают о том, что он сделал карьеру ученого в другой стране. Конечно, это не факт. Андрей Семенов, которого после того, как он бросил их вуз, приглашали лучшие университеты мира, благополучно бросал и эти университеты... Как бросал все и всех, в том числе и женщин. В том числе — Леру. Андрей... Виктор Павлович увидел совершенно отчетливо этого вызывающе красивого, невыносимо наглого, этого... Этого врага, иначе он его не воспринимал, даже после его гибели, которой, как считает жена Андрея, возможно, и не было. Когда Семенов начал встречаться с Валерией, та потеряла свою независимость, уверенность, она превратилась в жалкую рабыню. Так казалось Виктору. Но Лера страстно хотела выйти за Андрея замуж, и отец сделал бы все для их счастья. Сапоги бы зятю чистил, наверное. Но этот мерзавец оставил ее, посветился в других странах, вернулся и увел невесту у собственного брата. Но и это не стало пределом его безнравственности. Он был мужем этой Лили, у них росла дочка, а он, встретившись на какой-то вечеринке с Лерой, опять начал морочить ей голову. Виктору рассказали об этом, хотя он и сам что-то понял по тому, какой странной, растерянной и отрешенной вновь стала Лера. И тогда Виктор подумал: если Андрей оставит семью и женится на его дочери, — он все сделает для их счастья. Он даже сказал об этом ей: «Я подыскиваю тебе квартиру. Я все знаю. Если он решит остаться с тобой, пусть у вас будет свое жилье». Лера тогда благодарно на него посмотрела. Она страстно хотела этого счастья... Получилось так, как получилось. Виктор купил квартиру на свое имя (решил, что это будет безопаснее с таким зятьком в случае развода) незадолго до того, как пришло сообщение о гибели Андрея. О квартире знала только Лера: она ездила ее смотреть. Анна о ней до сих пор не знает. Почему он ей не сказал? Сначала, чтобы не спугнуть Лерино счастье. Потом — из-за несчастья... Потом, сейчас... Надо сказать себе правду. Он близок к серьезному решению. Он оценил трезво создавшуюся ситуацию и пришел к выводу: муж и жена часто расстаются, потеряв любимого ребенка. Это происходит по ряду причин, одна из которых: родители не могут до конца дней травмировать друг друга воспоминаниями о потере, а не вспоминать, будучи вместе, — невозможно. Это причина, у которой есть большой плюс: можно надеяться, что для Анны расставание тоже станет облегчением. Есть и другая причина. Это Ольга. Актриса театра и кино, которую пригласили однажды к ним на факультет для ведения новогоднего «капустника». Он пригласил ее танцевать, что-то поразило его в ее нежном и миловидном личике, во взгляде — робком и зависимом. Они провели остаток ночи в ее комнате в коммунальной квартире. С тех пор встречаются уже несколько лет. Он не ездил к ней после смерти Леры... Может, потому что в нем созревало решение уйти к ней совсем. Ему с ней легко, как с послушным ребенком. Виктор понял, что он хочет спокойно жить и любить... Если не сейчас, то через какое-то время. С Анной это невозможно никогда.

Он вздохнул, придвинул к себе приказ об отчислении Видова, память вновь услужливо подсунула ему ненавистный образ Андрея, исковеркавшего жизнь его дочери: они с Видовым очень похожи, — и поставил свою подпись почти с удовольствием.

Глава 9

Илья уже собирался ехать домой, когда позвонила Вера, бывшая жена. Он не успел даже поздороваться.

— Илья! Илюша! — рыдала она. — Беда страшная! Людочка повесилась!

— Что? Что ты говоришь? Вера, я вчера с ней разговаривал. Она сказала, что все хорошо...

— Она повесилась, я тебе говорю. Я только что пришла с работы. Катю и Толика привела... Она на карнизе... На поясе моем...

— «Скорая» была?

— Мы с соседом ее только что сняли... Еще никому не звонили. Она умерла, Илюша. Холодная совсем.

— Подожди. Никому не звони. Я сам вызову. Ее могли убить. Она не могла сама. Я не верю. Жди.

Илья трясущимися руками набрал телефон Земцова, сказал, что произошло.

— Это моя приемная дочь. Старшая. Ей семнадцать лет. Она не могла сама... Я прошу вас это проверить.

— У вас есть какие-то предположения?

— Дней десять назад я возил ее к стоматологу. Мне показалось, что она осунулась, похудела. Я спросил, как дела. Она всегда со мной делилась. А тут... она сказала, что случилась неприятность, но это не точно. Как-то она странно выразилась. Обещала потом мне все рассказать. Вчера мы по телефону говорили, она сказала, что все хорошо. Только сейчас мне кажется, что голос у нее был какой-то неестественно ровный. Как будто она не могла или не хотела говорить.

— Мы едем. Встретимся на месте.

Когда Илья вбежал в квартиру, там уже были Земцов с нарядом, врачи «Скорой», эксперт. Илья посмотрел на лицо дочери, лежащей на полу, и с трудом сдержал крик. Он подошел к Вере, полной, круглолицей женщине с воспаленными, почти безумными глазами, и обнял ее за плечи.

— Это наше общее горе, Верочка. Я узнаю, что случилось.

— Да, — Вера кивнула, не глядя на него. Она как будто ждала чего-то.

Земцов позвал Илью в другую комнату. К ним подошел эксперт, высокий, худой, с суровым лицом.

— Илья Кириллович, — представил его Слава. — А это наш специалист по особо важным экспертизам Александр Васильевич Масленников. Он закончил свою работу. Предварительное мнение уже есть, наверное.

— Мои соболезнования, — произнес Масленников. — Слава сказал мне о ваших подозрениях. Они, конечно, обоснованны. Молодая красивая девушка, все вроде бы в порядке, по словам матери... Я подумал, что ее могли изнасиловать, а потом повесить... Так, к сожалению, бывает. Но при поверхностном осмотре я не обнаружил следов насилия. Очень многое говорит о том, что она сделала это сама. Сейчас мы поищем что-нибудь, может, записку. Нужно взять телефон, ноутбук, проверить все звонки, переписку. Будем искать причину.

— Илья, — сказал Слава. — Люду сейчас увезут. В общем, мы будем держать вас в курсе. Вы тоже, пожалуйста, попробуйте что-то узнать у подруг, может, она с кем-то встречалась. Младшие дети закрыты в детской. Нужно после нашего ухода убедиться в том, что им не понадобится медицинская помощь. Маленькая девочка очень плакала.

— Да. Я, возможно, заберу их с собой.

Когда чужие люди вышли из квартиры, Илья вошел в детскую. Пятилетняя Катя бросилась к нему, он взял ее на руки.

— Папа, — всхлипнула она. — Где Люда? Почему она такая была?

— Я потом тебе объясню, хорошо? Сейчас скажите мне оба: вы чего-то хотите? Давайте я вас покормлю, пока мама немного отдохнет.

— Я не буду, — твердо сказал десятилетний Толя. — Я понял, что Люда повесилась.

— Толик, прошу тебя, не надо сейчас об этом. Ты же видишь, как Катя дрожит. Вы поедете со мной?

— Я поеду, — быстро сказала Катя. — Мне здесь плохо.

— А я останусь с мамой, — серьезно ответил мальчик.

Илья опустил Катю на пол и обнял Толика.

— Ты у меня большой молодец. Настоящий мужчина. Мы сейчас все-таки приготовим ужин. Потом с мамой поешь.

Через полчаса Илья вошел в комнату, где сидела и смотрела на карниз Вера.

— Тебе нужно хотя бы выпить чаю, — сказал он. — Мы с Толиком приготовили ужин. Катюша хочет поехать ко мне. Ты не возражаешь?

— Буду тебе очень благодарна, — бесцветным голосом произнесла Вера. — Малышке нельзя оставаться в этой квартире. Что тебе сказали эти люди?

— Они полагают, что Люду не убивали. Что она сама...

— Почему?

— Они выяснят. Надо ждать. Тебе нужно отдохнуть. На работу завтра лучше не ходить.

— Я отдохну. На работу не пойду, — голос Веры был сухим и неживым. — Мне Кате какие-то вещи собрать?

— Нет, что ты. Я куплю все, что потребуется. Дома с ней будет Лиля.

Илья рассказал Лиле о том, что случилось, из машины, когда Катя уснула, положив голову ему на колени. Когда он вошел в квартиру с ребенком на руках, Лиля провела их в спальню, где рядом с их кроватью стоял маленький диван. Там уже была приготовлена постель для Кати. Лиля осторожно ее уложила, переодев в свою фланелевую футболку. Катя открыла круглые серые глаза и сказала:

— Ты — Лиля. Красивая. У нас Люда висела вот так... Я не знаю, где она.

— Я тоже не знаю, — растерянно ответила Лиля. — Давай я тебя укрою, сейчас принесу очень вкусный гоголь-моголь.

Но Катя уже крепко спала, когда Лиля вошла с кружкой. Илья стоял посреди комнаты и смотрел на ребенка.

— Что ты думаешь обо всем? — спросил он у Лили.

— Я... Илюша, я боюсь... Люда так поступила из-за нас с тобой?

Глава 10

Сергей Кольцов внимательно изучал документы, фотографии, записи Андрея Семенова — все, что принес его брат Илья. Личность колоритная, что и говорить. Трудно мужчине оценить привлекательность другого мужчины, но тут и ежу понятно: этот парень женщинам нравился, мягко говоря. И дело даже не в том, что все при нем: рост, широкие плечи, длинные ноги, стиль: в обычных джинсах и майке пройдет любой фейс-контроль. Необычное лицо. Мягкий, доброжелательный взгляд серых или зеленых глаз, открытая улыбка и тяжелый, немного выдвинутый вперед упрямый подбородок. Это характер. Серьезный характер. В мобильном телефоне сохранены старые эсэмэски. Много, с разных номеров. Телефон активен. Лиля его заряжала, клала деньги, иногда куда-то с него звонила, чтобы не заблокировали. Что-то по Андрею Семенову в Интернете есть наверняка.

Аккаунт на фейсбуке и в «одноклассниках». Записей немного, друзей — вагон. Женщин больше, чем мужчин. А почему, собственно, Лиля решила, что его прячет Валерия Осипова? Если он действительно жив, он может быть у любой другой подруги.

Вот его российский и загранпаспорт. Но за это время он вполне мог получить другие документы на свое имя по причине того, что эти якобы утеряны. Мог получить и на другое имя. Тоже не проблема. Он учился в Кембридже, во Флориде, в Канаде. И везде у него, конечно, есть друзья. Женщины... Но все записи в соцсетях закончились в мае этого года. Ну а как иначе, если он погиб или скрывается? От чего он может скрываться? Неужели такая дикая по сути афера была затеяна лишь ради того, чтобы бросить красавицу жену и ребенка? Конечно, нет. Так может думать только Лиля. Андрей Семенов появлялся в обществе бизнесменов, на научных конференциях, о нем писали на разных форумах. Вот, например: «Так эту фирму возглавил Андрей Семенов? Ну дает! Это тот, с кем мы на биофаке учились? Он быстро слился». «Это точно он. Приехал то ли из Англии, то ли из Швейцарии. Я с ним нос к носу столкнулся в департаменте, где он аренду оформлял. Понтит, как всегда. Дело-то он поставит. Но ничего не выйдет. Мзду платить не будет, никто ему не указ. Обломают». «Да Андрюха всех посылает. Это у него отдельный кайф: чего-то ухватить, застолбить, а потом всех послать». «Ну и правильно». «И че правильного? Жеребец — он и в Африке жеребец. Лишь бы повыделываться».

Сергей набрал номер Семенова.

— Добрый день, Илья. Не помешал?

— Нет. Здравствуй, Сергей.

— Слава мне рассказал, какое у вас несчастье. Прими мои соболезнования.

— Да. Несчастье.

— Ничего, если я тебя отвлеку по поводу брата?

— Да, конечно.

— А где ваши родители?

— В Риге. Точнее, под Ригой. У них там маленький домик. Они на пенсии. Болеют после того, как Андрей... Они его безумно любили.

— А он?

— Еще как! Понимаешь, он умел выразить свою любовь... Так порывисто, щедро... Я вот никогда не умел. Потому он и был любимчиком. Ну, не только потому. Он красивее, веселее, светлее, что ли, чем я...

— Но он мог причинить такую боль матери и отцу? Исчезнуть и не давать о себе знать?

— Мог. Он и меня очень любил. Ни у кого не было такого чудесного, преданного, обожающего младшего брата. Мы учились в одной школе. Он на три класса младше. Я почти никогда не дрался. Он разбивал по носу через день примерно. И все из-за меня. Кто-то не так обо мне сказал, не так на меня посмотрел... Он тут же в бой! Мое мнение было для него выше любых законов. И что? Он увидел Лилю, и я перестал для него существовать. У него — сверхценные идеи, сверхкипящие страсти. Могло произойти что-то такое, из-за чего он бросил родителей.

— Если бы он надолго их оставил — это одно. Но если он жив и знает, что они считают его погибшим, — это очень большая жестокость. Я к чему клоню: ты точно знаешь, что он не дал им какой-то весточки о себе за это время?

— Точно знаю. Я видел их за эти полгода несколько раз. Я их читаю, как себя. Они не живут. Просто ждут встречи с ним. На том свете! Уверены в его смерти. Сто процентов.

— Да... По сути мы пытаемся разобраться в невротическом подозрении Лили и только, да?

— Можно и так сказать. Но Лиля — не психопатка ни разу. Она страстная, глубоко все переживающая натура, но она способна анализировать события и, самое главное, обладает интуицией. Они были очень близки, Сережа. Как бы Андрей себя ни вел. То, что она не поверила в его смерть, — для меня стало потрясением. Я поверил, как и родители. Но Лиля... Если бы он на самом деле умер, она бы это сразу почувствовала.

— Для монографии по психологии это очень интересно. Для следствия — ноль информации, конечно. Ищем?

— Да. А что-нибудь есть по убийству Валерии Осиповой?

— Мне пока не доложили. Прошу прощения, но хотелось бы, чтобы убийцу искал Земцов за свою зарплату.

— А. У вас церемонии. Буду знать.

— Мы такие. До связи.

Глава 11

Ольга давно проснулась, но всякий раз, когда глаза хотели открыться, она зарывалась лицом в подушку, с силой зажмуриваясь. По утрам она хорошо понимала фразу: «Глаза бы мои ничего не видели». Ни-че-го! Депрессия... А у какой актрисы не бывает депрессии? Только у никакой актрисы не бывает депрессии. Это понятно любому профессионалу. Если девка — никто, звать ее никак, приехала черт знает откуда, пролезла в «актрисы», потому что точно знает, под кого упасть, причем не в театре, не в гостинице во время съемок, а на крутом корпоративе, в особняке бугра, значит, у нее вместо нервов — цель. Это совсем другое дело. Если на эту цель напялить юбку выше стрингов, можно не сомневаться, что все получится. Она рано или поздно явится встречаться с коллективом в роли руководителя какого-нибудь департамента или депутата Госдумы. И худрук будет сдувать пыль со стула, прежде чем она на него сядет, и все актеры — заслуженные и не очень — тоскливо вытянутся в струнку.

Ольга — профессионал. Насколько талантливый, это вопрос. Актер не может на него ответить сам. Потому что он страшно зависим. От режиссера, от выигрышной роли, от поддержки партнеров, от удачи... В жизни Ольги была большая удача, вот она и рыдает, как только посмотрит на свою огромную фотографию в той роли. Рыдает, но не снимает ее со стены, потому что это сладкие слезы.

Ольга решительно села на постели и уставилась на увеличенный кадр известного фильма. Тоненькая девушка с аккуратной русой головкой стоит среди берез, повернув к камере лицо. Оно прекрасно! Огромные чистые глаза смотрят доверчиво и тревожно. Нежный рот приоткрыт, словно для поцелуя. Кожа светится, как у богини... Невеста, сказка, волшебство. Кино... Сейчас Ольга подойдет к зеркалу и увидит бледное простенькое личико с мелкими чертами. Небольшие и не очень выразительные глаза, маленький нос, тонкие губы, кожа не очень ровная, местами раздраженная от грима. Она и тогда была не красавицей. Просто миленькая, обаятельная, юная. И вдруг ее пригласили на пробы, а потом утвердили на главную роль. Все тогда было как в тумане. Как снималась, как тряслась по ночам из-за того, что ничего не получается, как ждала постоянно, что ее заменят... На премьере испытала шок! Это я??? Не может быть! Я такая??? Это было чудом кинематографа, мастерством оператора, четким рисунком режиссера и торжеством и драмой актрисы. Она проснулась известной и красавицей. Продюсер организовал хвалебные рецензии, оператор, с которым она провела на съемках пару ночей, запустил в газеты отличные снимки.

Ольга вспомнила, как пришла однажды к этому оператору с журналом, где на развороте были ее прекрасные портреты. Она хотела его поблагодарить, остаться... Они поцеловались, выпили немного вина. Она спросила: «Ты читал? Они пишут, что я самая красивая актриса сегодня». Он рассмеялся: «А ты не читала о других? Так теперь пишут обо всех». В дверь позвонили, он впустил незнакомую девушку, явно дебютантку, быстро попрощался с Ольгой. Так началась ее обида. На все, что оказалось за пределами того чудесного успеха.

Она встала, прошла в ванную и вообще отказалась смотреть на себя в зеркало. Кажется, она себе надоела. То ли одиночество, то ли что... То ли то самое! Постоянное унижение, которого не было бы без того триумфа. Ее взяли в хороший театр, но за пять лет ни одной приличной роли. Массовки, выходы каждый день и репетиции... Она устала! Она смотрит на исполнительниц главных ролей и уверена, что она сыграла бы в тысячу раз лучше. Потому что хуже сыграть невозможно. Но ролей ей не дают. Дают тем, у кого есть покровители. Ольга это точно знает. В их театре среди ведущих актрис только у Нины Назаровой нет покровителей, потому что она — символ, бренд, и ей восемьдесят пять лет. Причем в труппе поговаривают, что возраст себе она уменьшила. Ольга отчетливо вспомнила Нину Глебовну и слабо улыбнулась. Это ж надо быть такой классической великой старухой! На нее публика валом валит. Как на Яблочкину, Гоголеву, Раневскую. И она с таким удовольствием, вкусом и юмором несет эту свою роль. Всем говорит «ты», всех уму-разуму учит, худрука ни в грош не ставит.

— Ветрова, — сказала она недавно Ольге, подсев к ней за столик в буфете. — Мне кажется, у тебя нет даже любовника. Чего ты ждешь? Попрыгаешь еще десять лет в массовке, потом тебя вместо коврика будут на сцене расстилать. Ты же ничего. А в том фильме вообще красотка. В чем дело?

— Да так, — пожала плечами Ольга и решила похулиганить. — Вот у вас тоже нет любовника, но вас не расстилают вместо коврика.

— Так это мой формат, — спокойно заявила Нина Глебовна. — Я сама за себя. Считается, что у меня никогда и не было любовника, хотя это не совсем так. Я всегда была слишком оригинальной и немного гениальной. Ну и скромной, конечно.

— Ну не всем же... — рассмеялась Ольга.

— Не всем. Тебе нужно замуж, мне кажется. Раз ты не умеешь зарабатывать тем местом, которым сейчас в основном зарабатывают. А ты не умеешь однозначно. Приоденься, походи по этим... тусовкам, найди кого-нибудь. Только не актера. Они все козлы и альфонсы. С режиссерами тоже не вариант. Надо найти нормального и желательно тупого.

— Почему?

— Потому что умные мужья — это большой геморрой. Они разговаривают. Кстати, сегодня, когда я встала с трона в последнем действии, мне показалось, что у меня геморрой...

Назарова встала и ушла, не прощаясь. Ольга сидела, растерянно улыбаясь: ей было смешно, а глаза... Ну, опять горячие и мокрые. Не хватало сидеть тут, как печальный клоун, — смеяться и плакать.

Ольга вспомнила этот разговор, вытираясь после душа, и почувствовала, что слезы снова на подходе. Она стала совсем истеричкой! Нет, только не думать о том, что Виктор не звонит больше недели. Значит, в ее жизни Виктор кончился, вот и все. И тут раздался звонок.

— Да, Витя... Да, все нормально. А ты? Что? Хочу ли я, чтобы мы были вместе? Ты еще спрашиваешь? Я не могу ответить, реветь начну... Ты купил нам квартиру? Я не могу в это поверить...

Ольга пошла в свою комнату в коммуналке, где сейчас, кроме нее, никто не жил, потеряла по дороге полотенце. Она стояла, голая, дрожащая, и смотрела на свою фотографию на стене — единственное яркое пятно на фоне беспросветно убогой обстановки. К нам вернулась удача? Она обращалась к той, сияющей красавице. Потом повернулась к зеркалу и увидела чудо. Ее глаза стали вновь глубокими и чистыми, кожа нежной и прозрачной, рот приоткрылся, словно для поцелуя. Вот так. Назарова не просто гениальна, она экстрасенс какой-то. Нужно ей обязательно сказать, что Виктор не тупой и в то же время не так уж много разговаривает. Он как раз молчаливый скорее. И вот... сказал.

Глава 12

Слава просматривал протоколы опросов знакомых и соседей Валерии Осиповой. Ее выбросили из окна в доме, где она прожила десять лет из двадцати шести. Она закончила школу, которая находится рядом на Ленинградке, училась в университете, у нее были подруги, она с кем-то встречалась, работала. После биофака сразу решила, что это бесперспективное направление: ни преподавать, ни сидеть на пятнадцати тысячах в НИИ она не хотела. Закончила за год экстерном мединститут и устроилась в лабораторию крупного диагностического центра. Там сотни сотрудников. Опрошены, конечно, только некоторые. Но вообще следствие поработало с большим количеством людей. И какое странное, даже неприятное впечатление. Как будто девушка не жила в многонаселенном доме, не служила в большой организации, а просидела всю жизнь в изолированном бункере. И это не особенность данного дела. Это особенность времени. Кто-то действительно ничего не знает ни о ком, кроме себя («а я при чем?»), кто-то считает, что так нужно говорить следователю, чтобы не иметь проблем, а кто-то — просто является убийцей. И в свете последнего обстоятельства как оценить это непоколебимое равнодушие окружающих? Им плевать на то, что кто-то непременно станет следующей жертвой. Каждый уверен: «Только не я. Меня убивать не за что». И Валерию было не за что. Вот в чем дело.

Как всегда, вовремя заглянул Кольцов. Слава поделился своим впечатлением. Кольцов, конечно, все сразу понял.

— Объясню, — он удобно уселся на подоконник. — Чтоб ты не слишком удивлялся. У этих людей есть смягчающее обстоятельство. Вас не любят, Слава.

И не так, чтоб на ровном месте. Ты понимаешь, что я не тебя лично имею в виду.

— Тогда вся надежда на тебя, — саркастично заметил Слава. — Тебя-то точно все любят. Ты ж собираешься нам помогать, получив по моей рекомендации платежеспособного клиента? Разводить его по поводу несуществующего утопленника можно сколь угодно долго.

— Уел, — согласился Сергей. — С утопленником дело перспективное в смысле полной глухоты. Я просто зашел узнать, что у тебя есть, чтобы вывести жену Семенова, его самого и неродившегося члена их семьи из разряда подозреваемых?

— Так ничего нет! Кроме конфликта Леры с Лилией Семеновой из-за любовника, пока никаких зацепок.

— То есть ты хочешь сказать, что вы перетрясли кучу народа и пришли к выводу, что Осипова не перешла дорогу ни одной соседке, не отвергла ни одного хулигана, не угрожала, к примеру, донесением на какого-нибудь взяточника на работе?

— Мы не пришли ни к какому выводу, Серега. Я ж тебе говорю: они тупо не хотят ничего говорить. Или им по фигу все остальные люди. Ну вот, например. Живет с Осиповыми на площадке один смурной неместный тип. Арендует квартиру. Бригадир ремонтников. Всего лишь. В доме обитают достаточно обеспеченные люди. Но такого навороченного джипа, как у этого Песикова, нет ни у кого. Разговаривает через губу. Просто хамит. Я посмотрел из любопытства, что есть на него. Индивидуальный предприниматель. Налоги платит с ма-а-аленькой суммы. А строит себе коттедж в сорока километрах от Москвы...

— Стоп! Не увлекайся. Ты ищешь убийцу, а не расхитителей богатств дорогой нашему сердцу родины. Если ты пойдешь по этому пути, обратно не вернешься. А Песиков — это что такое? Фамилия?

— Представь себе.

— С трудом. Сколько ему лет?

— Тридцать семь.

— Женат?

— Здесь живет один.

— Мог приставать к Осиповой, получить отлуп и отомстить, не сильно рискуя быть обнаруженным. Отпечатки обуви на площадке есть?

— Да, есть.

— Не сравнивали с его обувью?

— А чего там сравнивать. Он говорит, что тоже курил на этой площадке. Иногда вместе с Валерией. Чисто по-соседски.

— А зачем ему курить на площадке, если он не женат? Кому он в квартире мешает?

— У него там Лувр, а не квартира. Говорит, мебель из ценных пород ручной работы, люстры из хрусталя, короче, он там старается даже не дышать, чтоб все не испортить.

— Похоже на правду, да?

— Вообще-то похоже. Если б ты с ним пообщался, ты бы понял. Это жлоб чистой воды. Я там до чего-то рукой дотронусь случайно, а он тут же тряпочкой протирает. На стул с каким-то белым атласным сиденьем, расшитым райскими птицами, вообще полотенце положил, чтоб я сел. Пепельниц я там не видел.

— Ну, видишь, а говоришь, — ничего нет. А что он о Валерии говорит?

— Да ничего. Вообще мычит в основном.

— То есть говорящие в доме не обнаружены?

— Да есть. В основном рассказывают о себе. О Валерии — в двух словах. Здоровалась. Хорошо училась. В компаниях ее никто не видел. Одна дама в подъезде живет — Розовская Софья, — так она сказала, что Валерии не хватало шарма.

— В смысле — за это можно и грохнуть?

— Наоборот. Она отметала убийство из ревности или страсти. Для этого, мол, она никакая была.

— Интересный ход мысли. А сама она какая?

— Ты будешь смеяться, но с шармом, если это так называется. Интересная баба. Лет за сорок правда, но смотрится здорово.

— Неужели ты сможешь ее описать?

— Черные волосы и зеленые глаза.

— Ничего себе! Я не о глазах, а о том, что ты их рассмотрел. Схожу гляну из любопытства. Если ты дальтоник, с тебя бутылка. Если и правда зеленые, то с меня. А что у вас по семье самой Осиповой?

— Нормальная, приличная семья, как ты знаешь. Отец — декан факультета, мать — домохозяйка, болеет. Младший брат Стас — обычный оболтус восемнадцати лет. Есть у него девица. С ней еще не общались.

— Пообщайтесь. Девицы не любят старших сестер своих оболтусов. Чаще всего это взаимно. А что по дочери Ильи Семенова? Готова экспертиза?

— Да. Суицид без вопросов. Александр Васильевич может отцу рассказать подробнее. Так что пусть тело забирают.

— Очень жаль, что она так решила. Надо искать, кто в этом виноват. Есть версии?

— У девочек такого возраста причина может оказаться... совсем неожиданной. Ну, был парень. Звонки в основном от него или ему. В последние дни она на них не отвечала. Наверное, обиделась на что-то. Я его еще не вызывал.

— Звякни, когда его вызовешь, ладно?

Глава 13

Парча была багровой, тяжелой и прохладной. В мастерской Игоря, художника, как и раньше оказалось не намного теплее, чем на улице. Лиля сидела на твердом деревянном стуле с высокой спинкой, парча полностью драпировала правую часть ее тела, обнажая левое плечо, грудь почти до соска, ногу почти от талии... Крайне неудобная поза, которая Лиле казалась совершенно естественной. Она так сидела уже несколько часов. Усталость придет потом, когда сеанс закончится. Тогда она почувствует себя разбитой, как после тяжкого физического труда. Каким, впрочем, ее труд и являлся.

— Ты изменилась, — сказал Игорь, внимательно взглянув на ее лицо.

— Я жду ребенка, — ответила Лиля.

— Поздравляю, — рассеянно ответил он, рассматривая под углом собственный мазок на полотне. — Только ты изменилась иначе.

— Подурнела?

— Нет, конечно. Это невозможно. Просто мадонну с младенцем я с тебя бы писать сейчас не стал. Я правда вообще не собираюсь этого делать.

— А почему я не похожа на мадонну, у которой скоро будет младенец?

— Нет кротости, сладости, покоя... Так, по-моему.

— А что есть?

— Загадка есть. И что-то новое. Я бы сказал, это похоже на протест, бунт и, прости, агрессию. Во всяком случае, мне так кажется и мне это нравится. Я, конечно, вижу то, что хочу. То, что мне нужно сейчас. Я ошибаюсь?

— Нет. Я действительно против всего, что произошло и происходит с моей жизнью, — Лиля могла быть совершенно откровенной с Игорем, его не интересует жизнь вне собственных картин. Только как материал. — Ну, кроме беременности и замужества... Я вышла замуж второй раз.

— Да? Ты развелась с первым мужем?

— Нет. Он пропал без вести. Считается, что он утонул. Но я думаю, он меня бросил.

— Из-за чего?

— Из-за другой женщины.

Игорь рассмеялся:

— Лиля, этого не может быть! У тебя что-то с нервами.

— Но он изменил мне с другой женщиной. Он мог к ней уйти...

— Ты ее видела?

— Да.

— Опиши. Очень интересно.

— Она... Невысокая брюнетка с темными невыразительными глазами. Под ними — тени, — Лиля улыбнулась, — как будто ты нарисовал. Тени скрытой страсти. И рот у нее — ненасытный, требующий... его, моего Андрея. Она бы тебе понравилась.

— Ты очень здорово описала. Я бы посмотрел.

— Ее больше нет. Валерию, любовницу моего мужа, убили. Меня, кажется, в этом подозревают... Вот такая у нас история.

— Да ты что! — Игорь отложил кисть и уставился на Лилю потрясенно. — Вот это сюжет! А за кого ты так быстро вышла замуж?

— За его брата. Он был моим женихом до Андрея.

— Обалдеть!

— Я люблю его. Но и тут все плохо. Ужасное несчастье. Он оставил женщину с тремя детьми, с которой до меня жил. Эти дети его погибшего друга. А старшая девочка покончила с собой. Мне кажется, это наказание за наши грехи.

Игорь подошел к Лиле, обошел ее с разных сторон, как будто выбирая ракурс. Потом сказал:

— Слушай. У меня гениальная идея. Это будет бомба. Я параллельно пишу тебя в черном. Простое черное платье с открытыми руками и грудью. Ты стоишь босиком. У твоих ног женщина... Она лежит как будто на краю бездны... Глаза полуприкрыты, под ними тени страсти и греха, губы искусаны в кровь... Ты неподвижна, но должно возникнуть ощущение, что босые пальцы твоей ноги сейчас столкнут эту женщину в пропасть. Ты понимаешь?

— Да. Ты хочешь написать с меня убийцу. Валерию выбросили из окна. Ты почти угадал. Я рада, что вернулась к работе и к тебе. Для тебя жизни нет. Есть картины. Мне хотелось бы ощущать то же самое.

Глава 14

Сергей вошел в кабинет Ильи, когда тот говорил по телефону. Кольцов кивком поздоровался, сел и осмотрелся.

— Извини, — сказал Илья. — Полдня убил на ерунду, ты не поверишь. Вроде маленькая помарка в документе, а в результате нужно падать ниц перед десятком чиновников.

— Я верю. Эти маленькие помарки при соответствующей постановке вопроса можно превратить в коррупционный скандал. Хочешь?

— Толку-то!

— Из искры возгорится пламя. Так вроде, не помнишь?

— Нет. Сережа, я правильно тебя понял: с Людой следствию все ясно! Я могу увидеть акт экспертизы?

— Да. И поговорить с экспертом. Умнейший человек вообще-то. Земцов без него — всадник без головы.

— Зачем ты так? Мне Вячеслав Михайлович нравится.

— Я — любя. Там какой-то парень есть. Все постоянные звонки идут от него или к нему. Или практически все. В последние дни Люда не отвечала на его звонки. Что-то между ними произошло, видимо. Ты не знал, что она с кем-то встречается?

— Знал, просто все у меня так понеслось... Она не успела мне его показать. Я страшно виноват. Если этот негодяй... Если он ее обидел... — простонал Илья.

— Пока не стоит себя накручивать. Нет информации. Мы с ним познакомимся, конечно. То есть сначала я. Ты в таком настроении можешь парня только в тупик загнать. В общем, сейчас вам можно девочку хоронить. Думаю, парень придет на похороны.

Прошу тебя не реагировать. Не реагировать плохо. Я хочу на него посмотреть со стороны.

— Да. Я понял. Нужно Вере сказать. Я все подготовлю... Страшно как. Ненормально. Я не могу поверить.

— Да. Это страшно и ненормально, — Сергей встал. — Если понадобится помощь, звони... Мне нравится у тебя. Хороший офис.

— А что в нем хорошего? Обычная контора. Столы, стулья, компьютеры, туалеты.

— Вот именно. Ты знаешь, я как увижу в офисе клиента что-то похожее на водопад, ручей в холле, аквариум вместо стены, — сразу сворачиваю с ним дела.

— Почему? Разве это не значит, что у него много денег?

— Значит, конечно. Причем так много, что в башке у него уже: «и на Марсе будут яблони цвести». Неадекват, и это не самое печальное. Просто все его пожелания пронумерованы в Уголовном кодексе.

— Да ладно. Что-то никому это не мешает.

— Кроме меня! Мне даже в детстве не нравились тетрадки в клеточку.

— Смешно. А как ты думаешь: я — адекват?

— Однозначно. Причем в такой степени, что меня это настораживает. Извини, ты сам спросил.

Сергей вышел, а Илья еще долго смотрел на закрывшуюся за ним дверь. Странный парень. Явно его прощупывает. В чем-то подозревает? Следователь предупредил: он работает не на клиента, а на истину. Ему, Илье нужна истина? Или он просто хочет точно знать, что Андрей погиб?! Сейчас, когда нервы на пределе, когда все зыбко и непонятно... Ну хоть себе, хоть на минутку можно правду сказать. Да. Он, Илья, хочет знать, что Андрея, родного и любимого брата, нет больше на этом свете. Что они с Лилей будут жить спокойно, может быть, даже счастливо. Без него. Ну никто не виноват в том, что у них одна женщина и им ее не поделить.

Глава 15

Они с Верой приехали к Земцову утром. В кабинете их уже, кроме Славы, ждал эксперт Масленников. Через несколько минут вошел, извинившись за опоздание, Сергей.

Илья прочитал акт экспертизы, посмотрел на Веру, она протянула дрожащую руку, чтобы взять бумагу. Он отрицательно помотал головой и положил лист на стол. Вера послушно опустила руку на колени.

— Я могу ответить на ваши вопросы, — предложил Александр Васильевич.

— Спасибо, — ответил Илья. — Там все очень ясно описано.

— Вы можете взять вещи Людмилы, — сказал Слава. — Дело, конечно, я не закрываю до выяснения причин суицида. Мы перенесли ее контакты из телефона и ноутбука. Думаю, вам имеет смысл их забрать. У вас есть другие дети... Ну, я к тому, что, может, им нужно.

— А можно мне на время это взять? — вмешался Сергей. — Не в смысле ревизии следствия, — ни боже мой. Просто — взгляд со стороны. И, мне кажется, Слава, ты чуть-чуть торопишься. Ты же будешь вызывать контактантов, если вдруг возникнет нестыковка, можно тогда заказать распечатку разговоров.

— Я не хочу! — почти крикнула Вера.

— Чего ты не хочешь? — мягко спросил Илья.

— Не хочу никаких распечаток. Девочки нет! Для вас. А для меня она есть. Я никогда не подслушивала ее разговоров, — Вера в смятении вскочила и осмотрелась, как будто хотела бежать отсюда — от этих страшных бумаг, жестоких слов, очевидности смерти дочери. Она не могла объяснить этим мужчинам, что Люда и сейчас нуждается в ее любви и защите.

— Вера, — Илья властно сжал ее локоть и заставил посмотреть себе в глаза. — Людочка всегда будет с нами. Но у нас есть дела. Мы должны с ней попрощаться, как полагается. Мы должны узнать, в чем была ее беда. Это касается не только ее, постарайся понять. Давай я тебя отвезу, мы поговорим дома. Нужно все заказать, подготовить... Пойдем, дорогая. Сергей, возьми, пожалуйста, телефон и ноутбук. Если нужны будут разъяснения, мы с Верой готовы участвовать.

Они ушли. Приятели синхронно закурили. С горьким осадком таких дел никто из них не научился справляться.

— Да, — сказал, наконец, Слава. — Вы, Александр Васильевич, заметили, как этот частник дал понять своему клиенту, что мы тут полное фуфло? С вещдоками не способны работать!

— Нервы ни к черту, — бросил в никуда Сергей.

— Слава, он прав, — примирительно произнес Масленников. — Я взглянул. Там сотни звонков, до тысячи SMS... Ну неужели у тебя есть время и люди, которые будут заниматься детализацией, распечатками... Сергей хочет, пусть делает.

— Да какие проблемы? Я б за деньги и от нечего делать волоски бы пересчитывал на головах приятелей бедной девочки. Был бы толк.

— Толк, разумеется, будет у тебя, — скромно заметил Сергей. — Никто не сомневается.

— Да, у меня. Я расколю этого паренька за три минуты, и он расскажет, что поцеловался с другой девочкой. И это окажется причиной суицида.

— Ну это так это, — подытожил Сергей. — Никто ж не спорит. Я объяснил: возьму на всякий случай. Знаешь, как бывает... Вдруг это такой ходок, садист, психологический вампир, что еще кто-то себе петлю уже мылит.

— За психологический вампиризм не сажают. Его хрен докажешь. У «ходока», как ты выражаешься, весь вампиризм может выражаться в прищуре левого глаза. А жертвы — уже готовы. Для «доведения до самоубийства» нужны конкретные факты и улики.

— Поэтому ты вампиризмом и не будешь заниматься. А я... Вдруг его обломаю. Мой клиент хочет знать.

— Не вздумай посеять в нем идею самосуда и пиши расписку, что взял вещдоки.

Сергей и Александр Васильевич вышли из управления, покурили, прежде чем разойтись по машинам.

— Сережа, ты понимаешь, что виновным в этой гибели может оказаться как раз твой клиент? Что бы ты ни узнал из разговоров девочки, любая ссора с мальчиком могла возникнуть из–за ее стрессового состояния. Я к тому, чтобы ты ничего не подгонял...

— А я что, тот, кто подгоняет? Я допускаю то, о чем вы говорите, очень сильно допускаю. Есть совпадение по времени... Хотя, не знаю, можно ли говорить о совпадении. Несколько месяцев прошло с тех пор, как Илья оставил семью. Почему это случилось только сейчас?

— Это вообще не вопрос. Она могла с собой бороться. Она могла надеяться, что отчим вернется. Я смотрел сейчас на него, слушал. Как он говорил о дочери, как обращался с бывшей женой. Таких отцов и мужей не забывают через пару месяцев. Он несколько лет воспитывал этих детей. Старшая девочка наверняка видела в нем идеал мужчины, верила в то, что он ее любит. Дети не переносят предательства, вот в чем дело. Я это видел столько раз.

— Трудная семья, честно вам скажу, — пожаловался Сергей. — Они все — не обычные, не средние люди... Так любят, что все предают друг друга и мучаются. Я хочу узнать, почему не захотела жить эта девочка. Сам хочу знать. Мне кажется, Илья примет любую правду.

Глава 16

Ольга вошла в театр, стараясь ничем не выдать свое необычно приподнятое настроение. Она была суеверна, а зависть — это воздух театра. Наверняка ее судьба актрисы складывалась бы успешнее, если бы ей не мстили за тот яркий успех. Она неторопливо шла к общей гримерке, здоровалась, смиренно принимала небрежные кивки в ответ. Но не пошла к себе. Решительно направилась к уютному закутку, где находилась гримерка ее величества Назаровой. Та всегда прибывала раньше всех. Ольга решительно постучала.

— Чего надо? — раздался скрипучий голос Нины Глебовны. Таким она говорила только с коллегами. На сцене ее голос был глубоким и богато окрашенным.

— Можно? — приоткрыла Ольга дверь. — Я на минутку, вопрос хотела задать. Не помешала?

— Мне никто не может помешать, — ответила Назарова. — Если тебе не мешает то, что я собираюсь снять теплые штаны... Заходи. Понимаешь, поясница. Я ее берегу, как святыню. А внучатая племянница мне говорит: «Тетя, я в шоке от твоих панталонов. Такие, наверное, носили в восемнадцатом веке. Это валенки какие–то или тулупы, а не штаны».

— Если она имеет в виду нижнее белье, то, мне кажется, в восемнадцатом веке его вообще не носили.

— Думаешь? Но она имела в виду то, что я жила в восемнадцатом веке и накупила тогда этих штанов-тулупов. Вот в чем смысл.

— И чем дело кончилось? — уже заинтересованно спросила Ольга.

— Она купила мне термобелье. Бриджи. Смотри, — Назарова подняла юбку и продемонстрировала данный предмет туалета. — Я так смеялась...

— Почему?

— Они меня возбуждают, — небрежно сказала актриса и опустила юбку. — Говори свой вопрос. Я забыла фамилию типа, которого должна пять раз называть по фамилии в первом монологе. Тебе не кажется, что автор пьесы — полный идиот? Ладно, не отвлекайся, а то я не успею прочитать: все ж таки склероз...

— Нина Глебовна, я насчет нашего разговора в буфете, помните?

— Я пошутила насчет склероза. Я все помню.

— Так вот. Почему вы сказали, что муж должен быть тупой? Потому что умные много разговаривают. Бывает ведь и наоборот. Или вы так не считаете?

— Детка, конечно, бывает! Я даже допускаю, что они все разговаривают, именно это меня и не устраивало. Я просто брякнула тогда. Слушай, а что? У тебя кто–то появился? Ты побежала и сразу кого–то подцепила, как я тебя учила?

— Почти. Просто у меня есть человек. Он умный и совсем не разговорчивый. Он, кажется, хочет на мне жениться. Даже квартиру вроде купил...

— Да ты что! Хватай его за язык, за руки, ну и за все остальное и беги, штампуй! Сразу зарегистрируйся в этой квартире. Или что–то не так?

— Он еще женат.

— Вот скотина. Скажи: пусть срочно разводится.

— Я как–то не умею давить.

— Надо научиться. Иначе давить будут тебя. Как блоху. А хочешь, я с ним поговорю?

Ольга посмотрела на лицо примы в демоническом гриме и робко сказала:

— Спасибо. Я лучше сама. Можно, я буду с вами иногда советоваться?

— Ты должна со мной советоваться постоянно, — заявила Назарова сценическим голосом. Она уже была в роли.

Ольга благодарно и радостно кивнула и побежала к себе. Но опять затормозила перед входом в общую гримерку. То, что произошло, было слишком значительным, они сразу поймут, завидущие соседки по зеркалам. Ольга решила сходить в холл и купить в киоске свежий журнал. Давно не читала пеструю прессу, которая пиарит вовсе не тех, кто этого заслуживает. Она выбрала тонкий журнал с не са–

мой вызывающей обложкой. У Ольги был вкус, который ей пока не пригодился, как и другие достоинства. Это не имело применения. Но сейчас она четко сформулировала для себя: большинство глянцевых журналов агрессивно навязывают каких-то людей, будто товар со скрытым дефектом или истекающим сроком годности. Если у Ольги вдруг все начнет налаживаться, если это коснется и профессии, она будет очень избирательна к предложениям газет и журналов. Она даже на секунду представила себя, строго критикующую материал, принесенный ей на согласование.

— Извините, — раздался рядом незнакомый голос. — Можно с вами поговорить? Совсем недолго.

Ольга в изумлении оглянулась и увидела женщину в черном пальто, с черным шарфом на голове, в больших темных очках.

— Вы мне? Я вас не знаю.

— Я представлюсь. Только давайте отойдем в сторонку.

Ольга, пожав плечами, пошла за дамой в угол, который у них гордо назывался зимним садом. На самом деле это были три пыльные пальмы в кадушках. Как-то мало эта женщина походила на восторженную фанатку.

— Слушаю вас, — сказала Ольга.

— Меня зовут Анна Ивановна. Фамилия — Осипова. Думаю, вы уже поняли, Ольга. Я — жена Виктора.

— Очень приятно, — проговорила Ветрова похолодевшими губами.

— Сомневаюсь, что вам приятно, но что поделаешь. Понимаю, что у вас мало времени, поэтому постараюсь кратко. Виктор сообщил мне, что решил жить с вами. Сказал, что вы — актриса, назвал фамилию, так я вас и нашла. Вопрос такой: давно вы полюбили моего мужа?

— Да... Несколько лет. Мы познакомились на капустнике. Меня пригласили там выступить...

— Понятно. А мы женаты двадцать шесть лет. У нас было двое детей, счастье, несчастье, охлаждение, сближение... Возможно, он кем-то увлекался и раньше, не знаю. Но еще никто этим не пользовался. И только вам пришло в голову воспользоваться нашим горем.

— Я не понимаю... О каком горе вы говорите?

— Вы не в курсе?! Он забыл сообщить любимой женщине, что недавно убили нашу дочь? В которой он, кстати, души не чаял.

— Я не знала. Витя не говорил.

— Ну вот я вам сказала. И объяснила. Не вы ему нужны. Он просто бежит от самого себя. Постарайтесь это понять вовремя. Иначе... Знаете, есть такое понятие: полоса несчастий.

— О чем вы говорите? — в ужасе спросила Ольга.

— Давайте не будем играть в детский сад. Попробуйте сами поразмышлять. Я вот вас поняла. Прочитала биографию в Интернете. Ни мужа, ни карьеры. Но, как говорят, на чужом горе счастье не построишь. Творческих вам удач, Ольга Петровна.

Ольга смотрела полными слез глазами в удаляющуюся прямую спину в черном пальто и чувствовала, как она вся, с головы до ног, наполняется тоскливым вязким туманом, который пока ее спасает от настоящей боли. Слова «Ольга Петровна» клинком застряли в сердце. Ее очень редко называли по отчеству. А с такой ненавистью... Боже! Что произошло? Что делать? Почему Виктор не рассказал о смерти дочери? Значит, он действительно не любит ее, не доверяет ей. Она не знает, что это значит.

— Что с тобой? — раздался над ухом властный голос Назаровой. — Ты похожа на утопленницу.

— Я умираю, Нина Глебовна, — прошептала Ольга. — Это была его жена. Она меня пугала, обижала... Я не могу выйти на сцену!

— Спокойно! Без истерик. На то она и жена, чтобы пугать. Это ее дело, твое — хватать ее мужа. Но, конечно, не в таком виде. Сейчас ты не схватишь даже лягушонка. Иди домой.

— Но как... Худрук меня уволит. Он только повод ищет.

— Не уволит. Я скажу, что ты растянула ногу. И чтобы он шел в задницу. Я всегда ему это говорю. Мне кажется, он при этом ловит кайф. Извращенец. Быстро хромай домой. Напейся там, если сможешь. Поспи, приведи себя в порядок. И — в бой! Завтра тоже не приходи. А послезавтра все мне расскажи подробно! Между нами, эта тетка мне сильно не понравилась. Она способна черт знает на что. Об этом нужно подумать.

Глава 17

Сергей стоял на кладбище чуть в стороне от небольшой группы родственников и друзей, окружавших закрытый гроб. Илья поддерживал под руку Веру. Лиля осталась дома с детьми. Родители Веры, потрясенные, кажется, еще ничего не понявшие... Подруги Люды. Довольно много. Выпускной класс. Все — одного возраста, но кто-то выглядит подростком, кто-то вполне взрослой тетей. Выражение, соответствующее скорбному событию и месту, — далеко не на каждом лице. Сергей посмотрел на плачущих девочек и подумал, что им живется сложнее, чем другим, тем, что сейчас шушукаются и даже хихикают. Причем девицы явно не умнее подростков. Скорее — наоборот. Парни... Среди них никто не плачет, а по выражению их лиц вообще ничего не понять. Наверняка кто-то испуган, подавлен, но они уже умеют это скрывать, чтобы не казаться менее мужчинами, чем те, кому на самом деле просто любопытно.

Тот самый стоит немного особняком между родственниками и одноклассниками. Вадим Медведев. Он уже закончил ту же школу два года назад. Потом компьютерные курсы, работает в офисе интернетпровайдера. Живет в том же районе. Как сказала Вера, он встречался с Людой примерно полгода. Летом вместе загорали на Москва-реке. Началась любовь. Вера сказала, что он интересный и видный. «Может, и так, — подумал Сергей. — Черт его знает». У него этот парень восхищения не вызывал, мягко говоря. Хотя он высокий, то есть «видный», со светлыми волосами, стрижка сделана в хорошей парикмахерской, то есть мальчик «интересный». Это, наверное, с женской точки зрения. Вера говорит, Люда была влюблена. Он ее первый парень. Мать не знает ничего об их отношениях. Считает, что они просто встречались. Люда была скромница.

Сергей смотрит на его лицо: круглое, немного плоское, взгляд серых глаз растерянный. Что, в общем, естественно в такой ситуации. На него поглядывают все. Сергей уже подслушал какие-то сплетни в ветерке шушуканья: «беременная», «бросил», «другая» и т.д. То есть сверстники считают причиной смерти однозначно его. Но они, скорее всего, не знают, что Илья оставил семью, что Люда очень тяжело это переживала, скрывала от всех, как будто это свидетельствовало о том, что они недостойны любви отца. Она сразу стала называть Илью папой, ненавидела слово «отчим». Но Илья ушел от них больше трех месяцев назад, и все это время она встречалась с Вадимом. У нее появилась своя личная жизнь, в ней что-то происходило: радости, ссоры, примирения. Сгладило все это или нет боль из-за ухода Ильи — как в этом разобраться теперь. Вера в эти месяцы боролась с собой, старалась, чтобы у детей жизнь не очень изменилась, собственные чувства скрывала. Она мало общалась с дочерью, как сама признается. Илья... Он стал приходящим папой, слышал лишь то, что дети ему говорили, видел только свою вину. Он очень проницательный человек, но его мысли и чувства — это Лиля. Как бы он ни старался оставаться отцом этим трем детям. Вообще-то угораздило же его жениться на многодетной вдове. Сергей посмотрел на измученное, скорбное лицо своего клиента и подумал: «Ну не надо было вообще! Знал же, что побредет за Лилей по жизни. Если человеку нужна только одна женщина, незачем делать шаг в сторону. Вот теперь — расплата. И что еще будет... Не дай бог».

Все. На свежем холмике цветы. Только сейчас горько зарыдала Вера, тоненько закричала ее мать: «Ой-ой-ой! Что же это делается...» Одной девочке стало плохо, подбежала учительница, повела ее в контору. Вадим резко повернулся и почти побежал к выходу с кладбища, чтобы всех опередить. Он остановился у проезжей части, собираясь поймать машину.

— Привет, — сказал Сергей. — Я тебя подвезу. Нам по пути.

— Не понял? Вы кто?

— Меня зовут Сергей Кольцов, я частный детектив. Занимаюсь гибелью Люды по просьбе ее отца. Ищем причину.

— Она же повесилась! — Вадим уставился на Сергея изумленно. — Или нет?

— Да. Самоубийство. Но должна же быть причина, правда?

— А что, есть разница? Если она сама...

— Конечно, есть. Дело не закрыто, пока не выяснена причина.

— И чего с ней делать будут, с этой причиной, я не понял?

— Смотря какая причина. Статья есть «доведение до самоубийства».

— Ничего себе! Вы чего? Вы мне что-то шьете?

— Да нет же. Что ты такой нервный? В каждом деле есть свидетели. В этом, пожалуй, главный — ты. Свидетель! Ты меня слышишь? Просто свидетель! Давай спокойно подъедем к следователю, ответишь на его вопросы, и будем думать дальше. Ты не против?

— А если против?

— Тебе пришлют повестку, Вадим. Пошли в мою машину, а то уже идут люди с похорон. Ты вроде хотел от них побыстрее уехать.

— Да пошли, — буркнул Вадим.

Они сели в машину, Сергей быстро рванул с места и через несколько минут взглянул на своего пассажира. Он, конечно, в ужасном смятении. На лбу появились глубокие морщины, тонкие, длинные пальцы на коленях беспокойно двигаются. Как будто набирают текст на клавиатуре. Компьютерщик.

— А что ты сам думаешь? — спокойно спросил Сергей. — Почему Люда так поступила?

— Откуда я знаю! — выкрикнул Вадим. — Я и следаку вашему так скажу: я не знаю!

Глава 18

Лиля закрылась в ванной, включила воду, опустилась на резиновый коврик и заплакала. Слезы обжигали нежную кожу на щеках, такими горючими, безнадежными и злыми они были. Она больше не может! Эти дети ее ненавидят. Чужие дети, для которых она — главный враг. Они отнимают у нее время, которое ей необходимо, чтобы отдохнуть, чтобы обо всем подумать, подготовиться к работе. Она попросила у Игоря сегодня день, завтра должна быть в форме. Она собирает себя по кусочкам уже столько времени. Мама взяла дочку Вику, пытаясь ей помочь. А Илья... Конечно, он не виноват, что случилось такое несчастье. Но нужно было придумать другой выход, есть же какие-то родственники, няню можно нанять, в конце концов. В общем, не такой вариант: принудительное соединение обломков разных жизней. Не только Лиля обломок прежней жизни, но и эти дети. Просто она способна в силу опыта это оценить, а они, кроме протеста, ничего сейчас не чувствуют.

Странно: Илья — очень умный человек, почему же он этого не понимает? А если ответ такой: он понимает, но сознательно ее эксплуатирует. Сначала пришел спасать: бери мою жизнь, я твой. Потом погрузил в проблемы собственной жизни. А ей нужна своя! Да, она сейчас как будто тоскует по тому страшному времени, когда тонула в пучине без НЕГО! Без Андрея. Ей по-прежнему требуется хотя бы возможность тосковать по нему. Думать: а вдруг он вернется? Илья сознательно вытесняет из ее сознания такую возможность. Его преданность — она тираническая, деспотическая, другой преданность не бывает. Он не хочет, чтобы она дышала без него, как она не хотела дышать без Андрея. Но она готова по-прежнему бороться за свой выбор. Ее муж — Илья, но ее душа в плену у Андрея. Он не умер, раз она не может успокоиться. Так рвется сердце, а в голове каша.

Лиля поднялась, долго умывалась холодной водой. Результат был ужасный. Глаза опухшие, нос красный, щеки горят. А там дети, наверное, съели обед и ждут сладкого. Она купила им пирожные тирамису и вишневый компот. То, что сама любит. У детей горе, она хотела им его подсластить. А потом вдруг встретила взгляд Толика, — непримиримый, жестокий, как ей показалось, и вся ее решимость ушла и силы растаяли. Как объяснить детям, что она им очень сочувствует, но сама еще не совсем в порядке. С какой стати они будут принимать ее объяснения.

Лиля глубоко вздохнула и направилась в кухню. Две пары глаз внимательно и тревожно уставились на нее. У Толика глаза темно-карие в черных длинных ресницах, у Кати — светло-карие, почти рыжие, и реснички светлые...

— Сейчас будет компот и пирожные, — постаралась улыбнуться Лиля распухшими от плача губами. — Вкусные, вот увидите...

Толик встал из-за стола и подошел к ней.

— Спасибо, тетя Лиля. Только мы, наверное, лучше пойдем погуляем. Пока за нами мама не придет. Правда, Катя?

— Неправда! — вдруг заревела Катя. — Ты плохой. Ты обидел Лилю. Я подслушала: она плакала в ванной. Ты и меня напугал. Ты сказал, что Люда умерла и ее сейчас в могилку зарывают. Это неправда все! Ты злой!

— Боже мой, — в отчаянии произнесла Лиля. — Дети, что же нам делать? Мы ни с чем не справляемся. Я хотела, чтоб вам стало немного уютнее. Потому что, Катенька, Толик сказал правду. Люды больше нет на земле. Но она где-то рядом с тобой будет всю жизнь. Ну, как ангел, понимаешь?

Катя замерла с открытым ртом, пытаясь осмыслить то, что услышала. А Толя резко отвернулся и пошел к окну. Лиля обеспокоенно посмотрела на его напряженную тонкую шею, круглый детский затылок, уловила тяжелый взрослый вздох. Для нее это было как удар: он страдает! А она только что убивалась лишь о себе. Она встала рядом с ним.

— Мне легче понять Катю, она маленькая, — сказала она. — Ее можно прочитать, как книгу. С тобой все иначе. У тебя свое мнение обо всем. Свое отношение. Ко мне, например. Я его не могу изменить.

Он посмотрел на нее влажными глазами.

— Вы не поняли, тетя Лиля. Я не знал, как поблагодарить вас за то, что вы тут с нами... Я не умею. А вы убежали плакать. Я ж ничего такого...

— Говори мне «ты», как Катя. И называй Лилей, пожалуйста. Не люблю я быть тетей.

Когда Илья открыл дверь своим ключом и вошел в кухню, он увидел такую сцену: Катя висела на шее у Лили, Толик деловито раскладывал вишни в чашки для компота. У всех были красные глаза и носы.

— Обедаете? — спросил он.

— Да, — ответили все трое и посмотрели на него испуганно. Он ведь вернулся ОТТУДА.

— А где Вера? — спросила Лиля.

— Она с родителями поехала домой. Придут еще знакомые на поминки. Я заехал за детьми.

— Илюша, — сказала Лиля. — Может, пусть останутся здесь? Это не для них мероприятие, честное слово. Дети, вы хотите остаться?

Они не ответили, только благодарно выдохнули. Им было страшно ехать на эти непонятные поминки, где не будет Люды.

— Хорошо, — сказал Илья. — Я скоро вернусь.

Когда он вернулся, дети спали в комнате Вики — Катя на кровати, Толик на диване. Лиля сидела в кресле и смотрела на них.

— Знаешь, — сказала она. — Я как будто спряталась за них от всего. Мне кажется, им тоже было хорошо. Они больше не плакали.

Илья молча поцеловал ее ладошку.

— Пойду смою с себя сегодняшний день. Все прошло... Прошло. Людочку похоронили. Сергей повез ее парня к следователю.

— Его подозревают в чем-то?

— Больше некого. Кроме меня, конечно. Завтра что-нибудь узнаю. Но я должен сам посмотреть ему в глаза. Я все пойму.

Глава 19

Сергей позвонил им рано утром, когда оба еще были дома.

— Привет, — сказал он Илье. — Я недалеко, могу зайти, если у вас с Лилей время есть.

— Заходи.

Илья открыл Сергею дверь, провел на кухню, где Лиля заваривала кофе и готовила тосты. Она посмотрела на Кольцова тревожно. Если речь пойдет о парне, с которым встречалась Люда, то ее присутствие вроде бы необязательно. Но ведь Илья поручил Сергею по возможности искать информацию об Андрее...

Сергей с аппетитом проглотил первый тост, выпил чашку горячего кофе, дал Лиле согласие на вторую.

— Ребята, я не издеваюсь, — объяснил он. — Реально жрать хочется. Еще и поэтому решил вас дома прихватить. Решил, эти точно покормят. Не помню, говорил я вам уже, что я одинокий степной волк?.. Должен был сказать, это у меня припев такой с каждым клиентом.

— Не говорил, — невозмутимо отреагировал Илья, — но я и так что-то такое уловил. Поэтому ты ешь, не ограничивай себя. Лиля любит, чтобы волки были сыты.

— Спасибо. Я продолжу. И начну понемногу говорить. В общем, состоялась ознакомительная беседа с Вадимом Медведевым, девятнадцати лет, он полгода встречался с Людмилой. Познакомились они летом на пляже в Москве. Жили в одном районе. Как вы знаете, все последние звонки в ее телефоне в основном — от него или ему. Повел он себя естественно для его положения — то есть чего-то боялся и тупо молчал. Не исключено, что ему действительно нечего рассказать. Он и за пределами кабинета Земцова убеждал меня в том, что понятия не имеет, из-за чего Люда на него обижалась в последнее время. Может, она и не обижалась, но по какой-то причине не отвечала на его звонки три дня. Илья, а когда она сказала тебе, что вроде у нее есть проблема, но это не точно?

— Мне нужно посмотреть по ежедневнику, когда я возил ее к стоматологу. Столько потом всего навалилось... Я даже забыл об этих ее словах. Кажется, через два дня Лилю вызвали по поводу гибели Валерии Осиповой. Я очень виноват перед Людочкой. Я должен был приехать, выяснить... Но этот парень может что-то знать. Она была очень искренней. Если она не могла поделиться со мной или Верой, то она что-то наверняка говорила ему.

— Понимаешь, он сейчас думает только о себе. Как бы чего не вышло. Как бы его в чем-то не обвинили. Его придется припереть к стенке, даже если он по сути и не виноват. Я послушал на кладбище, о чем шушукались ее одноклассницы. Сплетни такие: она была беременной, он ее бросил, у него другая, ну, обычный набор. По результатам экспертизы, как вы знаете, беременной она не была. Он сказал, что был ее первым мужчиной. Насчет «бросил», «другая» — это он отрицает. Ну, это проверим легко. Но звонил он ей действительно вплоть до последних часов ее жизни...

— А как он вам показался вообще? Как следователям? — нервно спросил Илья. — Ну, вы же опытные люди, должны чувствовать, есть его вина или нет...

— Илья, — негромко заметила Лиля. — В такой ситуации вину чувствуют все, ты же понимаешь. Но это может быть совсем не та вина, о которой говорят следователи...

— Да! Ты молодец! — воскликнул Илья. — Я вот о чем сейчас подумал, Сережа. Людочка была очень принципиальной и ревнивой. Этот парень мог просто похвастаться своим успехом у женщин, чего-то наболтать. А она такие вещи воспринимала достаточно драматично. Она встречалась в школе с одним мальчиком, потом увидела, что он несет портфель другой девочки, и резко поставила точку. Это случилось в седьмом классе. Причем она даже заболела тогда. Поднялась температура, два дня лежала дома... Вере не рассказала, только мне.

— Нет, — сказала Лиля. — Из-за пустой болтовни или ревности можно слечь с высокой температурой, но так страшно убить себя... Нет. Это исключено, я уверена.

Илья и Сергей внимательно посмотрели на нее. Она могла быть экспертом по женской любви, боли, жизни и смерти. Им с ней в этом равняться не приходится.

— Распечатки их разговоров я постараюсь получить. Есть вероятность, что Вадим что-то скрывает. Как и то, что он чего-то не понял, недооценил, — сказал Сергей. — Поводы для ревности тоже проверим для полноты картины.

— Сережа, ты все время говоришь про распечатки разговоров. Это действительно так просто? — спросил Илья.

— Это реально. Операторы сотовой связи обязаны сотрудничать со следствием. В принципе нужен запрос официального следователя. Но у меня — свои связи. Сам не так давно был следователем на госслужбе. Вообще я просто заехал с первичной информацией. Будем с ней работать. У вас есть еще немного времени?

— Совсем немного, извини, — сказал Илья. — Мне детей сегодня нужно отвезти в сад и школу. Лиля сейчас пойдет их будить. А ты пока говори.

— Я хотел бы, чтобы Лиля еще на минутку задержалась. Я просматриваю материалы об Андрее... — Лиля вздрогнула и застыла. — Ничего пока нет конкретного. Просто личность очень яркая. Бурная биография. Множество знакомых в разных странах. Вроде бы должен где-то проявиться, если допустить, что он жив и скрывается. Но для этого нужна сеть агентов и все такое... Мы же в розыск его не объявляем, я что — кустарь-одиночка...

— Ты к чему это? — не выдержал Илья.

— Расслабься, пожалуйста. Я один вопрос хочу Лиле задать. Есть такой невинный прием. Деза называется. Ложная информация, которая широко распространяется. Мол, что-то случилось с вами или дочерью, нужна помощь... Вы меня поняли?

— Это безумие, — резко сказал Илья. — Мы никогда на такое не пойдем — сообщать в идиотских социальных сетях, что Лиля или Вика больны, умирают и прочий бред. Исключено!

— Знаешь, — резко встал Сергей. — Я привык искать выход, получая экстравагантное задание. И я сейчас это делаю. Ты хочешь узнать, жив ли твой брат? И при этом идти по морю аки по суху. Так не бывает. Логику включи и дай мне отбой.

— Я даю тебе отбой, — встал и Илья.

— А я — нет, — произнесла Лиля. — Мне очень трудно решиться на столь дикий по сути поступок, но если нет других вариантов. Илья, если Андрей жив, он может, конечно, жить без меня и без Вики, он мог даже жениться. Но узнав, что со мной или дочкой что-то страшное случилось, он даст о себе знать, мне кажется...

— Лиля, это уже было! Ты погибала, не могла ходить. Он не дал о себе знать.

— Но об этом никто не знал, кроме семьи, — пожала плечами Лиля. — Обо мне вообще не бывает никакой информации, это условие моей работы. Художники знают, что меня нельзя публично представлять, показывать прессе.

— Я правильно понял, что вы готовы сделать исключение? — спросил Сергей.

— Пожалуй, — задумчиво произнесла Лиля.

Они оба вздрогнули из-за того, что в руках Ильи треснула чашка, кровь потекла на пол. Никто не шевельнулся. Они переждали минуту, потом Сергей сказал:

— Илья, не сходи с ума. Ты же сам сегодня позвонишь и скажешь, что готов на все, лишь бы знать правду. Я тебя вроде понял.

— Да, — согласился Илья, его улыбка была похожа на гримасу боли. — Теперь я точно хочу знать правду до самого конца. Раз Лиля готова на все...

— Дело ведь еще вот в чем, — спокойно продолжил Сергей. — Я посмотрел, с кем и как Андрей вел свой бизнес. Я бы не исключил преступления. Понимаешь? Просто пока не готов развивать эту тему. От него могли избавиться. Он не вписывался в тот клан, с которым вел дела. Вдруг мы выйдем и на такую информацию. Осведомленных людей гораздо больше, чем кажется. Но для этого нужно как-то всколыхнуть прошлое, упомянуть о том, что произошло. Иначе не привлечь внимание. События валятся, как снежный ком.

— Ох, — горестно выдохнула Лиля. — Его могли убить?

— Могли и не убить. Просто с чего-то нужно начать.

— Но я еще ничего не решила. Мы с Ильей не решили. Если мы на это пойдем, тогда Игорь, мой художник, может дать интервью, раскрыть мое инкогнито, а потом... Потом, скорее всего, я откажусь в этом участвовать.

Она бросилась к Илье, взяла его порезанную руку, прижала к ране белую салфетку.

— Все нормально, — утешил ее Илья. — Это была моя инициатива. Я сказал «А», теперь скажу «Б». Передохну только. Неожиданно, однако.

Глава 20

Ольга пролежала дома три дня. Иногда поднималась и пила снотворные таблетки, проваливалась в кромешный сон на несколько часов, просыпалась и сразу жалела об этом. Она ни о чем не думала, ничего не хотела. Даже есть. Только по ночам открывала практически пустой холодильник, жевала засохший сыр или выпивала сырое яйцо. Какая разница, что жевать и глотать. Она считала, что недостойна чего–то хотеть. Стоит появиться надежде, стоит ей чему–то порадоваться, как жизнь тут же отбрасывает ее назад, на необитаемый остров невезения. Виктор не звонил, Ольга не искала этому объяснений. Ну, допустим, он договорился обо всем со своей женой, у них все в порядке... Правда, у них горе. Но у кого нет горя. Разочарование сожгло все чувства Оли к Виктору. А они точно были! Он ей нравился, она радовалась его звонкам и встречам, она бы его горячо жалела, если бы он рассказал ей о своей беде. А так... Она ему — никто, есть у нее жалость или нет, никого не интересует. Ольга со своим пессимистичным максимализмом даже допускала, что жена Виктора пришла по договоренности с ним. Ну не хватило у него самого смелости... Или просто не хотелось сцен.

На третий день зазвонил телефон.

— Ты жива? — спросил хорошо поставленный голос Назаровой.

— Как видите, Нина Глебовна.

— Что делаешь?

— Лежу.

— Завтра надо прийти в театр.

— Худрук сказал?

— Я говорю. Ты дома заплесневеешь. Я так понимаю, что ты ничего умного за это время не сделала, мужика своего не прихватила, позиции свои не отстояла.

— Какие там позиции?

— С тобой все ясно. Слушай, мне сказали, ты одна живешь. Причем в коммуналке. Это так?

— Да. Трехкомнатная квартира, другие жильцы обитают в других местах. Один иногда приезжает.

— То есть — проходной двор?

— Можно сказать и так.

— У меня мысль одна появилась. Завтра сообщу. Мой совет: начинай собираться. Мойся, делай что-то с волосами, ногтями, разомнись. Чтоб была на человека похожа. Все. Жду.

Ольга так и поступила. Она — актриса, ей сказали: «allez!» Она поднялась, долго драила ванну, очень тщательно мылась, на автомате уложила свои короткие волосы, ногти приводила в порядок, уже почти теряя сознание от усталости. О том, чтобы размяться, не могло быть и речи. Как ее вышибло, однако... Ничего, зато ночью будет хорошо спать. Но она ошиблась. Она пролежала всю ночь с открытыми глазами, со страхом ожидая утра.

Зато, когда на следующий день вошла в театр, почувствовала облегчение, как будто здесь можно на время забыть о неприятностях. Забыть об одних неприятностях, вспомнить о других. Ольга знала, что по ее лицу любой поймет, что у нее очередной крах, облом, провал... Как и положено неудачнице. Вот этого не хотелось. Не хотелось даже заходить к Назаровой. Что она там придумала? Развлекается. Ольга решительно подошла к газетному развалу, выбрала очередной женский журнал и пошла к себе, пытаясь смотреть снимки прямо на ходу, якобы ей это очень интересно. Но пока дошла до своей гримерки, ее действительно заинтересовал один материал. Фото очень красивой и совершенно неизвестной женщины в интерьере мастерской художника. Там же кусочек полотна, где эта женщина сидит на каком-то старинном стуле, полуприкрытая багровой парчой. Ольга быстро повесила на вешалку свой жакет из искусственного меха и села читать. Интересно. Это натурщица известных художников, профессионал, работает с семнадцати лет, но почему-то только сейчас решила раскрыть свое инкогнито. Раньше она нигде не показывалась, такой у нее был формат, Лилия Семенова. И почему показалась сейчас? Для Ольги ответ был очевиден. Конечно, полезет в кино, то есть — кто-то ее потащит. Сейчас там зеленый свет только для непрофессионалов.

— Тебе больше нечего делать? — услышала она рядом с собой голос, который показался ей громовым. Она вообще отвыкла от звуков за три дня. — Журналы она читает! Вот потому так все у тебя и выходит. Пошли ко мне. Дело есть, — Назарова величественно развернулась и прошествовала к себе. Ольга поплелась за ней.

В своей гримерке Назарова оживилась, втащила Ольгу за руку, закрыла дверь на ключ.

— Ты по-прежнему похожа на утопленницу, хотя голову уложила неплохо. Слушай, я была в шоке, узнав, как ты живешь. В эту коммуналку может войти кто угодно!

— А кому это угодно?

— Наемному убийце, например. Я тебя не пугаю, я просто смотрю криминальную хронику.

— Какой-то ужас вы говорите.

— Так думают все потенциальные жертвы.

— Нина Глебовна, вы случайно не получили новую роль? О чем вы? Я кто — бандит, опасный свидетель, конкурент? Кому нужно меня убивать?

— Ты — хуже! Ты — соперница! Как же ты наивна. У этой жены было лицо разгневанной мегеры, леди Макбет, кто там у нас есть еще... Ну, Баба-яга... Ладно, я все придумала. Однажды я потеряла ключи от квартиры. У меня, как тебе, видимо, известно, есть фамильные драгоценности. Племянница заказала новую дверь, но две ночи мне пришлось спать со старой, которая не закрывалась. И она дала мне это! Смотри!

— Ой! Это же пистолет!

— Какая ты сообразительная! В общем, он один к одному как настоящий, а на самом деле — газовый, да еще испорченный немного. Но я пошутила с соседом по лестничной клетке. Это был успех! Полные штаны, без всякого сомнения. Он до сих пор меня обходит за километр по кривой.

— Бедный. Вы это принесли мне?

— А кому же? Как только что-то подозрительное услышишь, вылетаешь и стреляешь. Можно, конечно, попробовать сейчас, но воняет сильно. Нас не поймут. Пока тот, кто к тебе полезет, будет чихать, ты звонишь по 02. То есть по мобильнику — 112, потом 2. Ясно? Сможешь?

— Сомневаюсь. И надеюсь, что это не понадобится.

— Но если понадобится, то я уже надеюсь, что тебя не успеют убить.

— Господи помилуй...

— Ладно, давай без этого. Полагайся только на себя. И на меня. Звони мне сразу, я сама всех вызову. И оставь телефон твоего любовника.

— Это еще зачем?

— У тебя больше никого нет, вот зачем. Если что-то случится, кому мне звонить? И знаешь, если его жена к тебе явится или пришлет кого-то, я так с ним поговорю, что он точно разведется. Я — не ты.

— Кто ж сомневается, — слабо улыбнулась Ольга. — Он разведется и женится на вас.

— Не беспокойся. Я его не возьму. Все. Работаем.

Глава 21

Виктор поднял голову над столом и не слишком приветливо посмотрел на незнакомого блондина в джинсах и кожаной куртке, который возник на пороге его кабинета и непринужденно поздоровался, просияв такой обаятельной улыбкой, как будто его тут сто лет ждали.

— Извините, я сейчас занят, — не ответил на приветствие Виктор и потянулся к телефону, давая понять, что отвлечь его от дел не получится.

— Я понимаю, Виктор Павлович, — блондин неторопливо приблизился к его столу, и Виктор опустил руку: что-то в интонации и поведении посетителя его насторожило. — Я вас надолго не отвлеку. Разрешите представиться: Сергей Кольцов, частный детектив, помогаю следствию по делу об убийстве вашей дочери.

— Садитесь. Я не знал, что следствию кто-то помогает. Если честно, я первый раз в жизни вижу частного детектива. Что вас ко мне привело? Какая-то информация нужна или, наоборот, вы что-то пришли сообщить?

— Мы работаем... — неопределенно сказал Сергей. — У меня ничего нового нет пока, к сожалению. Я просто зашел вам сказать, что собираюсь походить по вашему дому. На соседей посмотреть, послушать, может, кто-то что-то заметил. Знаете, бывают очень наблюдательные соседи. У следствия плоховато со свидетелями: то ли нет информации, то ли люди откровенно не хотят сотрудничать. Может, мне что-то скажут.

— Какой результат вас интересует? Вы надеетесь среди них найти убийцу?

— В принципе это не исключено. Пока я хочу просто пройтись по месту преступления... Может, след куда-то и выведет.

— А от меня что требуется в этой ситуации?

— Ничего. Я зашел вас предупредить и представиться. А то скажут: кто-то ходит и про вас расспрашивает...

— Это очень любезно с вашей стороны.

— Да не в любезности дело. Нам придется проверять любые версии, мы можем получить информацию, которую вы не хотели бы разглашать. Соседи... Сами понимаете. То есть я рассчитываю на сотрудничество с вами. Вы не против?

— Я понимаю, о чем вы. Я был бы против в любом другом случае. Потому что не все соседи... как бы поточнее выразиться, будут писать духами в нашем направлении.

— Красиво выразились, — кивнул Сергей.

— Но речь идет об убийстве моей дочери. Делайте все, что считаете нужным. Может быть, кто-то из них ее убил. Допускаю. Хотел бы знать.

Сергей кивнул, поднялся и положил перед Виктором визитку со своими телефонами.

— Буду держать вас в курсе.

— Да, пожалуйста.

Сергей вышел из института, поехал к дому Осиповых с четким ощущением: этот человек только что скрыл от него какую-то информацию. Что-то у этого Виктора происходит, кроме переживаний по поводу смерти дочери, но он не решает для себя: имеет это значение для следствия или нет. Поэтому, приехав на место, Сергей поговорил с консьержкой, представился и поднялся на семнадцатый этаж. Позвонил в квартиру Осиповых. Ему открыл долговязый парень, похожий на ребенка-великана: с удивленными глазами и цыплячьим пушком над пухлыми губами.

— Вам кого?

— Анну Ивановну Осипову можно?

— А вы кто?

— Сергей Кольцов. Частный детектив. Занимаюсь делом вашей сестры. Вы Станислав Осипов?

— Ну да. Я не понял, при чем тут мама, но я позову ее. Мам! Тут к тебе! Частный детектив какой-то.

Анна быстро вышла в прихожую, сначала посмотрела удостоверение, потом поздоровалась.

— Давайте пройдем в кабинет мужа, Сергей Александрович. — Она повернулась и пошла вперед. Сергей вошел вслед за ней в просторную комнату с добротными книжными шкафами, удобными диванами, компьютером, двумя ноутбуками.

— Садитесь, — Анна показала Сергею на кожаное кресло. Сама села на диван. — Я вас слушаю.

— Я, собственно, сообщил о цели своего визита вашему мужу, повторю и вам. Пришел просто походить по дому, поговорить с соседями. Вдруг что-то подозрительное замечу. Ну вы понимаете, что не умышленный, а спонтанный конфликт на площадке, который и привел к трагическому исходу, очень вероятен. Как и обычная соседская неприязнь, которая приняла крайнюю форму. Что вы об этом думаете?

— Не знаю, что и думать. Разумеется есть люди, которые плохо к нам относятся. Возможно, у кого-то была особая неприязнь к Лере. Но разве они признаются в этом?

— Виновник не признается просто так, разумеется. Но вдруг найдется свидетель, который пока молчит. Какая-то ниточка нужна. А вы что-то можете сказать о соседях, недружественно, скажем, настроенных по отношению к вашей дочери?

— Да полно сейчас хамов, — устало сказала Анна. — Старожилов в доме немного осталось. Валерия была достаточно прямым, иногда резким человеком. Могла спровоцировать то, что вы называете крайней формой неприязни. Но у нормального человека ведь такой формы не бывает, да?

— Вы кого-то считаете ненормальным в этом смысле?

— Я же сказала, многих. Я мало общаюсь с соседями. Но иногда посмотришь на чье-то лицо — плюнуть хочется. Мы не все здороваемся друг с другом. В одном подъезде!

— А с кем из соседей вы общаетесь?

— Лера курила с одним типом там, у окна. Он снимает здесь квартиру. Не знаю, как его фамилия. У нас на площадке живет семья, их дочь ходила с Лерой в школу. Петровы. Здороваемся. Дочь их сейчас в Дании. На пятом этаже живет Соня Розовская. Она давала Валерии уроки английского перед поступлением в институт.

— Учительница?

— Нет. Она — переводчица в турфирме. Поскольку вы будете собирать сплетни по дому, то все равно узнаете. У Розовской был роман с моим мужем.

— Вы считаете...

— Я абсолютно ничего не считаю. Просто говорю, что вам наверняка сообщат. И для полноты картины добавлю: на днях муж сообщил мне, что собирается уйти к другой женщине, актрисе Ольге Ветровой, поскольку она нуждается в его поддержке, а я, как ему кажется, в этом больше не нуждаюсь. И это я тоже вам говорю без всякого повода. Чтобы вы это услышали не от других людей, раз вам все равно придется копаться в нашем белье. Опускаю слово «грязное».

— К Розовской он тоже хотел уйти?

— Нет. Тогда нас связывала Лера. Он бы никогда не причинил ей такой боли. Виктор Леру любит больше, чем сына. Я даже не могу сказать в прошедшем времени — «любил». Он и сейчас ее любит больше, чем Стасика, которому всегда не хватало отцовского внимания, а ведь у него впереди вся жизнь. Обычно младших детей любят больше, у Виктора все не так. И сейчас ему с нами тяжело. Он хочет, чтобы стало легче. Говорит, мы друг другу только напоминаем о нашем горе. Ему хочется счастья, это очень по-мужски, вы не находите?

— Не знаю. Не совсем моя тема. Анна Ивановна, зачем вы мне это рассказали?

— Виктор подозревает в убийстве Леры жену ее любовника Андрея. А почему это не могла сделать его собственная любовница? Чтобы разрушить нашу семью? Он мог ей сказать, например, что нас связывает только Лера.

— Я вас понял. Благодарен за откровенность. Мы не будем без необходимости использовать факты вашей частной жизни. Пока все между нами. Вот моя визитка. Если что, звоните, пожалуйста.

Сергей вышел из квартиры и перевел дыхание. Эта бледная, нездоровая женщина — явно на нервном пределе. Желание ее мужа сбежать из семьи понять можно... И нельзя. Ведь ясно, что она способна натворить чего-нибудь. Значит, Розовская, Ольга Ветрова, тот, кто курил на площадке, а это, как известно, Песиков. Мотива пока нет. Но вдруг. Вдруг — это безбрежное понятие. Например, ссора дочери с матерью. С нервной матерью, которая считает, что муж любит дочь больше сына. А она — наоборот, сына любит больше.

Глава 22

Сергей проснулся, как ему показалось, на минуту позже собственного мозга. Который сразу преподнес ему бодрую и свежую, будто после утреннего душа, мысль: «Нет ничего более неточного, чем логика». Так, к чему это и о чем? Он вспомнил, что именно испортило ему настроение на весь вечер. Причем настолько, что помешало рыться в Интернете в поисках всякой-разной информации в делах Семеновых — Осиповых. Он сейчас встанет и прослушает записи на диктофоне своих неформальных бесед с соседями Осиповых по подъезду (они, конечно, не знали, что он их записывает). Общее впечатление — тусклое, незаинтересованное отношение к ближнему, но при детальном рассмотрении, может, и получится найти зацепки, нестыковки, подозрительные места хотя бы по интонациям. Скажем, у этого Песикова, хамоватого на самом деле типа, вспоминать о котором с утра неохота. А пассаж с логикой возник на почве диалога с Софьей Розовской. Дамочка производит неизгладимое впечатление. Глаза у нее действительно зеленые, что значит: Земцов — не дальтоник. И это открытие.

Она сидела напротив Сергея в каком-то струящемся, поблескивающем, то ли домашнем, то ли вечернем одеянии, курила сигарету в длинном мундштуке и не столько улыбалась, сколько кривила в высокомерной усмешке красивые губы. Ей это очень шло. Глаза то вспыхивали, то гасли, как изумруды. Трудно было понять, она кокетничает, издевается или просто убивает время, но в любом случае эта дама из тех, кто умеет получать удовольствие от любого занятия.

— Я давно хотела узнать, как менты, прошу прощения — полицейские — находят преступников в тех случаях, когда те убивают или грабят не у них под носом. Я, конечно, читаю криминальную хронику, статьи, даже иногда детективы, всю эту хрень, прошу прощения, я хотела сказать — беллетристику, и знаю старый припев про мотив. То есть вы сейчас нарисуете мотив и схватите того, кто в этот мотив впишется, да? У вас больше ничего нет? Волосков всяких, отпечатков, свидетелей и всего прочего?

— Ну почему, — задумчиво ответил Сергей. Инициатива в этой беседе явно принадлежала не ему. — Есть и волоски, и отпечатки, просто все это требуется к кому-то приложить, как вы сами, вероятно, понимаете после прочтения того, что определили одним красивым словом.

— И вы прикладывали это к жене любовника Леры?

— А что вам известно об этой истории?

— Мне всегда известно почти все в доме. У меня свободный график, и я — созерцатель.

— Анна Осипова сказала, что вы давали Валерии уроки английского.

— Да? Она вам обо мне говорила? А о том, что я спала с ее мужем, тоже сообщила?

— Сообщила. Как вы догадались?

— Это было не трудно, — рассмеялась Розовская. — Она — психопатка.

— Что — ей не нравились ваши отношения с ее мужем? — Сергей почти радостно посмотрел ей в глаза. Со стороны это выглядело красиво: голубой луч встретился с зеленым.

— Не исключаю, что как раз нравились, — охотно ответила Розовская. — Понимаете, это такой тип мученицы. Ей нравится быть больной, обиженной, обойденной. Ей хочется, чтобы кто-то обижал ее детей и у нее был бы повод чувствовать себя еще более несчастной.

— Немного цинично. Ее дочь не просто обидели.

— Не уверена, что для нее это большая трагедия. Только не надо: «как вы можете, это мать!» Вот могу — и все. А ханжество и лицемерие не терплю. Анна теперь ходит в черном, еще более зеленая, чем всегда, но она не любила Валерию. Это видно было по всему. Виктор — другое дело. Он на самом деле страдает. У него свой таракан. Вы случайно не арестовали женщину, которую он подозревает в убийстве Леры?

— Он вам сам сказал, что подозревает ее?

— Соседи слышали, как он кричал, что это сделала жена Андрея, любовника Леры.

— Следствие не нашло пока оснований для того, чтобы предъявить ей обвинение. Вы что думаете об этом треугольнике?

— Лера поступила в институт Виктора и влетела в роман с парнем, который был ей не по зубам. Я их видела вместе несколько раз. Понятно было, что она от него без ума, но не менее понятно, что павлины не женятся на воробьихах. А если и женятся, то ничего хорошего из этого получиться не может.

— Андрей Семенов показался вам павлином?

— Нет. Это я так образно обозначила их союз. На самом деле он выглядел, как большой подарок настоящей женщине. Лера такой не являлась, к сожалению. Я видела его жену, когда она прибегала к ним его искать... Эта — красивая, конечно, но, видимо, и ей чего–то не хватило, чтобы удержать такого мужа.

— Он утонул.

— Я знаю: или не утонул, а сбежал с кем–то третьим.

— Вас Валерия или Виктор так хорошо информировали?

— Валерия — очень замкнутый человек, она и себя–то, мне кажется, не обо всем информировала. А Виктор — да, он мне кое–что рассказывал. Стасик иногда заходит, этот все выкладывает.

— Вы с ним тоже занимаетесь?

— Да нет. Заниматься я бы с ним не стала, даже если бы они попросили. Он не хочет учиться. Заходит по–соседски: поныть. То ему мама не нравится, то папа, то девчонка его. Детство, которое может продлиться до пенсии.

— А вы замужем?

— Я — вдова.

— Мне очень жаль. Вы столь наблюдательны. Может, есть какие–то соображения по поводу того, кто мог убить Валерию Осипову?

— Это называется соображения? — расхохоталась Розовская. — По-моему, вы предлагаете мне на кого-то стукнуть. И я могу. Я могу вам назвать человек десять, которые с удовольствием столкнули бы Валерию с этого подоконника, где она курила часами. Некоторые столкнули бы только за это.

— Вы считаете, человек может рисковать собственной свободой, судьбой из-за раздражения, неприязни?

— Вам самому не смешно то, что вы сказали? Кто и чем рискует, сбрасывая неприятную соседку с площадки? Всем известна логика ментов, прошу прощения — полицейских. Я уже сказала вроде: вы будете искать мотив, кому, к примеру, понадобилось место во дворе, где она парковалась, не знаю, что еще в ее жизни было интересного. Ваши волоски и отпечатки могут принадлежать всем жильцам. Если надо будет дело завершить, возьмете того, кто подходит. Не надо, дело закроете.

— То есть вы видите именно такую логику безнаказанности, основанную на примитивной логике ментов?

— У каждого дебила — своя логика, вот в чем ваша проблема. Вам ее сроду не разгадать.

— Кажется, я вас утомил. Но не могу не задать последний вопрос, буду мучиться, честное слово. У вас какая логика?

— У меня? — Розовская закинула руки за голову и соблазнительно потянулась. — Моя логика в том, чтобы не было эмоций. Поэтому я не совершаю ошибок, например, никого не сталкиваю из окна.

— Вы хотите сказать, что у вас нет эмоций?

— Они у меня есть, просто в другом месте, — зеленый взгляд был настолько красноречивым, что Сергею пришлось собрать свои профессиональные принципы, чтобы встать и направиться к выходу.

— В чем вы правы, — сказал он хозяйке уже в прихожей, — логика — такая же неточная наука, как философия. Это не арифметика, где дважды два для всех четыре. Поэтому я, например, стараюсь никогда не верить даже самому себе. Мне может казаться, что я не ошибаюсь, потому что у меня есть логика, а на самом деле — я по уши в собственном заблуждении, потому что моя интуиция и мое подсознание меня обманывают под влиянием чувств. Я о них могу даже не догадываться. Я к тому, что они на самом деле не в разных местах — логика и эмоции.

— И сейчас — тоже не догадываетесь?

Гибкое тело как-то незаметно почти прижалось к Сергею.

— Я могу взять время на размышления? — Сергей украсил свой уход взглядом рокового мужчины. Ну он на самом деле такой. Может, и вернется к этой змее. Но не сегодня же, когда Анна Осипова смотрит в окно и засекает время, сколько он пробыл у Розовской.

Сергей вскочил с кровати, постоял под горячим душем, потом с отвращением включил холодный, даже ледяной. Закутываясь в махровый халат, думал, насколько бесперспективно он провел вчера день. Дело — висяк, логики у ментов не бывает, поскольку она вся досталась циничным зеленоглазым дамочкам, он чуть не поступился мужской и профессиональной честью, что зафиксировано на диктофонной записи, которую он должен дать прослушать Земцову. А такой допрос — только под водочку. Сергей прямо из ванной направился к компьютеру и пробил по полицейской базе Софью Розовскую. Ого! Она не просто вдова, она трижды вдова. Для тридцати восьми лет — серьезный опыт. Но он ей идет, надо это признать. Именно так и должна выглядеть черная вдова. Виктор Осипов вовремя ноги унес. Интересно, что собой представляет Ольга Ветрова. Сергей нашел ее в Гугле, сразу узнал по картинкам из очень известного фильма. Так это она, такая красавица... Надо же, Виктор не похож на человека, который охмуряет красоток. Но это уже другой вопрос. Первый — имела ли эта его слабость отношение к гибели дочери? Жена считает, что имела. Он был слишком привязан к дочери, не мог из-за нее оставить семью. Это уже некий результат вчерашних бесед. Нужно знакомиться с Ольгой Ветровой. И надо бы взглянуть на невесту или как там она называется инфантильного Стасика, который бегает жаловаться на маму, папу и свою девушку к соседке-вдове с зелеными глазами.

Глава 23

Ольге после трехдневного лежания трудно дался вчерашний спектакль, в котором ей нужно было прыгать на стол, дрыгать ногами и крутиться у шеста, изображая стриптизершу. Она решила спать по крайней мере до обеда, в качестве которого у нее есть купленные в буфете пирожки с капустой и чай. Сон был тяжелым, нездоровым, рыхлым, похожим на грязный снег на московских улицах. Оля и во сне чувствовала свою потерю: она утратила ощущение уюта и покоя. У нее даже хороших снов не осталось. Она вынырнула из этого вязкого провала, который совсем не напоминал отдых, только отбирал последние силы, и, не открывая глаз, почувствовала, как трепещут ее мокрые ресницы. Словно крылья умирающей бабочки. Нет, не нужен ей никакой обед. Она будет лежать, пока не наступит время собираться на работу. От этой мысли ей стало легче. Впереди еще много часов. Она даже задремала вновь. Но тут, конечно, зазвонил телефон.

— Спишь? — спросила Назарова.

— Уже нет, — с досадой проговорила Ольга.

— Я тебе по делу звоню. Набери сейчас мой телефон. И все. Так, чтобы ты могла сразу нажать вызов, если что-то вдруг случится. Я сама позвоню, куда надо. Ты не сообразишь. Понимаешь?

— Нет. Что «вдруг»?

— Откуда я знаю. Вдруг к тебе эта жена явится или еще кто-то. Ты ж в проходном дворе живешь. Наберешь?

— Наберу.

— Пистолет где?

— На тумбочке.

— Хорошо. Держи его там всегда.

— Мне всю жизнь его там держать? — почти с интересом спросила Ольга.

— Нет. Только до тех пор, пока замуж не выйдешь. Ладно, спи. Мне некогда. У меня гимнастика.

— Так вроде не я вам позвонила.

— Не хами. Всем трудно. Сделай, как я говорю. Вечером увидимся.

— Хорошо.

Ольга разъединилась, затем набрала номер Назаровой, положила телефон рядом с пистолетом, тоскливо посмотрела на эти украшения дамской спальни. Все это вообще не похоже на жизнь нормальной женщины. Может, она ненормальная? Таким точно лучше спать, чем бодрствовать. Она натянула одеяло до глаз, зарылась в подушку, глубоко вздохнула... И даже успела увидеть какой-то сон. Что-то странное, чужое, с какими-то звуками. Ольга широко открыла глаза и с ужасом поняла, что звуки реальные. Кто-то вышибает входную дверь в квартиру. Руки и ноги мгновенно похолодели, Ольга открыла рот, чтобы крикнуть, но вовремя сдержалась. Кому кричать? Она схватила трубку, нажала вызов, набросила халат, положила телефон в карман, там что-то кричал голос Назаровой, но Оля уже ничего не соображала от страха. Она взяла пистолет и пошла в прихожую. Там, как всегда, было темно, выключатель находился у входа. Оля увидела, как в квартиру вваливается мужчина в черной куртке с капюшоном, закрывающим пол-лица. Она сказала себе: «allez» и нажала пальцами двух рук собачку, которую ей показала Назарова. Раздалось шипение, в нос ударил ужасный запах, а потом вдруг что-то тяжелое и черное снесло ее голову. Она только успела услышать собственный тонкий, пронзительный крик.

Сергей сел в машину и посмотрел по навигатору, где находится офис короля автопаркингов. В это время ему позвонил Виктор Осипов, Сергей не успел даже поздороваться.

— Сергей Александрович, — почти кричал Осипов. — Мне позвонила актриса Назарова, она служит в театре вместе с Ольгой Ветровой, моей... знакомой. Она говорит, что произошло что-то страшное! То ли Оля кого-то убила, то ли убили ее! Я вас прошу...

— Успокойтесь. Давайте адрес. Я сам вызову следственную группу и «Скорую».

Сергей встретил машину Земцова на подъезде к дому, где жила Ветрова. Он пропустил их вперед, они свернули в переулок и вдруг из одного двора прямо на них вылетел синий «Форд», вывернул в последний момент и умчался. Двор оказался тем самым. Сергей и Слава с двумя оперативниками вышли из машин.

— Похоже, он оттуда, — сказал Сергей.

— Погнали на место. Если оттуда, его тормознут, сейчас позвоню.

Дом оказался старой девятиэтажкой, подъезд был открыт. Они поднялись на третий этаж, увидели квартиру, в двери которой снаружи торчал ключ. Дверь была полуприкрыта. Ключ заклиникло, и старый замок просто выбили. Они вошли в темную прихожую, зажгли свет и увидели женщину, которая лежала навзничь на полу с окровавленной головой. Рядом валялась двухкилограммовая гиря. Земцов пощупал пульс женщины.

— Жива. Ребята, выгляните, не подъехала ли «Скорая». Если нет, поторопите. Дело плохо, по-моему.

Когда сотрудники вышли, он сам позвонил в отдел, сообщил, какую машину требуется остановить. Во время разговора Сергей вытащил ключ, подошел к Славе.

— Скажи, чтобы проверили, есть ли такая тачка у жильца этой коммуналки. Ключ от этого замка.

Эксперт Масленников появился до «Скорой». Он осмотрел Ольгу.

— Страшнейшая ЧМТ. Нужно везти в реанимацию нейрохирургии. Если повезет, успеют спасти.

Вместе с врачами «Скорой» в квартиру вбежал бледный Виктор.

— Скажите, она жива? Мне можно поехать с ней?

Врач посмотрел на полицейских.

— Кто это? Ему можно сопровождать?

— Да, — ответил за Славу Сергей. — У нее больше нет никого.

— Что значит, нет никого? — раздался с порога громкий, как на сцене, голос дамы в длинной шубе из чернобурки. — Я с ней поеду. Это я сообщила о том, что произошло. Конечно, я поеду с ней. Надеюсь, меня все узнали?

— Сережа? — вопросительно произнес Земцов. — Это что за театр?

— Это на самом деле театр. Известная актриса Назарова, которая и позвонила Виктору, что интересно, практически в момент нападения на Ветрову. Нина... простите, не знаю вашего отчества...

— Глебовна. Можете называть меня просто Нина. У актрис нет отчества.

— Спасибо. Нина Глебовна, пусть Виктор Павлович поедет с Ольгой, а вам лучше остаться с нами. Есть о чем поговорить. Вы согласны помочь следствию?

— Разумеется, — трагически произнесла Назарова. — Только я и могу вам помочь. Главное, чтобы эти люди, что застыли, как истуканы, помогли Оле. Какого черта вы стоите, я не поняла? — обратилась она к врачам.

— У меня все, — сказал Масленников. — Выносите ее очень осторожно, везите в Бурденко, я предупредил. — Он повернулся к Назаровой: — Врачи ждали, пока я сделаю то, что требуется для экспертизы, Нина Глебовна. Вам лучше пройти в комнату, мы сейчас к вам присоединимся. Кстати, я ваш давний поклонник.

— Ну, хоть один узнал, — сказала Назарова и прошествовала в комнату Ольги.

Врачи понесли носилки, Виктор шел рядом, не решаясь даже смотреть на Олину голову, настолько ужасно все это выглядело. Когда он увидел ее с порога, ему показалось, что лица нет. Волосы прилипли к страшной ране. У него мелькнула дикая мысль: «Для нее лучше будет умереть». Уже в машине он вдруг увидел, как зашевелилась узкая рука с тонкими пальцами. Его сердце зашлось от жалости и боли. Он погладил эту руку и сказал: «Девочка моя». Это рок! Неужели и ее у него так ужасно отбирают?..

— То есть вы дали Ветровой эту пукалку и велели стрелять в любого, кто войдет в квартиру??? — Земцов смотрел на Назарову как на буйнопомешанную.

— Я сказала, чтобы она попыталась защититься, — величественно ответила Назарова. — Я сама проверила эту, как вы выразились, «пукалку» на одном соседе. На него подействовало хорошо. Он был в обмороке.

— С чего вы взяли, что на Ветрову собираются нападать?

— Я видела жену этого любовника. И слышала, как она угрожала Оле. У меня не возникло сомнений в том, что она захочет ее устранить.

— Дело вот в чем, — сказал с порога Сергей. — Позвонили из управления. Машина, которая выехала со двора, принадлежит Петру Селину, соседу Ветровой по коммуналке. Пока его не удалось задержать, он скрылся, что объяснимо. Скорее всего, речь идет о превышении самообороны. Он попытался открыть дверь, ключ заклинило — замок старый, — он его просто вышиб. В это время ему навстречу вылетает Ольга и целится из пистолета. Вероятно, в прихожей лежала гиря, которую он и швырнул ей в голову, чтобы она не успела выстрелить. Понимаете, Нина Глебовна, это сосед. Наш эксперт Александр Васильевич снял отпечатки пальцев с гири, и скоро мы будем это точно знать. Селин живет постоянно в загородном доме. Никакого отношения к жене Осипова он наверняка не имеет. Это чудовищное совпадение.

— В котором вы поучаствовали, — пробормотал Земцов.

— Вы обвиняете меня в том, что произошло с Олечкой? Вы не поверили, что ей угрожала эта жена? А с чего вы взяли, что сосед не знаком с ней? Вы проверяли?

— Когда мы могли это проверить? — пожал плечами Земцов. — Теперь придется проверять ваши фантазии.

— Какой ужас! — Нина Глебовна пафосно прижала платочек к глазам. — Какое равнодушие к трагедии молодой прекрасной женщины.

— Я вроде не покупал билет на спектакль, — Земцов резко поднялся. — Извините, нам нужно работать.

— Нина Глебовна, — эксперт Масленников галантно протянул руку актрисе. — Вы должны нас понять: мы тоже расстроены. И мы торопимся разобраться в этой истории. Большое вам спасибо за помощь в расследовании. Я восхищен вашим мужеством. Разрешите вас отвезти.

— Да, — согласилась Назарова. — Можете отвезти меня. Я отпустила такси.

Когда они уехали, сотрудники Земцова осмотрели квартиру, взяли документы, телефон и ноутбук Ветровой, вышли из ее комнаты. Сергей достал из кармана одну из своих фирменных отмычек и открыл дверь в комнату Селина, они поработали там минут десять. Вошли на кухню, заглянули в холодильник, покурили.

— У нее нет никакой еды, — сказал Слава.

— Любовная драма... — протянул Сергей. — Наверное, депрессия. Вот таблетки снотворного. Актеры — люди эмоциональные.

— А ты ее знаешь как актрису?

— Ольгу Ветрову? Видел фильм один хороший. Красивая... Не представляю, что с ней теперь будет... Если выживет.

— Да, я в шоке. И мне понравилось, как Масленников спасибо сказал этой старой игрунье, которая во всем виновата. Я б ее посадил, чесслово...

— Она — великая актриса. Слушай, а этот ее прикол с телефоном, — гениальный ход, согласись. Все преступление у нее в телефоне записано, понимаешь? Вдруг что-то интересное услышим.

— Брось. В лучшем случае Ветрова успела сказать: «Ах». Ничего умышленного тут и быть не могло. Какой идиот попрется днем убивать соседку гирей? С какой стати? Дело проще пареной репы, один ты, как всегда, в выигрыше. Осипов стопудово наймет тебя в этом разбираться.

— Не завидуй, это вредно для цвета лица. Не знаю, наймет ли меня Осипов, но Назарова точно на меня глаз положила. Представляешь, как мы будем смеяться, если она права? Время нападения ведь она точно вычислила. Сынтуичила, я бы сказал.

— Ты б завязывал с этой богемой общаться. Так и чокнуться можно. Это же надо такое слово изобрести: «сынтуичила»...

Часть вторая

Глава 1

— Лед тронулся, господа присяжные заседатели! — Сергей принял картинную позу и заговорил красивым баритоном, когда Слава Земцов и Александр Васильевич Масленников сели на диван и в ожидании уставились на него. А он, наслаждаясь их нетерпением, держал театральную паузу.

— Вам не кажется, что ему нечего сказать, а поговорить сильно хочется, вот он и опустился до плагиата? — обратился Слава к Масленникову.

— Нет, — улыбнулся тот. — Это не плагиат. Ему есть что сказать. Видишь, он не в джинсах, а в офисном костюме. Он явно встречался с кем-то, на кого хотел произвести солидное впечатление. Так, Сережа?

— Я не только хотел, Александр Васильевич. Я его произвел. На протеже чиновников разных уровней, владельца самых крутых многоуровневых автопаркингов и многого другого Марата Сейфулина, слышали про такого?

— Конечно, — кивнул Масленников.

— Этот бугор — не твой клиент случайно? — хмыкнул Земцов. — Я не удивлюсь. Знаю с десяток адвокатов, которые пашут день и ночь, возбуждая дела о клевете против СМИ, которые дают компромат на Сейфулина.

— Да, он такой, — задумчиво произнес Сергей. — Чист от компромата, как горный хрусталь от грязи. Это не сложно, поскольку у правоохранительных органов к нему никогда нет вопросов. Воспользуюсь опять классикой, хоть это плагиат, как считает Слава. «С таким счастьем и на свободе». Это не мой клиент. Скорее наоборот. Я считаю, что этот человек причастен к исчезновению Андрея Семенова, брата моего клиента Ильи Семенова.

— Есть доказательства? — заинтересованно спросил Масленников.

— Ага, — буркнул Слава. — Труп Семенова, выловленный из Днепра через полгода после того, как он утонул. Наверняка труп сейчас в багажнике Сережи и на нем татуировка «Здесь был Сейфулин».

— Неплохо для Земцова, правда, Александр Васильевич? Ошибаешься, у меня нет трупа даже без татуировки. И доказательств — тоже нет. Просто информация, пока неполная. Последняя сделка Семенова, закончившаяся конфликтом, связана именно с Сейфулиным. Семенов хотел арендовать здание под офис, Сейфулин ему кое-что предложил. Вроде даже на выгодных условиях, как сообщает источник, который я пока не называю. Он свою информацию нигде не повторит. Но вдруг между Сейфулиным и Семеновым возникли серьезные непонятки. Есть свидетели конфликта, во время которого этот Андрей разговаривал грубо, практически угрожал разоблачением Марату. Более того, в ноутбуке Семенова, который я получил от Лили, я нашел файл, куда Андрей скачал все контакты Сейфулина и записанный на диктофон — то ли на телефон Марата, то ли на свой — их последний разговор. Похоже, во время этой встречи Андрей забрал у Марата телефон. Там речь идет о мошеннической аренде, которую Сейфулин предложил Андрею, о выселенном из этого здания детском доме. Семенов угрожал не на шутку. Он сказал, что его люди окружили дом сына Сейфулина, который находится, как всегда, в наркотическом кайфе. Если что... Марат дрогнул. И еще. В мае два человека Сейфулина — Тамасов и Бритов — были в Киеве. В то самое время. Документальное подтверждение этого факта имеется.

— Ты хочешь сказать, что в мае в Киеве были только три эти москвича? — уточнил Слава.

— Можешь ерничать сколько угодно, но это серьезно, и ты не можешь этого не понимать. Свора Сейфулина гасит любые конфликты, топит компромат, о чем мы говорили только что.

— Слава, это на самом деле ценная информация, — поддержал Сергея Масленников. — Вот только дальше что?

— Вопрос интересный, — ответил Сергей с видом первого ученика в классе. — Не хватает каких-то пустячков, например, чьего-то признания или свидетельских показаний.

— Все. Цирк уехал, клоуны остались. Пустячков ему не хватает. Беги, ищи свои пустячки. Я, к счастью, не открывал дела по факту исчезновения Андрея Семенова. Сережа, я делаю свои дела, а ты, как только схватишь за руку того, кто утопил Семенова, сразу приходи ко мне. В этом случае — я рядом, особенно, если твой клиент с тобой расплатится. Мне нужно телефон новый купить. Этот глючит, сам набирает какие-то номера.

— Меркантильность — великое дело, пусть даже такая мелкая, какую мы сейчас наблюдаем. Слава, давай договоримся. Как только я найду что-то, указывающее на связь исчезновения Семенова с деятельностью Сейфулина, ты заводишь дело, так? Александр Васильевич — свидетель твоего желания раскрыть преступление. И всего лишь за новый мобильник. Я куплю тебе айфон пять, хочешь?

— Я свидетель того, что вы договариваетесь о взятке, — сказал Масленников с серьезным видом. — А если без шуток, то, Слава, здесь наверняка есть преступление. Таких совпадений не бывает: человек ссорится, даже угрожает чем-то бандиту, мы все это понимаем, каким бы приличным бизнесменом его ни выставляли, потом этот человек тонет, тела его не находят, и в том же месте в то время случайно оказываются люди этого бандита. Лично меня интересует и это дело, и драма семьи Семеновых, и я не исключаю, что и гибель Осиповой, дело которой ты ведешь, Слава, связано с исчезновением Андрея

Семенова. Я все меньше верю в то, что он утонул сам. Ведь по делу Осиповой видно, что они встречались вплоть до поездки Андрея с семьей в Киев. Она могла что-то знать, и ее убрали. Ты так не думаешь?

— А какой смысл думать о фактах, которых нет. Будут факты, начну думать.

— О! — восхитился Сергей. — Что нам пообещали. Это же привилегия избранных — наблюдать, как думает Земцов.

— Да пошел ты со своими шуточками, — рассердился Слава. — У тебя нет других объектов? С Сейфулиным небось не особо шутил. Небось побоялся бесследно утонуть в Москва-реке.

— Спасибо, друг, — торжественно вытянулся Сергей. — Вот теперь, когда ты в гневе, понятно, что ты мне поверил. А это уже полдела. Значит, мы не просто вместе, но ты и меня будешь искать в проруби, если что... Или не в проруби.

— Кончай действительно, — рассердился уже Масленников. — Не накаркай. Эти люди на самом деле опасны. А мы с тобой будем всегда, что бы ни говорил Слава. И ты это знаешь.

Глава 2

Сергей вышел из управления, позвонил по нескольким номерам, встретился с двумя сотрудниками — из Минздрава и Минобразования, затем подъехал по одному адресу: там жила Марина Тенина, бывший директор бывшего детского дома.

Информация оказалась такой обильной и стремной, что Сергей решил срочно ехать домой — проверять ее в Интернете и давать задания помощникам. И тут раздался звонок.

— Сергей Александрович, — проурчал гортанный голос Марата Сейфулина. — Вы так быстро ушли, я даже не предложил вам ничего выпить, осталось чувство, что мы толком не поговорили. Меня тоже волнует судьба Андрея Семенова. Мы с ним были партнерами... Какое-то время. И вот несчастный случай. Мне бы хотелось продолжить наш разговор. Может, я могу чем-то помочь вдове...

— Мое появление натолкнуло вас на такую благородную мысль? Забавно. Со времени несчастного случая прошло больше полугода. Вдова уже вышла замуж. Вряд ли ей требуется помощь незнакомых людей. Вы ведь с ней не знакомы?

— Так, видел мельком. Заметил, что красивая женщина. Так что насчет того, чтобы продолжить беседу в неофициальной обстановке? В офисе, как вы сами заметили, постоянно люди, звонки...

— Я не против.

— Мне кажется, в ресторане тоже не очень удобно, конечно, я могу заказать отдельный кабинет, но лучше в неформальной обстановке, как вы считаете?

— Где именно?

— Я же приглашаю. У меня есть уютная квартирка в тихом центре. Запомните адресок?

— Конечно. Когда?

— Я, собственно, оттуда и звоню. Подъезжайте сейчас. Зачем откладывать приятную встречу.

— Незачем, — согласился Сергей. — Я недалеко.

Уютная квартирка оказалась единственной на целом этаже нового пятиэтажного терема, который так же вязался с центром Москвы, как карусель с Мавзолеем Ленина. Определить, где именно эта квартирка, было просто. Только на третьем этаже горели окна. Сергей прошел пост хмурой охраны, дверь подъезда сама разъехалась, пропуская его, на этаж поднял лифт, похожий внутри на каюту для новобрачных на безумно дорогой яхте. «Деньги — это хорошо, — подумал Сергей, — но большое их количество подавляет в мозгу центр вкуса. Боюсь, квартира мне не понравится».

Она бы ему, может быть, понравилась — огромная, комфортабельная, с индивидуальным дизайном, ну, не без специфических понтов владельца, дорвавшегося до такого счастья, если бы не компания... Марат Сейфулин улыбался ему двумя рядами белоснежных искусственных зубов, приглашая в гостиную, где у накрытого стола уже сидели три менее доброжелательных типа. Но такой пустяк не должен портить хорошую еду и очень хорошие напитки. Сергей кивнул присутствующим, поняв, что его не собираются с ними знакомить, и сел на что-то типа царского трона рядом с хозяином. Ужин начался непринужденно. Разговаривали только они вдвоем, ели и немного выпивали, поскольку Сергей был за рулем, — тоже вдвоем. Неприветливые ребята сидели и смотрели молча. Сергей решил воспринимать их как декор. Говорили они о погоде, новых автомобилях, капельку посплетничали об известных женщинах, игриво коснулись политики. Перешли на «ты» по предложению Марата.

— Может, скажешь, кто тебя послал про Семенова узнавать? — наконец спросил Марат, не переставая улыбаться. Он даже есть умудрялся с ухмылкой.

— А чем вызван твой вопрос? — ответил Сергей, как в Одессе.

— Да, понимаешь, мне сказали, что ты после моего офиса поехал к ментам. И я не понял, почему ты мне не сказал, чей тут интерес?

— Марат, — удивился Сергей. — Я подумал, что стал тебе дорог, а ты, оказывается, послал кого-то следить за мной. Почему? С какой стати? Какая связь моего к тебе визита с моим дальнейшим передвижением? Я — частный детектив, понимаешь? У меня масса дел в управлении по расследованию убийств. При чем тут Семенов, ты ж сам сказал, что там был несчастный случай.

— Плохо говоришь, дорогой. Не люблю, когда врут. Ты узнавал, почему Семенов отказался взять в аренду мое помещение. Ты узнавал у других людей, но у меня не спросил. Мне это не понравилось, —

Марат больше не улыбался. — Я сам тебе скажу: он был наглый хулиган, этот Семенов. Он мне угрожал, я не понял из–за чего.

— Серьезно не понял? А я вроде как понял. Ты из этого здания, которое Семенову по льготной цене сдать предлагал, детский дом выгнал. Вот просто взяли и вывезли детей из Москвы. Куда — неизвестно. И еще Дом малютки так вытряхнул. Семенов сказал, что убьет тебя или сына твоего прихватит на наркоте, если ты не вернешь детей. Ты — жив. А его нет... Такие дела. Так я пойду?

— Иди, раз ты все для себя выяснил, а со мной, я вижу, говорить по–дружески не желаешь. Хотя детский дом я вернул тогда, просто они потом сами захотели в другой город переехать.

— Да, не особенно желаю говорить, времени нет, хотя за ужин большое спасибо. Все очень вкусно было. Ну, ты не провожай, а то друзья твои стеснялись при мне питаться. Ты теперь их угощай, я дорогу найду.

Сергей дошел до порога комнаты неторопливой походочкой ковбоя и вдруг стремительно, резко повернулся лицом к сидящим за столом. Ему в затылок были нацелены три пистолета. Мгновенная реакция — талант Кольцова. Поэтому в ту же секунду три пули из его пистолета по очереди засели в трех плечевых суставах. Раздался одновременный трехголосый вопль и следом грубый мат Марата Сейфулина.

— До свидания, — вежливо сказал Сергей. — Вас примут с распростертыми объятиями в любой больнице Москвы. Уверен, вам там помогут.

Он беспрепятственно покинул квартиру, вышел из дома, сел в машину, немного отъехал, остановился, подождал. «Скорую» добрый хозяин почему-то своим друзьям не вызвал. Видимо, он не так уж их сильно любит. Сергей поехал, какое-то время внимательно наблюдая, нет ли хвоста, потом позвонил Земцову.

— Вот так, — завершил он свой рассказ. — Признание в причастности Сейфулина к гибели Семенова практически есть. Меня пригласили, чтобы убрать, после того как я собрал информацию о конфликте. За мной следили. Более того, раненым — а они испытывают сильную боль, за это ручаюсь, — не вызвали «Скорую». То есть Сейфулин просто скажет, что меня там не было и я все придумал. Этих одноруких ты не найдешь, если даже захочешь. Но разговор записан, более того, я как раз фишку одну приобрел: видеокамера в часах.

— Черт, ты допрыгаешься, — выдал свое беспокойство Земцов. — Грохнуть могли как нечего делать. Я поехал их брать.

— Спасибо, друг, — растроганно сказал Сергей. — Но не нужно пока, прошу тебя. Подстреленные ребята скончаются у тебя в СИЗО якобы от моих выстрелов. Сейфулин завтра же выйдет, причем вместе с тобой. Он — с чистой совестью, ты — в отставку. Давай подождем. Материала однозначно мало. К тому же не мешало бы найти кого-то, кому Сейфулин не нравится. Я имею в виду авторитета, как ты понял.

— Ты уверен, что...

— Уверен. Он понимает, что я уже кому-то сообщил. После этого на мокруху пойдет только полный дятел, а он не полный. Будем считать, это была разведка боем.

— Ладно. Пусть твой клиент пишет заявление о том, что его брата могли убить. Я заведу дело.

— Я скажу Илье. Меня одно смущает, не вписывается в картину: Лиле, их общей жене, кажется, что Андрей жив. Илья говорит, она не может ошибаться.

— Ну ты даешь. Тебя точно не ранили? В голову?

Глава 3

Апрель. Восемь месяцев назад.. Офис Марата Сейфулина.

Марат, развалившись в эксклюзивном рабочем кресле с режимом вибромассажа, регулятором спинки и подлокотников, оживленно говорил по телефону. Тема была очень приятная: автомобили с водородным двигателем, достоинства, места, где они лучше и дороже. О деньгах Марат говорил голосом вкрадчивым и чувственным, как о женщинах. Чем крупнее сумма, которая отскакивала от зубов, тем маслянистее становился взгляд. И дело тут не в расчете, скупости или щедрости, — это чистая физиология. Он с удивлением увидел, что массивная дверь кабинета открылась рывком, секретарша пыталась преградить путь Андрею Семенову, тот просто отодвинул ее в сторону, как предмет, влетел в кабинет, по-наглому вырвал телефон из рук Марата и швырнул его в угол.

— Т-т-ты что сделал?! — заикается от потрясения Сейфулин. — С-с-сошел с ума?!

— Я сейчас тебе объясню, кто сошел с ума, — не повышая голоса, говорит Семенов. — Значит, по дружбе — дешевая аренда в центре? Скромно и удобно? Ты, ублюдок, выселяешь с помощью своих подельников детский дом. Детей просто выкинут из Москвы. И никто не узнает куда. Хоть в канаву за МКАДом. А если вдруг захочет кто узнать, там моя фирма. Я пикнуть не успею, как у прокураторы интерес ко мне проснется.

— Что ты такое придумал? Садись, успокойся. Я ж на самом деле по дружбе. Деток вывезут из грязного, загазованного центра в тихое место, на природу, свежий воздух, пленэр...

— Я из башки твоей сейчас сделаю пленэр, — сказал Андрей все тем же ровным голосом. — Директору, которая заявления по инстанциям написала, вчера вечером случайно кто-то голову проломил. ЧМТ, кома. Слушай меня, бандитское отродье! У меня тоже есть люди, которые за меня постоят. Если ты завтра эту подлую затею не переиграешь, тебя будут долго и медленно на тонкие ремешки резать, ты понял?

— Зачем ты так разговариваешь? — Марат все же побледнел. Андрей не числился в первом ряду бизнесменов, но среди людей, которые были вокруг него, встречались и серьезные, при чинах. — Тебе не нравится этот офис, ты получишь любой другой. Какие проблемы? Зачем угрозы?

— Мне от такой падлы ничего не нужно, ты тупой или косишь? Я сказал: детей не вывезут. Ты даешь отбой, если надо, платишь своим подельникам неустойку. А нет — значит, война. Сейчас приятные такие ребята прогуливаются вокруг одного красивого дома, где твой сын в достойном обществе вторые сутки колется, вопит, пузыри пускает (у нас там видеокамеры стоят), а в промежутках ему несовершеннолетних девочек и мальчиков поставляют. Если ты при мне не дашь отбой по всем телефонам, не скажешь, что засветился, не покаешься, ну хотя бы генпрокурору: можешь сказать, что тебя в заблуждение ввели, но обязательно кого-то подставь из своих, так вернее, — если ты этого не сделаешь и я не услышу отмены... Ох, не пожалеют те парнишки твоего сына. Они — вне закона. Да и чего его жалеть: гнилой парень. Ты мне веришь? Я вроде никого никогда не обманывал.

Марат выполнил все условия. Уходя, Андрей взял из угла все еще включенный на разговор мобильник и положил его в карман. Потом повернулся к несо-

стоявшемуся партнеру и плюнул в его сторону. Вышел, громко хлопнув дверью. Марат смотрел в эту дверь белыми от ненависти и страха глазами.

Глава 4

Сергей приехал к Семеновым, как обычно, утром. Илья, впуская его в квартиру, сразу понял, что есть серьезная информация.

— Сережа, — сказал он, вешая его куртку, — может, нам поговорить без Лили? Она на кухне завтрак готовит. Мы можем пройти ко мне в кабинет.

— Я думал об этом. И решил, что лучше с ней. Вы ситуацию видите с разных сторон. Ее мнение тоже важно.

— Понимаю. Пошли.

Лиля взглянула на них внимательно, поздоровалась, поставила перед Сергеем кофе и тарелку с горячими тостами.

— Я думаю, лучше сначала поесть, потом поговорить, — сказала она.

— Если речь обо мне, — уселся за стол Сергей, — то это полминуты, можете засекать время.

Лиля кивнула, не улыбнувшись, Илья достал сигарету. Они сами к еде не притронулись, просто ждали, пока Сергей заговорит.

— Информация такая, — сказал он через полминуты, отодвинув чашку и тарелку. — У Андрея был конфликт с Маратом Сейфулиным из–за аренды помещения, из которого Сейфулин выселял детский дом. Андрей возмутился, серьезно ему угрожал. Тот приостановил выселение. После того, как Андрей исчез, оно все же состоялось. Лиля, вам что-нибудь известно об этом?

— Андрей не посвящал меня в детали своих дел. Но я всегда догадывалась, как все жены, о том, что у него неприятности.

— Сейфулина знаете?

— Да.

— Он сказал, что видел вас мельком.

— Это не совсем так. Мы с Андреем были однажды у него в гостях в загородном особняке. Тогда у них деловые отношения только завязывались, а у нас с Маратом они сразу не сложились. Я просто не сказала об этом Андрею: он бы убил его.

— Приставал?

— Да. Пока все говорили о делах, он предложил мне посмотреть его картинную галерею. «Вам, как известной натурщице, будет интересно». Там действительно висели подлинники. Им там не место. Мне это было неприятно.

— Лиля, — негромко заметил Илья. — Если тебя смущает мое присутствие, я выйду. Очень важно, мне кажется, что именно между вами произошло. Это ведь тоже может быть причиной его неприязни к Андрею.

— Нет, не уходи. У меня нет от тебя тайн. Не думаю, что я могла быть причиной. — Лиля смотрела на них глазами мадонны и говорила нежным голосом. — Дело в том, что я часто имею дело с мужчинами, которых приходится ставить на место. Я умею говорить с ними на их языке. И сказала Марату, что узнаю мужика по походке. Если тот ходит так, как он — то есть несет свои яйца, — значит, он стоит дешевле вибратора, сколько бы подлинников ни наворовал.

— Боже, — выдохнул Илья, — я женился на кротком и беспомощном создании, на ангеле, можно сказать... Я в шоке, Лиля.

— А мне нравится, — бодро заметил Сергей. — Хороший стиль. И потом — точное наблюдение. Он действительно так ходит. Но, ребята, это не единственный его недостаток. И то, как он поступил тогда с детским домом, — тоже не все.

— Что? Говори же! Я сразу понял: что-то случилось, — не выдержал Илья. Лиля ждала молча.

— Я встретился с ним. Потом проверял информацию о конфликте, встречался с разными источниками... Короче, Сейфулин послал своих следить за мной. Потом пригласил к себе. Его люди пытались стрелять мне в затылок. Не успели.

— Их арестовали? — спросил Илья.

— Нет. Думаю, в ближайшее время их никто и не найдет. Если вообще когда-то найдут. Собственно, у нас нет повода их искать, поскольку моего официального заявления не было, как вы сами понимаете. А они, насколько нам известно, не обратились за медицинской помощью по поводу неожиданного и беспричинного повреждения плечевых суставов. Трех, если вам интересно. Нам это пока и не нужно. Я просто пришел подумать вместе с вами: о чем говорит сей факт?

— Они убили моего брата, — сдавленно сказал Илья. Лиля молча смотрела огромными глазами.

— Да, Сейфулин станет подозреваемым, если вы напишете заявление о том, что ваш брат пропал без вести при таких-то обстоятельствах. Земцов согласился принять ваше заявление. Я хотел спросить, Лиля. Мы осуществляем свою идею с ложной информацией, которая могла бы привлечь внимание Андрея, если он жив? Вы допускаете сейчас, что это возможно?

— Я думаю, что эту затею нужно отменить, — вмешался Илья.

— А я возражаю, — заявила Лиля. — Андрей мог нас покинуть даже не из-за Валерии, он мог отводить от нас опасность, связанную с местью того же Сейфулина. Он может быть жив. Мы ведь ничем не рискуем. Просто Игорю нужно закончить картину. Мы о ней уже сообщили, ему звонят журналисты. Сейчас я не имею права прервать работу. Но как только он допишет...

Илья прерывисто вздохнул, как будто его лишили воздуха. Лиля отвернулась к раковине, чтобы не видеть, как ему плохо. Сергей встал из-за стола.

— Ну что ж. Действуем, как наметили. У нашего эксперта возникло предположение, что Валерию Осипову могли убрать из–за того, что она узнала о конфликте Андрея и Сейфулина или о чем–то другом. У Андрея могли быть и другие враги. Ставлю вас в известность, что заказал распечатки телефонных разговоров Андрея и Сейфулина за период сделки и конфликта. Во всяком случае, постараюсь их получить. Интересно, чем Андрей ему угрожал... Илья, с парнишкой твоей дочери, Вадимом Медведевым, я собираюсь поговорить в неофициальной обстановке. Если хочешь, давай попробуем вдвоем.

— Да, буду очень благодарен, если ты меня возьмешь, — отрывисто сказал Илья. — Не беспокойся, я буду держать себя в руках. Но я пойму, правду он говорит или нет.

Глава 5

Виктор Осипов как заведенный ходил из одного конца больничного коридора в другой и обратно. Он проводил здесь все время, забросив дела и дом. Он ни о чем не думал, просто ждал и боялся приговора врачей, страшной вести. Из отделения реанимации вышел хирург Николай Иванович с непроницаемым, как всегда, лицом. Виктор бросился к нему.

— Что?

— Ольга Ветрова с утра в сознании.

— Значит, операция была успешной?

— Такой вывод рано делать.

— Но она что-то помнит, понимает?

— Понимает. Не уверен, что помнит.

— Она сможет ходить?

— Посмотрим.

— Что с лицом?

— Думаю, все будет нормально. Просто гематомы, отек, это мы снимем.

— Я к тому, что...

— Я понял. Она — актриса.

— Когда ее можно увидеть?

— Мне сказали, что вы собираетесь решить вопрос с ее переводом в отдельную платную палату с постоянной сиделкой. Тогда вам нужно все оформить у заведующего. Возможно, сегодня и переведут. Я выпишу вам разрешение. Да, еще постоянно звонит Назарова, известная актриса. Она тоже просит пропуск. На очереди — следователи. Попрошу вас всех — не злоупотреблять. Режим, нельзя волновать пострадавшую, утомлять, надеюсь, это понятно.

— Да. Огромное спасибо. Я побегу все оформлять, оплачу. Огромное спасибо... — Виктор с удивлением почувствовал, как горло сжал спазм. Он может сейчас заплакать. Он даже не догадывался, что Ольга настолько ему дорога.

Все вопросы с переводом он решил оперативно. Заплатил за две недели, познакомился с рекомендованной ему сиделкой Инной Васильевной. Она ему понравилась. Высокая бледная женщина с крупными натруженными руками, очень опрятная, в туго повязанном белом платке, из-под которого не выбивалось ни волоска. Палата оказалась маленькой и уютной. Виктора попросили подождать в холле, пока Ольгу привезут.

— Как только ее устрою, — сказала Инна Васильевна, — я за вами приду.

...Он стоял посреди холла, никого не замечая, пытаясь сообразить, надо или не стоит что-нибудь купить. Он забыл спросить: что Оле можно есть, что ей нужно из лекарств, вещей.

— А почему вы здесь торчите? — раздался над ухом звучный неповторимый голос.

Он с изумлением повернулся и увидел Назарову в черной шелковой водолазке, серебристой юбке в пол, с огромным сапфиром в медальоне на груди. Серебряные волосы были уложены в высокую прическу, что завершало образ великой актрисы. Главным, конечно, было выражение лица. Спокойный и в то же время драматичный взгляд, в живописных морщинках у глаз и рта — большое знание и печаль.

— Здравствуйте, — поклонился ей Виктор. — Я жду, — он как будто оправдывался. — Олю переводят в отдельную палату.

— Мне сообщили, — кивнула Назарова. — Хирург позвонил. Потому я здесь. Я привезла фрукты, йогурт и меховые тапочки. Не знаете, они разрешат это оставить?

— Не знаю...

— Ну да. Было бы странно, если бы вы знали. Между нами, я привезла еще кусочек изумительно приготовленной утки. С грушей.

— Это не слишком?

— Слишком. Поэтому нам придется ее где-то спрятать, чтобы Оля съела ночью.

Виктор улыбнулся. Ему стало спокойно в обществе этой странной старухи. Он почти простил ей идиотскую затею с пистолетом. Зато она подстраховала ситуацию идеей с включенным телефоном. И вообще, может, этот сосед на самом деле хотел убить Олю, а вовсе не защищался. Или это был не сосед, а кто-то другой на его машине. В холл вышла Инна Васильевна и кивком позвала Виктора за собой. Они вошли втроем в палату. Оля с забинтованной головой лежала на кровати и смотрела на них. Опять у Виктора перехватило горло. Он не смог произнести ни слова. Стоял у порога и просто смотрел, как Назарова целует Олю, что-то объясняет сиделке, раскладывает содержимое объемной сумки на небольшом столике у окна. Потом она сосредоточенно обошла помещение, держа в руках красивую керамическую емкость с крышкой. «Утка с грушей, — сообразил Виктор. — Ищет, куда ее спрятать». Почему-то именно эта мысль вывела его из ступора, он бросился к Ольге, стал целовать ее руки, нежно коснулся запекшихся губ.

— Девочка моя, девочка, — шептал он. В эту минуту ему казалось, что она его дочь.

— Олечка, — громко распорядилась Назарова, — ты только с нами не разговаривай. Тебе нельзя. Нас выгонят, мне сказали. Главное, запоминай, что и куда я положила. Как только захочешь, покажи Инне, она тебе даст. Тебе зеркала не дали? Не отвечай. У тебя ничего не изуродовано, не бойся. Одни синяки и шишки. Это пройдет. Носик, глаза, зубы — все на месте. Я думаю, твоему любовнику это тоже приятно. Рот закрой, я же сказала, нас выгонят, если ты будешь говорить. С этим придется считаться. Все-таки — голова. Поспешишь, дурочкой можешь остаться.

— Нина Глебовна, — возмутился Виктор. — Вы все-таки следите за собой.

— А в чем дело? Я хочу, чтобы Оля знала, чем рискует. Что тут плохого? Пока она — одинокая женщина, и ей нужно самой о себе заботиться.

— Она — не одинокая... Она больше — не одинока.

— О, как я его! Слышала, Оля? Ты знаешь, он неплохой. И даже неглупый. Помнишь, ты никак не могла понять, какой мужик глупый, какой умный. Я тебе одну историю сейчас расскажу. Спокойно, любовник, я быстро.

— Меня Виктором зовут.

— Я знаю. Помолчите. Так вот, Оля. У меня тоже был когда-то любовник. Ну, первый. Актер. Я никак не могла понять, умный он или глупый. Много времени проводили в театре, он там тексты Чехова и Достоевского произносил. Вроде умный. А потом поехали на гастроли в Питер. Пошли в кунсткамеру. Выходим, он говорит: «Ты знаешь, я ожидал большего». Представляешь, там зародыши, уродцы в банках, а он ожидал большего! Тень отца Гамлета или Эйнштейна! Я поняла, что мне попался исключительный придурок. Он стал у меня эталоном: я теперь всех сравниваю, умнее или такой же. Твой — умнее.

— Какие интересные байки вы рассказываете человеку после трепанации черепа, — на пороге стоял хирург. — Я тоже всегда ожидаю от посетителей своих больных большего. Соображения.

— Это вы на меня так накинулись? — удивилась Нина Глебовна. — Так я и вам кое-что расскажу. Вы знаете, что в семнадцатом веке жил известный доктор Галли Матье? Он лечил больных каламбурами и шутками. Успех был потрясающий. Он даже не успевал принимать и посещать всех желающих. Посылал им забавные истории и шутки в письмах. Но все забыли о нем. В истории осталось лишь слово «галиматья». И никто не знает, что она полезнее всех ваших лекарств.

— Я знаю, — засмеялся Николай Иванович. — Но не в таком же количестве. Хотя... — он подошел к Ольге. — Я вижу, что наша воительница улыбнулась. Галиматья подействовала? Хорошо. Прощаемся. Сейчас уколы и спать.

...Когда Виктор остановил машину во дворе дома Назаровой, она внимательно посмотрела ему в глаза и сказала:

— Она улыбнулась не из-за моей байки, а из-за того, что вы пообещали на ней жениться.

— Я? Разве я что-то... Да! Пообещал. Но вы ужасно прямолинейная и бестактная женщина. Так хватать за горло!

— О чем вы, Виктор? Вы меня неправильно поняли. Я никогда не хватала мужчин за горло. В противном случае у меня было бы сто пятьдесят мужей. А их не было вовсе. Я просто так вас поняла. Нет — так нет. Найдем другого. Оля скоро опять станет красавицей. Спасибо, что подвезли. До встречи. Мне будет удобно, если б вы за мной заезжали хотя бы через день. Нам нужно поставить ее на ноги.

Назарова выплыла из машины и помела своей шубой дорожку к подъезду. Виктор перевел дыхание. Ей может взбрести в голову что угодно. В том числе — найти Ольге другого. Прямо сейчас.

Глава 6

«Мы ехали шагом, мы мчались в боях, и «Яблочко-песню» держали в зубах», — мурлыкал Сергей, не разжимая губ. Он поднимался по широким ступеням розового мрамора, в перилах, как водится, блестели финтифлюшки, скорее всего, на самом деле золотые, в живописном беспорядке вились живые цветы, новые туфли засверкали, утопая в светло-кремовых пушистых коврах. «Каждый день их, наверное, чистят, — скептически подумал Сергей. — Вот что значит — лишние деньги. Было бы в обрез, пили бы водку. Заполняли бы досуг и прочищали сосуды. Некогда было бы убивать и грабить. А так — ребята со вкусом, конечно».

Он поднялся на нужное количество ступенек, показал приглашение безупречного вида охранникам, похожим на манекенов из магазина мужской одежды, и прошел в большой и светлый зал для приемов. Столы накрыты для фуршета, Сергей мельком отметил приличный выбор яств. По залу замедленно передвигаются и вальяжно переговариваются в основном мужчины. Встреча сугубо деловая, важная. Женщины есть, но смотрятся неуместно. Одеты и причесаны, конечно, прекрасно. Но лица воспаленные, глаза какие-то несытые. Хотя все в теле. «Боятся, что мужики их разведут, — сочувственно подумал Сергей. — Что не исключено. Дискриминация, блин».

А навстречу ему, улыбаясь во все тридцать два искусственных зуба, уже шел Марат Сейфулин. Прям друг любезный. Хотя пропуск на эту высокую встречу Сергею прислал совсем другой человек, его постоянный клиент.

— А чего тебе там делать? — спросил он.

— Ничего, — ответил Сергей. — Потереться, перекусить, глаз кому-то помозолить. Случайно увидел список приглашенных. Посмотрю, думаю, в натуре. А то в СМИ и в инете все плохо выглядят, как правило. Наверное, это происки. А ты?

— Однозначно, — засмеялся клиент. — Шпионь на здоровье, знаю я твое — «потереться». Меня там не будет. Я знаю, как они выглядят.

Сергей подошел к Марату и какое-то время стоял, невозмутимо глядя тому в глаза, не улыбался и не замечал его протянутой руки. Дождался, пока появится нужное выражение в его темных глазах. Подвоха ждет. Не знает, с кем Кольцов на самом деле пришел, но чувствует, что по его душу.

— Привет! — просиял вдруг Сергей. — Рад видеть тебя в добром здравии.

— Я вообще-то на здоровье не жалуюсь, — Марат улыбался уже не так широко. — Когда ты позвонил, что тебя сюда пригласили, я не понял: зачем?

— Я сам не понял. Меня куда только не приглашают! То на корпоратив со стриптизом, а потом оказывается, что он мужской, представляешь? То на горнолыжный курорт — я за лыжи, а мне говорят: нет, ты мне жену там с кем-то застукай. Ну или вот так: на встречу, где я никого, кроме тебя, не знаю, ничего толком не понимаю и не хочу понимать, что еще существеннее. Но мне здесь нравится. Давай поедим, если можно. Тут все в порядке, не знаешь? Никаких закусок с полонием или типа того?

— Слушай, шутки у тебя дурацкие, — Марат уже не улыбался. — Пойдем, поешь, я могу первый с твоей тарелки пробовать. Так вроде тираны-маньяки рабов заставляли?

— Если не трудно, — признательно произнес Сергей. — Ты очень ко мне хорошо относишься. Я даже вырос в своих глазах. Тиран-маньяк! Это звучит гордо.

Они подошли к столику, Сергей положил себе в тарелку немного салата и крабов и демонстративно подождал, пока Марат, пытаясь изображать шутника, не проглотил маленького крабика, поперхнувшись при этом, как будто тот был живым и его цапнул за язык.

— Ты пришел издеваться? — наконец спросил Сейфулин.

— У тебя такие наивные представления об издевательствах? — серьезно ответил вопросом на вопрос Сергей. — Нет. Я пришел спросить, как ребята? Пуля в плече — это серьезно. Я знаю, потому что у меня это хорошо получается. А ты им даже врача не вызвал. Это точно. В ту ночь ты им никого не вызвал!

— Ты вообще о чем? — ровным голосом спросил Сейфулин.

— А! Этот вариант я выпустил из виду. Никаких ребят не было, да? Я просто опьянел от двух глотков виски? Или ты что-то галлюциногенное добавляешь в напитки? Для особо желанных гостей.

— Добавляю. Ты придумал, как проверишь свой бред?

— Даже не пытался. Говорю же, только сейчас понял, что это бред.

— Ты кому–то сообщил?

— Знаешь, Марат, я — человек общительный, с широким кругом друзей, как говорится. Но я не люблю, когда кто–то пытается нарушить мое личное пространство. Я не слишком умно выразился?

— Значит, сказал. Твои проблемы.

— Конечно, не твои. Кстати, а ты ведь жену Андрея Семенова видел не мельком. Хорошо рассмотрел. В своем особняке, в картинной галерее. Почему соврал?

— Интересно. У меня что, нет личного пространства?

— Есть. А надежды на эту женщину остались? Ну так, между нами. Как мужчина мужчине. Я бы понял. Такую вторую не найдешь.

— Ты больной! Какое твое дело, собака! — Марат побледнел от бешенства.

— Что с тобой? Тебе придется отвечать на этот вопрос не мне, а следствию. Поскольку дело о без вести пропавшем Андрее Семенове заведено по заявлению родственников и по вновь открывшимся обстоятельствам. Если ваши деловые непонятки могут гасить те, с кем ты в связке, то конфликт из–за женщины кому–то как раз может быть на руку. И следствию захотят помочь. Ничего не желаешь мне рассказать? Я гуманнее твоих друзей, сам знаешь.

— Слушай. Ты зря так ко мне прилип. Дело, говоришь, завели? Спасибо за информацию. Какие еще обстоятельства, вновь открывшиеся? На пушку берешь? Я скажу. Эта Лиля меня оскорбила. Я такое не простил бы, даже если бы на земле больше женщин не осталось.

— О как! Прям джигит. Я почти поверил.

— Проверяйте. Его нет с мая, а я даже не звонил ей ни разу. Спроси у нее.

— Как ты хорошо все помнишь и про него, и про нее. А почему ты не звонил? Был хороший повод помощь предложить или отомстить за оскорбление, сказать, вот, мол, даже помочь не хочется. То, что она тебя зацепила, ежу понятно. А ты выжидал. Просто так или чего-то опасался? Кстати, твоя подруга, а на нашем языке сожительница Марыся Липская в курсе того, что ты Семенову вроде за что-то возненавидел. И ее мужа тоже. Ты ей рассказал по пьяни.

— Ты у Марки спрашивал? Да я сейчас тебе морду разобью! Она сказала? Я ей...

— Успокойся. Ее следователь и так, если понадобится, вызовет. Она свидетель. Так что с мордами нашими поаккуратнее. Я уже засомневался по поводу своего «бреда».

— Суки, — выдохнул Сейфулин.

— Хорошо поговорили, — улыбнулся Сергей. — До встречи.

Марат, конечно же, догнал его на лестнице.

— Подожди. Сережа, мы как-то плохо поговорили. Я тебя, конечно, понимаю...

— Да ну! — изумился Сергей.

— Кончай. Я серьезно. Слушай, ты меня знаешь. А не знаешь — спроси кого хочешь. Я не бедный и, главное, не жадный. Если меня кто-то заказал, — а иначе и быть не может, — я все отдам. Кто? Скажи. У тебя будет другая жизнь.

— Может, и заказал, — задумался Кольцов. — Только мне это откуда знать, сам посуди. Я — никто. Если бы у тех, кого не было на самом деле, получилось, никто бы и не заметил моего отсутствия. Теперь, конечно, присматривают. Я надеюсь. Но такая информация...

— Подумай. Концерт ты мне устроил, а домой приедешь, как следует подумай. Такие предложения бывают раз в жизни. Поймешь это, захочешь поговорить. Я жду.

Глава 7

Май, семь месяцев назад. Киев. Пляж на берегу Днепра.

Андрей Семенов лежит на едва теплом песке, раскинув крупные мускулистые руки и ноги. Его глаза закрыты, но он видит сквозь веки и неяркое солнце и прекрасное тело Лили, которая сидит рядом в шезлонге, и худенькую белокожую Вику, дочь что-то строит из песка. Они отдыхают. Андрей старается приезжать поздней весной в Киев с самого детства, когда тут жили его дедушка и бабушка. Все здесь однозначно изменилось к худшему. Но так же буйно и стойко цветут высокие каштаны, кружит голову запах сирени, еще можно выпить где-то кружку настоящего парного молока с горячими бубликами. И Днепр, сильный, холодный, непокорный. Андрею здесь хорошо. Только чувства гармонии, которое всегда возникало в нем тут в детстве, исчезло. На душе муторно. Он приехал с семьей. Как бы ни кидало его из стороны в сторону, он ни на секунду не переставал гордиться своей женой, ее красотой, умом, сдержанностью. Только он знает, сколько страсти кроется за этим спокойствием. При одной мысли о дочери его душа переполняется невыразимой нежностью и жалостью. Она кажется ему очень беззащитной. Они обе кажутся ему беззащитными. Поэтому он борется за место в ряду самых сильных. Лиля не догадывается, чего ему стоит эта борьба. Ему осточертел бизнес, в котором нельзя просто работать — без грязи и крови. Андрей бесстрастно подумал о том, что если он вернется в Москву и убьет хотя бы Марата Сейфулина, то тут же поднимется на ступеньку выше в глазах остальных. Андрей перевернулся на живот, крепко зажмурился, сжал руки в кулаки. Он хочет быть непобедимым, но ему не нужны такие победы. Если бы он тогда не приехал на помолвку брата, если бы не увидел Лилю... Он бы не попал в этот переплет, где в каждой ситуации Боливар не вынесет двоих. Он бы вернулся во Францию, в маленькую съемную квартиру, преподавал бы биологию в Сорбонне, пил вино по вечерам в бистро в обществе очередной влюбленной студентки. Семья — это страшное бремя. Он постоянно боится поставить ее под удар. Столько отморозков вокруг. Лиля слишком красива. Он слишком прямолинеен и нетерпелив. Он думает о том, как их обезопасить, своих девочек, на тот случай, если с ним что-то случится. Надо бы переписать на нее часть бизнеса. Вывести какие-то деньги, положить их на ее счет. У нее же ни гроша не будет, если вдруг что-то с ним случится. Он резко поднялся и встал перед женой.

— Слушай, Лиля, когда мы приедем в Москву, приведем в порядок дела. Я хочу сделать тебя совладелицей бизнеса, нам нужно открыть на тебя счет...

— Ты собираешься меня бросить? — Лиля подняла на него свои бархатные глаза.

— А я все время считал тебя умной, — рассмеялся Андрей. — Такую женщину может бросить только козел, а я совсем другое животное. Пойду, поплаваю.

Она молча кивнула. Ей хотелось сказать: «Не стоит. Никто не плавает в холодной воде. Побудь с нами, мы так редко бываем вместе», но она никогда бы не навязала ему своих желаний. Он с нею будет ровно столько, сколько хочет сам и может. Требовать от него большего — неправильно. Так думала Лиля. Она считала свою страсть сумасшедшей, она напоминала ей дивное и странное существо с полотен Врубеля. Нельзя шелохнуться: потому что разбуженный воздух превратит гармонию в хаос. И она *не шелохнулась тогда, за что впоследствии хотела себя убить. Если бы она бросилась Андрею в ноги, если бы не отпустила его в зеленые волны, которые оказались столь алчными... Она бы спасла его жизнь и себя. Если бы она хоть раз поступила, как нормальная жена, но она предпочла ждать, как всегда. И в этот раз не дождалась. Какая страшная боль смела к чертовой матери все ее чудные видения, ее внутренний мир, разорвала в клочки ее душу. Водолазы все работали и работали. Много людей суетилось вокруг, и только она стояла неподвижно, крепко сжимая ручку ребенка. Она знала, что Андрея не найдут. Он может появиться только сам и по своей воле. Чужие люди не принесут его даже мертвым. Он уплывет от них, исчезнет, растворится в воздухе или воде, потому что он свободен от всего и всех...*

Глава 8

Илья Семенов стоял во дворе дома, где жил Вадим Медведев, парень его дочери Люды, и ждал. Сергей пошел за Вадимом, они решили поговорить с ним в нейтральном месте: в сквере, просто в машине, чтобы он не зажимался, не боялся ничего. Может, он что-то вспомнит, как-то поможет. Илья должен все точно знать. Если девочка отказалась жить из-за того, что он предал семью, придется нести по жизни этот крест, искупать свою вину перед другими детьми. Второе — нужно делать в любом случае. Он старается не оставлять Катю и Толика без внимания ни на день. В их сложной ситуации все–таки есть и проблеск. Лиля и дети сблизились как родные. Они и должны быть друг другу родными — самые близкие для него люди.

Сергей и Вадим вышли из подъезда. Парень выглядел не слишком приветливым. В принципе ничего приятного для него в этой встрече нет. Как же вытащить из него хоть что–то? Илья непринужденно подошел к ним и протянул Вадиму руку.

— Здравствуй. Я — отец Люды.

— Здрасте. Знаю. Только че я вам могу сказать, не понял...

— Ты, главное, не напрягайся, — дружелюбно сказал Сергей. — По ходу разберемся. Где нам можно поговорить?

— Я подумал: давайте съездим в ресторанчик один тихий? — предложил Илья. — Ты как, Вадим?

— А че. Поехали, — Вадим явно повеселел. Допрос у следователя его здорово напугал.

В уютном отдельном кабинете Илья и Сергей наблюдали, с каким аппетитом Вадим поглощает вкусные блюда, с каким удовольствием прикладывается к напиткам. Думали они при этом об одном и том же: споить его или лучше не надо.

— Лучше не стоит, — произнес вслух Сергей. Илья его понял, Вадим был так увлечен процессом поглощения пищи, что не обратил внимания. — Слушай, Вадик, — Кольцов отодвинул от него бокал в тот момент, когда парень собирался в очередной раз налить в него красного вина. Водки, виски и коньяка они на всякий случай не заказывали. Интеллект собеседника явно был не градусоустойчивым. — Эй, Вадик, ты меня слышишь, видишь? Прием!

Парень посмотрел на него блестящими глазами и засмеялся.

— Прием! Отдай стакан.

— Сейчас. Ты не гони так, время есть. А то как бы нам тебя отсюда тащить на руках не пришлось. Ты мальчик крупный. Сколько весишь?

— Семьдесят шесть. А что?

— Сейчас, наверное, все восемьдесят. Я прикидываю, донесем ли тебя в случае чего.

— Да ладно. Я, знаешь, сколько выпить могу...

— Любишь это дело?

— Да так. Хорошо, конечно. Под закуску. Когда угощают. В компании.

— Девушек знакомых много?

— Ну, есть. Их всегда полно.

— Вадим, — вмешался Илья, — ты встречался с кем-то еще, когда был с Людой?

— В каком смысле? — Вадима, несмотря на опьянение, испугал напряженный голос Ильи.

— В прямом. Ты спал еще с кем-нибудь в то время, когда был в близких отношениях с моей дочерью? Ответь, пожалуйста.

— Да вроде нет... Ну, может, по пьяни, случайно... Я не помню.

— Как часто у тебя бывает это «по пьяни, не помню»?

— Не бывает, — вдруг плаксиво сказал Вадим. — Ни с кем я не был, когда с Людой встречался. Ну, там пообжиматься в компании, если телка лезет, и все...

— Когда ты сказал правду: первый раз или второй? Не помнишь или не было?

— Не было.

— Но Люда могла подумать, что было? Ты рассказывал ей про «пообжиматься»?

— Она могла! — горячо сказал Вадим. — Она такая... Хотела, чтоб я ни на кого не смотрел.

— Из-за чего она не отвечала на твои звонки три дня? — спросил Сергей.

— Не знаю! Я же говорил! Я и домой к ней приходил, когда мать была на работе. Она дверь не открыла. Я знал, что она дома.

— Вадим, вспомни, о чем вы перед этим говорили, — Илья смотрел парню в глаза так требовательно, властно, как будто его гипнотизировал. Даже Сергею стало не по себе.

— Она как-то то ли шутила, то ли что еще... Мы идем, вдруг она спрашивает: «У тебя было много девушек до меня?» Ну, были, говорю. Она начала: сколько, кто. Спрашиваю: ты че пристала? В общем, она замолчала, а потом как ляпнет: «Ты не мог от кого-то заразиться дурной болезнью?»

— Что ты ответил? — быстро спросил Илья.

— Сифилисом, говорю, заразился. Так заразный и живу. Прикололся. А она...

— Что?! — спросили в унисон Илья и Сергей.

— Убежала. Я не понял, честное слово. После этого перестала на звонки отвечать. Как дура, я не знаю, из–за чего.

— Минутку, — сказал Илья, — я схожу за водкой. Ее сейчас не хватает.

Он вернулся с бутылкой, долго и молча наливал Вадиму, пока тот окончательно не опьянел. Потом они его взяли под руки, повели к выходу, посадили в машину.

— Ты как? — спросил в салоне Сергей.

— Отлично, — старательно выговорил Вадим.

Они приехали к его дому, Сергей остановил машину в улочке у въезда во двор. Илья резко встряхнул посапывающего Вадима.

— Проснись. Приехали. Говори быстро: кто у тебя был, сколько, когда?

— Ой, больно. Ты чего? Если честно, одна у меня только баба была до Люды. И то не вышло почему–то.

— Как давно это было?

— Года два назад.

— Почему не вышло?

— Откуда я знаю? Толстая она и скользкая вся.

— Понятно, натуралистично, — заключил Сергей. — Пошли, старик, доставлю тебя до квартиры, откуда брал.

— Доставь, — великодушно разрешил пьяный Вадим.

Когда Сергей вернулся, Илья его не заметил. Он ходил по дорожке, напряженно о чем–то думая.

— Поехали? — окликнул его Сергей.

— Да, — Илья сел в машину и почти умоляюще посмотрел на Кольцова. — Что ты думаешь? Ты же лучше разбираешься... В смысле привык к допросам.

— Я как раз хотел у тебя спросить. Ты же говорил, что сразу поймешь: врет он или нет и в каком месте.

— Мне показалось, что не врет. Нечем там врать: мозгов нет совсем, как Люда с ним могла, не знаю.

— Ну, ты зря. Он объективно симпатичный. А то, что с нами не сильно умный, — так под прессом все ж таки, на это делай скидку. Споить — споили, но мы его не любим и не жалеем. Ты знаешь, я почти уверен, что он не врет. Если парень такого пошиба, возраста и менталитета в пьяном виде говорит, что у него до Люды была одна попытка и та неудачная, — это похоже на правду. Для обмана слишком хорошо придумано — «толстая, скользкая». Водка эту возможность совершенно исключает.

— Что же не так?

— Странный вопрос о болезни, ты не находишь?

— Нахожу. Но Люда — образованная, начитанная девушка, она знала, как получать информацию. Услышав шутку этого идиота насчет сифилиса, она не могла просто так ему поверить, не понять, что это шутка. Не знать, в чем эта болезнь выражается, раз она решилась на близкие отношения с мужчиной. Сережа, я схожу с ума. Провели экспертизу. Люда ведь была здоровой, да? Это точно?

— Разумеется. Слушай, Илья, держи себя в руках. Твоя дочка была не настолько чувствительной, чтобы выдать неадекватную реакцию на сам факт дурацкой шутки? Я от балды говорю.

— Нет. Люда не могла лишить себя жизни из–за того, что этот Вадим — придурок. Она бы просто дала ему отставку.

— Илья, задам совсем некорректный вопрос. У нее не могло быть случайной связи во время романа с Вадимом?

— Я почти уверен, что нет. Почти — потому что какая–то доли вероятности есть, конечно. А ты больше ни от кого, кроме Вадима, звонков в ее телефоне не обнаружил? Я имею в виду мужчин.

— Входящих огромное количество. Все не проверил. Просто, кроме постоянных звонков подруг, матери, брата, сестры, Вадима и тебя, — остальные разовые, случайные.

— Не понял, почему огромное количество. Она не очень общительная.

— Из того, что я успел проверить, ясно, что она давала объявления в Интернете. Искала подработку.

— Боже! Им не хватало денег! Я мало давал!

— Ты становишься истеричным, извини. У девушек ее возраста множество дорогостоящих идей.

Телефон последней модели, платье известного дизайнера, машина, в конце концов. Очень многие из них пытаются подрабатывать. А твоя Люда, как я понял, отлично знала английский. Она предлагала репетиторство. Это нормально, даже хорошо. Поскольку у нее не было высшего образования, она писала «недорого». Вот почему много звонков. А дорогостоящие идеи — тоже нормально. Это все — для лучшей жизни и никак не вяжется с тем, что произошло. Вот в чем проблема.

Глава 9

Марат открыл переднюю дверцу машины у террасы своего загородного дома и молча смотрел, как оттуда неуклюже вылезает его женщина, Марыся Липская, путаясь в длинных полах дизайнерской шубы из соболя. Он никогда не подавал ей руки, не пропускал вперед. Не потому, что он хам, — а хам он однозначно, — а потому, что именно эта женщина ни на минуту не должна забывать, что он ее осчастливил. Она вообще не так давно была Лизой и перекладывала бумажки в коммунальном отделе одного элитного района, где он прикупил очередную квартирку: по дружеской оказии, раз в десять ниже ее стоимости. Эта Лиза дышала юностью и деревенской простотой — пышная, как сдобная булка, с постоянно приоткрытым пухлым ртом, светлыми глазами, в которых читалось две мысли: «хочу» и «дай».

Начальник коммунального отдела явно использовал ее по назначению, поскольку в деле она не смыслила ничего: нажимая не ту клавишу в компьютере, кричала «ой», и хмурая сослуживица в очках молча подходила и все переделывала. Зато юбка у Лизы кончалась там, где начинались мясистые бедра, грудь вываливалась из джемпера, Марат почувствовал, что не взять такой подарок, значит, обидеть свой организм. И он не ошибся. Девушка в любви оказалась старательной, опытной и благодарной. Она его возбуждала и устраивала. Когда он снял ее с работы, свозил к дизайнерам, парикмахерам и визажистам, Лиза взглянула на себя в зеркало, восторженно взвизгнула и повисла у него на шее.

— Ты — Марат, а я буду Марыся, ладно? Я же у тебя остаюсь, да? Зачем мне за эту развалюху платить?

Он был не против. Она переехала к нему из своей съемной однушки, и он в принципе до сих пор об этом не пожалел. Он с ней становился самим собой. Ее невозможно было обидеть, унизить, она все воспринимала как должное. Даже других женщин. Ореол его богатства делал его высшим существом в глазах Марыси, и она это демонстрировала настолько просто и откровенно, что развлекала его и раздражала в одно и то же время. Она, конечно, мечтала о том, что он на ней женится. Он никогда ей не говорил, что этого не будет.

Они вошли в дом, Марыся сняла шубу, аккуратно разложила ее на диване в холле: пусть прислуга осмотрит, проветрит, повесит. Потом повернулась к Марату и призывно улыбнулась. Он доволен проведенным вечером? Они вместе лягут сегодня? Марат ответил рассеянной улыбкой, внимательно разглядывая ее. Интересно, зачем он дает столько денег ей на дизайнеров и одежду? Черное прозрачное платье обтягивало ее пышное, не совсем складное тело, огромная грудь лежала почти на талии, Марыся, кажется, совсем свихнулась и не носит бюстгальтер. Живот, как разрезанная дыня, двумя складками свисает на крошечные кружевные трусики. Марат подошел к бару, налил себе виски, плюхнулся на диван. Дело не в Марысе. Дело в том, что он устал постоянно доказывать себе и другим, что он сам чего-то стоит, а не только его деньги. Его мучил страшный комплекс неполноценности, он это осознавал, потому и живет с такой женщиной, потому и не любит умников, красавцев, выпендрежников.

— Мара, ты ничего не забыла мне рассказать?

— А что? — она с готовностью уставилась на него, как всегда, с открытым ртом.

— Что ты наболтала частному сыщику о том, будто я ненавидел Андрея Семенова и его жену? С какой стати ты вообще рот разеваешь, когда дело тебя не касается?

— Я... А. Ты про Сережу Кольцова? Так меня подружка Моника с ним познакомила, сказала, что он типа помогает нашим девушкам. Ну там во всяких делах. Мы просто обо всем поболтали, он про Семеновых случайно спросил. Марик, я ничего такого не сказала. Просто что ты как-то приехал пьяный утром и сказал, что тебя обидела жена этого Андрея. Что они оба пожалеют...

— Ты так сказала?

Марат резко встал. Марыся в панике бросилась к нему. Он оттолкнул ее, чувствуя, как его руки проваливаются в ее рыхлое тело. Он мог бы забить ее сейчас насмерть и сделать так, чтобы никто об этом не узнал. Но это стало бы самым глупым поступком в его жизни. Зачем? Он просто вышел из дома, сел в машину и поехал в Москву. Этот частный нюхач, эта корова — они как будто сговорились напоминать ему о том, что будит в нем настоящую злость и вожделение. Он ехал к дому Лили. Он долго ждал, больше не может. Пусть даже для этого он выбрал самое неподходящее время.

Глава 10

Картину Игоря ждал владелец известной галереи, Лиля позировала по двенадцать часов в сутки. В этот вечер, встав со своего стула, она едва не потеряла сознание. Игорь, одержимый, как все гении, только закончив работу, заметил, что она очень бледна. У нее даже губы посинели.

— Господи, Лиля! Что ж ты молчала? Я же ничего не соображаю, когда работаю, ты знаешь. А ты ждешь ребенка. Давай я тебе приготовлю поесть чего-нибудь горячего, кофе сварю.

— Есть я не буду, тошнит. Кофе принеси, пока я буду переодеваться. Илья, наверное, уже беспокоится.

Когда Игорь вышел, она, поморщившись, потерла поясницу, прошла в ванную, слегка сполоснулась. Влезла в свои джинсы и свитер. Вернулась в мастерскую, залпом выпила чашку горячего кофе, улыбнулась Игорю.

— Теперь все в порядке. До завтра.

Он помог ей надеть кожаную куртку на меху, и она вышла в темный, заснеженный двор. Машину, к счастью, не совсем занесло. Завелась она быстро. Лиля ехала и мечтала о своей подушке, одеяле, теплых руках Ильи. На их этаже горело одно окно. Это кухня. Илья ждет. Он не звонит, когда она работает, боится помешать. Лиля припарковалась у дома, закрыла машину, открыла своим ключом домофон: у них нет консьержки. В небольшом вестибюле перед ступеньками к лифтам и первому этажу, как всегда, довольно темно. У Лили не очень хорошее зрение, сейчас глаза совсем устали, она наткнулась на кого-то, кто, видимо, шел к выходу, хотела извиниться, но вдруг почувствовала, как сильные руки сжимают ее, тащат в темный закуток под лестницей, где уборщица хранит ведра и швабру. «Грабитель», — мелькнуло в голове Лили. Илья всегда говорит, что в таких случаях нужно сразу все отдавать. Она выпустила из рук сумку, та упала под ноги нападавшего, но он ее не поднял. Он продолжал тащить Лилю, а она еще пребывала в ступоре и не могла сопротивляться. Мужчина больно прижал ее к стене, Лиле стало нечем дышать, а он впивался губами и зубами в ее губы, шею... Она вспомнила этот запах дорогого, но слишком сладкого одеколона, потом рассмотрела Марата Сейфулина. Он рвал застежку на ее джинсах. Лиля вдруг успокоилась, глубоко вздохнула. С тех пор, как Сергей сообщил им о своей версии исчезновения Андрея, она хотела встретить этого человека, взглянуть в его глаза. В общем, он пришел вовремя. Она освободила руки, чуть-чуть отодвинула его от себя и с хорошо рассчитанной силой (ходила на курсы самообороны) ударила его коленом в пах. Он сдержал стон, отшатнулся, но продолжал держать ее за куртку. Это не помешало Лиле сунуть руку в карман и достать небольшой, но мощный электрошокер, который Илья велел ей всегда носить с собой. Она сдвинула предохранитель и едва прикоснулась к шее Марата. Он дернулся, но устоял. От следующего разряда он сполз на пол, пытаясь что-то сказать, губы тряслись. Лиля смотрела на него до тех пор, пока его лицо не перестала искажать гримаса боли.

— Что ты сделал с Андреем? — тихо спросила она.

— Ты сошла с ума, — не очень внятно заговорил он. — То, что ты делаешь, очень опасно. У меня плохая кардиограмма. Прекрати.

— Что ты сделал с Андреем? — громче спросила она.

— Ничего! Он утонул! Ты помешалась. При чем тут я?

И тогда она сделала то, чего от себя вообще не ожидала. Она включила разряд и прижала шокер к его гениталиям... Его затрясло от боли и ужаса, в уголках рта появилась пена, а она все требовала: «Говори! И про Валерию Осипову тоже говори!..» Ответить он, конечно, не мог. Когда его глаза закатились, она не то что испугалась. Она почувствовала боль внизу живота. Что она сделала? Она, возможно, убила не только этого человека, но и своего ребенка...

Илья услышал звонок в дверь и пошел открывать, чувствуя: что-то случилось. Он постоянно был настроен на волну Лили. Если она не открыла дверь своим ключом...

— Что? Что?

Она переступила порог и стала падать. Он схватил ее на руки, донес до дивана, стащил куртку, расстегнул джинсы, начал делать искусственное дыхание: она теряла сознание, под глазами появились черные тени. Когда она вздохнула и подняла ресницы, он бросился к телефону.

— Никуда не звони, — тихо и решительно проговорила Лиля. — Там, в подъезде, слева от лестницы лежит Марат Сейфулин. Кажется, я его убила...

Илья не бросился проверять ее слова. Он раздел Лилю, уложил в постель, накапал ей валокордина, поставил на тумбочку горячий чай с лимоном. Потом надел куртку, сунул в карман телефон, рядом с Лилей положил ее мобильник.

— Я все сделаю. Не беспокойся. Я уменьшил громкость твоего телефона. Если станешь засыпать, не отвечай. Все будет нормально. Если что-то почувствуешь... сразу звони. Мне, маме, в «Скорую»...

Он вышел из квартиры. Лиля почувствовала, как лекарство немного успокоило бешеный ритм ее сердца. Илья поверх пухового одеяла накинул еще шерстяной плед. Она глотнула горячего чаю, согрелась, легла на спину, тихонько пошептала слова дочке, чтоб не боялась, чтоб отдохнула. С такой мамой... Господи боже мой, что же она натворила. Что бы ни придумал Илья, чтобы ее выручить, она завтра напишет заявление и во всем признается, если Марат умер. И тогда ее девочка родится в тюрьме. И главное, никто не знает, виноват ли Марат в исчезновении Андрея. Но дело даже не в этом. Лиля до сих пор считала себя доброй. Но она только что сознательно причиняла человеку страшную боль. Она не просто хотела услышать правду, она хотела отомстить этому типу за то зло, которое он причинил Андрею. А он его причинил, даже если не имеет отношения к его гибели. Но она... Она, возможно, убийца? Игорь сразу увидел в ней это. Он даже заказал стилисту черное платье, в котором будет писать с нее убийцу. Лиля мысленно разрывала свою душу, чтобы найти там раскаяние, которое оправдало бы ее в собственных глазах. Но она его не находила. У этого Марата руки по локоть в крови. Где дети, о которых рассказывал Сергей? А если по его вине упал хотя бы волос с головы Андрея — пусть он даже утонул по собственной неосторожности, — Сейфулин не должен жить. Он ведь пытался ее изнасиловать! Она его приговорила, на другой суд надежды нет. Никто ничего не докажет, не найдет. Но ее дочка...

— Моя маленькая, золотая девочка, что будет с тобой? — наконец, смогла заплакать Лиля. — Боже, спаси ее. Спаси ее отца и всех наших детей.

Глава 11

Май. Полгода назад. Днепр.

Андрей плыл, не думая ни о чем. Он любил воду, волны, простор. Ему казалось, что только так он по-настоящему возвращается к себе. Наверняка в прошлой жизни он был водяным. Он поднырнул под очередную волну, но подняться не смог... Что-то произошло. Кто-то держал его под водой, на голову натянули мешок. Он с силой рванулся, чувствуя, что бьет ногами и руками по чьим-то телам. Но потом сладкий запах газа проник в этот черный мешок. Он пытался нечеловеческим усилием сохранить сознание, но это было невозможно. Андрей провалился в бездну.

Он открыл глаза: значит, жив. Его страшно мутило, он лежал на голых досках. Хотел шевельнуть руками, ногами, но оказалось, что он связан. Голова очень болела, хотя мозг уже работал четко. «Раз не убили, — подумал он, — значит, не все потеряно. Можно побороться».

— Эй, — крикнул он так громко, как только смог. Никто не входил в помещение без окон, похожее на сарай. Он кричал долго, временами терял сознание от слабости. Наконец, заскрипела дверь, рядом с ним встали два человека в робах. Один произнес с сильным акцентом:

— Будиш сбежать — будим резать, — и показал нож.

— В туалет, — попросил Андрей.

Они развязали его и привели к открытой выгребной яме в большом дворе, заваленном строительными материалами. Андрей увидел высокий металлический забор. Плен! Где? Почему? Зачем? В наше время убийство проще и понятнее. Его вернули в чулан и опять связали. Он на короткое время провалился в неглубокий сон. Проснулся от скрипа двери. Все те же два типа, очень похожие. Один развязал ему руки и сунул кусок хлеба. Есть не хотелось, все еще мутило, но он поднялся на локте и съел хлеб:

надо набираться сил. Они опять связали ему руки, потом один из них навалился на него, придерживая голову, Андрей чувствовал его отвратительное вонючее дыхание, второй сделал ему укол выше локтя. Когда они вышли, минут через десять Андрей понял, что это наркотик, голова наполнилась как будто смрадным дымом, потом поплыла... Но он не утратил способности думать и сообразил, что это главная опасность, они могут превратить его в беспомощного идиота. Нужно попробовать уснуть, а затем что–то придумать.

Утром они его разбудили, развязали, вывели во двор. Показали сваленные в кучу доски. Один взял доску и провел по ней рубанком.

— Нада так!

— Как тебя зовут? — спросил Андрей.

— Не твоя дела.

— Понятно. Давай рубанок.

Андрей взял доску и вдруг упал, забился в судорогах. Охранники тупо смотрели на него. Когда он затих, тот, что с ним разговаривал, спросил:

— Ты больной?

— Нет, — ответил Андрей. — Просто мне нельзя колоть наркотики. Понимаешь, Нетвоядела? Фермент такой в крови. Не верите, позовите хозяина. Пусть повезет кровь на анализ.

— Нет хазяин. Какая анализ? Не будиш работат, будим добивать.

— Так добивай, твою мать, — спокойно сказал Андрей, не поднимаясь. — Все равно от следующей дозы я помру. Добивай, чего стоишь, Нетвоядела?

Они отошли в сторону и о чем-то поговорили на незнакомом языке. Потом второй побежал к небольшому дому и вернулся оттуда с кувшином. В нем оказалась вода. Он плеснул Андрею в лицо, дал попить. Понятно, что убивать его им пока никто не разрешил.

— Встанешь? — спросил «переговорщик». — Будим отвести. Я — Рахим. Не обзывай больше. Он — Карим.

Они отвели его в чулан. Через какое-то время, которое пронеслось незаметно из-за того, что все было настолько ирреально, Рахим вошел один, развязал Андрею руки, дал кусок хлеба и кружку воды. После этого ужина была прогулка до выгребной ямы. Наступила ночь.

— Не связывай меня, — сказал Андрей Рахиму в чулане. — Куда я денусь? Ты же видишь, я еле хожу. А у вас там забор металлический метра два с половиной не меньше.

— Хирошо, — сказал Рахим. — Я буду слышать. Здэлаю укол.

— Так я вроде вам объяснил. Смысла нет. Умнее меня топором добить. Непереносимость, понимаешь? Зачем ценный препарат зря тратить. Сделай себе, если в кайф.

Он по блеску в темных глазах понял, что говорит с наркоманом. Идея явно ему понравилась. Получать наркотик для него, а колоть себе. Рахим вышел. Андрей думал всю ночь. Выбраться отсюда нереально или очень трудно. Нет оружия, сил, неизвестно, сколько их тут, куда пробиваться. В самый тяжелый час — два или три ночи, то есть час волка, — он подумал о Лиле и Вике. Он даже не мог представить себе, что сейчас с ними, где они. Мысль о них терзала острым клинком его сердце. Он сделал еще один вывод. Для того чтобы выжить, вырваться, надо на время о них забыть. Любовь, жалость, тоска могут расслабить так, что ему проще будет разбить себе голову о стену. А он ведь вроде решил побороться, хотя в таком положении это может оказаться собственной медленной казнью.

Глава 12

Илья вошел в квартиру на рассвете. Снял туфли, куртку бросил на пол. У него просто не осталось физических сил, его душа была в полном смятении. Он быстро прошел в спальню, тихонько приблизился к кровати, не зажигая свет. Лиля сама включила бра и посмотрела на него с немым вопросом. Илья осторожно присел на край кровати.

— Можно считать, что все нормально. Марат жив, до утра пробудет в больнице, куда я его отвез, потом поедет домой, так он сказал.

— В какой больнице? Что с ним?

— В обычной, ближайшей. Я заплатил за все, что нужно, до утра. С ним что... Действительно барахлит сердце, у него порок, не помню какой. Твоя затея могла закончиться плохо. Лиля, ты сейчас выглядишь получше, поэтому признаюсь: я в ужасе. Как ты могла? Я купил тебе электрошокер, он необходим для самозащиты. Но ты ее превысила, мягко говоря. Ты сожгла ему там все к чертовой матери... Врач сказал, что он пережил болевой шок. Этого для самозащиты не требовалось! Ты могла убежать после первого разряда, раз у него такое сердце. Я узнал тебя с такой стороны, что с ума можно сойти от этого открытия.

— Ты больше не любишь меня?

— Как это по-женски! Я буду любить тебя даже в том случае, если ты каждый день по утрам станешь колотить меня молотком по голове. Мои чувства не обсуждаются. Ты проявила жестокость. Ты носишь ребенка, ты прекрасная женщина, я просто не в состоянии это осознать.

— А если бы он растерзал меня с моей девочкой, ты бы это мог осознать? Он набросился на меня, как хищник, — Лилины глаза наполнились слезами.

— Лиля, деточка, ты немного лукавишь, — Илья не выдержал и стал целовать ее мокрые глаза, губы, щеки, шею. — Тогда я бы его убил, это же понятно. Он — мерзавец по определению, но ты... По моему мнению, ты не могла истязать человека. Абстрактного, любого человека!

— Черт с ним, — Лиля вздохнула со всхлипом. — Черт со мной, Илюша. Ну женился ты на мегере, как выяснилось. Ты не говоришь главного: он подаст на меня в суд? Меня могут посадить? Я ждала тебя и думала, что наша девочка родится в тюрьме.

— Ты думаешь, я такой гуманный, что опекал эту скотину всю ночь, оставив тебя в жутком состоянии? Я ждал, пока он заговорит. Я сам предложил ему написать заявление. Даже сказал, что позвоню в полицию. Врач меня поддержал.

— А он что?

— Да понятно что. Марат мне еще в машине сказал: «Наша версия такая: ты нашел меня в подъезде без сознания. Лиля ни при чем!» Для него страшный позор, что с ним так поступила не просто женщина, а именно ты. Он никому не расскажет, я уверен, даже если его на куски резать. Он пообещал в больнице при врачах, что приедет домой, его люди найдут хулиганов, которые у него якобы деньги отобрали и пытали, чтобы узнать пин-коды карточек. Марат не дурак. Мне в присутствии персонала «спасибо» сказал за спасение.

— Да, — вздохнула Лиля. — Его «спасибу», конечно, можно верить. Я теперь за тебя буду бояться. Машины нам нужно проверять. Есть какой-нибудь прибор, который определяет наличие взрывчатки?

— Вообще-то есть. Ты прямо подруга Джеймса Бонда, а не моя жена. Мы все это приобретем. Но, главное, дело по факту исчезновения Андрея заведено. Сергею я расскажу об этом милом эпизоде. Они со следователем найдут возможность дать понять Сейфулину, что внимание к тебе — любое — не в его пользу. Его надо успокоить. Когда он был не в себе, рычал и ругался, как последний бандит.

— А он и есть бандит. Ложись спать, нам скоро вставать.

— Ты что! Ты завтра, то есть уже сегодня никуда не пойдешь. Ты сама понимаешь, что на таком сроке все может быть. Нужно полежать. Я позвоню твоей маме, скажу, что ты плохо себя чувствуешь. Пусть приедут с Викой. Присутствие дочки тебя облагородит, а то ты становишься разбойницей.

— Спасибо за комплимент. Звонить маме не нужно. Игорь должен сдать картину. Потом он сделает эскизы к следующей, и мы объявим, что со мной что-то случилось.

— Лиля, откажись от этой идеи. Она нелепа, почти безумна. Я знаю брата. Если бы он был жив, если бы хотел или мог — он бы давно приехал. Просто потому, что так решил, а не из-за глупой провокации.

— Видишь, как много «если» у тебя получилось. Я тоже знаю твоего брата. Если он жив, но не может приехать, даже если хочет, думая, что у нас все в порядке, — то он горы свернет, все разрушит на своем пути, узнав, что мы в беде.

— Но вы не в беде. Этот обман — опять твоя жестокость.

— Видишь, ты говоришь так, как будто допускаешь, что Андрей может узнать о моем обмане. Значит, ты тоже считаешь, что он мог выжить.

— Я погибаю, когда ты это говоришь, — Илья встал, подошел к окну и стал смотреть на серое утро, чтобы Лиля не видела его лица. — Я хотел бы думать, что Андрей жив. Наши родители не могут без него. Но все, даже гибель Андрея, даже горе родителей, мое горе, — для меня не так страшно, как потеря тебя.

— Это невозможно в любом случае, — спокойно произнесла Лиля. — Я — твоя жена. Но я должна знать, жив Андрей или нет. Мы должны все выяснить. Использовать любые возможности. Иди сюда. Я могу уснуть только рядом с тобой.

Глава 13

Ольга сидела на кровати и, как маленький ребенок, с немотивированной радостью, крутила головой по сторонам. Ей сегодня сняли бинты и не стали больше бинтовать. Как мало нужно человеку, чтобы почувствовать себя свободным. Голова, на которой уже появился светлый ежик волос, стала легкой и ясной, глаза видели все. Инна Васильевна с обычным непроницаемым выражением лица стояла перед ней с очищенным мандарином.

— Съешь, Оля, — сказала она.

— Ах, — ответила Ольга, как Наташа Ростова. — Я хочу вспомнить какую-нибудь роль или стихи. Инна, когда в твоем мозгу кто-то ковыряется, что-то там исправляет, нет никакой уверенности в том, что все осталось, как было. Понимаешь?

— Если исправляют, может получиться лучше, чем было, — авторитетно заявила сиделка, и Ольга с изумлением на нее уставилась. До сих пор она не делала умозаключений. Может, Оля была настолько растением, что Инне не с кем было поговорить?

— Может, ты и права, — сказала Ольга и вдохнула полной грудью.

В это время дверь палаты открылась и Виктор пропустил вперед монументальную и торжественную Нину Глебовну в сером облегающем платье в пол. Актриса выбрала самое выигрышное место в палате — явно в расчете на зрительный зал — и произнесла звучно, так, что у троих зрителей дрогнуло сердце.

— Здравствуй, моя дорогая девочка. Я приветствую тебя в жизни, которая для тебя продолжается, несмотря на чью-то попытку ее прервать. Ты хотела вспомнить стихи. Разреши мне тебе помочь, — Нина Глебовна эффектно прижала одну руку к шее под воротником-стойкой, другой провела по высокому лбу.

«— Слова становятся с годами лживы,
Сомнение — плохое ремесло.
Ошеломите их — останьтесь живы.
К чертям спектакль — и пусть погибнет зло»[1].

Она опустила обе руки вдоль тела, как будто ожидая взрыва аплодисментов.

— Ой, — сказала Оля и зарыдала в три ручья. — Как это прекрасно. Как вы это прочитали! Но я не знаю этих стихов. Может, знала, но забыла? Вырезали из мозга?

— Не будь дурой, — спокойно ответила Назарова. — Ты, конечно, их не знала. Ты столько лет скачешь в массовке и не додумалась выехать куда-то с концертом. Как я, например. Я часто иду к народу, если он не идет ко мне. Это Иосиф Бродский. Я тебе подарю его сборник, выучи.

— Мне можно поздороваться с Олей? — сделал шаг к кровати Виктор, демонстрируя все терпение, на какое был способен.

— Ты у меня спрашиваешь, Витя? — удивилась Назарова. С тех пор, как он стал ее возить в больницу, она привыкла считать его своим водителем. — Почему? Я никогда никому не запрещала с кем-либо здороваться.

Виктор встретил сочувственный взгляд сиделки, они вдвоем в очередной раз подумали, как повезло

[1] Стихотворение И. Бродского «К Гамлету». *(Примеч. редактора.)*

тому несчастному, который мог бы стать мужем Назаровой, но избежал этой участи. Виктор обнял Олю, гладил ее круглую колючую голову, смотрел в глаза, которые вдруг широко распахнулись, как будто до всех этих происшествий она ничему не удивлялась. Он с трудом сдерживал смешные, ласковые слова, что говорил когда-то маленькой Лере, своей дочери, которой больше нет. Что-то невероятное произошло с ним из-за Олиного несчастья. Женщина, с которой он проводил иногда время, которая его просто привлекала в физиологическом плане, к которой он хотел уйти от жены лишь потому, что с ней ему было легче после гибели Леры, — эта женщина стала ему ближе всех. Как будто высшая сила вернула ему дочь, больше, чем дочь. Она будет его женой. Он так решил. И ничего этого не сказал. В театре выступать не привык. А с этой Назаровой... Она его клоуном выставляет.

— Витя, мы все поняли, — невозмутимо произнесла Нина Глебовна, раскладывая на столе продукты из сумки. — Ты хотел сказать Оле, что любишь ее, но словарного запаса не хватает. Не переживай. Это проблема многих. У вас есть я. Я и тебе на обратном пути почитаю, например, что-нибудь из Шекспира. Надеюсь, ты в курсе, кто это такой.

Они говорили, смеялись, кормили Олю и вышли от нее в прекрасном настроении. Они оба сделали многое для того, чтобы Ольга была здорова и счастлива. У машины прогуливался стройный блондин.

Он улыбнулся им, но у Виктора почему-то сразу испортилось настроение. Сергей Кольцов в последнее время не появлялся. Виктор все чаще думал: может, бог с ним, с этим расследованием. Пусть они сами разбираются с человеком, который, скорее всего, по ошибке ранил Олю. А убийца Валерии... Если они его даже найдут, что почти невероятно, разве это что-то изменит для него? Дочери нет. Он заберет Олю из больницы и увезет в другую квартиру. Они постараются все забыть.

— Добрый день, — поздоровался Сергей, а Нине Глебовне даже поцеловал руку. — Очень рад, что Ольга пошла на поправку. Мне врач сказал.

— Есть информация? — напряженно спросил Виктор.

— Вообще-то да. Соседа взяли. Он скрывался. Машина стояла в чужом гараже, сам прятался в доме знакомого в другой области. Объясняет случившееся так, как мы и предполагали. Сначала, мол, испугался, что у Ольги в руках настоящий пистолет. Потом, что убил ее и его поймают... В принципе это логично, но есть кое-какие нестыковочки. Работаем. Я вот по какому поводу хотел с вами встретиться. Эта квартира, что вы купили для дочери, а потом решили поселиться в ней с Ольгой Ветровой... В общем, она привлекла внимание следствия.

— В каком смысле?

— Когда Ветрова сможет давать показания, ее допросят.

— Ее подозревают в убийстве Леры? Вы с ума сошли. Она ничего не знала про квартиру.

— Так ее и допросят как свидетеля. Это принятая практика: следователь сам должен убедиться в том, что она не знала. Мотив, однако.

— Бред, — сказал Виктор.

— Не спорю. Но на всякий случай, Виктор Павлович, вспомните всех, кто мог знать об этой квартире.

— Только Лера.

— Это не так. Есть по крайней мере еще два человека, как выяснило следствие.

— Кто?

— Ну не здесь же. Не беспокойтесь. Я с вами, мы во всем разберемся.

— Я могу попросить о том, чтобы и меня допросили официально? — торжественно произнесла Назарова.

— Конечно. Я передам следователю. Есть какая-то информация?

— Я вам уже говорила, но вы не записали. Это его жена всех убивает. Она — маньячка!

— Так, — в бешенстве произнес Виктор. — Я везти эту сумасшедшую отказываюсь. Сережа, будь другом, поймай ей такси.

— Нина Глебовна, — предложил Сергей. — Давайте я вас отвезу. Вы действительно как-то наотмашь... У человека вообще-то беды со всех сторон.

— Так вы без меня Олю посадите в тюрьму! Вот и будет у него еще одна беда. Слепец, — гордо произнесла Назарова и направилась к машине Сергея.

Глава 14

Сергей отвез Назарову, быстро попрощался и поехал по направлению к своему дому. Постоянно не хватает времени на то, чтобы хорошенько разобраться в уже имеющихся материалах по всем делам. Он ищет по сайтам разных городов и стран упоминания о человеке, похожем на Андрея Семенова. Он не досконально изучил документы на его компьютере, проверить звонки в его мобильном почти нереально, но к этому нужно стремиться. Да и с делом Люды Семеновой ничего неясно. Какую-то ерунду нес этот Вадим Медведев, причем отсутствие или наличие алкоголя в его крови на интеллекте практически не сказывается.

Конечно, дела на месте не стоят. Пиарщики уже распространяют информацию о картине, для которой позирует Лиля. Порталы и СМИ с удовольствием размещают ее фото, она, правда, не дает интервью в обычном смысле слова. Но от встреч с журналистами не отказывается, просто говорит им всего пару фраз. О том, что она натурщица практически с подросткового возраста, и о том, что недавно потеряла мужа. Это все. Им приходится с этим мириться, дополняя материал собственными разглагольствованиями о необычном, замкнутом характере музы известных художников. Репродукции картин делают репортажи яркими, привлекательными. Не заметить их трудно.

Земцов работает с соседом Ольги Ветровой Петром Селиным. То, что он говорит, конечно, очень похоже на правду. Но что-то в этом происшествии есть странное. На что он надеялся, когда прятался? Ведь в любом случае — это статья. Хотя... Многие рассчитывают на то, что до них руки не дойдут. И ведь часто не доходят. А что странное? Да черт его знает. Просто само совпадение странное. Квартира, решение Осипова поселиться в ней с Ольгой, тут же появление в коммуналке Селина... Он что — не мог с порога крикнуть: «Оля, это я?» — когда она выскочила? Из нее такой стрелок... Можно было к ней метнуться, выбить пистолет. Хотя, разумеется, легче всего все разложить по полочкам, как надо, после событий. Наблюдая за ними со стороны. «Назарову, что ли, попросить войти в образ Селина? Она бы это запросто», — подумал Сергей, и мысль его развеселила. Ему нравилась эта необычная старуха, и он считал, что к ее мнению стоит прислушиваться. Человек она однозначно талантливый.

— Да, Виктор Павлович, — ответил он на звонок.

— Сережа, надеюсь, ты отвез уже эту грымзу? А я так до дома и не доехал. Блуждаю. Причем сейчас в твоем районе. Не по себе мне. Ты где?

— Так и я примерно в своем районе. Скоро буду дома. Подъезжайте, конечно.

Через полчаса они сидели за кухонным столом Сергея за кружками с растворимым кофе, каждый думал о своем. Сергей — о том, что зря теряет время, которого и так нет. Виктор — о том, что ему по сути нечего сказать. В гибели Леры, наверное, только его и не подозревают. А может, подозревают. Сказал же Сергей между прочим: «Вы не переживайте из–за вопросов. Они могут быть любые. Просто в бытовых убийствах всегда семью больше всего трясут. И вы удивитесь, насколько часто это бывает оправданно».

— Сережа, — наконец, решился он. — А кто эти два человека, которые знали, что я купил Лере квартиру? Я никому, кроме нее, не говорил.

— Я могу рассчитывать, что вы никогда не используете полученную от меня информацию? Этого делать нельзя. Я вам сказал, чтоб прояснить кое–что. Любые ваши самостоятельные расследования усугубят ситуацию, создадут проблемы людям, которые ни при чем. Это понятно?

— Конечно, понятно. Со мной можно общаться не как с идиотом, все ж у меня не три класса церковно-приходской школы. Я никогда не имел дела со следствием, но в идеале это близко к науке. Такой я сделал вывод.

— Вывод правильный. До идеала всегда далеко, но лично я всей душой к нему стремлюсь. В этом месте мой друг и следователь Слава Земцов должен громко захохотать.

— Я не буду. Забыл, когда вообще смеялся. Клянусь: никому не слова. Просто мы вместе можем что-то понять. Один я вообще плаваю в тумане.

— Так. Эти два человека — ваш сын Станислав и ваша соседка Розовская, с которой у вас был роман.

— Интересно. Откуда известно про роман?

— Отовсюду. От вашей жены, от самой Розовской, от других соседей, я не буду перечислять, ладно? Это неважно.

— Значит, Соня треплется направо-налево?

— Она отвечала на мои вопросы. Теперь звонит иногда и сообщает упущенные в процессе разговора детали.

— Я не говорил ей про квартиру. Мы много лет не разговаривали.

— Ей сказал Стасик, который заходит к соседке по-дружески, в частности, чтобы получить совет по поводу своих отношений с девочкой. Значит, ему не с кем больше поговорить.

— А ведь действительно не с кем, — задумчиво сказал Виктор. — У нас дома — черт знает что творится после смерти Леры. Сам понимаешь.

— Понимаю.

— Только я и Стасу ничего не говорил про квартиру.

— Ему рассказала Валерия. Незадолго до гибели.

— И он понес... Стас — не Лера, умом не блещет.

— Да, ваша жена говорила, что вы его любите меньше.

— Это просто ее идея-фикс. На самом деле я много вложил в своего первого ребенка, Валерия в чем-то была мной, если это понятно. Стас... Знаешь, если бы я пытался больше с ним общаться, Анна ревновала бы. Она его узурпировала. С этим связано и мое несколько отстраненное к нему отношение, и его инфантилизм.

— А почему вы скрывали то, что купили Валерии квартиру?

— Ну как сказать. Я не скрывал. Просто хотел поставить семью перед фактом из-за пунктика Анны — о том, что я сына люблю меньше. Она становится не совсем вменяемой, когда речь заходит об этом. Ведь вполне логично обеспечить отдельным жильем старшую, совсем взрослую, самостоятельную дочь. Ей нужно было создавать семью. Стас еще долго будет кормиться из соски, которую сует ему в рот мама. Извини, просто Анна немного раздражает меня своей субъективностью.

— Да мне что. Под каждой крышей — свои мыши. Наша логика простая. Если знают два человека, может узнать любое количество людей. Тем более эти два человека — достаточно коммуникабельны. Так что вы не можете точно знать о том, что Ольга Ветрова не обладала этой информацией.

— Сережа, подозревать Олю в убийстве Валерии — значит просто убить меня. Я к тебе обращаюсь за помощью. Этот вопрос нужно как-то снять.

— Как-то... Это делается одним способом — все проговаривается и проверяется. Ей придется через это пройти. Я обещаю, что мы будем осторожны, хотя бы из-за ее состояния здоровья.

— Спасибо. Сережа, я иногда просто с ума схожу, думая о том, что произошло с Валерией. О том, что это могла сделать жена ее любовника, я заявил совершенно сознательно. Вот уж где мотив, вы не можете этого не признать. И ей не пришлось бы сталкивать ее самой. Сейчас нет проблем нанять кого-то для такой услуги. Честно, я сильно сомневаюсь, что вы сможете в этом разобраться. Я думаю еще об одном варианте. Сам Андрей Семенов. Я купил эту квартиру, чтоб Лера жила там с ним, она безумно его любила. У него семья, ребенок... Хотя она все отдала бы за то, чтоб он к ней ушел, и я пытался ей в этом помочь. Но он не любил ее никогда. Так, придерживал, не отталкивал, не отказывал. Она простила ему такое предательство! Когда Андрей бросил ее, чтобы жениться на невесте своего брата. Лера могла ему надоесть, понимаешь? Лера — очень настойчивая, она способна требовать. А он — крайне заносчивый парень. Ненавижу его, если по правде. Моя дочь была готова на любые унижения, лишь бы его удержать. А если... Если он такой спектакль разыграл: вроде утонул, а потом с Лерой покончил, рассчитывая вернуться к семье каким-то образом? Он не знал, что жена предаст его так же, как он предал Леру! Может, он вообще где-то рядом, в Москве... Вы об этом не думали?

— Я навожу справки об Андрее Семенове по просьбе его жены и брата. Они тоже допускают, что он жив.

— Как странно... Странно, что и мне пришла в голову эта мысль. Понимаешь, я его знал, он учился у нас, бывал в доме. Слишком яркий, слишком неудобный и сильный физически человек для того, чтобы тихо пойти ко дну. Говоришь, брат тоже просил его найти? А я допускаю и третий вариант. Что этот брат его и утопил. Он ведь оставил семью и троих детей ради нее, как я слышал. Эта Лиля, из-за которой произошло столько несчастий, — она не просто слишком красива. Я, например, не могу ее видеть. Мне кажется, таких когда-то сжигали на кострах, как ведьм. И дело не в ее внешности.

— Виктор Павлович! — с деланым возмущением воскликнул Сергей. — Надеюсь, вы не одобряете столь безумную практику?

— Одобряю, — устало улыбнулся Осипов. — На самом деле безумие заключается в том, что произошло с Лерой и Олей. Ночью я лежу и думаю: может, во мне есть какой-то брак, какой-то грех, черное поле, раз такое происходит с моими близкими людьми? Сережа, я боюсь, что это еще не все, вот в чем дело.

Глава 15

Андрей уже почти месяц жил в другом сарае вместе с тремя пленниками, ни один из которых толком не понимал, как и почему здесь оказался. Двое — Игорь и Олег — родом из Киева, Александр, как и

Андрей, приехал в мае в столицу Украины отдохнуть, только он был из Питера. Собственно, они почти не разговаривали: их тюремщики — Рахим и Карим — явно подслушивали, работать всех заставляли до полного изнеможения, практически морили голодом. Наркотик кололи только тем, кто чего-то требовал. Чаще всего это был Игорь, самый молодой из них. Он страшно страдал от недоедания. Андрей иногда отдавал ему кусочек своего ломтя хлеба. Но Игорь все слабел, наркотик явно его добивал. По утрам конвоиры его просто выволакивали наружу, он заваливался на ходу. Однажды утром Игоря не смогли разбудить. Рахим и Карим попинали его ногами, Андрей пощупал пульс, сердце, сказал: «Он мертв». В этом бараке было окошко. Они втроем стояли у него и смотрели, как их палачи заталкивали мертвое тело в выгребную яму. Потом их погнали на работу. Андрей взял лопату и подумал, что ждать можно лишь одного: когда тебя эти ублюдки затолкают в дерьмо. Ждать? Или попросить укол, как сделал вчера вечером Александр? Может, лучше сразу, сейчас, да так, чтоб хоть одному голову разнести? И вдруг как будто легкое облако пролетело перед глазами, хотя он ни разу здесь не смотрел на небо. Это весточка от Лили, Вики или мамы, подумал он. Надо продержаться еще. В этом сарае пол состоял из уложенных в ряды булыжников. Вечером, когда Рахим и Карим ушли в дом, пленники забылись больным, неспокойным сном, Андрей достал *из–под ремня крепкую дощечку, он ее нашел и спрятал во время работы. Он до рассвета выковыривал один булыжник. Когда получилось, вернул его на место. На следующий день во время работы он сломал пилу. Подозвал Рахима, показал, тот замахнулся, чтобы ударить, встретил его взгляд, опустил руку, пошел за другой. Андрей, разрывая в кровь руки, отломил часть лезвия пилы и быстро сунул под ремень брюк. Затем толкнул поленницу, и дрова рассыпались.*

— Это не я виноват, — сказал он вернувшемуся Рахиму, который произносил какие–то ругательства на своем языке. — Неправильно сложили, ты что, не видишь?

— Делай!

Рахим сунул ему другую пилу, забрал часть сломанной и пошел выбрасывать.

Ночью Андрей вынул булыжник и начал его затачивать с одной стороны. К утру положил в ямку кусок пилы, потом вернул на место булыжник.

Однажды утром пленники обнаружили, что братья, как они называли своих тюремщиков, явно не вышли из наркотического кайфа. Они вели себя неадекватно, много и без толку суетились, постоянно смеялись. Вечером они не принесли им обычного ужина — хлеба и воды. Вообще появились только к ночи, оба уже плохо держались на ногах и заходились от безумного смеха.

— Кушять! — прокричал Рахим, и оба вывалили на пол что-то из пакета. В сарае было практически темно, горела крошечная лампочка-миньон. Когда братья ушли, встали над странной серой кучкой: это оказались дохлые крысы. Александр тонко вскрикнул и зарылся в тряпье, которое служило им постелью. Его трясло. Остальные молча отодвинулись. Потом все легли, закрыли глаза, но спать никто не мог. Андрей достал свой булыжник, оценил его возможности как оружия, — не годится. Камень все еще был недостаточно острым. Он пилил его до утра, лампочка уже погасла, он работал на ощупь. На рассвете услышал странные звуки. Оглянулся, встал. Александр пытался есть крысу, скрючивался, мучаясь рвотными спазмами, потом опять возвращался. Андрей схватил его за плечи и бросил на пол.

— Ты отравишься и сдохнешь в страшных муках, ты сошел с ума! Они наверняка отравили их!

— Мы все сдохнем в муках в любом случае, — прошептал Александр. — Чего тянуть? Я не могу выносить голода.

— Подожди, — сказал Андрей. — Я вытащил у Рахима один пузырек дряни, которую он тебе вводит. На всякий случай. Выпей просто. От этого ты уснешь хотя бы.

Александр уснул, Андрей работал, пока не услышал шаги за дверью. В этот день он падал от слабости и усталости, как Александр. Когда им вечером бросили хлеб, у них не было сил жевать. Жизнь под-

ходила к концу. Он провалился не в сон, а в темную бездну, мечтая не проснуться. Они все мечтали умереть во сне.

Глава 16

Поздним утром Марат вошел в свой особняк. Чувствовал он себя неважно. Из спальни навстречу выползла Марыся, с мятым со сна лицом, зевая во весь рот. Она уставилась на него удивленно.

— Ой! Ты! А я хотела тебе позвонить и поехать в больницу. Ну, после того, как Нинка придет и чего-то приготовит.

— Как видишь, ты опоздала. Мне ничего не нужно.

Он с вожделением посмотрел на ее голую грудь в вырезе прозрачной ночной сорочки, на тело откормленной, безмятежной, аппетитной телки. Хорошо, что она не успела одеться. Он схватил Марысю в охапку, она, хихикая, охотно вернулась в кровать. Его мучила одна мысль. Он убедился в том, что не стал импотентом! Злость и желание отомстить Лиле не то чтобы совсем прошли, просто нужно подумать. Она должна ответить, но как... Самой сладкой местью было бы заставить ее каким-то образом захотеть его. Хоть с уколом, есть же такие. Конечно, ее второй муженек не намного лучше первого. Но он явно боялся, что Марат напишет заявление, скажет правду. Вообще-то она заслужила, чтобы ее заперли. И там можно делать, что хочешь. Но ему дорога собственная мужская репутация. Это ее спасение.

— Слушай, а ты совсем не больной, — сделала вывод Марыся.

— У меня же не грипп, — объяснил он ей, как слабоумной. — На меня напали, я тебе все объяснил. Прихватило сердце от боли. Сделали укол, поставили капельницу, все прошло.

— А кто на тебя напал?

— Ну откуда же я знаю. Я вышел из машины купить сигарет. Банда какая-то. Может, наркоманы. Затащили в подъезд, били, забрали деньги.

— А зачем били?

— Я не отдавал!

— Они оказались сильнее тебя?

— Их было несколько! Слушай, отстань, а? Принеси поесть, наша кухарка пришла, наконец?

— Зачем кричать? Сейчас посмотрю. А кто тебя спас? Кто в больницу отвез?

— Не знаю. Какой-то мужик из того дома, куда меня затащили.

— А как же он с ними справился? Он что, сильнее тебя?

— Ты не поняла? Мне надоели твои дурацкие вопросы. Мне нужно поесть и поспать.

Когда Марыся вышла, Марат задумался. Вообще-то их с Ильей версия имеет недостатки, если даже у этой дурехи возникли сомнения. Как один мужчина справился с группой бандитов? И не пострадал, и в больницу его отвез. Нужно на всякий случай договориться с ним: скажем, он оружием каким–то их испугал. На какой случай? Ну, если та же Марыся кому–то брякнет. Ей же рот не зашьешь.

Марыся вернулась слишком быстро и без подноса с завтраком.

— Марик, там к тебе кто–то пришел... Блондинчик клевый.

— Ты головой не ударилась по дороге на кухню? Какой еще клевый блондинчик?

— Ну... — Марыся надула пухлые губы. — Ты чего такой? Так впускать или нет?

— Веди его сюда, — Марат уже понял, кто пришел. Контора пишет. — А сама вали. Умойся, оденься, что ли, для разнообразия.

Сергей Кольцов вошел со скромным, даже смущенным видом.

— Доброе утро, Марат. Я вас застал в неподходящий момент, сдается. Ты в постели, дама твоя сильно в неглиже, что ее, конечно, только красит. А времени уже первый час дня.

— Не всем же, как тебе, по чужим домам вынюхивать, — «вежливо» ответил Сейфулин.

— Конечно, — согласился Сергей. — Одних ноги кормят, другим деньги плывут по канализационным трубам. Транзитом. Кое–что на прокорм, остальное в швейцарский банк.

— Ты пришел пошутить?

— Нет. Ты не понял. Я пришел выразить тебе сочувствие по поводу нанесенных травм, стресса и даже опасности для жизни в какой-то степени. Банда... Пытали... Не хочешь ко мне обратиться, чтобы я их поискал?

— Умираю от смеха. Так что просил передать мне твой клиент?

— Если ты Илью Семенова имеешь в виду, то — ничего. Он тебя спас, даже вознаграждения не требует. А вот со следователем мы поговорили. Марат, ты основной подозреваемый по делу о пропаже без вести Андрея Семенова.

— Даже если он сам по собственной глупости утонул?

— Знаешь, версии — не твой профиль. Утонул так утонул. Найдем способ в этом убедиться. Пока нас интересует возможность твоей причастности. Люди твои в Киеве были. Я этих людей сейчас найти не могу. Уволились, что ли?

— Давно.

— Не везет, да? Эти уволились, те, с поврежденными суставами, испарились... Текучка кадров, да?

— Что тебе надо?

— Мне ничего не надо. Тебе следует Лилю Семенову оставить в покое. За тобой решено присматривать. Тем более у тебя терки с одним серьезным деятелем. Я кое-где слышал краем уха. Ему может понравиться то, что у нас есть.

— Пошел вон!

— Конечно. По первому требованию. Многим кажется, что я очень добрый и безотказный. — Сергей дошел до порога, обернулся и посмотрел на Марата с такой улыбкой, что у того вновь, как в больнице, заболело сердце. Они что: прессовать его решили? Но через полгода никаких фактов быть не может. Утонул — не утонул...

Глава 17

Ольга сидела на кровати одетая, рядом стояла сумка с вещами, Инна Васильевна укладывала в пакет лекарства. Виктор ждал у окна. Вдруг дверь палаты открылась, и врач пропустил вперед следователя Земцова в накинутом белом халате.

— Добрый день, — сказал Слава. — Извините, пришел поговорить с Ольгой здесь. Не вызывать же ее в управление. Врач сказал: ей какое-то время показан дома постельный режим.

— Кто это? — испуганно посмотрела на Виктора Ольга.

— Это следователь отдела по расследованию убийств, — мрачно объяснил Виктор. — Вячеслав Михайлович Земцов.

— Я не поняла...

— На тебя же нападали, они поймали твоего соседа. Он в тюрьме.

— Да? А почему управление убийств?

— Этот следователь занимается еще убийством моей дочери. Ему нужно задать тебе какие-то вопросы. Но я останусь здесь, Вячеслав Михайлович. Исключено, чтобы вы допрашивали Ольгу без меня.

— Какие слова: «Допрашиваете»... Я пришел поговорить, просто познакомиться. В день нападения у нас такой возможности не было. Оставайтесь, конечно. Все, что интересует нас, имеет отношение и к вам, Виктор Павлович.

Врач и сиделка торопливо вышли, Слава придвинул стул и сел напротив Ольги, Виктор остался у окна.

— Ольга, какие отношения у вас были с соседом по квартире Петром Селиным?

— В общем, мы с Петей практически не сталкивались. Ну, редко сталкивались. Он ведь не жил там постоянно. Если бы жил, мы, наверное, ругались бы. Знаете, он грубоватый. Пару раз, когда я возвращалась после спектакля, он выскакивал из своей комнаты и орал. Типа я его разбудила. Спиртным иногда от него попахивало.

— Давно он живет за городом?

— Когда я купила эту комнату, он уже там жил.

— Свое жилище никому не сдавал?

— Не знаю, сдавал или нет, но иногда у него там какие-то люди живут. Может, родственники. Такие же грубые. Они со мной не здоровались, я — тоже.

— Женщины у него были? По документам он разведен, но, может, с кем-то живет? Собирается жениться?

— Откуда я это могу знать?.. Видела пару раз какую-то девушку утром. Она могла быть кем угодно, хоть дочерью, хоть племянницей.

— Его дочери двадцать лет. Та девушка выглядела на этот возраст?

— Есть девушки, которые от пятнадцати до сорока выглядят одинаково. И до пенсии выходят на сцену в роли инженю, — рассмеялась Ольга.

— Мысль понял. На роль инженю она сойдет?

— Нет. В театре — точно нет. Не тот рост, вес, не то лицо, не тот голос. Но лет ей может быть сколько угодно.

— Узнаете, если понадобится?

— Наверное. У меня хорошая зрительная память. А что?

— Пока — ничего. Если, например, Селин хотел жениться, то ему бы понадобилась ваша комната, так? Он не говорил с вами, к примеру, о том, чтобы вы ее продали?

— Нет, не говорил. И я бы не продала. Мне удобно оттуда в театр добираться. Могу даже пешком добежать.

— Понятно. Ольга, мы немного поменяем тему. У нас есть информация, что Виктор Павлович предложил вам переехать в квартиру, которую он купил для погибшей дочери. Вы говорили с ним об этом?

— Витя сказал, — просияла Ольга. — Я очень обрадовалась.

— Как давно он вам это сказал?

— Я сейчас точно не вспомню число. Но не очень давно. Сразу перед тем, как... — Ольга с вопросом посмотрела на Виктора. Тот ничего не произнес. — Ну, перед тем, как все случилось.

— Вы хотели сказать другое, Ольга. Вы собирались сказать: перед тем, как к вам пришла Анна Осипова, жена Виктора. Это правда?

— Ну неужели нет, — сорвался Виктор. — Если вам уже все на блюдечке выложила эта безумная Назарова!

— Витя, почему Нина Глебовна — безумная? Ты что? Твоя жена действительно приходила! Она... она ругала меня, пугала... — Олины глаза наполнились слезами.

— Все! — решительно сказал Осипов. — Я зову врача, истязание больного человека мы прекращаем. Вы не имеете права!

— Спокойно, Виктор Павлович, — Слава встал. — Я вижу, что разговор пора завершать. Ольга, вы не против, если мы его продолжим, когда вы окрепнете? И, наверное, лучше всего — вдвоем? Следствие должно продвигаться, подозреваемый задержан, без вашей помощи никак не обойдемся.

— Конечно, — испуганно кивнула Оля.

Слава направился к двери, потом оглянулся.

— Чуть не забыл главное. Он постоянно занимается спортом, ваш сосед Петр Селин?

— Я не знаю. Ни разу не видела.

— Ну как? Гири поднимал, когда находился в квартире?

— Какие гири?

— Ольга, он бросил вам в голову двухкилограммовую гирю, которая лежала в прихожей. Он всегда ее там держал?

— Мне не говорили про гирю... Мне не говорили, как это случилось... Я и не хотела знать. Там не было никакой гири вообще–то. Я пол мыла вечером в прихожей. Я часто мою пол. И уже ничего не понимаю...

Она опустилась на подушку, Виктор, оттолкнув от двери Земцова, бросился за врачом. Слава вышел в коридор и тихонько сказал себе: «Вот и я думаю. Если гиря, то почему одна и в прихожей? Вопрос».

Глава 18

Сергей позвонил в дверь, обитую черным дерматином. Обивка местами изрезана, местами прожжена явно сигаретой. И еще вместо номера квартиры на ней написана белой масляной краской буква «К». В то время как фамилия владельцев — Ивановы.

— Вам кого? — на пороге стояла девушка в велюровом костюме с длинными, похоже, нарощенными, вытравленными перекисью волосами.

— Светлану Иванову, если можно.

— Я вас не знаю.

— Так давайте познакомимся. Вот мое удостоверение, остальное можно не на площадке?

— Частный детектив? Че это? В чем дело вообще?

Сергей понял, что придется войти без приглашения, хозяйка явно тормозит. Он протиснулся мимо нее, огляделся в прихожей, заваленной и завешанной кучей всякой одежды.

— Мы не могли бы пройти куда-то, где можно сесть? Так будет удобнее разговаривать.

Светлана молча прошла вперед, и они оказались в такой же захламленной гостиной. Там обнаружились диван и стулья, на спинках которых, впрочем, тоже висело тряпье. Сергей сел на стул, хозяйка опустилась на диван напротив.

— Я не помешал? Вы, наверное, убирались?

— Ничего я не убиралась. Так в чем дело-то?

— Объясню. Я помогаю следствию в деле убийства Валерии Осиповой. Опрашиваем всех, кто знал ее, бывал в доме. Вы — подруга брата Валерии. Очень надеюсь, что сможете нам помочь.

— Это как?

— Информацией. Вы бывали в доме, возможно, заметили, кто недоброжелательно относится к Валерии. В общем, любое ваше наблюдение для нас представляет ценность.

— Не. Я так не могу. Спросите, чего хотите. Откуда я знаю, чего говорить.

— Вам нравилась Валерия?

— А че она должна мне нравиться? Она самой себе, наверное, не нравилась. Вечно не в духе была.

— Ее не могло, например, раздражать ваше присутствие?

— Да мне как-то по фигу — раздражало оно или нет. Я не к ней прихожу.

— Со Стасом у вас отношения хорошие?

— Нормальные.

— Жениться собираетесь?

— А что — нельзя?

— Это вообще не мой вопрос. Можно или нельзя — с этим, как говорил Остап Бендер, в Лигу сексуальных реформ.

— Че говорил? Кто?

— Неважно. Я о том, что мне нужен лишь ваш положительный или отрицательный ответ. Планируете вы со Стасом пожениться?

— А че это я должна? Может, это наше дело?

— Ваше. Но в семье вашего возлюбленного произошло преступление. И теперь все дела его семьи являются делами следствия. Я понятно объяснил, чтобы мы больше к этому не возвращались?

— Ладно. Хотим пожениться.

— Вы планируете жить у них, здесь у вас или в той квартире, которую отец Стаса купил для Валерии?

— Я... Мы не знаем. У них мамашка — не в себе вообще-то. У нас, видите, негде. Насчет той квартиры... С чего вы про нее спросили? Никто нам не предлагал.

— Но вы в курсе, что она существует?

— Ну, сказал кто-то.

— Стас?

— Не помню.

— Странно, а кто, кроме Стаса, мог вам об этом сказать? Может, сама Валерия?

— Она точно — нет. А это так важно?

— Не исключено. Так кто сказал?

— Может, и Стас. Но я правда не помню.

— А с кем вы еще общаетесь в этой семье?

— Здороваюсь с родителями. С матерью его раньше говорила, но она тут на меня накинулась, чуть в окно не вытолкнула!

— Ссора?

— Какая ссора! Ей привиделось, что я Стаса с той самой площадки сбрасываю. А мы просто дурачились. А она, как сумасшедшая, налетела!

— У вас есть предположение о том, кто мог так поступить с Валерией?

— Не-а. Ну, слышала у них дома, типа она мужа у кого-то хотела отбить, ей угрожали...

— Стаса любите?

— ...Люблю... — бесцветные глаза Светланы уставились на Сергея с таким удивлением, что ему показалось, будто он употребил слишком специфический и непонятный термин.

— Хорошо, — бодро улыбнулся Кольцов и встал. — А что с дверью? Ее как будто пытали.

— Она давно такая. Алкаши порезали, пожгли...

— Что за алкаши?

— Ну, живут тут или приходят к кому-то. У нас домофон давно выбитый.

— А что обозначает буква «К» на вашей двери?

— Ничего. Просто мы выходим как-то утром, — у нас на площадке четыре квартиры, — и на каждой двери по букве нарисовано. Вместе получается «СУКА». Нам досталась «к».

— Остальные буквы где?

— Остальные соседи смыли, а нам некогда. И нечем.

— Извините, а кто еще с вами живет?

— Мама, ее муж, сестра младшая от этого мужа.

— А ваш отец где живет?

— Нигде не живет. Нет у меня отца. Мама меня просто так родила. Я и не знаю от кого. Ивановы — это мамина фамилия. И моя. А Димка-отчим и Майя-сестра, они — Никитины. Ну, вот я вам прям анкету доложила. Все, некогда мне. Я пошла собираться. Няней работаю в соседнем доме. Гришку из садика забираю, кормлю, гуляю. И до вечера.

— Дело хорошее, — кивнул Сергей.

В машине он думал о том, как живется этому Грише с такой няней. Может, и ничего. Гулять, есть — это ж не разговаривать...

Глава 19

Июнь. Полгода назад. Плен

Лето наступило довольно жаркое. Иногда во время работы или по дороге в барак Андрей пытался по растительности, климату определить, где он находится. Но ее почти не было, растительности, в этом глухом дворе. Лишь пыльный бурьян под ногами.

Климат... Воздух был не таким пряным, каким бывает на юге у моря, и в то же время — жарко. Похоже, они где–то в средней полосе России, или Украины, может, Румынии, Польши... Он же не знает, как и сколько времени его везли под наркозом. Его товарищи по несчастью совсем сдали. Почти не разговаривали, вяло жевали свою пайку. Олег, как и Александр, иногда, глядя в пол, просил, чтобы ему сделали укол. Предложение Андрея о том, чтобы им поставили хотя бы ведра с водой и тазы для мытья, они восприняли безучастно. Андрей сначала обратился к Рахиму вежливо. Объяснил, что им необходима вода для мытья. Тот был, как обычно с утра, не в духе, просто сплюнул в сторону Андрея и отошел. Семенов раздражал братьев тем, что никак не ломался.

Андрей пошел работать, выбрал момент и подошел к Рахиму сзади, окликнул, когда тот оглянулся, одной рукой сжал ему горло так, что тот не мог издать ни звука, другую — с поленом в руке — занес, как для удара.

— Слушай, ты, — сказал он негромко. — Мы умираем, нам нечего терять. Ты отказал мне в ведре воды, я проломлю тебе башку. Причем оставлю живым, чтобы те, кто нас сюда запер, добивали тебя медленно и мучительно. Они же не убивать нас велели?

Он ослабил немного хватку, и Рахим, глядя на него с дикой, звериной злобой, выругался на своем языке. Затем сказал:

— Я дам тебе воду, свинья.

— Молодец, — Андрей отбросил в сторону полено. — Не мне, а нам. По ведру на человека, каждый вечер, понял?

Вечером вода в трех ведрах стояла в их сарае. И один большой таз. «Ладно, черт с ними, — весело сказал Андрей ребятам. — Будем мыться по очереди. Так удобнее поливать сверху».

Но Олег с Александром не шевельнулись. У них совсем не осталось сил. Андрей тащил их к воде волоком, раздевал, обливал, опять одевал. Они оба упали на свои вонючие тюфяки и только через какое-то время почувствовали облегчение. Олег даже улыбнулся. Андрей оставил себе большую часть воды, плескался с наслаждением. Господи, как мало нужно человеку, чтобы захотеть прожить еще один день... В этот вечер все ели хлеб с аппетитом, никто не просил укола. Сон пришел сам. Андрею пришлось его прогонять, чтобы продолжать заточку булыжника.

С этого дня у них появились минуты, которых все ждали. Вода... Андрей иногда закрывал глаза и представлял себе волны Днепра. Он опять плывет, а на теплом песке его ждут Лиля и Вика...

Однажды он открыл глаза, а на него с порога смотрели Рахим и Карим. Явно под кайфом, с воспаленными лицами, с улыбками идиотов. Он спокойно взял одежду, натянул на себя, потом поднял таз с грязной водой и вылил ее братьям под ноги.

— Я так мою пол, — объяснил он.

Они блеснули глазами и ушли.

— Они вернутся, — вдруг произнес Александр. — Случится что-то ужасное. Они свихнулись от наркотиков.

Они легли, как всегда, не раздеваясь, долго прислушивались, но часы шли, ничего не происходило, усталость их победила к середине ночи. Андрей проснулся, когда кто-то навалился ему на голову, в это же время он почувствовал укол в руку. Оба урода на нем лежали, пока наркотик не начал действовать: голова закружилась, поплыла, Андрея замутило. Олег и Александр, конечно, не спали, но боялись шевельнуться.

Наконец, братья его отпустили. Встали рядом. Ночь была светлая. Узники отчетливо видели, что братья вынули ножи из карманов.

— В чем дело? — попытался четко спросить Андрей. — Вам велели убить нас?

— Не-е-е, — залился безумным смехом Карим. — Будиш жит... Снимай штаны — будиш наш девушка.

В этом месте наркотический хохот скрутил обоих. И сразу ненависть все вернула на места свои. Мозг стал ясным, в руках появилась сила. Андрей неожиданно вскочил, налетел на братьев, сбил их с ног, что было не так уж трудно, ножи зазвенели на булыжнике. Он их поднял и бросил Олегу и Александру. Александр со страхом отодвинулся. Олег сжал рукоятку ножа и тут же упал от страшного удара по лицу доской, который ему нанес Рахим. Карим легко взял нож у него из руки, затем подобрал тот, что лежал рядом с Александром. Они повернулись к Андрею. Он медленно подходил к ним, держа руки в карманах.

— Ваша девушка? — переспросил он с улыбкой.

И достал руки из карманов. Они не успели ничего увидеть и понять. Острием булыжника он в течение секунды пробил висок одному и лоб другому. И когда они валялись с залитыми кровью глазами на полу, он продолжал наносить удары, превращающие их головы в месиво из крови, мозгов, обломков костей. Он не мог остановиться. Вся его разрушенная судьба, все унижения, потери потребовали выхода... Олег, наконец, остановил его руку.

— Все кончено, Андрей. Все давно уже кончено. Нельзя убить мертвых. И отомстить им тоже нельзя.

— Да, — выдохнул Андрей. — Пошли выбираться отсюда. Мы ведь даже не знаем, не пропущен ли ток по забору. Но это по моей части. Разберусь.

— Посмотри, — Олег показал в сторону Александра. — Он не умер?

Александр лежал с белым лицом, открытыми, остановившимися глазами. Андрей бросился к нему, начал делать массаж сердца, дышал рот в рот. В какое–то мгновение сердце как будто забилось, но че–

рез пятнадцать минут Андрей встал и вытер пот со лба.

— Его больше нет, Олег. Наверное, обширный инфаркт, я не справился.

Олег затравленно на него посмотрел.

— Мы его здесь не оставим? Кто-то же сюда придет, они его утопят в выгребной яме.

— Не оставим. Мы должны выбраться и похоронить его. Как сможем. На воле.

Глава 20

Лиля сидела у компьютера и, кажется, уже в двадцатый раз перечитывала информацию, которая завтра должна появиться везде с ее портретом. Все было стилизовано под кондовую манеру бульварных изданий и сайтов новостей.

«СТРАШНОЕ НЕСЧАСТЬЕ С НАТУРЩИЦЕЙ ИЗВЕСТНЫХ ХУДОЖНИКОВ ЛИЛЕЙ СЕМЕНОВОЙ! ВРАЧИ В РАСТЕРЯННОСТИ. ЕЕ ЖИЗНЬ МОЖЕТ ОБОРВАТЬСЯ В ЛЮБУЮ МИНУТУ!» Дальше шел текст, который ничего не объяснял, а только запутывал. Несколько фотографий. Одна большая, профессиональная — прекрасный портрет, остальные любительские, в том числе в обнимку с Викой...

Лиля понимала, что ничего более ужасного она не читала, в более чудовищном предприятии не участвовала. Еще не поздно было дать отбой. Разбудить Илью, который сегодня просто свалился от усталости, показать это ему, он сразу скажет: «Ни в коем случае! Я не позволю!» Возьмет, как всегда, ответственность на себя, и этот кошмар закончится. Ведь Андрея ищут. Найдут, или поступит известие о смерти, или окажется, что он спокойно живет с другой. В любом случае Лиля ничего менять не собирается. Она обязана защищать покой Вики, неродившегося ребенка и своего мужа Ильи. Она не сошла с ума от страданий, не умерла, сумела вернуться к нормальной жизни женщины и матери, к профессии. Ей не нужна эта авантюра. Лиля прочитала все в очередной раз, ее сердце сжалось от страха перед тем, что их ждет. И четко поняла: Илью она не разбудит. Он узнает обо всем по факту. Ну пусть хоть побьет ее. К сожалению, он не сможет этого сделать и будет просто страдать. Мама наверняка узнает и тоже расстроится. О Вике лучше не думать. Хотя именно ей Лиля сможет все объяснить легче, чем кому бы то ни было. Они с дочкой — на одной волне. Вика ее поддержит. Она тоже хочет знать правду. И она в том возрасте, когда можно принять даже такой авантюрный ход. Только в нежном возрасте, когда веришь в сказки и жаждешь приключений, и можно его принять. Для Лили это непростительно. Так она подумала и решительно нажала «ответить». «Запускайте», — написала она.

Потом она долго лежала в горячей ванне. Еще дольше стояла под душем, отчаянно терла тело махровой рукавичкой, как будто заранее сдирая грязь, которая может обрушиться на нее завтра. В данном случае грязь — это тупое, бесчувственное любопытство и, не исключено, чье-то злорадство. «Добродушных» людей у нас много, это заметно. С этим она справится. Хуже, если кто-то по-настоящему будет переживать, испугается. У Лили немного знакомых, среди них практически нет праздных людей, которые читают все новости, но молва разносится старым дедовским способом — языком, это надежнее прогресса. Собственно, они с Сергеем надеются, что именно так узнает «страшную правду» Андрей, если он жив. Жестоко по отношению к нему? Конечно. Как любая операция. Если он где-то живет и мучается виной, пусть неожиданный удар заставит его пробиться к истине. Это единственно возможный выход из тупика. Если Андрея нет в живых, может, кто-то сообщит о его смерти, и тогда Лиля поверит и смирится. Илье тоже необходимо знать, что он женат на вдове, что мать его ребенка — не чужая жена на самом деле.

Интересно, обрадуется ли Марат Сейфулин? Может, успокоится, хотя он бы, наверное, хотел, чтобы она стала жертвой его мести. Разочаруется, бедный...

Лиля набросила халат, вышла из ванной, поколебавшись, заварила себе крепкий кофе. Обычно она на ночь его не пьет. Но тут все равно не уснуть. Она выпила чашку достаточно крепкого кофе и вернулась к компьютеру. Набрала в поисковике Гугла свое имя. Боже! Все уже есть!

Часть третья

Глава 1

Сергей приехал в офис Ильи Семенова, предупредив того по телефону буквально за пять минут, когда уже парковался во дворе. Вошел, они с Ильей пожали друг другу руки, Илья сразу заметил, что Сергей не совсем такой, как всегда. Он чем-то озабочен, даже встревожен. Поскольку история с публикацией о Лиле уже перестала быть новостью, а стала бесконечно повторяемым бредом, то здесь дело явно в другом.

— Что-то новое? — спросил Илья.

— Да, — Сергей сел на стул перед столом. — Понимаешь, я все проверяю звонки и письма Люды. Много абсолютно пустых. Дело в том, что она на некоторых сайтах с предложениями услуг репетитора выкладывала свое фото. Звонили и те, кто просто клеился, и те, кто думал, что это завуалированная проституция, так тоже бывает. Короче, много мужчин, которые в принципе ни при чем, то есть разовые звонки. Она их отшивала. Некоторые звонили со скрытых номеров. Это услуга для телефонных маньяков. Они редко предпринимают какие-то действия. Я и не проверял такие звонки. Сейчас решил проверить абсолютно все за десять дней до несчастья. Попросил помощника, гения сотовой связи...

— Что?!

— Один звонок был со скрытого номера — не от мужчины, это вообще не личный телефон. Это общий телефон одного медицинского диагностического центра, к которому была прикреплена Люда по месту жительства.

— Но она никогда не ходила к врачам. Только маленькая, в детскую поликлинику. Потом ничего серьезнее простуды у нее не было.

— Она побывала в этом центре за неделю до гибели. В школе выпускников посылали на диспансеризацию.

— Что-нибудь у нее обнаружили? Но этого не может быть! Она или Вера мне сразу бы позвонили.

— Да. Если бы Вера знала. Дело вот в чем. Я проверил, каких врачей посещали девочки. Люда была у тех же. Но в смотровом кабинете у гинеколога была только она.

— Я не понимаю.

— Терапевт у всех спрашивала: есть ли близкие отношения с мужчиной. Утвердительно ответила только Люда, как я понимаю. Ее осмотрели.

— Ну и что? Она же была здорова!

— Просто телефон со скрытым номером как раз и лежал в этом кабинете. Сейчас он у меня в кармане. Ну, я там случайно оказался, беременную жену искал...

— Можешь это пропустить, я твои фокусы знаю. Почему ты там оказался?

— Мой помощник-гений определил адрес одного звонка. С этого самого телефона. И Земцов дал запрос на распечатку звонков с него. Илья, твоей дочери позвонили из этого кабинета на ее мобильный и сказали, что у нее сифилис. Это точно.

— Но у нее же ничего не было...

— Не было. Есть статья «Доведение до самоубийства». Поэтому с нами сейчас в это учреждение поедет Слава Земцов.

— Я правильно понял, ты возьмешь меня с собой? Если сомневаешься, я на колени перед тобой встану, я вам не помешаю, клянусь...

— Возьми себя в руки. Ты нам нужен, поэтому я за тобой и приехал. Какие колени, к чертям... Дело плохо. Я должен тебе еще кое-что сказать. Странное стечение обстоятельств. Там в лаборатории работала Валерия Осипова, та самая, которую выбросили из окна. В момент звонка она была жива и это была ее смена.

— Что вы находите в этом совпадении? — тревожно спросил Илья.

— Сам подумай. Она могла так отомстить, к примеру, Лиле. Неумный, нелогичный поступок, но женская месть не подлежит логике. А Люда могла об этом звонке рассказать матери, та могла, как ни крути, — рассказать тебе... Короче, опять все под подозрением. Говорю, чтобы ты это воспринимал как неизбежности. Ты сам хотел узнать.

— Мне все равно. Ни Вера, ни я, ни Лиля никого не убивали. Проверяйте, раз положено. Вы на невиновного ничего не повесите, я верю.

— Спасибо, — грустно произнес Сергей. — А мне, если честно, все это не нравится страшно. Результат может получиться для всех неожиданный.

Глава 2

Илья и Сергей вышли из офиса, подошли к машине, где уже сидел на заднем сиденье Слава Земцов. Илья сел рядом с Кольцовым. Все долго молчали. Потом Слава сказал:

— Завтра Новый год, между прочим.

— Да... — без выражения поддержал Сергей.

— Да? — озабоченно спросил Илья. — Я закрутился, никому не купил подарков.

— Это сейчас не проблема, — Сергей посмотрел на него сочувственно. — Если захочешь, я тебя потом отвезу в какой-нибудь магазин.

— Да, спасибо, — Илья как будто схватился за соломинку. Подарки к Новому году — это святое, что бы они сейчас ни узнали.

Диагностический центр оказался очень комфортабельным, внутри — мрамор, чистота, цветы, аквариумы. Они поначалу решили, что Илья пойдет впереди, как отец, они представляться не станут. Но не тут–то было. Охранники вышли со всех сторон, как будто они попали на атомную станцию. Земцов предъявил удостоверение.

— Прошу не мешать нашим передвижениям. Мы сами решим, кто нам нужен. В случае проблем я вызываю наряд. Это серьезно, мы работаем в рамках открытого уголовного дела. Прокуратура в курсе.

Они пошли по коридору, Сергей вынул бумажку с планом здания, которую распечатал из Интернета. У кабинета гинеколога сидела очередь из нескольких женщин. Они дождались, пока выйдет медсестра с какими–то бумагами, Земцов отвел ее в сторонку, объяснил задачу. Она быстро взглянула на удостоверение и вернулась в кабинет. Через некоторое время она вывела оттуда пациентку и сказала женщинам из очереди:

— У нас перерыв. Проверка. Если не можете ждать, примем завтра.

— Я бы посоветовал не ждать, — дружелюбно посоветовал Сергей. — Мы можем задержаться.

Они вошли в кабинет, где на них не особенно приветливо уставилась полная женщина в халате. Она не ответила на приветствия. Сразу заявила:

— Вообще–то предупреждать надо. Мы работаем. Предпраздничный день. Что за спешка? После праздников не могли зайти?

— Как вас зовут? — спросил Земцов. — Наши имена–отчества–фамилии вы можете прочитать в удостоверениях. — Он положил свое перед ней на стол.

— Мои данные написаны на двери. Наталья Петровна Серчук. Я вас слушаю.

— Можно мне? — спросил у Славы Сергей, достал из папки распечатку и положил перед Серчук. — Если вы не в курсе, так выглядит распечатка телефонного разговора, в данном случае звонок был сделан с аппарата, который еще вчера лежал на этом столе. Сейчас он у меня в кармане. Дата указана.

— Не поняла, вы что: украли наш телефон?

— Взял в качестве улики, если вас устроит такая формулировка. Ну, взял... иначе мы бы не пришли. Прочитайте.

— Я не понимаю, что это, мы обычно не сообщаем такие диагнозы по телефону, вы сами знаете: это запрещено. Шутка, наверное, чья-то, — лицо врача между тем покрылось багровыми пятнами. Глаза бегали.

— Кто имел доступ к телефону? — спросил Земцов.

— Любой, кто находится в кабинете, разумеется.

— У вас есть городской телефон, аппарат внутренней связи. Кем и с какой целью был приобретен мобильный, который ни на кого не оформлен?

— Ну, просто купили в складчину, на всякий случай. Симки бесплатные раздавал «Мегафон» в «Перекрестке» в качестве рекламной акции.

— Кто оформил услугу «скрытый номер»? С какой целью?

— Я понятия не имею. Я даже не знала, какой там номер и вообще...

— Нам можно увидеть заведующую отделением?

— Я уже здесь, — раздался резковатый женский голос от двери.

Мужчины повернулись и посмотрели на невысокую, среднего возраста женщину в больших очках. Темные волосы были стянуты сзади в пучок, лицо интеллигентное.

— Мне сообщили, что тут собрался целый отряд следователей, которые разогнали наших больных. У вас есть разрешение на такие действия?

— Нет, конечно, — ответил Слава. — Мы и не разгоняли, и мы не отряд. Я — руководитель управления по расследованию убийств, фамилия моя Земцов, вот этот человек — частный детектив, который ведет свое расследование и помогает нам. А это — Илья Семенов, отец Людмилы Семеновой, которая повесилась, возможно, в результате звонка из вашего кабинета. Ложная информация о сифилисе. Как к вам обращаться?

— Гукова Зоя Константиновна. То есть вы пришли нас обвинить в том, что нервная девушка покончила с собой из-за чьей-то глупой шутки?

— Спокойно, Илья, — Сергей придержал отца, который двинулся к Гуковой. — Мы пока никого не обвиняем. Мы разбираемся, с какой целью у вас имелся телефон со скрытым номером без оформления по закону. Вы поняли, что у нас есть распечатка разговора? Если мы в ходе этой беседы не выясним, кто звонил, то сумеем идентифицировать голос звонившей с помощью эксперта. Вы не хотите помочь следствию?

— Понятия не имею, что от меня требуется.

— Тем не менее прибежали до того, как мы вас вызвали, — меланхолично заметил Земцов. — Дело в том, что мы будем опрашивать всех, пока не получим объективной информации. Работа вашего учреждения однозначно усложнится. Например, у меня нет новогодних десятидневных каникул. У Кольцова, мне кажется, и выходных нет. Так что мы получим разрешение навещать вас на дому. Всех, кого посчитаем нужным.

— Да вы что! — Гукова вышла из себя. — Это что ж за такая государственная необходимость? Важная персона пострадала? От особо опасных преступников? Да у нас, может, таких «пострадавших» каждый день по десять штук. И что, нам не работать? На допросы ходить?

— Илья, очень тебя прошу, — опять придержал Сергей Семенова. — Подожди. Тут ведь какая интересная история получается. У них лежит телефон для общего пользования, никто, кроме сотрудников, сюда проникнуть не может: мы в этом убедились. А пострадавших каждый день по десять «штук», как выражается эта типа доктор. То есть мы просто еще мало поработали с этим аппаратом. Нас интересовал лишь один звонок — Людмиле Семеновой. Зоя

Константиновна, для нас — это особо важная персона, раз она пострадала. Ну работа у нас такая: кто пострадал, тот и важен. Кто виноват, тот, возможно, преступник. Для начала — подозреваемый. Вячеслав Михайлович, я уверен: нужно искать свидетелей. Есть связь между звонком и несчастьем.

— Вы не хотите нам что-то чистосердечно рассказать? — спросил Земцов. — Вы, Гукова, вы, Серчук?

— Да вы издеваетесь! — воскликнула Гукова. — Я пошла звонить. Мне есть, кому пожаловаться на ваш произвол. В Думу, в министерство...

— Именно в эти организации? — уточнил Земцов. — Хорошо. Начинайте звонить. Нам тоже интересно, кому вы пожалуетесь на наш произвол.

— Не удивлюсь, если вы нас уже прослушиваете, раз трубку украли, — проворчала Гукова.

— Телефон я оформил как возможную улику. Удивляться вам особенно нечему. Мы ничего не скрываем. Сережа, обойди, пожалуйста, отделение, ну весь этот этаж в идеале. Пусть все сотрудники произнесут по два-три слова на диктофон. Гукова и Серчук, а также медсестра уже записаны, как я понимаю. Это приказ! — рявкнул он вдруг в сторону Гуковой. — Не сметь мешать! А мы с отцом Людмилы лучше выйдем. Не для отца погибшей это мероприятие, как выяснилось.

— Да, — мягко сказал Сергей. — Подождите в машине. А глаза у этих женщин в медицинских халатах добрые-добрые...

Глава 3

Илья и Лиля пригласили к себе встречать Новый год Веру с детьми и, разумеется, мать Лили с Викой. Лиля с утра озабоченно распределяла спальные места в их небольшой трехкомнатной квартире. Кому-то придется спать на раскладных креслах и раскладушках. Потом она сосредоточенно считала чистые постельные комплекты, доставала одеяла и пледы.

— Вроде все получается, — улыбнулась она Илье. — Сейчас я пойду за продуктами, а ты за елкой, ладно?

— Лиля, давай все закажем в ресторане. Это же кошмар — готовить на такое количество людей.

— Нет, — решительно возразила Лиля. — У моих родителей всегда был набор новогодних блюд, они непременно должны быть домашними. Я всю жизнь придерживаюсь этого меню. Меняю только салаты, сейчас на женских порталах такие чудесные рецепты. У меня все получится. А мама, как всегда, испечет наполеон и корзиночки. В этом с ней никто не сравнится, никакой кулинар.

— Да, — кивнул Илья. — Я бы пошел с тобой, чтобы ты не таскала тяжести, но вчера не купил ничего — ни елки, ни подарков.

— В том-то и дело. Я прекрасно справлюсь с тяжестями. Возьму сумку на колесиках, не беспокойся.

Илья притянул Лилю к себе.

— Тебе точно не трудно все это делать? Я имею в виду — столько хлопот с моими детьми, бывшая жена...

— Нет, я коварно притворяюсь, — рассмеялась Лиля. — Ты же знаешь, как мы подружились с Катей и Толиком. С Верой тоже все нормально. Я бы почувствовала, если бы она меня не принимала. Я рада, что у нас большая семья. Что тебя беспокоит, скажи?

— Да мне все кажется, что ты стараешься загладить эту глупость, которую вы придумали с Сергеем. Ну, про несчастье с тобой. Если честно, я в шоке. Но ты не должна ни к кому приспосабливаться...

— Ты представляешь, я не хочу загладить эту глупость. Я в нее поверила, ну, как в маленький шанс узнать правду. Мне очень жаль, что ты переживаешь, но пусть будет, как будет...

— Тогда отлично. Мы постараемся устроить праздник, несмотря ни на что...

Он проездил по магазинам практически целый день. Подарки всем выбирал очень придирчиво. Илья терпеть не мог ненужных, никого не радующих вещей. Уже ближе к вечеру заехал на елочный базар. Игрушки находились в машине.

Когда он ввалился в квартиру, обвешанный свертками, с елкой и коробками в руках, все дети выбежали ему навстречу: Вика, Катя и Толик. В квартире очень вкусно пахло, женщины помахали ему из кухни: все были в процессе готовки. Илья установил елку в столовой, принес из прихожей коробки с игрушками и сказал Толику:

— Давай, руководи. Вы с Викой вешаете вверху, на стул только ты становись, Кате разрешай украшать внизу.

Затем он пошел в ванную, принял душ, надел брюки и новую кремовую водолазку, заглянул в кухню: там стояли уже готовые блюда. Он позвал Лилю. Когда она вошла за ним в спальню, Илья открыл коробку, стоящую на кровати. Лиля достала из нее вроде бы простое платье: черное, с молнией сзади практически по всей длине, необычным, асимметричным вырезом и бриллиантиками по нему. Она быстро сбросила халатик, попросила Илью застегнуть молнию: платье легло, словно вторая кожа, на ее великолепную фигуру. Она посмотрела в зеркало, улыбнулась:

— Отлично. А что с тобой? Тебе не нравится? Оно мне не идет?

— Как это может быть... — расстроенно ответил Илья. — Ты в нем ослепительна. Просто они ошиблись. Я хотел купить синее платье, а они положили черное. Их было всего два.

— Но черное всегда эффектнее, ты просто не понимаешь.

— Я понимаю. Извини. Мне везде мерещатся какие-то знаки. Я поэтому хотел синее... Но я очень рад, что они ошиблись. Теперь я вижу, что это красивее.

Все встретили Лилю восторженно, девочки были тоже в новых платьях, Толик — в нарядном костюме, Ирине Викторовне и Вере Илья подарил по красивому украшению. Они провели чудесный вечер, встретили Новый год, все загадали по желанию, шампанское разрешили глотнуть даже Кате. Поздно ночью Лиля бродила по квартире, проверяя, всем ли удобно, все ли спят. Потом стала искать Илью, подумала, что он тоже спит, но его в спальне не оказалось. Она пошла в ванную, услышала шум воды, дверь была не закрыта изнутри. Лиля тихонько ее приоткрыла. Илья, полностью одетый, сидел на полу, сжав виски руками. Лиля бросилась к нему, провела рукой по лицу: оно было мокрым. Он плакал.

— Что-то еще случилось? — тихонько спросила она.

— Нет... Просто это черное платье, как у вдовы... Я никогда тебя про себя не называл вдовой почему-то. Хотя я верю в смерть Андрея. Но такая ошибка с нарядом. Как раз, когда ты надеешься, что Андрей объявится. И Людочка. Как же она не сказала, не пожаловалась. Ей позвонили из медцентра и сообщили, что у нее сифилис. И она поверила! Потому что звонил кто-то из врачей!

— Этого не может быть!

— Это точно было. Осталось узнать кто. Там, кстати, в лаборатории работала Валерия Осипова. Может, это она нам так отомстила?

— Встань, Илюша. Пойдем спать. Утром надо кормить детей. Следователи во всем разберутся, мы с ума можем сойти от такой чертовщины. А платье... Вдова... Ну что ты придумываешь. Я — твоя жена, мать твоего ребенка. Это единственное, что не может измениться. Несмотря на черное платье, я верю, что Андрей, твой брат, жив. Пусть он живет, как хочет. Нам ведь нужно знать только, что жив. Просто потерь очень много, а их вообще быть не должно. Мы — не самые плохие люди, правда? И я не понимаю, за что нам все это. Если, конечно, воспринимать все как наказание...

— Несчастья — это не наказание, не говори ерунды. Это судьба. И мы пытаемся с ней поговорить начистоту, во всем разобраться. Ты права: нужно все знать. Это главное. А мы на самом деле нормально живем: ты рассчитывала когда-нибудь на такую кучу детей? Это я так пошутил.

— И ничего смешного. Мне нравится общаться с ними. Они настолько лучше взрослых. Остались бы такими всегда.

Глава 4

Виктор Осипов встретил Новый год с Анной и Стасом. С утра нарядил елку, положил под нее подарки. Они вечером «нечаянно» их нашли. Так было всю жизнь.

— Это духи для Светланы, — поднял один сверток Виктор. — Стас, я думал, ты ее пригласишь.

— Мама сказала, что это семейный праздник, — пожал плечами Стас. — Я подумал, что она Светку опять придушить может. — Он весело захохотал. — Но я ей сказал, что, может, ночью подъеду. Так что — спасибо. Я ничего ей не купил. Откуда я знаю, чего Светке нужно. Да и забыл вообще-то... Пусть она мне дарит, да?

— Да, — сказал Виктор. — Интересно ты шутишь. Ну что, пошли провожать старый год?

Анна уже накрыла стол. Виктор практически не пил, только пригубил шампанского в двенадцать. Анна вообще никогда не пила. Все поставленное с волшебной скоростью исчезало в чреве Стасика. Анна смотрела на него с умилением. Хороший аппетит ребенка — радость матери. Пусть даже этот ребенок любому кажется здоровенным лбом.

В начале первого Виктор встал из-за стола, пошел в свой кабинет, оттуда вышел с небольшой спортивной сумкой.

— Аня, Стасик, — сказал он напряженно, но ровно. — Я уезжаю. Буду жить в другом месте. Но вы, конечно, остаетесь для меня близкими людьми. Просто так будет лучше, вы это сами поймете... Может, не сейчас. Аня, тебе, наверное, надо помириться со Светланой.

— Ни фига себе приколы, — Стас открыл рот от изумления. Он, похоже, думал, что это розыгрыш.

Анна стала еще бледнее, насколько это было вообще возможно, и крепко сжала пальцами край стола. Она знала, что это произойдет, он пытался ее подготовить, но сейчас ей казалось, что он, как диверсант, взорвал их жизнь. Все, что было. Но не издала ни звука. Просто кивнула, прощаясь. Смотрела, как Виктор уходит, до последнего надеясь, что он вернется. Но хлопнула входная дверь, потом заскрипел лифт, потом дверь подъезда, потом она узнала звук мотора его иномарки. Было холодно, машина завелась не сразу. Но завелась...

Виктор подъехал к дому, где в своей комнате сидела Ольга на кровати, сжавшаяся в комок от напряженного ожидания и от отчаяния по поводу того, что ожидание это окажется напрасным. Она не поверила своим ушам, когда раздался звонок в дверь. Бросилась открывать, чуть не выпала из двери на Виктора.

— Ну, видишь, какая ты непутевая, — он внес ее в прихожую. — Открываешь, не спросив, кто пришел.

— Так я жду-жду... Уже петарды взрывают. И я даже говорила себе, что новогодняя ночь кончилась, что ты не приедешь...

— Новый год уже наступил, — сказал Виктор, — а ночь еще продолжается. Поехали. Подарок я тебе вручу там, в нашей квартире. Ты хоть купила то, что обещала? Шампанского и еды?

— Купила. Шампанское по «красной цене» за сто шестьдесят девять рублей, докторской колбасы попросила порезать, и сыр. Вот так. Я не знала, что покупать.

— Я просто дал тебе задание, чтоб ты не переживала. Я и сам купил все, что нужно. Нормальное французское шампанское и фрукты. До утра нам хватит, я думаю.

— Я не могу во все это поверить, — Олины глаза за последние дни стали огромными от постоянного удивления и ожидания.

— Уже пора, однако. Поехали.

Они вошли в отремонтированную двухкомнатную квартиру в элитном доме на Ленинском проспекте.

— Тут есть все на первое время, — объяснил Виктор.

— На первое время? Это дворец!

— Конечно. А я — Дед Мороз, — рассмеялся Виктор.

Они разделись, прошли в столовую, он поставил на журнальный столик перед диваном шампанское и фрукты, которые привез в лотке. Оля вытащила свою бутылку, колбасу и сыр.

— Фрукты помой, — попросил Виктор. — А я разложу все по тарелкам. Купил несколько. Бокалы тоже.

Когда Оля вернулась, на диване лежали норковый жакет и такая же шапка-шлем.

— Это что? — Оля спросила испуганно.

— Как ты думаешь, что это и кому? Я могу влезть в такой маскарадный костюм? Это наряд для лысых девушек.

Оля долго рассматривала вещи, гладила их, прежде чем надеть. Потом поискала глазами зеркало, нашла, оделась, посмотрела. На нее взглянула чудо–девушка, из того старого кино. Глаза Оли стали очень серьезными. Она не улыбалась.

— Ты знаешь, — повернулась она к Виктору. — Я начинаю думать, что мне повезло с этим... несчастьем.

— Какая же дурочка, — вздохнул он. — Может, премию дадим этой скотине, которая тебя чуть не убила? Ладно, проехали, с тобой пока ни о чем серьезном говорить нельзя. Снимай этот наряд, садись к столу, я разрешу тебе сделать глоток шампанского. Спрашивал у врача, между прочим. Он сказал: «Пусть только не напивается в стельку».

— Странно, — удивилась Оля. — Я произвожу такое впечатление — «в стельку»?

— Я пошутил. Честное слово, Оля, умнее ты точно после удара не стала. Но я люблю тебя. Вот с этого давай и начнем Новый год.

— И я люблю, — выдохнула Оля.

Они успели выпить по глотку шампанского, когда раздался звонок по Олиному мобильному.

— Это Нина Глебовна, — впервые за все время улыбнулась Ольга. Она порозовела от вина.

— Понятное дело, — кивнул Виктор. — Мои поздравления, только со мной ее не соединяй. Все же праздник. Скажи: я ем!

— Нина Глебовна, — запищала Оля. — Мы вас поздравляем, мы вас обожаем. Мы в новой квартире. Витя купил мне норковый жакет и шлем для лысых. Он ест колбасу, а я счастлива!

— Чудесные новости, — вальяжно произнесла Назарова, — несмотря на то, что ты тарахтишь, как пьяная. Тебе пить нельзя. Все остальное хорошо. Насчет его обожания я, правда, сомневаюсь, но это неважно. Квартира, жакет, шлем и даже то, что он ест, мне нравится. Мужики молчат, когда едят. Запомни, что ему нравится, и покупай это в больших количествах. Я поздравляю тебя, дорогая.

— А я вас!!! Это все вы!!! Вы в моей жизни... Даже не знаю, что сказать...

— Скажи просто: ангел-хранитель, — скромно ответила Назарова. — И ложись спать. У тебя режим.

Это однозначно была самая счастливая ночь в жизни Ольги Ветровой. Она не одна, ее любят, о ней заботятся. Таких чувств она не испытывала даже во время своего единственного большого успеха. Почему-то сейчас он казался ей предвестником, а, может, и причиной ее кромешного одиночества. Она уснула, как ребенок, обняв за шею Виктора. Тот не спал еще много часов, но боялся шевельнуться, чтобы не разбудить ее. Утром он принес Оле в постель капельку шампанского, бутерброды и фрукты. Потом они опять уснули. Виктора разбудил звонок в дверь. Он пошел открывать — глазка в двери еще не было, — не понимая, кто это может быть. Он никому вроде не давал адреса. Кроме следователей, разумеется.

На пороге стоял Сергей Кольцов.

— Ничего, что я на праздник? Сейчас уже два часа дня. Я подумал...

— Что-то случилось?

— Ну так, дело небольшое. По записи телефонного разговора нужно голос опознать.

— Чей это голос?

— Вашей дочери Валерии.

Глава 5

Марат лежал на диване из необычайно мягкой кожи, в груде атласных подушек разной формы и цвета. Он пил виски из широкого стакана, временами смотрел на рыбок в огромном — на всю стену — аквариуме, на большой экран телевизора, не вникая в то, что там показывают. Смотрел просто, как на цветную картинку. Звук он выключил. Появление Марыси воспринял с неудовольствием. У них собирались гости, они провели бурную, шумную ночь. Чего вскочила? Спала бы себе... Он отдыхает! В том числе и от нее. Но объяснить ей это невозможно. И потом: что за вид? Она не смыла грим, ложась спать, стоит сейчас в мятой батистовой сорочке, какие хороши только вечером. Утром женщина должна такую рубашку незаметно снять и отдать в стирку. Женщина, которая живет с уважающим себя мужчиной. Сейчас Марыся похожа на старую тряпичную куклу с глиняным размытым лицом, каких выбрасывают на помойку.

— В чем дело? — спросил Марат. — Если мне звонят, то я сплю. И так весь день, поняла?

— Да нет, — ответила Марыся с необычным для нее возбуждением. — Не звонят. Я просто включила комп, ну, там фотки нашего приема выложила «ВКонтакте», девочкам же интересно. А потом... Слушай! Я такое прочитала! Семенова, ну, та самая, типа натурщица, так она помирает вроде. Так и написано: врачи не в силах... И вообще...

— Что ты несешь? Ты не протрезвела, что ли? Я ее видел совсем недавно. И она была здорова совершенно. Мягко говоря.

— Интересно, когда это ты ее видел? И где? Я не знала, что ты с ней встречаешься.

— Во-первых, с чего ты взяла, что должна знать, с кем я вижусь. Во-вторых, я встретился с ней случайно... В одном месте. Она тогда не умирала!

— В каком месте?

— Да пошла ты! Где это написано? Покажи.

Они вошли в комнату Марыси, Марат сел перед компьютером. Прочитал в одном месте, в другом, третьем... Что за хрень?.. Похоже на правду. Он поверил. В конце концов, он видел Лилю в темном подъезде, потом вообще ничего не видел. Шарахнуть шокером силы большой не нужно. То есть — Лиля от чего-то умирает? Может, у нее рак или что-то подобное? Из-за того, что Андрей исчез... Она же долго болела, это точно, Марату рассказывали. Он все время о ней справки наводил. Просто не ожидал, что она так быстро выйдет за этого брата. Не был бы дураком, сам прибежал бы первым ее спасать. У него, может, это лучше бы получилось, сейчас бы не помирала. Но тогда его точно бы повязали по заявлению этого брата. Да она и сама заявляла, так он понял. Марат покурил, голова немного прояснилась. Что он тут напридумывал? Спасать он ее не прибежал. Да она ж его терпеть не может, прогнала бы, как крысу... Тогда чего он разволновался. Так ей и надо! Чего хотела, то и получила. Только... узнать надо. Ну, просто он хочет точно знать.

Он достал из кармана телефон и набрал ее номер. Включен, но не отвечает, что неудивительно. Она ему не ответит.

— Где твой мобильник? — спросил он у Марыси.

— Вот...

Он набрал по нему — результат тот же.

— У тебя еще есть?

— Конечно. Вот купила золотой, розовый и белый в цветочек.

— Давай все.

Лиля не отвечала. Марат резко поднялся. Надо искать ее знакомых. Но у них вроде и нет общих знакомых. Значит, надо ехать к художнику, с которым она работает, и заставить его позвонить ей или что-то рассказать.

— Я поехал. Буду к вечеру.

Он вылетел из дома, сел в машину, уже по дороге набрал в айфоне фамилию художника, легко нашел адрес мастерской.

Игорь открыл, продолжая протирать руки тряпкой, измазанной в краске.

— Вам кого?

— Мне — вас. Я ищу Лилю Семенову. Я — ее знакомый.

— Кто именно, если не секрет?

— А если секрет?

— Тогда — до свидания.

— Марат Сейфулин.

— Мне это имя ни о чем не говорит. Поэтому скажите, пожалуйста, зачем вам нужна Лиля?

— Я прочитал в Интернете, что с ней какая-то беда. Врачи не могут помочь. Я хочу помочь. Я найду других врачей. Или все это неправда? Чья-то новогодняя шутка? Вы не могли бы ей сейчас позвонить и спросить?

Игорь помолчал. Потом произнес медленно и веско:

— Извините, но я связан просьбой Лили и ее семьи — ни с кем ничего не обсуждать. Могу только передать то, что вы сказали.

— Передайте сейчас. Наберите ее.

— Я не стану этого делать. Они не ответят. Лиля меня предупредила об этом.

— Но то, что написано, — неправда?

— К сожалению, правда. Вас устроил мой ответ?

— Нет! Мне нужны подробности, там написана какая-то ерунда, ничего не понятно.

— Мы, родственники и друзья, вообще сожалеем о том, что это каким-то образом попало в Сеть. Вы понимаете, как тяжело сейчас семье из-за огромного количества звонков, вопросов. Я не могу сообщить никаких подробностей. Я их просто не знаю. Простите, должен вернуться к работе, мне приходится ее завершать без Лили.

Игорь захлопнул дверь перед носом Марата. Вернулся в мастерскую. Там в черном платье стояла на небольшом деревянном подиуме Лиля.

— Ты слышала?

— Да.

— И кто это был?

— Возможно, убийца моего мужа.

Глава 6

В кабинете Земцова стояла полная тишина. Присутствующие старались не двигаться, не кашлять, даже не дышать. Помощник Сергея — компьютерный гений, настраивал аппаратуру.

— Сейчас выведу, — не поворачиваясь, сказал он присутствующим. — Погрешности по звуку будут минимальными.

Посреди кабинета стоял бледный Виктор Осипов, вокруг стола сидели Земцов, Кольцов и эксперт Масленников. Помощник кивнул всем и включил.

— Это Люда Семенова? — раздался женский низковатый, приятный голос.

— Да, — ответил другой, почти детский.

— Люда, ты была у нас на приеме позавчера...

— Да, я все взяла. Анализ, мазок, выписку. Все нормально. Спасибо.

— Не за что. Дело в том, девочка, что мы в таких случаях всем пациентам выдаем на руки нормальные анализы. А сами при подозрениях направляем всё... ну, в высшую инстанцию здравоохранения.

— Не поняла, каких подозрениях? Это кто звонит?

— Моя фамилия Курочкина, зовут Эльвира Эдуардовна. Я — заведующая терапевтическим отделением.

— И что?

— Неприятность у тебя, Людочка. Мы только что получили подтверждение. У тебя сифилис. Ты знаешь, что это такое?

— Я... — голос девочки сорвался, она явно с трудом сдерживала крик, плач. — Я знаю, что это. Этого не может быть!

— Как ты думаешь, я при своей занятости стала бы звонить тебе, чтобы шутки шутить? — голос звучал уже резко. — Значит, не просто может, но так оно и есть. Рано ты начала половую жизнь, Люда.

— Что же мне делать?

— Лечение долгое, тяжелое и очень дорогое. У вас есть деньги? Я имею в виду, большие деньги?

— Нет... Я могу спросить у папы, только он сейчас живет в другом месте, — девочка плакала. — Но это точно можно вылечить?

— Абсолютно без гарантий. Могут быть любые последствия. Ты про проваленный нос читала что-нибудь?

— Я читала, — девочка говорила замирающим голосом, как будто теряла сознание. — Что мне делать?

— Жди. Я узнаю, может, тебя возьмет сразу какой-то стационар. Тогда бери у отца все деньги, которые он сможет дать. Позвоню через час. Не позвоню, значит, не получилось. Между нами, сейчас это почти эпидемия, всем не поможешь...

Короткие гудки. Помощник Сергея убрал звук.

Все повернулись к Виктору Осипову. Тот казался постаревшим лет на десять.

— Дело в том, — он заикался, когда начал говорить, — дело в том, что это голос Валерии. Его трудно перепутать, он у нее был своеобразный. Но я бы хотел, чтобы вы это технически перепроверили. У нас есть домашнее видео, она там говорит, поет... Я не понял, что это было? Девочка действительно больна, и Лера так плохо с ней говорила, при этом представилась чужим именем?

— Все хуже, Виктор Павлович, — сказал Земцов. — Девочка была абсолютно здорова. Но проверку действительно проходила там, где работала ваша дочь. Она не дождалась повторного звонка, ничего не сказала родителям, которые могли хотя бы проверить этот звонок. Люда Семенова повесилась.

— Боже мой! Какой ужас! Как это понять?

— Люда Семенова, — продолжил объяснять Земцов, — дочь второго мужа Лили Семеновой, которую вы обвинили в том, что она столкнула Валерию из окна. Этот второй муж является родным братом Андрея Семенова, любовника вашей дочери. У нас такой вопрос. Как вы думаете, Валерия могла таким способом мстить этой семье?

— За что?

— Ну хотя бы за то, что Андрей Семенов не ушел к ней от жены. Он ее когда-то ради Лили бросил. Потом загадочно погиб, тело не найдено. То есть у нее был многолетний стресс по поводу неудавшейся личной жизни. В том, что Андрей исчез, она тоже могла обвинять его жену и ее второго мужа Илью. Так же, как жена обвинила ее, чем разбередила раны. И вдруг к ним в поликлинику приходит дочь Ильи, племянница Андрея. Не знаю, логично ли я выстраиваю сейчас возможную цепочку, здесь есть профессиональный эксперт, он же психолог... Что вы скажете, Александр Васильевич?

— Все логично, Слава. Виктор Павлович, мне очень жаль, что это обстоятельство возникло в столь трагичной для вас ситуации. Но с ним придется разбираться. Дело по статье «Доведение до самоубийства» заведено. Мы возьмем ваше домашнее видео, технически все будет выверено. Но скажите, пожалуйста, вам не казалось, что у вашей дочери возник психоз на почве неразделенной любви, потери любимого? Это может быть самым простым объяснением случивщегося.

— Психоз... Лера была эмоционально очень устойчивым человеком. В противном случае она от этой любви давно уже сама бы... не хочу продолжать. Вы поняли. Ее связь с Андреем Семеновым, который бросил ее ради невесты брата, с самого начала была истязанием. Потом он опять стал ей голову крутить. Конечно, она была неспокойна. Мягко говоря. Но такое... На столь бессмысленное преступление она могла пойти только в состоянии буйного помешательства. А его не было!

— Вы согласны помогать следствию в расследовании смерти Люды Семеновой?

— Разумеется. Я же сказал. А этот звонок... Когда это произошло?

— За три дня до гибели Валерии.

— То есть Валерию убили, потому она и не могла перезвонить этой девочке, даже если узнала, что ошиблась? Почему вы считаете, что девочка не рассказала отцу? Может, это он убил Валерию?

— Дело заведено по заявлению ее отца, Ильи Семенова. Он ничего не знал. Вы же слышали, что Валерия обещала в случае положительного решения перезвонить через час. Предупредила, что всем не поможешь. Она не перезвонила. Девочка не решилась с кем-нибудь поделиться. Пыталась что-то узнать у парня, с которым встречалась. Мы работаем с ним. Он был единственным подозреваемым, — сказал Земцов. — Но самое главное заключается все-таки в том, что Валерия не ошиблась, поскольку никто никуда ничего для перепроверки не отправляет. Она — профессионал, и не имела права говорить такое несовершеннолетней девочке, даже если бы ошиблась. Вы прекрасно понимаете, что диагноз ни в каком случае не сообщают по телефону. О том, что Валерия не заблуждалась, говорит тот факт, что она представилась выдуманным именем. В этом диагностическом центре нет такого человека.

— Тогда как вы это сами объясняете?

— Кое-что есть, — скромно вставил Сергей. — Мы пока работаем с телефоном, с которого был сделан звонок. Это не единственный подобный звонок. И звонила не только Валерия. Почему именно она позвонила Люде Семеновой, боюсь, этот вопрос останется без ответа. Некому отвечать. Но факт мести я бы не исключал. А вообще речь идет о криминальной практике. Пока больше ничего не могу сказать. Мотивы тоже неясны. Нужно опросить большое количество людей.

— Там шла речь о сумме за лечение... Вы допускаете, что это вымогательство?

— Допустили бы, — задумчиво сказал Сергей. — Если бы в подобной ситуации кто-то хоть раз приехал за деньгами. Есть люди, которые их сразу предлагали. Диагнозы по этому телефону раздавались щедро: там были и «острый лейкоз», и «гангрена», и «остеосаркома», и «рак кости», и «угрожающий инсульт». То есть термины и диагнозы были рассчитаны на конкретных людей, которых звонившие знали. Кому-то понятно, что такое «лейкоз», кому-то надо сказать «рак кости». В этих случаях деньги не брали и не перезванивали. Так сказать, нет корыстного мотива. Но есть и совсем другие эпизоды. Мошенничество.

— Лера в этом участвовала?

— Да.

— Боюсь, это все меняет, Сережа, — заметил Александр Васильевич. — И сильно увеличивает число тех, у кого был мотив сбросить Валерию Осипову из окна. Мне очень жаль, Виктор Павлович.

Глава 7

Серж Голон, профессор Сорбонны, после занятий, как всегда, заехал в любимое кафе, выпил кофе, маленькую рюмку коньяка, почитал газеты. Потом вошли его знакомые по университету, они поболтали о политике, о студентах. Отдельной темой стала внешность студенток, которые считались самыми красивыми. Во мнениях они не сошлись, но посмеялись и поехали по домам.

Мари, как обычно, сидела за компьютером. Она была психологом, отвечала на вопросы на своем сайте. Она повернулась к нему, встала, обняла, заглянула в глаза своим ясным, серебристым взглядом. Он прижал ее к себе. Она всегда такая привлекательная, свежая, позитивная. Родная...

— Тебя пора отдыхать, — нежно сказал он. — То есть тебе, может, и не пора, но Анри должен уже спать.

Серж погладил аккуратный животик жены.

— Я ему говорю то же самое, — засмеялась Мари. — Но понимаешь, во-первых, он упрямый, как ты. Во-вторых, он будет футболистом. Ему еще рано пинать меня изнутри ногами.

— Ты уверена, что ногами?

— Конечно. Колотит двумя маленькими пяточками. И только иногда головой.

— Какая активность, — задумчиво сказал Серж. — В кого бы это?

— Вот и я удивляюсь, — улыбнулась Мари. — Отец у него кроткий и флегматичный.

— Разве это не так? — удивился Серж.

Только в Париже можно провести такой вечер с любимой женщиной. Одновременно ощущать присутствие и дыхание всего города и надежное уединение. Когда Мари ушла спать, Серж еще долго работал над завтрашней лекцией. Потом перешел из документов на сайты новостей. И вдруг вскочил. Дальше смотрел стоя. Он увидел большой снимок красивой женщины. Под ним было написано, что источники в России заявили о том, что с ней случилась беда. Серж быстро стал нажимать все ссылки... Это

Лиля! Они пишут, что она умирает? Черт их подери, ничего не понятно. Вот снимок, который делал он: Вика обнимает Лилю. Он фотографировал их, когда был Андреем Семеновым, мужем Лили, отцом Вики. Он умер для них. Но они... Они есть! И с Лилей случилась беда! Что будет с Викой?

Он не ложился спать и не будил Мари до утра. Сел на край кровати за час до того, когда она обычно вставала. Дотронулся до ее плеча. Она сразу, как будто не спала, открыла свои ясные глаза.

— Что такое? Ты заболел? Ты даже не ложился!

— Я здоров. Мари, что-то случилось, я не понял толком. Прочитал, что в Москве какая-то беда с Лилей, моей женой. Моей бывшей женой. На фотографии она с дочерью Викой.

— Что мы можем сделать? — спросила Мари.

— Ты знаешь, я даже набирал ее номер. Он не отвечает. Может, она не дома, а в больнице. Телефона бывшей тещи я не помню. Номер брата... Я не стал его беспокоить. Он и наши родители считают меня мертвым, зачем бередить раны. Все так сложно теперь.

— Серж, сейчас как раз многие проблемы преодолимы. Даже, когда речь идет о России. Мы найдем возможность уточнить информацию.

— Но мне нужны не детали. Я должен помочь Лиле и Вике. Мари, мне надо лететь.

— Это невозможно, дорогой. У тебя все в порядке с документами, но визу ты быстро не получишь. Хотя я знаю людей, которые нам в этом помогут. Но там твои убийцы! Ты это понимаешь? Более того, там ты сам убийца. Кто–то тебя обязательно узнает. Ты поможешь Лиле из тюрьмы? Нужно очень хорошо подумать. Может быть, мне поехать в Москву?

— Спасибо, — Андрей горячо поцеловал руку жене. — Но понимаешь, если Лиля умирает, если это из–за меня, ей будет только хуже от того, что приедет другая женщина. Я говорю о помощи, а не о том, чтобы сделать ей еще хуже. Решать нужно быстро. Неизвестно, что с ее матерью, с кем Вика...

— Там это не написано?

— Говорю же: там написано так по–идиотски, что ничего не понять. Когда читаешь о чужих людях, вроде понятно, когда о своих... Прости меня. Я хочу тебя избавить от этих переживаний. Ты спасла мне жизнь. Ты дала мне жизнь. Ты носишь моего сына. Ничем, кроме любви, я не могу тебе ответить. Ради любви я не должен был тебе это рассказывать. Я просто переволновался. Возможно, нам не стоит ничего делать. Все оставить как есть. Раз врачи не могут помочь... Там мой брат, он не оставит Лилю, он ее любит. Я говорил тебе, он собирался на ней жениться. Потом, когда я увел ее, он женился на другой. Но он ее не оставит. И потом — там написано, что она работает с известными художниками. Она не одна...

— Ты сам себе не веришь, когда это говоришь, — сказала Мари. — Так не получится. Ты должен сделать все сам, ты же знаешь. Ты никому ничего не доверишь. Даже мне не доверил... И мы спокойно жить, не думая об этом, уже не сможем. Мы поступим так. Я завтра займусь звонками, переговорами. Может, тебя пригласит с лекциями Московский университет. И ты сможешь не появляться там, где тебя могут узнать. Серж, давай поедем вместе. Я все это устрою.

— Нет! — решительно возразил Андрей. — Там все может случиться. Ты сама это сказала. Я не прощу себе, если ты попадешь в плохую историю из-за меня.

— Я поняла. — Мари встала, накинула халат. — Значит, ты на меня полагаешься. Я занимаюсь этим делом. Если что-то случится... Ты привезешь девочку сюда. Очень тебя прошу.

Она пошла к ванной, Андрей догнал ее, притянул к себе и горячо прошептал в ухо:

— Я обязательно вернусь. Я хочу только помочь — и все. Я не предам тебя, любимая.

— Я в этом нисколько не сомневаюсь, — Мари нежно погладила его по голове.

Под душем она горько плакала. Вышла, как всегда, с приветливым лицом, с улыбкой на губах. Только глаза стали чуть темнее, чем обычно.

Глава 8

После визита к следователю Виктор Осипов пролежал полдня в постели лицом к стене. Перед тем, как лечь, он сказал Ольге:

— Девочка моя, прости меня. Отдыхай, можешь кого-то пригласить, только я не выйду. У меня большая неприятность. Не буду тебе рассказывать подробности, сам толком их не знаю. Потом. Я просто не в состоянии говорить.

— Это как-то связано с нами? — в панике спросила Оля.

— Нет. Что ты! Не волнуйся. Это связано с моей покойной дочерью. Вскрылись новые обстоятельства. Я должен ждать. Следователи обещали пригласить меня для очной ставки с сотрудниками Валерии.

— Какой ужас, — сказала Ольга, пытаясь скрыть невероятное облегчение. Да, это так: она больше всего на свете боится, что у нее, как всегда, отнимут все. Но она очень жалеет Виктора. Просто не знает, как ему помочь.

Ольга спокойно, впервые без лекарств, проспала ночь, прижавшись к Виктору. Утром посмотрела на него, поняла, что он не спит, хотя глаза закрыты. И сделала вид, что в это поверила, тихонечко встала, прошла в ванную, затем на кухню, чего-то поела и даже допила шампанское, оставшееся в бутылке. Затем вернулась к Виктору, опять прижалась к нему и уснула. Засыпая, попросила кого-то, наверное, своего ангела, чтобы Виктору сегодня не звонили.

Сергей позвонил во второй половине дня.

— Привет, Виктор. Встречаемся в холле?

— Да, — ответил Осипов и стал собираться, как на казнь.

Когда он вошел в холл диагностического центра, там все уже были в сборе: Земцов, Сергей, Масленников, Илья. Виктор поздоровался и тревожно посмотрел на Илью.

— Извините, вы...

— Да, Илья — ее отец, — быстро сказал Сергей.

— Виктор Павлович, Илья, — обратился к ним Земцов. — Мы пошли навстречу вашей просьбе провести допрос заведующей отделением в вашем присутствии, потому что сочли это целесообразным, это очная ставка в какой-то степени, вы должны знать детали. Но я вас очень прошу: терпение, терпение и терпение. Никаких эмоций при любом повороте разговора. В противном случае мы вас удаляем.

— Конечно, — сказал Илья. Виктор кивнул.

Их ждали. Посетителей не было в этот праздничный день. Но хмурые охранники появились, как и в первый раз, отовсюду, документы смотреть не стали. Просто пропустили. Они сразу прошли в кабинет Гуковой. Она сидела за своим столом и старалась казаться независимой и спокойной.

— Прошу, господа, — произнесла она светским тоном. — Вы считаете, что я не могу пользоваться своими законными выходными, но и вы не празднуете, как все нормальные люди. Так что давайте поскорее приступим. Меня ждет семья.

— Отличное вступление, — сказал Земцов, положил на стол перед Гуковой диктофон, включил его и сел напротив. Остальные взяли свободные стулья, наверняка поставленные для них, и придвинули их поближе к столу. — Стало быть, начинаем. Зоя Константиновна, что вы можете рассказать о странной практике вашего отделения — звонить пациентам и сообщать им ложную информацию по поводу тяжелых заболеваний. Сказать, что вам об этом неизвестно, вы не можете, поскольку ваш голос тоже был зафиксирован при проверке.

— Так... Кто ж это под меня роет... Хотя это — риторический вопрос. Да, мы иногда звонили маниакально надоедливым пациентам. Мы тоже живые люди. Есть психопаты, которые просто мучают нас своими приставаниями. Они хотят, чтобы у них нашли страшную болезнь, — такие сумасшедшие есть, любой врач вам это скажет, так пусть узнают. Может, на время переключатся на другие медицинские учреждения, а нас оставят в покое. И мы займемся теми, кто реально нуждается в нашей помощи.

— Да, вы подготовились, — хмыкнул Земцов. — Но не получается. Среди тех, кого мы опросили, не так уж много маниакальных психопатов, лично я вообще их не обнаружил в большом количестве людей, подвергшихся телефонному терроризму.

— Вы что — уже статью подыскиваете? Не выйдет. У меня есть юристы, которые во всем разберутся, найдут, откуда ноги растут, и у вас же будут неприятности. Мы — врачи. У нас лечатся и депутаты, и чиновники высшего эшелона.

— Да ну? — удивился Сергей. — Им что: лечиться негде? Ваш центр типа для народа.

— Им есть где. Просто у нас очень хорошее оборудование, серьезные диагносты. Кому-то удобно здесь лечиться. Я это имею в виду.

— А кому-то должно было стать неудобно, правильно я понял вашу мысль? — уточнил Сергей. — К примеру, Люде Семеновой, которая никак не может относиться к категории маниакальных пациентов. Ее прислали из школы на диспансеризацию, до этого ее родители пару раз водили к педиатру. Лет пять назад.

— Вы притягиваете за уши эту историю с психически нездоровой девочкой. Ей, как я понимаю, позвонили просто в воспитательных целях, чтобы не спала с кем попало, будучи несовершеннолетней.

Виктор быстро взглянул на смертельно бледного Илью. Было видно, что тот держится из последних сил. Виктор встал, подошел очень близко к Гуковой:

— Зоя Константиновна, вы должны меня помнить. Я как-то приезжал к своей дочери — Валерии Осиповой. Она здесь была заведующей лабораторией. Помните?

— Валерию, разумеется, помню, я и на похоронах была. Выражала вам соболезнование. Не поняла, зачем вас сюда пригласили?

— Что ж тут непонятного? Люде Семеновой звонила именно Валерия. Я узнал ее голос, вчера же передал экспертам записи нашего видео. То есть это точно она. Почему она это сделала?

— Я же сказала, — резко ответила Гукова. — Девочку хотели попугать в воспитательных целях... А с нами следователи разбираются, как будто мы ее повесили.

— Вы, пожалуйста, аккуратней выражайтесь, — сказал Виктор. — Здесь ее отец. Да и я — отец. Чья это была инициатива — позвонить Люде? Ваша или Леры?

— Конечно, ее, — быстро ответила Гукова. — Ваша дочь была очень самостоятельным человеком.

— Теперь, разумеется, можно это заявлять. Валерия не опровергнет. Но мы найдем свидетелей, которые прояснят вашу информацию, — сказал Слава. — У вас же их и найдем.

— В общем, примерно такая статистика, — произнес Сергей. — В день с этого телефона делалось три–пять звонков. Всех обойти я пока не смог, даже с помощью своих немногочисленных сотрудников. — Но уже есть летальные исходы — от сердечного приступа. Есть ухудшение здоровья. Возможно, самоубийство Люды — не единственное. Дело в том, что всегда говорилось об очень крупных суммах. У многих, кому звонили, денег вообще нет.

— Это как же вы докажете связь смерти от сердечной недостаточности с шутливым звонком? — театрально рассмеялась Гукова. — Так можно привязать к этому что угодно. Кто–то из наших позвонил, а муж убил и расчленил жену, например. Сами-то понимаете, какой это абсурд? Неужели суд такой бред примет? У нас и судьи лечатся, с некоторыми я близко знакома, так что я знаю, о чем говорю.

— Шутливый звонок? — Илья встал, на белом лице — одни зрачки.

— Илья, сядь, прошу тебя, ты все сейчас разрушишь. У тебя будет возможность что-то уточнить, — произнес Сергей. — Мы работаем, тебя же просили. Зоя Константиновна, — обратился он к Гуковой, когда Илья опустился на стул. — Инициатива этого телефонного предприятия принадлежала вам или кто-то свыше дал такое указание? Устное, разумеется.

— Я же объясняю: мы просто... Да, это моя инициатива, — вдруг резко сказала Гукова. — Я решила, что должна обеспечить нормальный режим работы. Когда очереди к врачу с пяти утра, когда он работает на износ, — результат оставляет желать лучшего, сами понимаете. Ну, может, я немного недооценила психическое состояние некоторых пациентов... Но это не криминал. И вы его нам не пришьете.

— Да я вообще — не Юдашкин, — лениво заметил Земцов. — Не шить к вам пришел. То есть вы сейчас сделали чистосердечное признание по поводу инициативы психологического терроризма определенной категории пациентов, так?

— Не надо ничего квалифицировать. Я взяла на себя ответственность, но не считаю, будто что-то нарушила.

— Она врет, — заметил Сергей. — Такая практика наблюдается не только здесь. Я узнавал и в других районах. Так что инициатор сидит повыше. Это во-первых. Во-вторых, они звонили только бесплатным больным. Ну, людям, которые живут в этом районе и обслуживаются бесплатно. Вот так их отшивали.

Гукова посерела.

— А что, — хрипло сказала она, — мы — квалифицированные врачи, — себя на помойке нашли? Наше время ничего не стоит?

— Как квалифицированный врач и такой же юрист, — веско сказал Масленников, — я должен заметить этой даме, что время, которое они тратили на свои развлечения, стоит уголовной статьи и срока. На этом я бы закончил беседу, поскольку дальше, мне сдается, требуется следственно-оперативная работа по сбору фактов.

— Но у нас еще есть вопрос по поводу мошенничества с пуповинной кровью, — заметил Сергей.

— Только в присутствии моего адвоката, — ответила Гукова. — Это не мошенничество, в этом могут разобраться лишь специалисты.

— Да, отложим до другого раза, — сказал Земцов. — Для этого нужны ордера на обыск. Пока собираем заявления потерпевших. Сегодня у нас другая тема, мы получили признание, очные ставки с отцами Валерии Осиповой и Людмилы Семеновой состоялись. Больше никого не задерживаю. Праздничный день, однако.

— Можно мне задержаться на минутку? С ней? — спросил Илья.

— Нет, — решительно ответил Земцов.

— Слава, я бы попросил разрешить, — мягко попросил Сергей. — Мне нужно тебе кое-что сказать в коридоре, не при подозреваемой Гуковой, можно?

Они все молча вышли, Илья остался.

— Что ты чудишь? — недовольно спросил у Сергея Слава. — Что ты хотел мне сказать?

— Нам с тобой еще в одно место придется съездить. Я так думаю.

В это время дверь кабинета открылась, на пороге показался Илья, вытирающий руку платком. На платке была кровь! За ним с трагическим видом стояла растрепанная Гукова, зажимая нос, из которого текла кровь.

— Семенов! Вы что, ее ударили? Вы совсем свихнулись? — закричал Земцов.

— Ужасно, Семенов, — ворчливо заметил Сергей. — Как вы могли. Слава, составь акт, и мы сразу доставим хулигана к мировому судье. Я знаю, кто сегодня работает. Семенов злоупотребляет жестикуляцией. Видимо, ругался и задел пострадавшую Гукову.

Акт был составлен, Гукова его подписала.

— Вы с нами поедете, пострадавшая? — спросил Слава.

— Пошли вы на...

Она открытым текстом указала адрес. Они вышли. Виктор поехал домой. А Илью Слава, Сергей и Масленников действительно повезли к мировому судье. Она прочитала акт и сказала без выражения:

— Ненавижу праздники. У всех появляется неадекватная жестикуляция. Семенов, выписываю вам штраф — пятьсот рублей. И больше не пейте.

— Считайте, что я завязал, — смиренно кивнул Илья.

Следователи довезли его до дома.

— Напейтесь сегодня, — посоветовал ему на прощание Масленников.

Глава 9

Виктор вечером лег спать рядом с Ольгой, обнял ее, дождался, пока она уснет. Потом разрешил себе думать. Думал он о том, что может вслед за Ильей разбить нос стерве, которая порочит память его дочки, а может попытаться просто забыть всю эту историю с самоубийством неуравновешенного подростка и с возможной местью Валерии семье исчезнувшего Андрея. Он всегда знал, что она носила в своей душе ад из-за него, — все это можно и, скорее всего, нужно сделать, кроме разбивания носа. Ради своей жизни, ради жизни Ольги, которая после операции стала беспомощней котенка. Но у него вряд ли получится. Это недостойно думающего и чувствующего человека. Он не обвиняет свою любимую погибшую дочь... Ей он точно не судья. Он с собой должен как-то разобраться. Виктор пролежал рядом с Ольгой до четырех часов утра. Потом встал тихонько и начал одеваться. Он уже был в костюме и открывал дверь спальни, когда ему почудился шорох за спиной. Он оглянулся. На самом деле Ольга не шевелилась. Виктор, наверное, услышал трепет ее ресниц. Перепуганные, отчаянные глаза на поллица.

— Оля, — он вернулся и присел на край кровати. — Ты, конечно, решила, что я тебя бросаю. У тебя сумасшедшие мысли. На самом деле я хочу съездить домой, чтобы успеть вернуться до того, как ты проснешься. Понимаешь? Мне нужно кое-что посмотреть в бумагах, альбомах. Я ничего оттуда не взял. Я должен поговорить с Анной о Валерии. Она не только моя дочь. Мать должна знать больше меня. Может, она мне что-то объяснит.

— Да, — прошептала Оля. — Я понимаю. Только как я могу это пережить: ты будешь разговаривать со своей женой? А если она тебя не отпустит ко мне?!

— Оля, дорогая, ты — вечный ребенок. Ну побудь, пожалуйста, немного взрослым человеком. Немного! Это необходимо. Дать тебе лекарство, чтобы ты уснула?

— Нет. Я усну сама. Или потом приму лекарство. Или подожду тебя.

— Ждать не надо! Ты только себя накрутишь. Я не могу рассчитать, сколько времени мне понадобится. Спи.

— Хорошо, — быстро сказала Ольга. — Ты только не сердись. И не думай обо мне. Я очень хочу спать.

Виктор вышел в смятении. Валерии нет, он сейчас нужен Ольге. Но он не может оставить эти события без собственного анализа и вывода. Его не интересует даже, что решит следователь. Это ни на что не повлияет, в отличие от его суда над самим собой.

...Он открыл дверь бывшей квартиры своим ключом. Из прихожей увидел, что в спальне, как всегда, горит ночник. Анна никогда его не выключает. Повесил куртку на вешалку, постучал к ней в дверь, как гость. Она сразу ответила: «Заходи, Витя».

— Здравствуй, Аня, — сказал он, подошел и коснулся губами ее щеки. — Как ты догадалась, что это я?

— А кто же еще? — Анна сидела на кровати. Она часто сидела ночами, потому что так ей легче было дышать. — Стасика сейчас и пушкой не разбудишь. И потом, я узнаю всегда, когда твоя машина въезжает во двор, когда именно ты из лифта выходишь. Привычка.

— Ну да. Как вы?

— Нормально.

— Денег хватает? Я скоро еще привезу.

— Есть пока. Что–то случилось?

— Как тебе сказать... Я приехал поговорить о нашей дочери. Места себе не нахожу. Понимаешь, вскрылась дикая история. Валерия позвонила с работы одной девочке, которая была у них на осмотре, и сказала, что у нее обнаружен сифилис. Девочка была здорова, но она ее убедила... И та повесилась. Ее звали Люда Семенова, она племянница Андрея, из–за которого все в жизни Леры пошло не так. Как ты думаешь, Лера могла столь нелепо отомстить этой семье? Следователи рассматривают другую версию: преступную программу по отпугиванию бесплатных пациентов, были и другие подобные звонки. Но я это отвергаю. Участие Валерии в столь циничном мероприятии отвергаю. Может, я чего–то не заметил и Валерия помешалась? Меня об этом спрашивал эксперт, кстати. Я допускаю что угодно. Срыв, злую шутку, даже нетрезвую выходку... Мне важно твое мнение.

Анна долго и молча смотрела на мужа горячими сухими глазами. Потом закашлялась, прижав платок ко рту. Выпила воды из стакана.

— Что мы с тобой можем решить, — сказала она. — Леры нет. Правду скорее узнают следователи, чем мы. Если это — не единственный случай, то мстить она могла заодно. И это ушло с ней в могилу. Мое мнение... Ну, раз ты за ним приехал в такое время... Люди, у которых спокойна совесть, спят. Мы с тобой — нет. Вопрос: почему? Ты предал меня и сына, память дочери, потерпи то, что я тебе сейчас скажу. Валерия, как и ты, была способна на злодейство. Не хочу произносить слово «преступление», мертвых никто не имеет права судить. А я мать. Но я родила злого человека, а ты своей любовью сделал все, чтобы она поверила в то, что ей все дозволено. Ты рассказал чудовищную историю, но я ни капельки не удивилась. Она могла! Она могла и мстить, и делать это из-за денег. И не потому, что нуждалась или была алчной. Просто это ей нравилось! Причинять зло людям. Вот что я тебе скажу. Говоришь, она убила девочку? И, может быть, не одну? Верю. Ты же добил меня. Бросил сына. Чему ты удивляешься?

— Зря я к тебе приехал. Ты сводишь счеты. На самом деле мы давно не можем быть вместе. После смерти Леры это стало слишком очевидным. Я тебя не добивал. Мы живем сейчас не вместе, но расстались спокойно. Если бы я не ушел, могли бы стать врагами. И ты это прекрасно знаешь. Я не просто ушел к другой женщине, я ушел от твоей ненависти. Стал бояться твоего взгляда. Ты не видишь, как ты смотришь на меня сейчас. Аня, миллионы мужчин и женщин расстаются, за что ты меня так ненавидишь? И заодно нашу общую, уже покойную дочь? Как страшно ты о ней говоришь. Ведь я вас не оставил. И никогда не оставлю.

— Ты тайком, скрывая от нас, купил Лере квартиру. И вы оба скрывали это от нас. Теперь ты поселил в ней свою любовницу. А ведь по справедливости это квартира Стасика.

— Господи, какой ужас. Как все перемешалось в твоей голове! Стасику что, тесно с тобой? Захочет жениться, или ты захочешь его отпустить, в чем я сомневаюсь, — куплю ему другую квартиру.

— Ты стал олигархом?

— Я возьму кредит. Но я не для такого разговора приехал. Для твоего сведения, Лера ничего не скрывала. Оказывается, она Стасу рассказала об этой квартире, а он тебе, как видишь, решил не говорить. Потому что с тобой невозможно ни о чем говорить. Хотя он даже соседям сообщил. Вот так. Возможно, дело в твоей болезни, она разрушила тебя. Анна, давай сейчас завершим, мне нужно побыть у себя в кабинете, кое-что почитать, посмотреть. Если ты не против.

— Мне все равно, — непримиримо сказала она.

Он прошел в кабинет. Открыл ящик письменного стола. Там хранились семейные фотографии, детские рисунки Валерии. Почему-то рисунков Стаса у него не было. Может, сын не умеет рисовать? Он никогда не спрашивал об этом у него и у жены. Валерия любила рисовать высокие деревья и кусты. Наверное, психолог трактовал бы это как скрытность, потребность в уединении, тайные замыслы и поступки. Нужно уничтожить эти рисунки. Мало ли что будет искать следствие? Мертвых не называют преступниками, Анна права, но причина преступления будет установлена. Этого хочет отец погибшей девочки.

Виктор почитал электронные письма дочери, они переписывались, когда кто-то из них уезжал. Все четко, немногословно, логично. К сожалению, он не может убрать ее странички в социальных сетях, где она общается с какими-то людьми, которые ему не знакомы. Там ее посты — довольно вольные — то игривые, то злые, то депрессивные... Если во всем этом начнут ковыряться, ему будет очень больно. Он считает, что во всем виновата ее несчастливая женская судьба. Этот Андрей... А мать, Анна, сказала про Леру, что она родила злого, циничного человека, и он, отец, своей любовью превратил дочь в существо, уверенное, что ему все дозволено. Разве любовь интеллигентного, порядочного человека может иметь такой результат? Лере просто не повезло и с родителями.

Виктор откинулся на спинку стула и долго рассматривал какие-то фрагменты своей жизни, как чужое видео. Андрей Семенов, талантливый студент, совратитель его дочери... Их жестокие беседы, когда Виктор практически ему угрожал отчислением, а Семенов издевался над ним, посылал его с драгоценной дочерью подальше. Вот Виктор с наслаждением подписывает приказ о его отчислении по факту: он бросил университет, Валерию, уехал. А вот Видов, признанный гений. Он не имеет никакого отношения к Валерии, он талантливее Виктора в тысячу раз. Но он подписывает приказ о его отчислении с таким же наслаждением. Можно убедить себя в том, что это личные счеты. Что Видов напомнил ему Семенова. Но сейчас он не может не сказать себе, что это предложенная и поощряемая программа. Хорошо поощряемая. Иначе он не купил бы квартиру Валерии. «Гуманный, говоришь?» — спросил у себя Виктор. Он такой же приспособленец, как его дочь! Приспосабливался к подонкам. Она родилась уже бракованной! Возможно, из-за него, из-за его заботы о семье кто-то тоже погиб... Откуда он знает! Нет Семенова. Жив ли Видов? Никакой суд его ни в чем не обвинит. Просто однажды судьба приводит приговор в исполнение. Убита Валерия. Дальше — ужасные подробности неизвестной ему стороны ее жизни. Ему это не надо. Человек не должен ждать, пока жизнь его размажет весенней грязью по асфальту. В эту минуту Виктору кажется, что он погибнет страшной смертью именно весной. Раз наступил Новый год, до весны — рукой подать. Он придвинул большую пепельницу и сжег все детские рисунки Валерии. Затем удалил ее письма из своей почты.

Он посмотрел на часы: можно звонить. Он набрал телефон Назаровой.

— Нина Глебовна, доброе утро. Не разбудил? Извините, это очень важно. На меня свалилось одно дело. Запишите, пожалуйста, телефон моего нотариуса. У него хранится завещание на имя Ольги. В смысле — на квартиру. Говорю об этом вам, потому что она очень беспомощная, а меня могут послать в командировку.

— Не поняла, вы что, собираетесь умереть в этой командировке?

— Да нет, вечно вы со своими шуточками. Мало ли что. ДТП, задержусь, не знаю... Это подстраховка. У нее, кроме вас, никого нет.

— Пишу. А где вы сейчас? Почему не с ней?

— Я заехал за бумагами в свою бывшую квартиру.

— Мне это не нравится.

— Меня сей факт меньше всего беспокоит.

— Ладно. Назло вам свяжусь с вашим нотариусом еще при вашей жизни. Буду ему звонить каждый день и спрашивать, как дела.

— Не сомневаюсь, что так и будет. Пока. До связи.

— До связи, — задумчиво произнесла Назарова.

Виктор сидел у себя очень долго, он слышал, как встал Стасик, а тот раньше двенадцати не встает, потом хлопнула громко входная дверь: Стасик ушел. Через какое-то время входную дверь прикрыли аккуратно: это ушла в магазин Анна. Потом начал звонить мобильник Виктора, наверное, это Ольга. Он не смотрел на телефон. Просто отключил его. Лучшего момента не будет. Виктор встал, открыл сейф, достал пистолет. Вернулся за стол. Прижал холодное дуло к виску. Он когда-то купил его в совершенно спокойном состоянии именно для того, чтобы оборвать свою жизнь, когда сам решит. Он посидел, привыкая. Потом услышал тихий детский стон... Оля... Детка, я сейчас тебя освобожу от своей темной тени. Ты будешь знаменита и счастлива. У нотариуса есть еще завещание на довольно крупную сумму в банке на ее имя. Оле помогут.

Виктор закрыл глаза, медленно начал спускать курок... Раздался какой-то шум, он ничего не понял. Просто обнаружил себя лежащим на полу. Над ним стоял Сергей Кольцов.

— Сережа, ты ударил меня по лицу ногой, — слабо произнес Виктор.

— Ногой удобнее всего. Рукой не получилось бы. Ты прострелил стену! С моей помощью. Не слышал? А я выбил вашу входную дверь. Назарова позвонила... То есть мы просто берем ее в штат. Ты что творишь? Об Ольге подумал?

— Я хотел ее спасти от себя.

— Идиот! Ее там «Скорая» приводит в сознание. После звонка Назаровой, которая до нее не дозвонилась, как потом и до тебя, мои ребята вломились и к ней. Она напилась каких-то таблеток, они подумали сначала: все. Врачи хорошие попались, еще бы немного... Соображать надо в любой ситуации.

— Помоги мне встать. Поехали к Оле. Я не отдам ее в больницу. Мы справимся. Но я... Я даже смерти недостоин. Только башмаком по морде, как это сделал ты. Спасибо.

— Не стоит благодарности, — вытянулся Сергей.

Глава 10

Земцов внимательно смотрел на Петра Селина, которого привели на допрос. Реально существуют тупые люди, не способные сопоставить факты, проанализировать собственные поступки, просто связать пару слов. Но не менее реальна возможность косить под тупого. И в условиях проблемных доказательств вины это достаточно умная позиция.

— Я так и не понял, Селин, как в прихожей вашей квартиры оказалась гиря, которой вы воспользовались якобы для самообороны? Вы сами говорите, что регулярно спортом никогда не занимались.

— А я что, один там живу? Там еще две комнаты, в одной никто не проживает, в другой эта... артистка. Коммуналка. Говнище никто не разгребает. Кому надо. Расселять же будут.

— Когда, куда?

— Я и это должен знать? Без понятия.

— Если честно, мы проползли с экспертом по этой прихожей, — и особого «говнища», как вы выразились, не обнаружили. Пол был чистый, как и сказала Ольга Ветрова, которая с вечера его вымыла. И никакой гири там она не видела.

— Ольга не видела??? А что она вообще видит? Она — не в себе! Она на меня могла наткнуться и не заметить. Нормальный человек в соседа стрелять будет?

— Так нормальный сосед дверь не выносит. Допустим, замок заклинило. Он действительно с проблемами, мы сейчас разбираемся: заклинило или нет. Но! Почему вы не позвонили в дверь? Учитывая, что это не только ваша квартира, и для одинокой женщины нормально испугаться, когда дверь вышибают.

— А я звонил!

— Звонок в порядке. Почему она не услышала?

— Она говорит, что не услышала. А я говорю, что звонил!

— Так. Мысль ясна. Откуда, по вашему мнению, в прихожей взялась старая гиря, которая вам не принадлежит? С какого времени вы ее там видели?

— Я че смотрел, что там валяется? Дык может, всю мою жизнь. Я пол не мыл. Увидел эту полоумную с пистолетом, схватил, что под руку попалось.

— Опять двадцать пять. Ваша версия: откуда там гиря? Вам она не принадлежит. Других спортивных снарядов в вашей комнате мы не обнаружили. Одна из комнат принадлежит одинокой старушке, которая прожила там сорок лет, сейчас в пансионате для престарелых. В третьей — живет Ольга Ветрова. Гиря откуда?

— Так Ольга купила комнату у мужика! Мужик там жил. Может, его.

— Уже какая-то версия. Мы ее проверим. Селин, в вашей комнате иногда проживали разные люди. Родственники, знакомые, или вы ее сдавали?

— Ну... знакомые.

— Фамилии, будьте добры.

— Сдавал. Так, на ночь–две до поезда или самолета пересидеть. Я бомблю вообще–то. На вокзале просятся. Тыщи три за ночь можно взять.

— Документы смотрели? Данные записывали?

— Да не. Вы что!

— Доверчивый какой.

— Так я вперед деньги брал.

— А если не ночь–две, а десять проживут, тогда что? Или вы каждую ночь проверяли?

— Так я... билеты смотрел. Билеты они показывали, когда уезжают из Москвы. Может, кто–то гирю–то и забыл...

— Ну да. Из Магадана в Сочи, через Москву, со старой гирей в чемодане. Идея интересная.

— А я знаю, че они там везли...

— Вы обозначили круг лиц, которых установить невозможно. И все под дурика. А женщина у вас есть?

— Я не женатый. Ну, бывает...

— В московской квартире кто бывал? Только про вокзалы больше не надо, ладно?

— А я че — придумывать должен? Я снимал их там. Иногда и в коммуналку привозил.

— Имен–фамилий тоже не помните?

— Какие там фамилии, — заулыбался Селин. — Маши, Даши, как на самом деле — мне по барабану.

Он явно приободрился. Ему казалось, что дела его совсем не плохи. Он все объяснил.

— Так вы че мне шьете, может, скажете?

— Селин, вам давно предъявлено обвинение по статьям «превышение уровня самообороны», «причинение тяжкого вреда здоровью»... Вы это подписывали. Действительно с памятью плоховато?

— Я помню. Тогда про что разговор? Отпускайте до суда. Я найму адвоката. Пусть она обжалует компенсацию. За такое не сажают.

— О как! Прямо на глазах резко вырос интеллектуальный уровень. И про компенсацию знаете, и как обжаловать в курсе. И что за такое не сажают. Это с чего вы взяли? Вы голову женщине разнесли. Адвокат у вас есть, я правильно понял?

— А что, это проблема? Их как собак нерезаных.

— Не проблема. Просто дорого. Хорошо зарабатываете?

— Хватает. Мое дело. Так когда на выход? — он говорил уже почти игриво.

— У меня еще есть время, — спокойно ответил Земцов. — Побудете у нас. Мы рассматриваем версию умышленного нападения с целью убийства.

— Вы че, совсем?

— Не совсем. За комнату в коммуналке, которая наверняка досталась бы вам, в наше время могут и убить. Есть случаи. Встать, Селин, и в камеру. На будущее: разговаривайте корректно. Хамства не люблю. Правду придется искать без вас. Уведите его.

Глава 11

Сергей Кольцов столкнулся с Селиным, которого выводили из кабинета Земцова.

— Привет, — сказал он Славе. — Продвинулись с этим соседом?

— Он продвинулся. Согласен с обвинением по превышению и причинению вреда здоровью, ждет, чтобы его отпустили адвоката нанять. Готовится обжаловать компенсацию. Считает, что за это не сажают.

— Если с умом выбрать адвоката... Однако. А ты говорил, придурок.

— Да, факт быстрого умственного развития за время пребывания в СИЗО — налицо. И поэтому расставаться с ним как-то неохота. Тем более — Селин пока не в курсе — Масленников почти уверен, что гиря там не лежала много лет до того удачного момента. Он каждый сантиметр прихожей осмотрел. Во-первых, он вообще считает, что для Ольги было характерно — не трогать эту гирю во время уборки, а обмывать ее, так сказать. Если она лежала там годами, естественно, был бы след. Она облупленная, фрагментов краски он не обнаружил. При этом дело, похоже, придется превышением и завершать. В квартиру Селин пускал переночевать на ночь-две людей с вокзалов. Женщины — оттуда же. Говорит, проститутки. То есть вагон неустановленных лиц, ничего проверить невозможно.

— А третья комната чья?

— Бабушки. Она в пансионате для престарелых.

— С ней говорили?

— Собственно, она там уже года три. Вообще-то — да, упущение. Наследники есть, нет... Если нет, Селину вся квартира могла достаться. Слушай, как Ветрова?

— Неважно.

— Так вроде ее выписали в нормальном состоянии.

— В общем, переволновалась из-за Виктора, таблеток напилась, откачивали. Между прочим, Назарова послала меня проверить ее состояние и Осипова.

— С ним-то что?

— Застрелиться хотел из-за истории с дочерью. Собственно, я по его просьбе и заехал. Просит прекратить расследование гибели Валерии. Если, говорит, это сделал кто-то из пострадавших в результате ее телефонных приговоров, он не хочет, чтобы эти люди отвечали.

— Но ты объяснил, что это не метод?

— Слава, я объяснил. Но, если это действительно так, для тебя это дело века. Подозреваемых — множество. Доказать ничего невозможно, сам понимаешь. Висяк.

— То есть тебя клиент с этого дела снимает, и ты советуешь и мне умыть руки.

— Да нет... Я просто передаю его слова. И думаю, что ничего не выйдет. Хотя — мало ли что. Я как раз верю в разрешение безнадежных ситуаций. А дел эта Валерия натворила, конечно.

— Я ничего не понял насчет пуповинной крови. Просто виду не подал.

— Они звонили беременным, которым вот-вот рожать. Говорили, что у центра договор с определенным роддомом, который наверняка существует на самом деле. Устный. А может, и бумага филькина есть. Проверим. Суть вот в чем. Убеждают будущую мать в магической силе пуповинной крови, которую якобы собирают во время родов. Если у ребенка когда-нибудь обнаружат рак или другое неизлечимое заболевание, они из своего банка крови возьмут именно ту, что принадлежит матери, разморозят, — и о-па, чудесное исцеление. Деньги брали наликом. От ста тысяч до двухсот восьмидесяти.

— И кто-то им давал??

— Давали многие. Они доходчиво объясняют. Деньги брала Гукова, возможно, часть действительно отдавала главврачу роддома. Ребята по мошенничеству готовят облаву. Но практически нет сомнения, что никакого банка крови не существует.

— А почему такая разница? У кого-то хуже, у кого-то лучше? Или количество разное?

— Мимо. Отбирали столько, сколько человек мог сдать...

— М-да... И Валерия... Черт, если б я такую дочь родил, может, тоже застрелиться захотел. Кстати, что ему помешало?

— Не что, а кто... Или что... В общем, моя нога. Слушай, здорово получилось, самому понравилось.

— Ну ты ковбой. Тебе положено работать ногами. Так Ветровой совсем плохо?

— Ей не плохо. Ее просто тошнит. Отравилась. А что?

— Как у нее с головой, на твой взгляд? Хочу попробовать поработать с фотороботами. Она ведь кого-то видела в квартире, кто-то выходил из комнаты Селина. Говорила об одной женщине. Вдруг получится к кому-то приложить?.. Какая-то хрень с этой гирей. Хотя, конечно, с таким «оружием» убивать соседку не идут, но...

— Так, может, на то и расчет, что она на обычное оружие не похожа? Знаешь, Слава, Ольга такая рассеянная, впечатлительная, я бы поверил, что она мыла пол и ничего на этом полу не замечала. Кстати, так оно и есть. Я у нее спрашивал: что стоит в прихожей. Она не помнит! А память, как у всех актеров, блестящая. Просто бытовая ерунда — не то, что она хотела бы запомнить. Она однозначно могла не заметить. Комнату она купила у мужчины. Он уехал из Москвы. Мог оставить гирю. Вот то, что Масленников не обнаружил следов, это серьезно. Получается, надо искать.

— Да. Начать и кончить.

— Дело по факту суицида Людмилы Семеновой завершено?

— Да. Девочке звонила Осипова, но обвинение предъявляю Гуковой как организатору преступной системы.

— Это правильно. Хотя идея однозначно не ее. Есть такие случаи и в других районах. Правда, суицидов не нашел пока. То есть не было возможности искать. А ты предложи ей особый порядок, а? Может, сдаст кого?

— Предложить-то предложу. Но на коррупцию они теперь не подписываются. Ученые. Да и боятся.

— Значит, Илье надо искать хорошего адвоката, а тому — хороших судей. Иначе отмажут по-легкому. Шутили, мол.

— Да, у шутников нынче дела неплохо идут. Пусть Семенов ищет адвоката. Петрова попроси. Так я договариваюсь с Ветровой насчет фотороботов? Она не станет от этого помирать, травиться? Заполошная девица, однако.

— Я со своей стороны проведу работу. Тут, главное, Назарову подключить. Она на Ольгу действует, как факир на змею. Она действует даже на меня. Слушай, а если нам ее к Селину подсадить?

— Смешно. Считай, я корчусь от хохота. Хотя ставка факира — свободна.

Глава 12

Андрей Семенов предъявил документы гражданина Франции Сержа Голона, получил небольшую легкую дорожную сумку — весь свой багаж и вышел из аэропорта на московскую улицу. Снег, лед, местами неистребимая в Москве жидкая грязь, перед которой бессильны морозы. Русские, французы, арабы, негры, московские мигранты, «бомбилы»... Масса народу — и он один. Хотя его на самом деле здесь нет. Он обошел очередь на такси, выбрал частника с приличной иномаркой и назвал адрес своего бывшего дома. Он смотрел в окно, замечал, что изменилось, сдерживал в себе нетерпение в пробках. Он ни о чем не думал. Андрей не раз рассматривал собственную смерть с близкого расстояния, но Лиля и смерть — это слишком жестоко. И думать об этом нельзя. Скорее...

Андрей вошел в подъезд, когда кто-то из него выходил, нажал вызов лифта и бросился на лестницу. Лифт — это слишком долго. Он взлетел почти мгновенно на шестой этаж и позвонил в свою квартиру. Если Лиля в больнице, а Вика в школе, может, дома ее мать. Он успел подумать о том, как представиться, если Ирина Викторовна спросит, кто это.

Дверь просто распахнулась перед ним. На пороге стояла Лиля. В черном пушистом халате, с сияющим нимбом волос, сиянием глаз, губ, кожи... Просто сиянием. Она не удивилась, ее лицо осталось спокойным, она потянула его за рукав куртки в квартиру, мельком взглянула на площадку, как будто проверяя, нет ли там кого-то, и быстро захлопнула дверь.

— Это неправда, да, Лиля? — спросил Андрей. — Я подумал, что это может быть, в ночь перед вылетом.

— Я здорова, Андрюша, — Лиля подняла на него бархатные очи. В них не было и тени раскаяния. — Хотя был период, когда я умирала, не могла ходить... Илья спас. Я пошла на это для того, чтобы точно знать: они убили тебя, эти подонки, или ты жив. Дурацкая фраза, но сердце мне говорило, что ты жив. И я решила, что ты не оставишь меня в беде, если узнаешь. Моя беда — неведение. Спасибо, что приехал. Это было очень трудно?

— Совсем не трудно. Я с другими документами, как ты понимаешь. Меня нет. Подонки действительно были, я бежал, убив двух человек. Потом... Очень много было всего и потом. Я все расскажу.

— Ты женат?

— Да, — он посмотрел на вешалку, где висели мужские вещи, на комнатные тапки большого размера. — Ты, я вижу, тоже не одна.

— Я вышла замуж за Илью. Мы ждем ребенка, девочку.

— Брат бросил свою многодетную семью? — Андрей улыбнулся недобро. — Но я рад, что он не отдал тебя чужому человеку. Ты осталась в семье. Дома кто-то есть?

— Нет. Я одна.

— Это самое главное. Я смотрю на тебя, и мои глаза не могут насытиться. Я как будто не пил много лет, а потом мне принесли родниковую воду. Все, что произошло, что мы натворили с нашей жизнью, — это потом... Здесь никого, кроме нас, нет... Лиля, —

Андрей встал на колени, притянул ее к себе, раздвинул халат и вдохнул аромат ее тела. — Дай мне отблагодарить тебя за твою чудесную ложь, за эту сказочную выдумку. Я жил и буду жить, как нормальный мужчина, но на такое блаженство я больше не рассчитывал ...

Лиля прижала его голову к себе еще крепче. Она закрыла глаза, уговаривая сердце не выскочить из груди. Их никто не поймет. Они всем близким причинят страшную боль, но это будет. Это оправдание всему, что было, что произойдет с ними потом...

Илья приехал домой раньше. Он знал, что у Лили сегодня свободный день, он очень беспокоился в такие дни. Она всегда открывает дверь, не спросив «кто». У нее в телефоне огромное количество звонков после этой дезинформации. Там множество входящих от этого козла Сейфулина. Да и другие могут быть такими же козлами. Зачем они ее бомбят? Она не отвечает, но он и дверь даже не поставил нормальную, которую не выломать... Он в задумчивости вошел в подъезд, поднялся на этаж, открыл своим ключом дверь. На полу в прихожей стояла чужая дорожная сумка, рядом валялась мужская кожаная куртка, стояли кроссовки. Илья никогда не видел у Андрея этих вещей, но он сразу понял, что это сумка и одежда брата. Вещи Андрея всегда как будто сливались с его обликом, несли его отражение. То же самое было с вещами Лили. Они похожи в деталях. Значит, все получилось. Андрей приехал.

Он жив! И сейчас находится с Лилей, их общей женой, в их общей спальне. Илья, не стараясь ступать бесшумно, подошел к двери спальни. Услышал голос Андрея: «Ты — красавица, мое божество и блаженство...» Он услышал стон Лили, так она сообщала своему мужчине о своем блаженстве.

Илья вышел из квартиры, сел в машину и метался много часов по темным московским улицам, вылетая на тротуары, на встречку, как будто искал гибель. Но судьба коварна. Если бы он просто торопился, думая, что надо себя беречь, наверняка что-то случилось бы. Сейчас он метался в огне боли, ревности, отчаяния, как будто защищенный высшей силой. Зачем? Чтобы испить чашу этой боли до дна?

...Ему удалось наконец собрать себя. Он подумал о детях, о родителях, о дочке, которую носит Лиля. Сказал себе: «Мой брат жив. Мой Андрюшка». Но сейчас с этими двумя безумцами в их квартире может произойти что угодно. За Андреем могли следить. Туда могут ворваться вооруженные боевики. Если Андрей так долго скрывался, значит, он — для кого-то представляет опасность. Илья свернул в тихий переулок, даже отдаленно не представляя, где он находится, и набрал телефон Кольцова.

— Привет, Сережа.

— Привет. Что с голосом? Заболел?

— Нет. Все нормально. Брат приехал.

— Да ты что! Как? Где он?

— Ничего не знаю. Он сейчас дома с Лилей.

— А ты где, не понял?

— А я нигде.

— Я, конечно, сообразительный, но уточню. Лиля тебе позвонила, что Андрей приехал?

— Нет. Она мне не звонила. Я вернулся с работы домой, а там — они. Меня не видели.

— А... Старик, не знаю, что сказать.

— Да ничего. Просто как бы туда не явились те, от кого Андрей скрывался. У этой вашей удачной затеи может быть очень плохой конец. Андрей — не трус. Если прятался, было от кого.

— Так. Но ты где: на работе, на улице, в машине? Определись. Сейчас не тот момент, когда крыше разрешают улететь.

— В машине.

— Я перезвоню.

Сергей перезвонил через десять минут.

— Значит, так. Андрей Семенов в Москву не прилетал, не приезжал. Он здесь под другим именем. Стало быть, ситуация серьезная. Мы с ребятами подъедем к вашему дому, посмотрим, нет ли хвоста. Я войду. Илья, тебе нужно тоже приехать. Ты понимаешь, что мы могли человека выманить, чтобы его здесь добили?

— Понимаю. Потому и звоню. Я же с этого начал. Я сразу говорил, что это дикая затея. Они там одни — с Лилей.

— Ну, что сделано, то сделано. Слушай, ты говоришь, как позавчерашний покойник с кладбища. А нужно быть в тонусе.

— Ты всегда умеешь приободрить. Тебе часто звонят позавчерашние покойники?

— Есть опыт. Не перепутаю. Илья, не мое дело, конечно, но ты же знал, что Лиля по нему страдала. Он — тоже ее муж. Извини, неловко выразился. Короче, ты ей поверил, когда она решила его так вызвать, — с какой стати ты решил, будто что-то изменилось?

Илья долго молчал, потом произнес:

— Это я пытался рассмеяться. Я был в квартире, ты уже забыл? Я слышал, практически видел...

— Они встретились. Ты это видел. Как дальше дело пойдет, зависит и от тебя.

— Ладно, ты в роли исповедника — не очень. Мне в принципе исповедники никогда не требовались. Я ж по делу, ну и так, заодно, что-то вырвалось. Сережа, вы должны Андрея защитить. Лилю тем более. Это была твоя идея, если ты упустил.

— Моя. Так хотела клиентка. И ты тоже. Вспомни о своих родителях. Они будут счастливы.

— Если успеют.

— Все. Звоню Земцову. Мы едем. Ты очень нужен, понятно? Это приказ.

Глава 13

Второй раз Илья приехал домой через два часа после разговора с Сергеем. Он заметил машину Кольцова, еще пару незнакомых иномарок во дворе.

Опять открыл дверь своим ключом. Разделся в прихожей, прошел в гостиную, где звучали голоса. Он увидел только брата. Тот встал и бросился к нему. Они обнялись. «Что за черт, — подумал Илья, почувствовав, как горячо глазам. — Это же наш Андрюшка. И он жив! И это счастье!» Илья чувствовал на себе взгляд Лили, не глядя, знал, как прекрасны ее глаза — женщины после страсти. Он не смотрел на нее. Он сел с братом на диван, кивнув присутствующим. В комнате были Кольцов, Земцов, еще какие-то люди. По всему — сотрудники Славы.

— Илья, — деловито заметил Сергей. — Мы не будем начинать с начала, продолжим, ты потом уточнишь, что не поймешь. В общем, Андрея похитили. Причем это были не люди Сейфулина. То есть его люди — Тамасов и Бритов, как я узнал буквально на днях, сейчас находятся в Белоруссии. Им есть от чего и кого скрываться. И Сейфулин им действительно заказал Андрея, они поехали за ним в Киев, но там вышли на него и взяли деньги и с него. Решили кинуть Сейфулина, который им аванс заплатил. Но получилось так, что кто-то перехватил этот заказ. Андрея держали в плену, подробности опускаю, они ужасны. С ним были еще три человека. Все погибли. Андрей, ты сможешь показать, где вы с Олегом похоронили Александра? Где ты похоронил самого Олега?

— Да, смогу. Я договорился с одним рыбаком, чтобы он помог нам перейти границу, но Олег... У него не осталось сил, он боялся новых испытаний. Повесился в саду. Мы там его и похоронили.

— А место, из которого вы ушли, найдешь?

— Конечно. Я убил двух людей, которых знал только по именам: Рустам и Карим. Мы считали их братьями. Но, возможно, это не так. Думаю, их не хоронили. Утопили в выгребной яме, как всех, кто умирал там, в этом бараке. Значит, их можно найти. У них голова разбита заточенным булыжником. Раз я приехал — значит, готов ответить за их убийство. Хочу вернуть свое имя.

— И отправиться с ним в тюрьму, — сказал Илья. — Андрей, я думаю, никому здесь не нужны твои признания, никто не будет никого искать по выгребным ямам. Мы же не собираемся начинать криминальную войну. Мы убедились, что ты жив. Сейфулин не подозреваемый больше, стало быть. Других подозреваемых вроде нет. Андрей, у тебя другое имя, ты где-то живешь. Мы можем отправить его обратно? — тревожно посмотрел он на присутствующих. — Только сначала надо слетать к родителям...

— Я — Серж Голон, профессор Сорбонны. Женат, Мари ждет ребенка.

— Да... — протянул Сергей. — Что скажешь, Земцов?

— А что, здесь кого-то интересует мнение руководителя управления по расследованию убийств? — удивился Земцов. — Ты придумал без меня лихой прикол, у тебя все получилось, а сейчас твой заказчик мне рассказывает, как я должен покрывать цепь преступлений. Я собирался вам честь отдать и приступить к исполнению.

— Илья, — повернулся к брату Андрей. — Лиля сказала, что ты написал заявление о том, что я пропал без вести, что вы допускаете возможность убийства. То, что было на самом деле, — в тысячу раз страшнее убийства. Меня ломали, уничтожали, как и моих случайных товарищей. Мы должны были забыть, что мы люди. Я их похоронил... Сам выжил. Как ты спас Лилю, так меня спасла Мари. Приехала с благотворительной миссией в один лагерь для беженцев, где я концы отдавал... В общем, так получилось, что мы все сейчас вместе. Я, наконец, рассказал правду. Это большое облегчение. Здесь следователь. Ты что, не считаешь, что мы должны найти мерзавцев? Пусть даже в этом случае мне придется ответить за свое преступление. Если этого не сделать, они будут там же и так же истязать других людей! Разве это непонятно?

— Собственно, о чем разговор, — заключил Земцов. — Я здесь в качестве официального следователя. К приватным штучкам Кольцова отношения не имею. Дело открыто, вскрылись обстоятельства, которые мы будем проверять. Вопрос только один. Как скрыть прибытие Андрея Семенова на время расследования, как его изолировать, в том числе и от знакомых. Такие вещи распространяются быстро.

— Да, изолировать бы неплохо, — недвусмысленно произнес Сергей. Все поняли, о чем он. Илья вздохнул.

— Я могу вам пока предложить лишь кабинет в нашем управлении, — сказал Земцов Андрею. — Да, в каком-то смысле — это лишение свободы. В рамках программы защиты свидетелей. Постараюсь сделать так, чтобы вы ни в чем не нуждались. Когда будем выезжать на места, которые вы указали, вы получите удостоверение нашего сотрудника.

— Гений! — восторженно сказал Сергей.

— Ты берешь уроки актерского мастерства у Назаровой? — парировал Земцов. — Очень кстати. Пока я буду занят с Семеновым, бери своего факира и занимайтесь Селиным и Ветровой. Гукову возьмут без тебя, нормально, без креатива. Прошмонают все, проверят счета, соберут заявления пациентов. Без цирка и самодеятельности.

— Любой мой успех превращает Земцова в зверя, — объяснил присутствующим Сергей. — Меня этот план устраивает. Все остальные даже не мыслят о сопротивлении. Слава, дай возможность братьям Семеновым связаться с родителями. Поездка к ним, я так понимаю, откладывается.

— Да, конечно, — торопливо сказал Слава. — Позвоните лучше с моего телефона. Лиля, вы тоже останьтесь. Это будет сложный разговор. Андрей, сообщите родителям, что вы к ним приедете. Трудно только сказать когда. Мы пока перейдем на кухню.

Слава дал Илье свой телефон, все вышли. На кухне Сергей стал довольно бесцеремонно шарить по шкафчикам.

— Я выпить хочу, — объяснил он Земцову, который смотрел на него, как на неисправимо трудного ребенка. — У меня такие переживания, вам это не понять. С того момента, как Илья позвонил и сказал замогильным голосом: типа радость у нас, брат жив.

Братья Семеновы и Лиля вошли минут через двадцать с потрясенными лицами.

— Мама сначала чуть сознание не потеряла, — сказал Илья. — Папа плакал. Мать потом кричала от радости... Просто кричала! Я никогда не слышал ее крика. У нее очень тихий голос.

— Поехали? — предложил Земцов.

— Но Андрею нужно поесть. Он ведь с дороги, — сказала Лиля. Все отвели глаза, потому что поняли: она хочет его задержать хоть на несколько минут. Он тоже понял и улыбнулся:

— Лиля, дорогая, сделай мне пару бутербродов. И положи в сумку. Я пока не хочу есть. И потом, ну, ты же поняла, меня берут на полное обеспечение. Все в порядке. Мы скоро увидимся.

Она кивнула и открыла холодильник. Все сделала четко, аккуратно, сложила в пакет, положила в сумку, сунула туда же пачку салфеток и пакет сока. Они простились так, как будто виделись много раз на дню. Когда все вышли, Лиля попыталась поймать взгляд Ильи.

— Потом, — пробормотал он, по-прежнему избегая смотреть на нее. — Потом, дорогая. Не беспокойся. В твоем положении опасно волноваться. Я люблю тебя, но для тебя это ничего не меняет.

В машине Земцов спросил у Андрея.

— Что вы думаете об убийстве Валерии Осиповой? Это могло иметь отношение к вашему похищению?

— Наверное, — пожал плечами Андрей. — Возможно, у нее пытались узнать, где я. Валерия могла отреагировать на это резко. Это мог сделать тот же Марат, узнав, что его люди не выполнили заказ.

— Но с Осиповой всплывают и другие обстоятельства, к вашей истории прямого отношения не имеющие. Я спросил на всякий случай, — сказал Земцов.

— Я не делился с Лерой своими планами, если речь об этом. Ужасно то, что произошло. Мне Лиля рассказала.

Глава 14

Группа Земцова выехала по маршруту, разработанному вместе с Андреем, через несколько дней. Он был оформлен как постоянный информатор, который на самом деле значился в штате под логином. Решили начать с деревни, где Андрей похоронил Олега и где перешел российскую границу. Андрей сказал, что ему оттуда легче будет найти место, из которого они бежали. Бежали ведь наугад, по лесам, в состоянии истощения и страшного потрясения.

— Илья, — сообщил Сергей по телефону. — На какое-то время мы все можем расслабиться. Процесс пошел, дел много: тела найти, попытаться их идентифицировать. Андрей хочет найти семьи своих погибших товарищей, возможно, им нужно помочь...

— В этом я тоже участвую, разумеется, — ответил Илья. — То есть, я так понимаю, это может длиться не одну неделю?

— Возможно. Короче, отдохни, старик. О возвращении группы и брата, который находится под надежной охраной, я сообщу дополнительно. Я на связи. Сюрпризов больше не будет.

— Спасибо. Разумеется, мы только и делаем, что отдыхаем.

Илья прошел в прихожую: он ехал на работу. За ним вышла Лиля. Они спокойно поговорили о домашних делах, детях, ее картине, плановом посещении врача... У них все было по-прежнему. Ситуации с Андреем они не касались ни словом. Илья только узнавал о ходе расследования. Он легко поцеловал ее на прощанье, удивляясь тому, как печаль не раздавила его своей невероятной тяжестью. Лиля была такой ласковой и спокойной, что временами ему происшедшее казалось фантастическим сном. Может, он ничего не видел и не слышал?.. И Помпея не погибла?

Сергей в это время подъезжал к дому Назаровой. Он умел находить рациональные зерна в саркастических советах и подколах Земцова. К Виктору и Ольге они поедут вместе. Сам он уже имел глупость посетить эту любящую пару. Пробыл с ними недолго. Говорить о каких-то делах было неуместно, словно беседовать с глухими или рисовать картинки со слепыми. Они его не видели и не слышали. Тут нужен специалист, каким и является Назарова, — так решил Сергей.

Нина Глебовна вышла из подъезда через десять минут после его звонка. Она была в скромнейшей кроличьей шубке и в сером платочке, завязанном сзади, по-русски, по-деревенски. «Роль Арины Родионовны», — понял Сергей.

— Я звонила Оле с утра, — сказала она в машине. — Ты прав, Сережа, в том, что она распалась на части. Виноват Виктор, как всегда. Я вот о чем подумала: может, пусть бы он застрелился? Осипов написал на нее завещание — на квартиру, на приличную сумму. Я регулярно звоню его нотариусу, как и обещала. Нужно ли Виктора заставлять жить, если он не хочет? А для Оли: ну умер, так умер... У нее бы не осталось другого выхода, как окрепнуть и вернуться в искусство. Я не права?

— У меня нет слов от восторга, — ответил Сергей. — Ваша логика — это и есть искусство. Но можно он еще поживет? Ольге этого очень хочется. Мне — тоже, ради чего я старался?.. Дайте ему шанс, Нина Глебовна. Виктор попал в тяжелейший переплет. Он очень страдал из-за гибели дочери, теперь страдает, узнав подробности ее жизни. Есть жестокое правило: смерть срывает маски. Он обвинил во всем себя.

— Ладно, — покладисто согласилась Назарова. — Пусть живет. И пусть поможет тебе посадить свою жену за нападение на Олю и, не исключаю, за убийство собственной дочери.

— Х–Х–Хосподя, — выдохнул Сергей. — Вы сегодня в этом сереньком платочке. Мне сразу захотелось, чтобы вы спели мне «баю–бай», а тут такие разоблачения. Виктора это, конечно, сильно приободрит. Ольгу тоже. У нас еще есть время, Нина Глебовна, вы не можете настроиться на другую волну? Требуется помочь Ветровой войти в нормальное, даже рабочее состояние. Ведь у нее должны быть мгновенная реакция, отменная зрительная память. Иначе она не могла бы быть актрисой, правда?

— Это правда.

— Ну вот. А она от каждого слова, — моего, по крайней мере, — теряет соображение от страха. Особенно ее испугал термин «фоторобот». Это всего лишь рисунок. Как с ней работать следователю? И как без этого разобраться в том, что произошло.

— Я все отлично понимаю, Сережа. И я знаю, как надо обращаться не только с Ольгой, но и с ее... этим. Я просто делюсь с тобой своими впечатлениями, чтобы ты сделал какие–то выводы, наконец. Вы же топчетесь на месте!

— Как всегда, не в бровь, а в глаз. Он у меня даже зачесался. Мы приехали, Нина Глебовна. Вы очень хорошо выглядите. Умиротворяюще. На вас вся надежда.

— А на кого еще, — пожала она плечами.

Им даже не пришлось звонить. Ольга уже стояла на пороге и ждала, пока они выйдут из лифта. Она сразу бросилась Нине Глебовне на шею, прижалась своей стриженой, мальчишеской головой, заплакала, запричитала.

— Я тоже очень соскучилась, — погладила ее ежик Назарова и освободилась из объятий. — Почему ты все время ревешь? У тебя что-то болит? Он тебя обижает?

— Нет, что вы, — испуганно сказала Оля. — У меня ничего не болит. Витя, ну как он может обидеть? Он все делает. Он такой... Просто молчит. Не спит. Не ест почти.

— Где он сейчас?

— Лежит. Он сказал: может, нам лучше без него?

— Пусть встает, — велела Назарова. — Как это у мужиков: чуть что — без них... С ним! Мы убийц разыскиваем. Он обязан помогать. Лежит он!

Сергей и Назарова разделись, прошли в гостиную. Оля поставила перед ними поднос с кофе и бутербродами.

— Я не поняла, — сказала Назарова. — Он тебя что: держит на сухомятке? Он что, кашу тебе не может сварить?

— Он варит! Сказать, чтобы вам сварил?

— Нам — не надо.

— Здравствуйте, — поприветствовал их с порога Виктор. — Спасибо, что не заставляете кашу варить. Все остальное я слышал. Я сделаю все, что нужно. Не знаю только что.

— А давайте просто посидим, кофе попьем, — предложил Сергей. — Нина Глебовна нам что-нибудь почитает...

— Ой! — восторженно пискнула Оля.

Они нормально поговорили. О том, что в Москве не чистят снег, что мало снимают хороших фильмов, что новости лучше не смотреть и не слушать. Потом вдруг Нина Глебовна встала, вышла в центр комнаты, улыбнулась Оле, как главному зрителю из партера: «Это тебе». И прочитала:

Я был в Риме. Был залит солнцем. Так,
Как только может мечтать обломок.
На сетчатке моей — золотой пятак,
Хватит на всю длину потемок.[1]

— Моя дорогая, — продолжила она тем же глубоким голосом, — ты должна уметь себе сказать: потемки кончаются, на сетчатке — золотой пятак. Человек несет в себе силу и счастье даже тогда, когда не понимает этого, когда его давит тяжесть несчастья. Ты мне веришь?

---

[1] Римские эллегии. И. Бродский (отрывок). *(Примеч. редактора).*

— Ничего себе, — пробормотал Сергей.

— Да... — произнес Виктор.

Оля заливалась слезами.

— Олечка, — Нина Глебовна села и сказала уже совсем другим, домашним голосом, — я приехала, чтобы ты собралась из тех кусочков, на которые распалась. Для этого надо поработать. Сергей сегодня привезет к тебе людей, которые будут задавать тебе простые вопросы: что ты видела? И рисовать твои ответы. Это очень простая роль. Allez, девочка.

— Я готова, — Ольга встала, как отличница на уроке.

Глава 15

Ольга хорошо поработала в этот день. По ее описаниям были созданы три фоторобота. Один из них — молодая женщина, которую она видела в квартире несколько раз.

Вечером Сергею позвонил заместитель Земцова.

— Привет, Серега. Слава просил держать его в курсе. Мы обыскали дом, где отсиживался Селин, там нет ничего интересного. С гаражом, где он прятал машину, получилось лучше. Там нашли похожие гири, старые, поновее, такого же веса, другого. Александр Васильевич взял все пробы. Хозяин гаража — знакомый Селина, Григорий Васильев, — вызван на допрос на послезавтра, когда Масленников получит результат экспертизы.

— Отлично. Спасибо. Значит, срок содержания Селина под стражей продлят?

— Суд решит на основании этих улик. Если это улики, конечно. Кстати, у него уже адвокат появился. Некто Миронов. Мне эта фамилия ни о чем не говорит. Но он уже заявил, что у нас ничего нет. Совпадение возможно, конечно. Мол, в каком старом гараже нет хлама? Нужны или какие-то общие следы, отпечатки пальцев, к примеру. Или фрагменты краски одинаковой в квартире и гараже. Короче, все зависит от экспертизы.

— Понял. Ждем.

Потом Сергей выслушал отчет своего помощника, который посетил владелицу третьей комнаты в пансионате для престарелых.

— Сережа, она плоха совсем. Еле говорит, колют их там, наверное, чтоб не мешали. В общем, сказала мне, что подписала бумагу на свою внучку. Я так понял, дарственную на комнату. Главврачу об этом ничего не известно.

— Внучку нашел?

— В том-то и дело, что нет у нее никакой внучки. Одинокая она. Дочь была, но давно умерла от рака. Была не замужем, детей не имела.

— Интересная и ожидаемая петрушка, — заключил Сергей. — Надо опрашивать сотрудников дома престарелых: кто к ней приходил. И показывать всех сотрудниц бабушке. Вполне возможно, что одна из них и является этой «внучкой». Я попрошу, чтобы кто-то из следователей туда подъехал, объяснил главврачу, что в рамках уголовного дела свидетеля накачивать лекарствами нельзя.

Сергей уже пытался уснуть, когда поздней ночью позвонил следователь, который работал с Гуковой и диагностическим центром.

— Извини, что поздно. Всего полно. Во время обыска в квартире и в загородном доме нашли у нее в разных тайниках много наличности, массу ювелирных изделий, антиквариат и прочее. Никакого «банка крови» в роддоме не обнаружили. Главврач отрицает сговор с Гуковой. Скорее всего, врет. Все прояснит опрос тех, кто там рожал. Они же спрашивали: взяли ли у них кровь на хранение или нет. Я так думаю. Есть непроверенная информация, что у Гуковой открыт счет в швейцарском банке. Имеется недвижимость в Черногории. Ее взяли как организатора преступной системы. У нас она согласилась на особый порядок, но сказала, что ей нужно время на размышления. То есть по факту дала признание, что она — исполнитель. Мы предъявили конкретное обвинение: «Доведение до самоубийства Людмилы Семеновой». За это по-любому отвечать только ей. Тем более она показала, что Осипова, как и другие сотрудники, выполняла ее задания за деньги. Она платила им за эту работу. Предъявила даже бумажку, где ее рукой написано, кому, когда и сколько. Не документ, а заметки себе для памяти.

— Для следствия это документ. Я только не прикину никак, ради чего это делалось? Чтобы отвалились пару десятков «бесплатников», чтобы кто–то умер, кто–то повесился? Где прямая выгода?

— Она сама сказала: время у них на вес золота. Понимаешь, люди, которым положено лечиться бесплатно по месту жительства, — они не все бедные. Я разговаривал с владелицей туристической фирмы, с матерью бизнесменши. Они тоже среди жертв «розыгрыша». Спрашиваю: вам не предлагали честно перейти на платное обслуживание? Они говорят: «Нам положено лечиться бесплатно по закону». Ну, в закон они верят. Как сказала Гукова, «их от халявы пулеметом не отгонишь». Для нее закон, здоровье нации, громко говоря, чья–то халява. Персонал в бешенстве от того, что не может избавиться от тех, кто не несет нал. Там все перестроено для другой системы. Кто–то, пока мы не узнали кто именно, вложился в оборудование по высшему разряду. Такое имеется не в каждой элитной клинике. Они платников раскручивают на нехилые бабки. Этот «банк крови» — фигня. У них так называемая веревочка. Запускают человека с якобы онкологией, в разных местах их люди диагноз подтверждают, накручивают, больных раздевают буквально, квартиры заставляют продавать, особенно, если идет речь о ребенке. А потом, иногда уже после операции, говорят: ой, вышла ошибка. Но поскольку доплата из бюдже–

та шла только на рак, будьте любезны положить под тот фикус, где нет видеокамеры, еще триста тысяч.

— Да, с таким масштабом, как говорит Земцов, — это не наш вопрос. А Люда попала в эту мясорубку действительно случайно. Один раз пришла, никому там не надоедала, но попалась на глаза Осиповой. И та ей отомстила, без вопросов.

— Сережа, это не все! Я потому и звоню так поздно. У нас Гукову забрали. Люди из конторы. Типа давно отслеживали это дело, у них есть, что ей предъявить. И они хотят знать, кто автор сей программы.

— Вот это настораживает. Хотя про автора интересно.

Глава 16

Марат сел в офисе за компьютер и стал искать сайты, где видел сообщения о болезни Лили Семеновой. Он нашел их в двух местах. Они упали, новых сообщений не было. Ну это понятно. Журналюги, блогеры быстро теряют интерес, если не случается что-то ужасно. Какое-то неприятное чувство возникло у Марата. Он хотел смерти ее мужа Андрея, пусть не его ослы, как выяснилось, этого гада прикончили, — все равно это радует. Андрей многим надоел. Марат ненавидел Лилю за то, что она его унизила, за человека не считала. После того, что она с ним сделала. Ему казалось, что он хочет ее убить. А сейчас он вроде боится даже найти сообщение о ее смерти. Чертова баба. Она не дает ему покоя. Интересно: у ее второго мужа, этого Ильи, есть деньги отправить ее за границу в хорошую клинику? Или он ее отвез, как и его, в городскую больницу? Илья по меркам Марата был не серьезным бизнесменом. Он просто получал заказы на какие-то детские объекты, ему платили, ну, как обычной обслуге серьезных людей. У него нет больших денег, это точно. Если бы были, об этом бы все знали. И продать им нечего.

Марат быстро вышел из офиса, сел в свой джип. Через полчаса он вошел в кабинет Ильи Семенова.

— Не помешал?

— Да нет, — сказал Илья. — Заходи, Марат. Как ты себя чувствуешь?

— Я — нормально. Как чувствует себя твоя жена? Я прочитал...

— Понял. Да, это появилось в Сети. Мы не хотели. Ты знаешь, Лиле лучше.

— Что значит, лучше-хуже? Кто тебе это сказал? Где? В районной поликлинике?

— Да, — спокойно ответил Илья.

— Слушай, ты вроде умный мужик. Образованный. Ты же знаешь, куда нужно везти человека, которому у нас говорят: врачи бессильны. Я читал. В общем, я по делу. Я хочу оплатить обследование и лечение Лили. У меня найдется любая сумма. Мы не чужие люди. С Андреем вместе работали, ну, потом не поладили, но это неважно. Я пришел попросить:

возьми у меня деньги. Я договорюсь с клиникой, организую переезд.

— Спасибо, Марат, — Илья смотрел на него серьезно, внимательно. — Давай подождем. Лиле объективно лучше. Она даже начала работу над новой картиной. Говорю тебе, потому что об этом может появиться информация от художника.

— Это называется «ремиссия», — назидательно сказал Сейфулин. — Так бывает, если это рак.

— Прекрати говорить ерунду! — воскликнул Илья. — У нее не нашли никакого рака. Может, ее состояние было вызвано потрясением из-за того... Она же думала, что убила тебя. Собиралась рожать в тюрьме.

— Она беременна? Я не знал. Она так переживала из-за того, что мне стало плохо? Я могу ее увидеть?

— Нет.

— Я так и думал. Мое предложение остается в силе в любом случае. Если она сильно переживала, я должен... — Марат не договорил и быстро вышел из кабинета.

Илья задумчиво смотрел на закрывшуюся за ним дверь. Этот человек к Лиле очень неровно дышит. Его ярость по отношению к ней — из того же источника. Только слово «любовь» с ним никак не вяжется. Все, что он может, — это предлагать деньги. Такова его участь: или отбирать, или предлагать деньги. Илья не понял, сочувствует ли он Марату в этой конкретной ситуации. Ясно лишь, что таким людям приходится мириться с тем, что сочувствия они ни у кого не вызывают. Но Марат однозначно тоже жертва выходки Лили и Сергея. Тоже... Кто еще? Он, Илья. Вот уникальная ситуация, когда они — товарищи по несчастью.

Марат сразу поехал к себе домой. Ему было не по себе, Илья что-то разбередил в его душе. Дома он прошел в кабинет, выпил стакан виски, сел за компьютер. Илья говорил об информации от художника. Он нашел сайт этого Игоря... Там была Лиля. Большая фотография, она стоит в черном платье, разрезанном от бедра до пола. Ее босая нога... Красивая ножка.

— Что ты тут делаешь? — раздался с порога изумленный возглас Марыси. — Почему не сказал, что пришел? Ты порнушку здесь один смотришь?

Она подошла к столу, долго и тупо смотрела на фото. И вдруг... Марат даже вздрогнул от неожиданности. Она завизжала:

— Ты! Ты смотришь на эту шлюху! Подстилка художников! Я все знаю. Так она ж вроде помирает! Это старая фотка? — Марыся навалилась на стол и прочитала пару строк о том, что Лиля Семенова вернулась к работе. — Она не сдохла? Я хотела, чтобы она сдохла! Я пойду свечку за это поставлю! Я гадалку найму!

Марат встал, медленно взял Марысю за шиворот, развернул к себе, вдохнул сильный запах алкоголя.

— Так ты еще и напиваешься, когда меня нет? Ах ты, сука!

Он бил ее по лицу, по груди, мягкому животу, пока не почувствовал желания убить. Он овладел собой. Вышел из дома и поехал в московскую квартиру. Если она алкоголичка, тянуть нельзя. Завтра же надо отправить ее в дом в Словении, который он ей купил. И сделать так, чтобы она из его жизни исчезла. Пусть скажет, сколько это стоит.

Глава 17

Сергей долго смотрел на фотороботы, составленные по описаниям Ольги Ветровой. Мужчина, женщина, подростки, все похожи на людей с вокзалов... Еще женщина. Так. Что-то почудилось. Не может быть!

— Опаньки! — он повернулся к заместителю Земцова. — Ничего не утверждаю, она такая же простая, как все, как сто тысяч других в России (слова не мои, Есенина)... Но! На всякий случай везите сюда Светлану Иванову, проживающую по адресу — пишу. Это невеста брата Осиповой, которую выбросили в окно. Большая выпуклая родинка на скуле, один глаз меньше, — тянет на особые приметы. Актриса она и есть актриса, что с ней ни делай. Детали не упустит. Это я уже про Ветрову.

Когда Светлану привезли, в кабинете собрались чуть ли не все сотрудники. Они уставились на нее. Девушка испуганно озиралась.

— Вы чего? В чем дело?

— Здравствуй, Светлана, — подошел к ней Сергей. — Привет. Узнаешь?

— Ну да... Приходили...

— Спасибо, что приехала. Это формальность. Ты оказалась похожей на фоторобот знакомой одного нашего задержанного.

— Какого еще задержанного?

— Петра Селина, не знаешь случайно такого?

— Так я... Я имена–фамилии вообще не запоминаю. И вас забыла, как звать.

— Сергей Александрович. Можно — Сергей. Так насчет Петра Селина не попробуем вспомнить?

— Я ж говорю: не помню. А что это за фоторобот такой?

— Портрет по описанию соседки Петра Селина. Вот он. Похож на тебя?

— Не–е.

— А мне кажется, смахивает. Родинка. Глаза у тебя разные немного.

— Разве?

— Да по жизни это не заметно, не переживай. Легкая асимметрия. Но для опознания — удобно. Дело в том, что девушка, чье изображение я тебе показываю, ночевала у Петра Селина, причем не раз, стало быть, отношения у них довольно близкие. Тут так: это или ты, или не ты. Имя–фамилию можешь не помнить, но в натуре мы его тебе должны представить.

— Должны?.. — Светлану повело так, что она еле удержалась на стуле. — А что он сделал?

— Пытался убить свою соседку. Света, возвращаемся к началу, ребята, пишем протокол. Ты знаешь человека по имени Петр Селин, у которого есть комната в коммунальной квартире вот по этому адресу? — Сергей показал точку на карте центрального района.

— Меня как-то подвозил один... Петя. Я вроде там переночевала, а то мать орет, когда я поздно прихожу.

— Вот его дело, вот фотография. Это — тот самый Петя?

— Ну да.

— Видишь, как все просто. А ты... Много шуму из ничего. Приведите, пожалуйста, Селина.

Петр вошел с мрачным видом, взглянул исподлобья на присутствующих, посмотрел на Светлану, выражение лица абсолютно не изменилось.

— Селин, — обратился к нему Сергей. — Это очная ставка. Вы узнаете эту девушку?

— Первый раз вижу.

— А она сказала, что ночевала у вас, и Ольга Ветрова ее описала. Осталось только опознать. Минутное дело. Так вы случайно не вспомнили?

— Я понятия не имею, кто это. Сказал же: снимал баб на вокзале, запоминать их не подписывался. Буду говорить в присутствии адвоката.

— Слова не мальчика, но мужа. Что-то меня сегодня тянет на поэзию, драму и все такое. Результат общения с великим мастером, — объяснил Сергей. — Можно и с адвокатом, Селин. Вы отрицаете очевидное, Светлана дала показания о том, что вы близко знакомы. Возникает вопрос: почему? И неприятный ответ: возможно, потому что вам хочется скрыть это знакомство от нас. Вывод: оно имеет отношение к вашему делу. Следующий вывод: Светлана может быть вашей сообщницей. Таков результат вашего поведения. Обычное знакомство нормальный человек не скрывает.

— А я вообще не обязан перед вами отчитываться. Всех бл...й они еще будут мне в сообщницы шить.

— Ты чего, Петя? — губы Светланы дрожали. — Я ж просто так с тобой была... Ты как меня назвал?

— Да пошла ты. Я отказываюсь говорить. Я все сказал. У вас нет ничего, вот вы и крутитесь. Наверное, вам заплатил кто-то, чтоб меня подставить.

— Уведите его, — попросил Сергей. Когда Селин вышел, он обратился к Светлане: — Видишь, какая неприятная возникла ситуация. У следствия всегда возникают вопросы, когда человек отрицает очевидное. Поэтому вас, Светлана Иванова, как мне кажется, следователь попросит дать подписку о невыезде.

— Это что?

— Вы не имеете права уехать из Москвы, пока все не прояснится, надо отвечать на телефонные звонки. Приезжать сюда, если вас пригласят.

— Зачем пригласят?

— В ближайшее время, полагаю, для встречи с соседкой Селина Ольгой Ветровой. Собственно, если вы сейчас погуляете по коридору, я привезу Ольгу. Давайте так, ребята.

Сергей позвонил по телефону, он уже научился, как Назарова, говорить Ольге голосом режиссера «allez». Она сразу отвечала: «да».

Они уложились в сорок минут. Вошли в кабинет, где сидела на стуле поникшая Светлана Иванова.

— Ольга, вы эту девушку видели выходящей из комнаты вашего соседа Селина? — спросил Сергей. — Вы ее описали, когда с вами работал художник?

— Да. Это она. Я видела и других людей, но она была не один раз.

— Вы видели в квартире Селина Ольгу Ветрову, актрису? — спросил у Светланы Сергей. — Наверняка вы ее знаете по кино.

— И ни капельки она на себя не похожа! Я как увидела, сразу подумала: о, какие они, когда макияж смывают, — брякнула Света.

Глава 18

Масленников разложил на столе бумаги.

— Вот акт, результаты проб, все прочее... Гиря однозначно взята из гаража, в котором Селин прятал машину. Как показал его хозяин, Селин пользовался его гаражом неоднократно, поскольку свой у него сгорел — то ли поджог, то ли несчастный случай. Давал немного денег за аренду. Хозяин гири поднимает, покупает, вес меняет, старые бросает в гараже. Не может сказать, когда именно исчезла гиря, которая находится у нас. След ее в гараже имеется, вот снимок, фрагмент краски, отпечатки пальцев — Иванькова и Селина. Багажник Селина на предмет нахождения гири изучается. Он имел возможность его вымыть, но сути дела это не меняет. Вывод экспертизы: Селин привез гирю из гаража Иванькова. В день нападения на Ветрову или раньше, на это, к сожалению, нет ответа.

— Так это и неважно, — сказал Сергей. — Если он спрятал ее раньше, тем хуже для него. Давний умысел получается. Разговаривать сейчас с подозреваемым будем? — обратился он к заместителю Земцова.

— А смысл. Он по любому поводу пойдет в отказ. Стопроцентная несознанка. Требует адвоката, некоего Миронова. Мы пообщались. Грамотный. Ведет себя, как его подзащитный: у вас ничего нет, все оговор, заговор. И такая политика срабатывает в судах, надо сказать. Нет у следствия ответа на какой-то второстепенный вопрос — все, не доказано. Гуляй, свобода!

— Даже если они на суде поменяют тактику, — заметил Масленников, — на такую, к примеру: может, и бросил гирю в багажник, да запамятовал. Взял ее себе опять же для самообороны, но боялся сказать следователю, поскольку был прессинг. Заставляли сделать чистосердечное признание, — это у них тоже может прокатить. Нужен мотив! Хотел завладеть еще одной из комнат? Так не факт, что она при таких обстоятельствах досталась бы ему. Первоочередное право приобретения? Тоже сомневаюсь. Там, в центре, таких приобретателей пруд пруди. Тем более вторая комната уже кому-то подарена. Еще одному претенденту. Или претендентке.

— Да, вторая комната, — сказал Сергей. — Работаем с тем, что есть. И с теми, кто есть. Думаю, пора навестить в пансионате для престарелых Кондратьеву Агриппину Харитоновну и познакомить ее со Светланой Ивановой. Чем черт не шутит. Вдруг бабулька «внучку» признает. Свете плохо живется с матерью и отчимом. Тесно. Стасика некуда привести. А тут случайный знакомый Селин привозит ее переночевать в трехкомнатную квартиру в центре. Его комната свободна, комната Кондратьевой свободна, Ольгу Ветрову Селин считает невменяемой, провоцирует ее на нападение с целью самозащиты, вышибая дверь. Потом сам защищается... Свету не признает почему-то. Но Ветрова ночевала дома каждую ночь. Видела пары, которые останавливались у Селина, женщину с детьми. Но девушку, которая бывала там не раз, видела только одну. Это Иванова. Кто со мной?

— Хочешь, я поеду? — предложил Александр Васильевич. — Могу быть полезен, если у бабушки или диагноз, или передоз лекарств.

— Стеснялся тебя попросить, — просиял Сергей. — Ребята, доверяете нам в таком составе?

— Господи, — вздохнул зам Земцова. — Не знаю, на каком я свете, пока Слава путешествует. Сюрпризы валятся со всех сторон. Мне только не хватает разбираться, где диагноз, а где передоз в доме престарелых. Короче, буду безмерно вам благодарен.

Пока они ехали в Подмосковье со Светланой Ивановой на переднем сиденье, у Сергея стала кружиться голова от ее вопросов, задаваемых с периодичностью стука дятла по дереву. Света была явно в полном смятении. Ей хотелось, чтобы ее успокоили. Желала убедиться, что эта поездка, как и вся история с Селиным, ничем ей не грозит.

— А че, я не поняла? А куда? Кто это? А зачем?

Когда они подъехали к воротам, Сергей позвонил главврачу, чтобы их пропустили. Потом повернулся к Ивановой и повторил ровно то, что сказал, когда они отъезжали от ее дома.

— Мы приехали в пансионат для престарелых, чтобы ты посмотрела на одну бабульку. Она — на тебя. Это все, что требуется. Ничего страшного. Я купил мандарины, мы просто ее навещаем. Лимит вопросов ты исчерпала в машине. Теперь только отвечаешь, поняла?

Запрет на вопросы Светлану добил. Она прошептала «ага» и надолго замолчала. Они пропустили ее вперед, чтобы проверить, не знает ли она дорогу. Но ошибиться там было сложно: одна узкая тропинка между сугробов вела от калитки к двери. Света уверенно прошла и открыла дверь. Там их уже ждала женщина в синем халате, вероятно, санитарка. Дальше она шла впереди до двери, где был написан краской номер — тридцать пять.

— Я нужна? — спросила санитарка.

— Вообще-то нет, — сказал Сергей. — Главврач в курсе темы беседы, нам хотелось бы поговорить без сотрудников. Только один вопрос: у вас что, все постояльцы лежат в отдельных палатах?

— Конечно, нет. У этой есть деньги.

Она ушла. Сергей постучал в дверь, из комнаты раздалось: «войдите». Они вошли в крошечную палату, где на узкой кровати сидела в темном фланелевом халате сухая сморщенная старуха. Она смотрела на них подозрительно.

— Добрый день, Агриппина Харитоновна, — приветствовал ее Сергей. Масленников молча кивнул.

— Добрый. Я вас не знаю.

— Не знаете, конечно. Мы первый раз. Мы...

— Мы — из совета попечителей, — прервал его Масленников. — Хотим узнать, как вам здесь живется, вот мандарины привезли. Как вы себя чувствуете? Кто вас информирует о вашей недвижимости в Москве?

— У меня нет недвижимости, — четко заявила Кондратьева.

— У вас комната в Москве, — мягко сказал Сергей. — Вы не забыли?

— Если мне девяносто пять лет, это не значит, что я могу забыть, где прожила полжизни. Я подарила эту комнату внучке.

— Но у вас нет внучки.

— Родной — нет. Но есть женщина, отец которой встречался с моей покойной дочерью. Она теперь сирота. Она нашла меня здесь. Помнит мою Тамару. Мы плакали вместе... У нее сейчас, кроме меня, и нет никого. Отец тоже погиб.

— Это все вы узнали от той женщины? — уточнил Масленников. — А как ее зовут? На кого вы написали дарственную?

— Еще чего! — рассвирепела Кондратьева. — Откуда я знаю, может, вы бандиты. Я телевизор смотрю. Мне внучка его привезла.

— Как вы резко, — удивился Сергей. — Вы, наверное, не очень хорошо рассмотрели вашу внучку. Она с нами приехала, а вы ее и не заметили.

Он подтолкнул вперед совершенно оцепеневшую Светлану. Кондратьева растерянно на нее взглянула, взяла с тумбочки очки, надела, подошла поближе.

— Но это не Земфира! Вы точно бандиты. — Она схватила толстую палку и заколотила ею в стену.

Они практически спасались бегством, чтобы не поднимать шума. Светлана оставалась молчаливой и оторопевшей.

— Что скажете, Александр Васильевич? — спросил в машине Сергей.

— У старухи нет синдрома Альцгеймера, и в данный момент она не накачана лекарствами. Но, разумеется, глубочайший склероз. Она наверняка не помнит, чьи данные были указаны в дарственной, которую она подписала, как ей кажется, на Земфиру. Имя однозначно ненастоящее.

— Светлана, — обратился Сергей. — Вы не успели подкраситься. В другой одежде вы наверняка выглядите иначе. Самозваная внучка этой женщины была у нее, видимо, пару раз. У нее склероз. Но она подтвердила, что подписала дарственную на комнату в квартире, где проживает Селин. Если это вы были, если назвались Земфирой, если документ у вас, — лучше признайтесь. Потому что мы будем искать эту бумагу. И конечно, найдем, на какую бы фамилию она ни была написана. Она же зарегистрирована или будет зарегистрирована. У Селина имелся мотив. Им может быть только вся квартира. При очной ставке он сделал вид, что не знает вас, чем усугубил ваше положение. Вас вызывали как свидетеля, теперь вы можете стать фигуранткой дела по факту нападения на Ветрову с целью убийства. И у вас произведут обыск. Если вы понимаете сложность ситуации, лучше рассказать все самой.

Светлана вела себя настолько странно, что Сергей и Александр Васильевич обменялись вопросительными взглядами. Она оцепенела. Глаза казались застывшими, они смотрели не на них, а в никуда. Что это? Конечно, страх. Но он мог быть вызван двумя причинами: первая — она ни при чем, но боится, что не докажет этого, вторая — она очень даже при чем.

Глава 19

Группа Земцова и Андрей вернулись из тяжелейшей экспедиции. Андрей похудел, лицо потемнело, на лбу появились глубокие морщинки, в густых волосах стала заметна седина. Они нашли тело Олега, похороненного Андреем в саду домика в полузаброшенной деревушке. Забрали с собой останки для поиска родственников. Затем нашли Александра, которого Андрей и Олег похоронили в лесной чаще. И ему суждено было после смерти искать родное кладбище, людей, которые его оплачут. Место, откуда пленники бежали, Андрей тоже нашел. У него не возникло в этом сомнений. Он оставлял по дороге зарубки на деревьях, ломал ветки, чтобы вернуться. Разобраться. Но вместо запущенного двора со строительными материалами, вместо сарая, где их держали, бытовки, где жили их тюремщики, выгребной ямы, в которой исчезали тела мертвых, они обнаружили активное элитное строительство. Строили явно особняк, местность облагораживали. Строителями оказались солдаты. Охраняли они же. Имя владельца назвали легко — действующий генерал, но на территорию частного владения их не пустили. Да там было и не справиться силами нескольких человек. Захоронение могли убрать, могли завалить, покрыть слоем грунта, там даже были посажены ели. Других деревьев не оказалось. Для того чтобы начать раскопки, потребуется разрешение не только владельца, но и военной прокуратуры как минимум. Возможно ли это в принципе, никто даже не обсуждал вслух. Андрей вдруг сказал:

— Вообще-то возможно. Мой товарищ, с которым мы учились в Москве, потом он стажировался в Кембридже, на юридическом, — сейчас юрисконсульт в Министерстве обороны. Он поймет, насколько это важно.

— А хозяину это надо? — скептически спросил Земцов. — Хозяину этой хатки? По сути, Андрей, ты собираешься хлопотать, чтобы нам помогли найти останки убитых тобой людей. Я не уверен, что тебе после этого станет легче.

— А мне не надо, чтоб было легко. Их нужно найти, чтобы опознать и наказать того, кому принадлежал лагерь пленных. Я могу привести массу деталей в доказательство того, что до нас там жили другие люди. Зачем? Почему? Как их выбирали? Куда они перебазировались, увидев, что наши охранники убиты, а мы убежали?

— Вопросы правильные, чего тут говорить. Хотелось бы чего-то попроще. Но это не значит, что мы отползаем в окопы. Давай-ка для начала решим дела твоих погибших товарищей. Может, поймем, по какому признаку вас похищали? Стучаться за разрешением на расследование нужно с чем-то серьезным.

Андрея сразу привезли в управление, где он, собственно, и жил, как в гостинице, в маленькой комнатке, о которой мало кто знал. У него там был даже душ. Слава и другие сотрудники съездили домой, привели себя в порядок, вернулись на работу. Приехал Масленников за привезенными останками. Потом появились Сергей и Илья. Старший брат взглянул в глаза младшего и увидел там отражение горя, по следам которого тот прошел. Илья обнял Андрея, похлопал по плечу.

— Ты — молодец. Но выглядишь плохо.

— Пока мы будем работать с экспертами, — сказал Земцов, — можно организовать поездку Андрея к родителям. Заодно придет в себя. Он работал на разрыв аорты. Поедет опять в составе нашей группы. По тем же документам. Я найду людей, которым нужно в Ригу. Вам, Илья, лучше с ним не ездить, это может привлечь внимание.

— Я понимаю, — ответил Илья. — Можно передать с ним что-нибудь для мамы и папы?

— Да, конечно.

Илья еще раз внимательно взглянул на брата, заметил все: и морщины, и седину. Сердце сжалось.

Он вспомнил, как Андрей, совсем малышом, стоял и смотрел на него, будто на вождя племени: с преданностью, с желанием показать, что он тоже — большой. Он всегда хотел, чтобы брат брал его с собой. Крутой лобик над серыми ясными глазами, широко расставленные крепенькие ножки. Илья улыбнулся.

— Я вспомнил, как мама смотрела по очереди на нас обоих и спрашивала: «Кто у меня самый красивый и умный?» — «Класивый я, — говорил ты. — И умный я», — и хватал маму за руки, отворачивал от меня, чтобы она только на тебя смотрела.

— Да? — рассмеялся Андрей. — Я был таким дуралеем? — он повернулся к Славе и беспокойно спросил: — Я могу повидаться с дочерью и с Лилей?

— Конечно, — спокойно ответил Земцов. — Вернетесь, мы это организуем.

...Илья вошел в квартиру и сразу встретил взгляд Лили. Она редко ждала его в прихожей.

— Он вернулся, — сказал Илья. — Они нашли останки его товарищей и место, где их держали в плену... Давай пока без подробностей. Он выглядит, как будто заглянул за черту жизни. Но он сделал очень много.

Лиля смотрела огромными глазами, как будто заглядывала в бездну, куда заглянул Андрей. Илья обнял ее, вдохнул запах кожи, волос, опять почувствовал, как сжимается сердце. Он сейчас годится только для того, чтобы жалеть этих двух прекрасных страдальцев. Ему кажется, он сам растворяется, исчезает... Он погладил Лилю по щеке, волосам, шее. С тех пор как вернулся Андрей, он не был с ней близок. Сам не хотел этого. Для того чтобы это произошло, он должен точно знать, что он — единственный ее муж. И что именно он ей нужен. Но шансы на это казались ему все более призрачными.

Глава 20

Сергей давал ежедневный телефонный отчет о проделанной работе Нине Глебовне Назаровой. Это смешно, но после каждой ее выверенной паузы или реплики «ну-ну» он был готов встать, вытянуться, как перед начальством, от которого давно уже стал свободен, и начать оправдываться.

— Я не понимаю, — недовольно произнесла Назарова. — Почему вы до сих пор не арестовали жену Олиного любовника? Я же вам сказала, что она ей угрожала. Я догадалась, что после этого на Олю нападут. Если бы не я, Оли уже не было бы. Этого мало, чтобы взять преступника?

— Человек, подозреваемый в преступлении, арестован. Анну Осипову он просто не может знать. Это совпадение, Нина Глебовна.

— Ха-ха-ха! — театрально произнесла Назарова. — Я играла в «Мышеловке» Агаты Кристи. И вы мне будете рассказывать про совпадения?

— Не буду. Я что, самоубийца? Кстати, у меня есть к вам вопрос. Кто такая Земфира? Что-то крутится в голове, не могу вспомнить.

— Сережа, ты мне говорил, что у тебя мама учительница литературы. Мне жаль ее и тебя. Что может крутиться в голове, если с ней все порядке? Слушай внимательно: Земфира — героиня поэмы Пушкина «Цыганы». Это также одноименная современная певица, что совсем другое дело.

— А, ну да! Вот вы как ласково поговорите со мной, так сразу в голове все выстраивается по порядку. Значит, «Цыганы»... Или Земфира с короткой стрижкой и непростыми песнями. Света Иванова вряд ли в курсе.

— Сережа, что с тобой? Кто такая Света Иванова?

— Одна девушка. Знакомая Селина. Мы с ней работаем. В общем, я поехал.

— Куда? Ты очень странный.

— Ну, по этому делу. Пока. Спасибо.

Света сразу открыла дверь на звонок и уставилась на Сергея.

— Вы че? На самом деле обыск?

— Нет. Света, ты где познакомилась с Петром Селиным? Только сразу предупреждаю, без фокусов: не помню, я — не я... Это в твоих же интересах.

— Ну, помню... От Стаса я вышла. Его мамаша возникла — типа уже поздно. Я и пошла. А Селин во дворе в своей тачке ковыряется. Увидел, говорит, хочешь, подвезу. Я села. Потом, думаю, мать может так поздно дверь не открыть или оборется. Петя говорит: поехали ко мне. И мы поехали. Я была в шоке, когда он сказал, что «бл...й» не помнит. Он мне не платил!

— Но вы были близки?

— А то! Че он звал-то меня?

— А как же Стасик?

— И что сделалось Стасику? Меня не убудет, — резонно заявила Света.

— Ну да. В какой-то степени. Другие предложения были со стороны Селина, кроме постели?

— Откуда вы знаете? Он сказал... Ну, вроде пошутил так: «Может, женюсь на тебе».

— После этого вы встречались?

— Раза три.

— Всегда после Стасика?

— Не-е, вы что. Петя звонил мне.

— Предложение по поводу женитьбы повторял?

— Так в шутку же. И нетрезвый. Я сказала: «А давай».

— Спасибо. Пока.

В квартиру Осиповых Сергей позвонил тоже без предупреждения. Открыла Анна. Как всегда, бледная, настороженная, даже враждебная.

— Добрый день, Анна Ивановна. Разрешите войти?

— У вас какое-то дело?

— Да все то же. Поговорить. Сын дома?

— А зачем вам мой сын?

— Нельзя мне ему самому об этом сказать? Есть вопросы к нему. Анна Ивановна, они будут заданы в любом случае. Если вы против, его вызовут повесткой в управление.

— Какие-то странные угрозы, — узкие, синеватые губы Анны приоткрылись и как будто прилипли к зубам. Сергей замечал и раньше, что это у нее признак сильного волнения. Ну ясно: она сына оберегает, как птенца.

Она провела его в комнату, где на диване валялся Стас в наушниках, подпевал и стучал по клавиатуре ноутбука, стоящего на животе, вовсю надрывался включенный телевизор. Стас вошедших, конечно, не видел и не слышал.

— Вы можете его отключить? — спросил Сергей у Анны. — Мне неудобно. Поговорить хотелось бы с ним наедине.

Анна молча вырубила телевизор, затем вынула наушники у сына из ушей, показала ему на Сергея и вышла.

— Здрасьте, — недовольно сказал Стас, продолжая лежать. — А в чем дело?

— Ноутбук сними с живота, пожалуйста. И сядь. Разговор на разных уровнях трудно вести.

— Какой разговор? — Стас поставил ноутбук на столик рядом с диваном и сел. — Я вообще толком не понял, вы кто и что шарите у нас?

— Я — частный детектив, «шарю» по поводу убийства твоей сестры и покушения еще на одно убийство. Работаю в контакте с официальным следствием, интересует меня круг общения вашей семьи. Сказал твоей матери и скажу тебе: вопросы, на которые ты не ответишь, будут заданы в управлении. Туда вас вызовут повесткой.

— А че вы так со мной? — удивился Стас.

— Надоело, что ты придурка из себя корчишь. Я тебе — не мама. Станислав, ты собираешься жениться на Светлане Ивановой?

— Ну, собираюсь. Но не сегодня.

— Она тебе говорила, что познакомилась с другим мужчиной?

— Она постоянно это говорит. Чтоб я боялся опоздать. Типа — перехватят ее у меня.

— С конкретным мужчиной по имени Петр, у которого она неоднократно ночевала?

— Да чего-то плела. Типа живет в центре, квартира большая, жениться предлагал. Видно, кроме Светки, ему некому предложить эту квартиру.

— Тебя это не задевало?

— Так они все такие. Чуть что — начинают рассказывать, что за ними очередь выстроилась...

— Ты кого имеешь в виду?

— Да девок наших. Из класса, двора... Все одинаковые. И Светка такая. Им бы замуж выйти, а по ходу все равно за кого.

— У тебя целая теория. Но все-таки ты жениться обещал. Встречаешься с ней. Знаешь, скажу по-мужски. Меня бы это сильно унизило, если бы моя девушка с кем-то спала, хвасталась этим и давила на меня таким образом. Тебя это не унижает?

— Да мне... Не факт, что это правда. Они все врут наполовину, — Стас храбрился, но уши у него стали багровыми. Удалось его задеть. — Я тоже... не на помойке себя нашел. У меня, может, тоже есть... настоящая женщина. Она меня любит. Мы просто пожениться пока не можем. У нее действительно олигархи в очереди... Но она говорит, надо нам по-умному, не спеша. Больше я ничего не скажу! Этого вообще никто не знает!

— Извини, что вырвал твой секрет. Спасибо за беседу. До встречи.

Сергей вышел из его комнаты, встретил взгляд Анны, который пытал его каленым железом, спокойно выдержал его, попрощался и вышел.

Софья Розовская открыла ему дверь в другом, на этот раз ярко-зеленом сверкающем и струящемся одеянии — то ли ночнушка, то ли халат, то ли бальное платье.

— А я вас жду, — улыбнулась она. — Пасьянс с утра раскладывала. Блондин придет получилось.

— Смущен, — Сергей вошел в прихожую. — Такая женщина про меня не забыла. Мы тогда оборвали разговор на полуслове...

— Вы оборвали, — Софья подошла к нему очень близко. — Но я не сомневалась, что он продолжится.

— Я вообще-то на минутку. У Осиповых был. Со Стасом поговорил. О девушке его — Свете Ивановой, о мужчине, с которым она познакомилась. Во дворе вашем. Он тоже, как и Стас, жениться на ней собирался. Петр Селин. Но пока ни на ком он не женился, поскольку сидит в СИЗО за нападение на соседку.

— Какие страсти вы мне рассказываете. Я и не знала, что эта дебилка Стасику изменяет. Он мне не говорил. Если честно, тема не очень интересная. Может, ее сменим? Сережа...

— Может, и сменим. Земфира...

Сергея как будто пронзил насквозь зеленый острый взгляд.

Глава 21

Обыск в квартире Розовской закончился.

— Софья Вениаминовна, — подошел к ней с кипой бумаг Слава Земцов. — Мы изымаем эти документы для изучения по делу о нападении на актрису Ольгу Ветрову с целью убийства, фигурант которого Петр Селин взят с поличным.

— Какая связь? — холодно спросила Розовская. — Кто это такой?

— У нас есть основания считать, что вы в курсе. Поскольку у вас обнаружена дарственная на комнату в квартире Селина. Его соседка Кондратьева, проживающая в доме престарелых, считает, что отписала ее на внучку Земфиру. А она, оказывается, оформлена на невесту Станислава Осипова Светлану Иванову. Селин с вами дружит, по его и вашим словам. Я пока употребляю такой термин. Иванова у него часто бывала. Селин поджидал ее во дворе поздно вечером, скорее всего, по вашей наводке. Жениться на ней собирался. У вас прямо хобби: столько завещаний и дарственных, и далеко не все на ваше имя. Есть связь?

— Я могу объяснить, как эта бумага у меня оказалась.

— Не сомневаюсь. Только нас интересует правда. Требуется ряд очных ставок, опознаний. Вы поедете с нами. Переоденетесь или в этом останетесь?

— Переоденусь...

Розовская вышла из спальни в джинсах и свитере, холодно посмотрела на Сергея.

— Мразь, — сказала она.

— Сожалею, — ответил Сергей.

Кондратьева очень обрадовалась «внучке Земфире». Опираясь на тумбочку, поднялась с кровати и попыталась ее обнять.

— Да пошла ты, старая маразматичка, — с отвращением оттолкнула ее Розовская. — Довольны? — повернулась она к Сергею и Земцову. — Спасли достояние республики? Да пусть она подавится своим крысиным углом. Скорее окочурится.

— Выведите ее отсюда в машину, — сказал оперативникам Слава. — Сережа, позови медсестру, что ли, к бабульке.

В управлении Розовская заявила:

— Я готова написать чистосердечное признание в том, что по просьбе Селина, с которым познакомилась совершенно случайно — машину ловила, — помогла ему и его сообщнице Ивановой завладеть комнатой соседки. Все это могу повторить на суде. Надеюсь, после того, как я напишу признание, мне можно поехать домой? Хотя бы под залог?

— Сомневаюсь, — произнес Сергей. — Вокруг вас многовато смертей. Мужья ваши умирали быстро и скоропостижно. Перед этим всегда все имущество оформляли на вас. Есть и другие эпизоды по обнаруженным документам. Я — не официальный следователь, но мне сдается, Иванова не в курсе того, что стала наследницей Кондратьевой. И потом, Слава, у Розовской я проверил сегодня после разговора с Назаровой, — как минимум три гражданства и паспорта на фамилии всех мужей. Есть и парочка зарубежных супругов. Свое имя при регистрации брака она, как правило, меняла: Зося. Серафима...

— Да, паспорта у нас. Мы их нашли. При чем тут только Назарова, не пойму, — заметил Слава.

— Ты же предложил мне взять ее на должность факира. Я взял.

— Клоуны, — криво улыбнулась Розовская.

Когда ее увели, Земцов схватился за голову.

— Не знаю, с чего начать. Ну, мошенница, блин.

— Слава, а если проверить ее на причастность к убийству Валерии Осиповой? Она не просто мошенница. Она играет человеческими жизнями. Когда в доме есть такая змея и происходит убийство, практически идеальное, то — извини, опять процитирую

Назарову: «Совпадения? Ха–ха–ха!» У меня только не получается так здорово, как у нее.

— Мотив?

— Да любой. Например, месть Виктору Осипову за то, что не бросил ради нее жену и нашел другую любовницу. Ты веришь, что она случайно поймала Селина? Я — нет! Узнала, где и с кем живет любовница Виктора, я так считаю, и затеяла эту интригу.

— А при чем тут Иванова? Какой смысл ее в это вмешивать?

— Ну, Селина посадили бы за превышение самообороны. Мог бы отделаться выплатой компенсации Ветровой. Жениться на Ивановой, которая вряд ли долго потом прожила бы... Так мне сдается. А дальше нужно посмотреть, станет ли Селин изображать несознанку, когда узнает, что Розовская арестована.

— То есть ты уверен, что Светлана Иванова тут ни при чем?

— Она что–то знает, может, еще сама не сообразила, что именно. Тормозит. А Стасик... Слава, его нужно давить соковыжималкой. Это я тебе говорю, хотя мой клиент Виктор Осипов будет в шоке. Никогда мы еще не были так близки к раскрытию двух преступлений. Нам судьба послала сказочных свидетелей — Стаса Осипова и Светлану Иванову. Их использовали в темную, как пешек, но что эти пешки могли натворить... С этим мы справимся.

Глава 22

— Соня? — переспросил Петр Селин. — Вы задержали Соню? За что? Совсем очумели? При чем тут она? Да, соседка написала дарственную на Светку. Я жениться на Ивановой собирался. Но понял, что мне одному вся квартира не достанется. Соня просто помогла мне уговорить бабку.

— Вы сказали о желании приобрести в собственность всю квартиру. Значит ли это, Селин, что вы признаетесь в попытке убийства Ольги Ветровой?

— Не, ну какое убийство. Я ж не с ножом, не с пистолетом пришел. Так, попугать... Может, она сама бы отказалась в мою пользу. Немного не рассчитал силу удара. Убивать не хотел!

— Ну вот и сдвинулись с мертвой точки, — удовлетворенно сказал Земцов. — Переезжаем с «самообороны» к «нападению» с корыстной целью. Так как же вы познакомились с Розовской? Вы вроде из Подмосковья, по вокзалам бомбили. У нее совсем другие маршруты. Знакомых общих у вас не обнаружено, кроме Светланы Ивановой. Причем со Светланой вы встретились, уже будучи знакомым с Розовской, вот что интересно.

— С чего вы взяли?

— Да со слов самой Розовской. Она сказала, что посоветовала вам познакомиться со Светланой, которая ходит в их дом к жениху, для того чтобы помочь вам с квартирой.

— Соня это сказала? Ну, может, и так, я точно не помню.

— А где вы познакомились с Розовской?

— Про это она не говорила?

— Нет.

— Соня в наш поселок приехала участок присмотреть. Такси отпустила. Посмотрела, потом увидела у моего дома машину, зашла, попросила в Москву ее отвезти. Говорит, хорошо заплачу. Ну, я денег с нее, конечно, не взял. Если честно, любовь у нас. Потому она и хотела мне помочь. Черт с ней, с этой квартирой. Я уже сказал: Ветровой заплачу любую компенсацию. Пусть мою комнату берет. Светка пошла на мошенничество добровольно. А Соню отпустите. Она ни в чем не виновата.

— Да, это точно любовь, — насмешливо протянул Земцов. — Подставить девушку, которая понятия не имела о дарственной на ее имя. Нашли мы эту дарственную у Розовской. Ее опознала как «внучку Земфиру» ваша соседка Кондратьева. Интересно, какие у вас были планы на счет самой Светланы Ивановой? А за свою жизнь вы не опасались? У Розовской при странных, не выясненных обстоятельствах скончались три здоровых мужа. Перед смертью все имущество отписали ей, конечно. Правда, они были побогаче вас. Но и трехкомнатная квартира в центре — не такая уж мелочь.

— Вы что-то путаете. У Сони давно погиб жених, она замужем не была. Она после жениха ни с кем, кроме меня, не встречалась.

— Селин, вы человек нечестный и неприятный, более того, преступник, но мне сейчас вас даже жалко стало. Как вы на такую дешевую туфту повелись? Сами говорили: опыт в общении с женщинами имеете. Вы многое узнаете о своей подельнице на суде. А пока вам придется посидеть. Нам надо еще со свидетелями поработать. Например, с женихом Светланы Ивановой, который — вы не поверите — тоже был единственным, кого полюбила эта необыкновенная женщина, Розовская.

Селин вышел из кабинета, сгорбившись, шаркая ногами. Сергей, который ждал в коридоре, вошел к Славе.

— Он прямо как раба любви, — сказал Кольцов. — Ты, наверное, Селина огорчил, сказал, что Розовская не только его любила.

— Жертва аборта он, а не раба любви, — буркнул Слава. — Вот я взял бы и оторвал ему тупую башку. Ну кем или чем надо быть, чтобы из-за бабы... — ты меня понял, — одну девушку пытаться убить, изувечить, а другую подставить. И тоже, наверное, потом — гирей или молотком, который бы «случайно» подвернулся, или вазой...

— Слава, мне понравилась твоя речь, — Сергей сел на стол перед другом, сочувственно посмотрел ему в глаза. — Только даже ты идеализируешь. При чем тут баба? Александр Васильевич объяснит это лучше. Дело именно в башке, которую включают на преступление, как электрочайник, не испытывая никаких сомнений. И все такие башки не оторвешь. Более того, всех их владельцев — не переловишь, вот в чем беда.

— А как ты все–таки догадался про Розовскую? Ты что–то насчет Назаровой бормотал.

— Понимаешь, когда я был у этой дивы с зелеными, как ты верно заметил, глазами, черными волосами, она мне между делом сказала о том, что в ней есть цыганская кровь. Я решил, она просто кокетничает. Кадрится. Назарова напомнила мне, что Земфира — это героиня поэмы Пушкина «Цыганы». Света Иванова ни в жизнь бы до такого не додумалась. Ну и потом Света мне сказала, что Селин ее во дворе дома подсадил. Дома Осиповых и Розовской. Не мог он там случайно оказаться среди ночи.

— И к тебе Софья кадрилась... Ох, если б не Назарова, твоя мать–начальница, ты бы у нас тоже попал в мышеловку.

— А ты бы плакал? — Сергей с надеждой взглянул Славе в глаза. — Но скажу, чтобы тебя успокоить. Я из другой сказки. Я — Колобок. И от бабушки ушел, и от дедушки... Стасика вызвал?

— Да. На завтра.

Глава 23

На следующий день Света читала протоколы допросов, терла глаза в изумлении, сморкалась, вздыхала, молчала... Пока Славе это не надоело.

— Иванова, вы поняли, о чем речь в документах, которые я вам дал для ознакомления? Петр Селин и Софья Розовская обвиняют вас в попытке мошеннического отъема недвижимости у соседки вашего знакомого Селина.

— Это я не поняла, — сказала Света. — Очень много написано. Но я другое прочитала. Может, мне показалось. Стасик и эта его училка, эта грымза соседка, они живут, что ли? Это он про нее — «настоящая женщина, будем вместе»?

— Ну да. Что именно вас удивляет? Вы вроде верность друг другу не хранили.

— Так он об меня ноги вытирал? Пока она типа очередь олигархов раскидает? И они будут вместе? А я в тюрьме из-за какого-то отъема — не пойму чего? — Света стала багровой, она явно рассвирепела.

— Вытирал, Светик! Точно вытирал! — спрыгнул с подоконника Кольцов. — Кинуть они тебя решили все, включая Селина, который по наводке этой Розовской тебя подобрал и под подозрение подвел. Так что, если тебя мучает какая-то невысказанная информация, — а она тебя мучает, я не ошибаюсь, — то мы те самые люди, которые жаждут тебя вытащить из этого дела. Так что, Света? Скажи, что ты знаешь, пока мы в силах тебе помочь. Понимаешь, криминальные сведения — это как снежная лавина, на каком-то этапе тебя завалит, если не прояснишь все сразу. Ты что-то скрываешь. Ты расстроена не потому, что Стас тебе изменял, а потому, что тебе точно что-то обещали, так?

— Я скажу. — Света закинула нога за ногу. — Я тоже не пальцем делана. Я такое пережила... Спать перестала. Но, думала, все это ради меня...

— Сначала, пожалуйста, — включил диктофон Земцов.

— Когда Лерку убили, Стас пришел ко мне на следующий день, мои родители были на работе. Послал меня за водкой. Напился. Блевал. Пить он не умеет. «Я, говорит, из-за тебя на такое пошел... Ты хотела, чтоб мы жили отдельно, так я все сделал. Сам не могу своих мамашу-папашу терпеть», — она опять надолго замолчала.

— Что он конкретно сказал, Света?! — щелкнул пальцами у нее над ухом Сергей.

— Тогда он мне и сообщил, что Лерке отец квартиру шикарную купил, она сама ему рассказала. И он... Он столкнул ее с подоконника, где она курила.

— В трезвом виде он повторял тебе эту версию? — уточнил Земцов.

— Когда его мать безумная на меня накинулась, он не шутил! Он сказал, что помнит все, что говорил мне. И если я кому-нибудь хоть слово... То он и меня. Стас стал меня толкать, я боролась. Вот что там было.

Слава быстро вышел из кабинета, дал распоряжение привезти Станислава Осипова. По повестке он должен был явиться через час, но в такой ситуации лучше не ждать.

Через сорок минут Стаса ввели с заломленными сзади руками. На его совершенно белом лице застыли побелевшие глаза.

— Садитесь, Осипов, — велел Земцов. — Вы, я вижу, уже поняли, какие показания дала Иванова. На всякий случай включаю запись. Прослушайте. Так дело было? Вы признаетесь в убийстве своей сестры?

— Я... Я нечаянно... Мы поссорились.

В кабинет вошел эксперт Масленников. Он поставил чемоданчик на стол, повернулся к Стасу.

— Анализ крови. Я немножко вас поцарапаю. Нужен образец кожи. Это не больно. Для того чтобы вы поняли зачем, объясняю. У вашей покойной сестры под ногтями остались фрагменты чьей-то кожи и кровь. — Закончив работу, он направился к выходу. — Я в лабораторию. Это недолго. Вам, наверное, есть, о чем поговорить.

— Ради чего ты на это пошел, Стас? — Сергей подошел к парню и встряхнул его за плечи, чтобы вернуть во вменяемое состояние. — Ты обманул Светлану? Дело не в ней? Дело в Софье Розовской? Или твоя мать не сказала нам чего-то?

— Мама ничего не знала. Только потом, когда отец нас бросил... Светке я брякнул по пьяни. Потом испугался. Соня ничего такого не говорила, просто всегда повторяла: «Нужно совершать мужские поступки и бороться за свою женщину».

— За кого ты должен был бороться?

— За нее... Кто я против всех, кто у нее был...

— Достоевского тут не хватает, — развел руками Сергей.

— Не дорос он до Достоевского, — сказал вошедший в кабинет Масленников. — Врет Стас. Не он ее бросил!

— Ну ты даешь, Осипов, — произнес Слава. — Давай уж, колись. Деваться тебе некуда. Кто убил твою сестру? Может, ты кого-то попросил?

— Он не ответит, Слава, — сказал Сергей. — Он в ступоре. Мне кажется, нужно вызвать Розовскую.

Софья вошла с высоко поднятой головой, окинула Стаса и Светлану брезгливым, холодным взглядом, посмотрела на открытый чемоданчик эксперта и вдруг расхохоталась.

— Этот бедолага сказал вам, что совершил мужской поступок и выбросил сестру в окно? И вы поверили? Он долго у меня спрашивал, какой именно поступок я сочту мужским? Что ему сделать, чтобы я с ним была вечно? Я предложила: «Выкинь в окно свою сестру, которая сейчас торчит на площадке. Никто не узнает. Ты станешь мужчиной с квартирой». Он пошел, придурок! Я поднялась посмотреть. Лерка сидит, дымит, этот — площадкой ниже — трясется. Такое зло меня взяло. Весь в папашу. Обсирается, как до дела доходит.

— Что дальше? — спросил Земцов.

— Можете брать пробы. Не нужны никому такие люди, как Лерка и эти двое. Я ее скинула.

— Тоже из-за квартиры? Мотив-то в чем?

— Ну да. Менты. Мотив. У меня этих квартир, сами видели... Виктор — первый мужчина в моей жизни, который от меня отказался. Да еще другую нашел. Я хотела, чтобы он сам жить не захотел из-за своей прекрасной семьи. И почти получилось. Ну, любовницу с того света вытащили, но он же стрелялся... Если б не этот... — она посмотрела на Сергея. — Ненавижу!

— Странно, — пожал плечами Сергей. — Я думал, что тебе нравлюсь, Земфира.

Второй раз Масленников вошел молча и просто кивнул.

— Вот и все, Розовская. Вам предъявлено обвинение в убийстве Валерии Осиповой. Как минимум. Остальные свободны, — сказал Земцов.

Глава 24

Марат Сейфулин вызвал начальника охраны Никиту Козлова.

— Я что-то чувствую, Никита, — сказал он. — Какое-то странное шевеление вокруг. Мне сказал один источник, что запросили из архива документы по офису, который я когда-то сдавал в аренду Семенову. Наводят справки по расформированному детскому дому. Вроде бы опять открыли дело по нападению на директрису, психопатку, которой пробил голову монтировкой дворник в ее же дворе. Тебя все это не настораживает? С какой стати? И почему я это не от тебя все узнаю?

— Не вижу ничего удивительного. Сейчас многое проверяют, у нас есть дела посвежее и поважнее. Там уже поезд ушел. Ничего доказать невозможно.

— Да? Знаешь, Козлов, о чем я сейчас подумал. Кто-то перекупил Тамасова и Бритова, грохнул Семенова. Или не грохнул? И никто ничего об этом до сих пор не слышал. Не странно? Ты везде ползаешь, всех знаешь, все сведения собираешь. Может, ты тоже работаешь не только на меня?

— Мания преследования? — широкое, добродушное лицо Никиты Козлова расплылось в открытой улыбке. — Болезнь времени. Я кое-что слышал, конечно. Но ничего конкретного. Просто не знал, что это для тебя так важно. Тут каждый день — новые опасности, риски...

— Так что ты все-таки по этому поводу слышал?

— Некоторые люди считают, может, даже знают, что Тамасова и Бритова перекупил сам Семенов. Причем по их же предложению. Они так поступали не однажды, просто на этот раз чего-то испугались, попрятались. Найти их — не проблема. Какой только в этом смысл?

— Тут смысла нет. Но что говорят про Семенова? Кто его...

— Просто предположение. Есть новый человек с очень большими понтами... Авторитетов убирает. В ко-роли идет, причем не только в криминал, но и в политику. Люди ему нужны. Не говно типа Тамасова и Бритова. Говорят про лагеря подготовки. Есть случаи похищения сильных, умных, выносливых людей. Которых потом нигде не находят — ни среди живых, ни среди мертвых.

— Ничего себе! Это кто тебе такую сказку поведал?

— В общем, кто надо. Тот, кто сказки не рассказывает.

— Ерунда. Семенов — не бандит.

— А ты? А мы? Мужик сильный, видный, стреляет метко. С наукой — пшик, он есть хочет, в бизнес его никто не пустит, сам понимаешь: он — головная боль. А боец, может, и хороший. И дорогой.

— Получается, что Семенов может быть жив?

— Какая разница? Если он вписался в такую историю, ты его точно не интересуешь. Там работа вообще по всему миру.

— Что значит, какая разница? Он мне не нравился. Его не должно быть на этом свете. И что, никто не знает, кто такой крутой возник?

— Ну почему, знают, наверное. Но, говорю ж, это человек новый. Проявится — узнаем.

— Ладно. Иди. Нет, подожди. Марысю надо отправить отдыхать. В Словению. В ее дом. Она устала. Я тоже.

— Она согласна?

— А вот это никого не интересует. Просто нужно все оформить и довезти ее до места. Я тебе доверяю.

— Вполне приятная командировка, — улыбнулся Никита. — Осталось убедить Марысю, что она мне доверяет.

— Убеди. Потом скажешь, сколько я тебе должен.

Вечером озабоченный Козлов вошел в кабинет Марата.

— Проблема, хозяин. Марыся пьяная, вся в синяках, сейчас в клубе кричит, что ты онанировал на фото голой Лили Семеновой. Кстати, откуда у тебя ее фото? В клубе полно баб. И не только баб. Я пытался ее увести, она дерется. Слушай, откуда у нее синяки? Это ты?

— Тебе сразу на все вопросы отвечать? Я не онанирую, снимка голой Семеновой у меня нет. Она вообще чуть ли не помирает и беременная. Синяки случились, потому что Марыся свихнулась. В чем ты только что убедился. Нужно выгнать баб и не баб, закрыть клуб, вытащить Марысю и...

— Ты что!

— Я думал, ты умнее. Ее надо отвезти в Словению, с чего мы и начинали. Я не понял, почему у тебя столько проблем? Ты мог все это решить сам.

— Я не мог решить сам. Марыся — твоя женщина. Для начала попробую ее отвезти в твой дом. Нужен похметолог, мне сдается. Она сейчас не транспортабельна в смысле выезда за рубеж.

Глава 25

Сергею Кольцову ночью позвонила его гламурная приятельница Моника Ступишина, мужей которой он иногда отлавливал с другими своими гламурными приятельницами.

— Привет. Я тебя не разбудила?

— Обижаешь. Я, как вся элита, в этом время только бриллианты надеваю, чтобы выйти в свет.

— Шутишь, да?

— Нет. Моника, если ты скажешь, что и твой последний то же самое, — я не вынесу.

— Да нет. Этот спит все время. У него сонная болезнь.

— Или антидепрессанты.

— Да? Какой ты умный. Я поищу. Слушай, я тебе такое расскажу, умрешь со смеху. Сегодня в клубе пьяная Марыся Липская, вся в синячищах, орала, что ее Марат что-то делает — слово забыла, — на снимок натурщицы Семеновой. И что эта Семенова должна была от чего-то помереть, но не померла. И самое главное, из-за чего я звоню. Она вопила, что ее подружка видела в самолете из Парижа мужика, похожего на Андрея Семенова, ну, мужа этой Лили. Офигенного красавца. Я спросить хотела: он что, правда, появился?

— Он утонул больше полугода назад, Моника. Если я это говорю, значит, так оно и есть. Вы от своих денежных мешков одичали и решили, что на свете есть только один красивый мужик.

— Почему? Два, — закокетничала Моника. — Ты тоже. Но он лучше, если честно. Был. Жалко, что утонул. Слушай, а почему эта Семенова должна была умереть?

— А почему Марыся в синячищах? — ему легче было разговаривать с Моникой: вопросом на вопрос.

— Почему... Да гонит ее Сейфулин. Размечталась она: замуж, все дела. Кому такое чучело нужно, скажи?

— Не знаю.

— А он ничего, правда?

— Кто?

— Сейфулин.

— Не знаю. Я к нему безразличен.

— Да? А он очень богатый?

— Это не ко мне. Это в «Форбс». И ты определись: тебе нужен самый богатый или тот, кто не спит постоянно.

— Что?

— Неважно. Я просто тебя озадачил. Извини, звонит второй телефон. Когда тебе покажется, что твой муж спит не один, звони, как всегда.

Сергей разъединился и глубоко задумался. Плохая информация. Они выпустили из виду этих вечно снующих по миру баб, смысл жизни которых обо всем увиденном сообщать друг другу. Интересно, кто еще, кроме Моники, обратил внимание на слова Марыси о человеке, похожем на Андрея? Вряд ли это серьезно, конечно, но все–таки стремно.

...Марат подъехал к своему дому и посмотрел в окна. В спальне на первом этаже настежь открыта терраса, видимо, для отрезвления Марыси. На постели лежит она, ее придерживает Козлов. Рядом два человека, один сделал укол, другой следит за капельницей. Хорошо выводят! Но до чего крепка Марыся! Она продолжает что–то настойчиво и громко говорить. Марат переступил низкий подоконник террасы, постоял, послушал. Как интересно, как складно. Сегодня не день, а тысяча и одна ночь.

Марат вернулся к машине и поехал в Москву. Утром ему позвонил Козлов и сказал, что Марыся готова к путешествию.

— Да–да, — ответил Марат. — Звони.

Сам тут же набрал номер заместителя Козлова.

— Коля, подъезжай ко мне в московскую квартиру. Дело есть.

Глава 26

Андрей вернулся из Риги почти счастливый, отдохнувший, расслабленный. Родители... Ради этого стоило вернуться.

Следователи ответили на очень многие вопросы. Личности погибших в том лагере пленных были установлены. Это были люди, не имеющие отношения друг другу, связанные лишь тем обстоятельством, что в один день оказались в Киеве. Спортсмен, актер, сверхсрочник армии в отпуске, студент. Они исчезли в разных местах города.

— Пока ясно одно, — сказал Земцов. — Вы все достаточно молодые люди. Все — примерно одного роста, физически сильные, умные. Предположить, что кто-то ходил с сачком ловить наугад таких ребят, — нелепо. Конечно, следили, отбирали, не исключено, что кто-то вас продавал. Кому? Тоже есть версия. Новый криминальный авторитет готовит свою армию. Есть слухи. Система проверенная. Сначала фактически истребление личности — тест на выживание. Потом — другой уровень, другая подготовка. Ты, Андрей, сорвал этот план. Но поискать можно. Где-то рядом с тобой были продавец и охотник. Рядом с другими — тоже. Возможно, это один и тот же человек. Родственники твоих товарищей приедут. Расскажешь, что можно им рассказать.

— Да, расскажу. Я перевел им на карточки практически все свои деньги. Хочу оплатить их возвращение домой и похороны.

— Решим этот вопрос. Илья тоже собирается с ними встретиться.

— Что с тем участком?

— Твой товарищ-юрисконсульт помог. Мы связались напрямую с владельцем. Ты знаешь, он даже заинтересовался. Готов пойти навстречу. Не знаю, можно ли там что-то найти. Кого-то опознать... Дело это не быстрое. Андрей, мы тут поговорили с Сережей, он считает, что тебе пока нужно вернуться во Францию. Какая-то ерунда пошла, слухи от какой-то тетки, которая тебя вроде узнала в самолете. В общем, идея была рискованная. Но выход есть. Мы без тебя во всем разберемся, кого надо, нейтрализуем, и ты вернешься, чтобы свидетельствовать, к примеру, на суде. Если такой идеальный вариант возможен. В любом случае, когда их нейтрализуем, ты приедешь. Имя свое вернешь. Обещаю. Пока мы в тумане.

— Как насчет моей встречи с Викой и Лилей?

— Как договорились. Сегодня приедут все родственники, встретишься с ними здесь, поговорите... Это надолго, думаю. Завтра Лиля и дочь будут тебя ждать. Мы возьмем билет в Париж. Можешь позвонить жене.

— Хорошо. Потом. Сейчас я очень волнуюсь.

День до самой ночи прошел в скорби, разговорах, которые сжигают душу. Андрей и Илья перевели по Интернету на счета родителей погибших ребят все, что могли. Когда Андрей увидел останки Олега и Александра, он заплакал. Илья смотрел на слезы брата и чувствовал, как его собственное сердце обливается кровью. Андрей плакал только совсем маленьким. Ночь он пролежал без сна в своей каморке и мысленно провожал друзей — никого ближе, чем эти мученики, у него, как ему сейчас казалось, не было, — туда, где они упокоятся.

Утром оперативники отвезли его в дом Лили. Дежурили во дворе, в подъезде, на площадке.

Лиля открыла дверь и молча прижалась к нему всем телом.

— Вика приедет после школы, — сказала она.

— Сколько осталось времени?

— Часа четыре.

...Такого острого восторга ни один мужчина еще не испытывал, подумал Андрей, когда эти четыре часа были на исходе. И он рассмеялся от счастья. Покрыл поцелуями обнаженную Лилю.

— Я скажу тебе сейчас, а потом мы сообщим всем. Я никуда не еду. Я просто соглашался с ними, пока не узнал, что ты меня по-прежнему любишь. Мы должны быть вместе. Я прошел все круги ада и вернулся к тебе. Я научился ценить свое счастье. Скажи «да». Илья все поймет. Он же мой брат.

Лиля погладила его по голове, лицу, улыбнулась, легко отодвинулась и встала.

— Мой любимый, — сказала она, накинув халат. — Конечно, нет. Мы ничего не станем менять. Мы счастливы оттого, что живы. Что нам дали возможность вспомнить друг друга, запомнить на всю жизнь. Но мы сейчас прощались, мы же не попрощались тогда, когда ты был мне мужем. Теперь все на своих местах. И наши близкие не будут страдать из-за нас никогда. Мой муж — Илья. Твоя жена — Мари. Мы встретимся, мы станем большой семьей. Мы станем братом и сестрой.

— Я не могу в это поверить.

— Почему? Я не останусь с тобой такой ценой. Мне достаточно сознания, что я нашла тебя. Это такое мучение — жить на этом свете без тебя. Теперь ты есть. Но я не твоя жена. Высшее счастье женщины — это покой и порядок. Мы сможем, Андрей.

— Да.

Он встал и начал одеваться. Она, как всегда, оказалась права. На самом деле он тоже не будет счастлив, зная, что страдает Мари, их малыш, который скоро родится, Илья... В крови Андрея сейчас такое солнце горит от встречи с Лилей. Этого хватит навсегда.

Глава 27

Вика влетела в квартиру и с визгом повисла у Андрея на шее.

— Девочка моя, — растроганно сказал он. — Какая же ты большая. Я привез подарки, тебе, наверное, все будет мало.

— Я влезу! — радостно закричала Вика. — Во что хочешь влезу!

Андрей разговаривал с дочкой, они смеялись, Лиля принесла им не обычный обед, а всякие вкусности. Они ели, вспоминали смешные истории. В это время открылась дверь, и в квартиру вошел Илья. Остановился на пороге гостиной. Из кухни к нему выбежала Лиля, крепко обняла.

— Наконец-то ты пришел. Я все жду-жду...

Она целовала его при них. Илья поднял голову, увидел, как внимательно взглянул Андрей и отвел глаза. Илья все понял. Андрей хотел остаться. Лиля отказалась. Она выбрала его! Он — ее единственный муж, как она и говорила. У него подогнулись колени. Едва устоял. В который раз эта женщина отменяет его казнь. Она его судьба...

— Лиля, открой дверь, пожалуйста, — попросил он. — На площадке стоит Сергей и стесняется. Он есть хочет.

Лиля, смеясь, впустила Кольцова, накормила его. Потом приехала Ирина Викторовна, мать Лили. Земцов вошел с деловым видом и показал на часы. Все стали собираться. Ирина Викторовна сказала: «Давайте сядем на дорожку». Посидели полминуты. Андрей надел куртку прямо на рубашку, на площадке вспомнил: «Я забыл джемпер. Лиля, открой, пожалуйста, он в прихожей». Она открыла дверь и сказала:

— Обязательно посмотри в зеркало. Так надо, когда что-то забываешь. Иначе пути не будет.

Андрей рассмеялся.

— Я вспомнил, как над русскими студентами шутили в Кембридже, во Флориде, в Калифорнии. «Вы немножко ненормальные. Все время глупости говорите: сядем на дорожку, плюнем через левое плечо, надо в зеркало посмотреть, а то пути не будет». Я не стану смотреть в зеркало. Будет путь.

...Он попрощался со всеми, сумку перебросил через плечо: там нечего сдавать в багаж, ступил на эскалатор, они ему махали... Он повернулся к ним лицом, его губы еще смеялись, когда на лбу появилась и растеклась красными струйками черная точка, глаза остановились... Земцов бросился к нему, затрезвонила сигнализация, а Сергей пулей промчался в толпу по траектории выстрела. Он поймал невысокого худого человека в черной бейсболке, надвинутой на глаза, убийца бежал, расталкивая людей. Сергей заломил ему руку, сдернул бейсболку, взглянул в лицо и дернул руку еще сильнее. Человек глухо застонал. К Земцову Сергей привел стрелка, держа винтовку с оптическим прицелом.

— Слава, посылай людей за Сейфулиным. Я узнал этого. У него в правом суставе сидит моя пуля. Это один из троих, кто целился мне в затылок у Сейфулина. Мне кажется, ему пулю так и не вынули. Я дернул, — он завопил от боли. Но он и левой хорошо стреляет.

Илья стоял на коленях перед телом брата. Вика громко плакала. Врачи «Скорой» молча и сочувственно ждали. Илья встал и тревожно оглянулся. Где Лиля? Он увидел, что она сидит, прислонившись к стене, лицо искажено, а из-под юбки по тонким колготкам течет в сапоги и на пол кровь.

— Илюша, быстрее, — сказала она, когда он бросился к ней. — Наша девочка разорвала меня всю. Она не хочет жить на такой земле...

Глава 28

У дочери Ильи оказался сильный характер, как у Лили. Они боролись на равных. Мать запретила врачам делать ей уколы, которые могли бы ослабить боль и ее силы. Она не позволяла себе потерять сознание ни на минуту. Она держала ребенка, потому что обязана была дать ему жизнь, а не смерть. А дочка требовала свободы от жизни, жестокость которой пронзила ее словно стрелой в аэропорту. Она отказывалась от ее продолжения. Прошло много часов, и опасность отступила. И дитя уснуло, не разлучаясь с матерью. Чтобы вместе с ней проснуться.

Измученный врач вышел к Илье, который сидел с закрытыми глазами, не зная, на каком он свете, и дотронулся до его плеча.

— Ты как, парень? Твои девочки живы. Жена у тебя — боец. Удержала малышку.

Илья закрыл руками лицо. Опять — отмена приговора. Он вновь знает, для чего живет.

...Сейфулина арестовали той же ночью в его кабинете. Он сидел один и ждал вестей.

— Зачем ты это сделал, идиот? — спросил его Земцов, когда ребята втащили Марата в его кабинет.

— Я не скажу ни слова, — ответил тот.

Илье об этом Сергей рассказал утром: заехал его навестить.

— Он, как бык, идет до конца, — сказал Сергей. — Зачем он это сделал, мы не поняли.

— Мне кажется, дело в Лиле, — устало ответил Илья. — Он прочитал, что она в беде, и приехал предлагать мне деньги на ее лечение. Он на что-то надеялся. Узнал, что появился Андрей, и это его добило.

— Ну и разбил бы свой медный лоб, — проворчал Сергей. — Слушай, я что-то совсем разлюбил человечество.

Зазвонил его телефон. Сергей выслушал сообщение с непроницаемым видом. Потом сообщил Илье:

— Гукова, которая арестована по делу о самоубийстве твоей дочери, покончила с собой в тюрьме.

— Как это возможно?

— Практически невозможно. Но, боюсь, это не наш вопрос. Что бы там ни было, людей, виновных в смерти Люды, больше нет. Илья, тебе нужно думать о живых. Вам всем надо выкарабкиваться из этих бед. Такое счастье: Лиля и девочка победили! Вечером заеду выпить. Андрея помянем. Смерть его была мгновенной. Это точно. Масленников говорил.

— Приезжай. Завтра я отвезу тело Андрея в Париж. Жена хочет его похоронить там, где на его могилу приходить будет сын...

Когда Сергей приехал к Земцову, тот доложил:

— Стрелок, которого ты взял, сдал заместителя начальника охраны Сейфулина. Тот по заданию Марата выследил нас с Андреем, велел его убить. Его арестовали. Он согласился работать со следствием и сказал, что получил информацию о том, что его шеф Никита Козлов продавал людей в рабство претенденту на криминальное правление. Мы проверили его счета. В тот день, когда Андрей и другие были захвачены в Киеве, Козлову перевели крупную сумму с одного счета, который отслеживается службами Швейцарии. Козлов летит в Москву из Словении, сейчас его возьмут. Он людей отбирал, посылал вербовщикам информацию на них, сдавал. Тамасова и Бритова перекупил однозначно он. Как мы не подумали, что для Семенова это совершенно не характерный поступок. Он бы в драку полез.

— А чей счет-то?

— Некого Ваграна. Ничего более точного нет. Его расстреляли сегодня в Афганистане. Кто, не знаю, желающих было много. Но это...

— Не наш вопрос. Добровольцев, что ли, мало?

— Слишком много. Полным-полно оборок и отморозков, готовых любого грохнуть и заодно украсть кошелек. Таких перекупить можно, как людей Сейфулина, но стоят они пятак за пучок. Тут кто-то ставил серьезное дело. Не только Семенов, но и его товарищи по плену отличались высоким интеллектом, смелостью, были физически сильными людьми. Это говорит о том, что готовился не бандитский передел, а что-то более серьезное. Есть предположение, что эти люди, уже обученные, вооруженные, нацеленные на конкретные программы, проникли бы в бизнес, госструктуры, власть. Представь себе отряд Андреев Семеновых...

— На нем и обломалось все. Его подчинить было нельзя.

— Мы не знаем, кто прошел эту подготовку до него. Короче, таких людей мало, стоят они дорого, перекупить их не получилось бы.

— Да... Я — не Лиля, но Сейфулина бы... лучше бы его кончить до суда. Такого мужика убил, подонок. И не факт, что мы докажем заказ.

— Так постарайся. У него есть враги, которым не нужно, чтобы он вышел. Ты ж со всеми в дружбе.

— В любви, точнее. Постараюсь. Дело Розовской и Селина ты сдаешь?

— Да. Готовлю.

— Ты понял, откуда у нее такое количество квартир, дарственных, завещаний?

— Тут и понимать нечего. Все три ее мужа — из управ и префектур. Она сказала сегодня, что один дарил ей по квартире на день рождения, другой взятки брал дарственными, а она... Дурой, говорит, надо быть, чтобы пропустить этих козлов. У них квартиры — в каждой новостройке на «их» территории. Похоже, у нее просто охотничий азарт. В случае с Валерией Осиповой и Ольгой Ветровой я инкриминирую ей убийство и соучастие по мотиву мести Виктору.

— А помирали ее супруги от чего, не сказала?

— Экология, говорит, плохая. Зарубежные мужья живы. В этом уже не разберемся.

— Злая женщина. Слушай, меня зацепило насчет козлов. Они что, у нас все холостые? Эти — из управ-префектур?

— Уверен, что женаты. Семейные ценности, знаешь ли... Но это проблема для тебя, а не для Розовской.

— Да, у Земфиры нет проблем. Я думаю, ее темницы рухнут. В отличие от несостоявшегося короля, которого быстро погасили. Мы чуть на него не вышли, да?

— Ну, давай пошутим и на эту тему.

— А как в Швейцарии счет узнали?

— Так ты не в курсе? Швейцария приняла решение не хранить тайну вкладов.

— Вот тут ты меня добил. Теперь весь мир узнает о том, что у меня в их банках ничего нет.

— Сложи следующий гонорар в двухлитровые банки на кухне, — посоветовал Слава. — Скажи об этом мне и еще кому-то умному, типа гламурной подружки Моники. Вот и будет у тебя тайна вклада.

Финал

Прошел год

Оживленные зрители подходили и подъезжали к главному входу драматического театра. Со всех сторон висели плакаты и растяжки. Бенефис Нины Назаровой! Великой, народной и любимой. Некоторые машины въезжали во дворик у служебного входа.

К нему подошла группа людей. Охранник изумленно уставился на огромное, как ему показалось, количество детей разного возраста.

— Василий Петрович, — раздался звонкий голос актрисы Ольги Ветровой. — Нина Глебовна велела их пропустить. Вот ее записка. Это наши друзья.

Необычные зрители прошли, их встретили, рассадили в первом ряду. В центре сидела Лиля в черном платье, подаренном Ильей на прошлый Новый год. Ее волосы были коротко острижены и уложены, как у героинь Фитцджеральда: сверху длинная волна на одну сторону. Как и прежде, прекрасна, спокойна, загадочна. Она смотрела на Вику, которая держала на коленях маленькую сестру Варю, кудрявую, с бантом, в розовом наряде... Изумление и восторг в карих, как у Лили, глазах.

— Лиля, — нервным шепотом сказала Ирина Викторовна. — Забери ребенка из рук ребенка. Зачем вообще ее надо было сюда тащить. Ты видишь, ее все это слишком возбуждает: она спать не будет.

— Не переживай, — улыбнулась Лиля. — Я сейчас ее возьму. Как только занавес раздвинется. Пока пусть побудут вместе. И что значит: возбуждает? Ей нравится! Она первый раз в театре.

Рядом с Викой сидят взволнованные и нарядные Толик и Катя, Вера постоянно на них что-то поправляет.

— Когда начнется — не крутитесь, — шепчет она. — А то нас выгонят!

— Кто ж нас выгонит? — серьезно возражает ей Толик. — Нас сама Назарова пригласила.

За женщинами и детьми сидит похудевший, осунувшийся Виктор Осипов. Он смотрит только на занавес. Как будто боится пропустить появление Ольги.

С другой стороны — Илья, который тоже с некоторым опасением поглядывает, как прыгает маленькая Варя у Вики на руках. Рядом с ним садятся Сергей Кольцов и Слава Земцов. Они с профессиональным интересом наблюдают, как на крайние места усаживаются Анна и Станислав Осиповы. Анна — тоже в черном, выражение лица — неприступное, замкнутое. Они с сыном не смотрят в сторону Виктора. Света Иванова тоже оказалась в числе приглашенных. Она села во втором ряду, стараясь не глядеть на затылок Стаса перед собой.

— Слушай, — шепнул Слава на ухо Сергею. — Мне не по себе. Такое впечатление, что твоя новая подружка, великая и народная, сейчас выйдет, изобразит мисс Марпл и скажет, что мы сделали все не так. Не те убили, не тех посадили. Такой подбор гостей.

— Слава, я готов все переделать. Ради искусства, — Сергей рассмеялся. — Но начало спектакля уже неплохое.

Занавес раздвинулся. Минутная тишина, потом зал взрывался аплодисментами. Сцена оформлена потрясающе. Фотографии Нины Назаровой с детского возраста разного размера, увеличенные, профессионально состаренные, в разных рамках, на страницах старых альбомов, на столах со скатертью, рядом с простым диваном в чехле. И между ними — яркие объемные фрагменты ролей, неповторимые образы. В центре — огромный портрет в полный рост: Нина Назарова в длинном черном платье с воротником-стойкой, руки сжаты, как будто в волнении. Глаза — ненасытные, вопрошающие и доверчивые — смотрят в зал. На тех, кто стал ее огромной единственной семьей. Ее портрет к этому событию писал Игорь, Лилин художник.

Она и вышла медленно в этом платье. Окинула взглядом зал. Потом улыбнулась сидящим в партере детям. Произнесла доверительно под мелодию романса Вертинского, которую негромко наигрывал пианист на рояле:

Я сегодня смеюсь над собой...
Мне так хочется счастья и ласки,
Мне так хочется глупенькой сказки,
Детской сказки наивной, смешной.

Я устал от белил и румян
И от вечной трагической маски,
Я хочу хоть немножечко ласки,
Чтоб забыть этот дикий обман.

Я сегодня смеюсь над собой:
Мне так хочется счастья и ласки,
Мне так хочется глупенькой сказки,
Детской сказки про сон золотой...

Бенефис был насыщенный, тщательно продуманный. Сцены из разных спектаклей, монологи, стихи, даже романсы. Подыгрывали ведущие актеры театра. Но основной партнершей была Ольга

Ветрова. Вот кто изменился! Она играла с таким вдохновением, так держала внимание зала, что это стало и ее бенефисом. Старая актриса — чуть заметно для профессионалов — подавала ее, как открытие. Ольга вновь была похожа на себя в той роли, которая когда-то сделала ее знаменитой. Гости первого ряда видели, как часто она смотрит на Виктора. Тот был напряженным, тревожным и время от времени как будто хотел протянуть ей руку. Сергей иногда читал по губам Назаровой беззвучное, слышное только Ольге «allez». А маленькая Варя безмятежно посапывала на руках Лили.

Назарова закончила бенефис «Эпилогом» Цветаевой.

Очарованье своих же обетов,
Жажда любви и незнанье о ней...
Что же осталось от блещущих дней?
Новый портрет в галерее портретов,
Новая тень меж теней.

Несколько строк из любимых поэтов,
Прелесть опасных, иных ступеней...
Вот и разгадка таинственных дней!
Лишний портрет в галерее портретов,
Лишняя тень меж теней.

Она помолчала и вдруг улыбнулась.

— Только не надейтесь, что я с вами прощаюсь. Придется еще меня потерпеть.

Овации, цветы. Анна Осипова сунула в руку Стасу букет красных роз, который достала из большой сумки. Он подошел к сцене и протянул цветы почему-то не Назаровой, а Ольге: просто растерялся. Ольга испуганно взглянула на Анну, потом на Виктора, поклонилась. На обратном пути Стас налетел на Свету Иванову с точно таким же букетом. Буркнул: «Привет». Она на минуту застыла. Вика прыгнула на сцену, протянула Назаровой огромную белую розу и неожиданно для себя поцеловала ей руку. Актриса почувствовала, как из глаз потекли слезы.

— Вот как надо работать, — назидательно сказал Сергею Земцов, не переставая аплодировать.

Гости первого ряда встали, взяли за руки детей и ушли в свою настоящую жизнь. Благодарные за то, что эта жизнь им дана.

Литературно-художественное издание

ДЕТЕКТИВ-СОБЫТИЕ

Михайлова Евгения

ИСПИТЬ ЧАШУ ДО ДНА

Ответственный редактор *О. Рубис*
Художественный редактор *С. Груздев*
Технический редактор *О. Лёвкин*
Компьютерная верстка *Г. Клочкова*
Корректор *Е. Сербина*

ООО «Издательство «Эксмо»
127299, Москва, ул. Клары Цеткин, д. 18/5. Тел. 411-68-86, 956-39-21.
Home page: **www.eksmo.ru** E-mail: **info@eksmo.ru**

Өндіруші: «ЭКСМО» АҚБ Баспасы, 127299, Мәскеу, Клара Цеткин көшесі, 18/5 үй.
Тел. 8 (495) 411-68-86, 8 (495) 956-39-21.
Home page: www.eksmo.ru . E-mail: info@eksmo.ru.
Қазақстан Республикасындағы Өкілдігі: «РДЦ-Алматы» ЖШС, Алматы қаласы,
Домбровский көшесі, 3«а», Б литері, 1 кеңсе. Тел.: 8(727) 2 51 59 89,90,91,92,
факс: 8 (727) 251 58 12 ішкі 107; E-mail: RDC-Almaty@eksmo.kz
Қазақстан Республикасының аумағында өнімдер бойынша шағымды Қазақстан
Республикасындағы Өкілдігі қабылдайды: «РДЦ-Алматы» ЖШС,
Алматы қаласы, Домбровский көшесі, 3«а», Б литері, 1 кеңсе.
Өнімдердің жарамдылық мерзімі шектелмеген.

Сведения о подтверждении соответствия издания согласно
законодательству РФ о техническом регулировании можно получить
по адресу: http:/eksmo.ru/certification.

Подписано в печать 11.03.2013.
Формат 84×108 1/32. Гарнитура «Гелиос».
Печать офсетная. Усл. печ. л. 18,48.
Тираж 15000. Заказ № 0048/13.

Отпечатано в соответствии с предоставленными материалами
в ООО «ИПК Парето-Принт», г. Тверь, www.pareto-print.ru

ISBN 978-5-699-63824-6

9 785699 638246 >

Management Development and Education in the Soviet Union

BARRY M. RICHMAN
Chairman,
Divisions of Management Theory
and Industrial Relations
University of California, Los Angeles

1967
MSU INTERNATIONAL BUSINESS STUDIES
Institute for International Business
and Economic Development Studies
Division of Research
Graduate School of Business Administration
Michigan State University
East Lansing, Michigan

Library of Congress Catalog Card Number 66-64913

To my son Stuart
who will probably
never read this book

Preface

Industrial progress in any country depends not only on natural resources, capital, and aggregate manpower, but perhaps most significantly on the level of managerial skills employed. Physical, financial, and labor resources are by themselves but passive agents; they must be effectively combined and utilized through sound management. Moreover, it is to little avail for a country to have engineers, technicians, economists, or even advanced scientists unless the quality of management in organized collectives achieves the effective coordination of these human resources. The better the management in a given organizational unit, the greater efficiency and productivity will be.

As a resource, management has both quantitative and qualitative dimensions, and the latter become increasingly crucial as a given economy develops and grows more complex. No country is intrinsically rich or poor in managerial resources. They must be developed through education, training, and practical experience. In any country the generation and development of adequate managerial resources are stimulated or retarded by the investment made in research, education, and training, and by the extent to which educational and training programs are oriented to the needs of the economy.

It is a major thesis of this study that in many significant aspects there is a uniform prescription for sound management and effective management development in any advancing industrial society. In this connection we are setting forth several of hypotheses, which are of major concern in this study:

a. Industrial managers in all countries perform the same basic managerial and productive functions regardless of the basic economic structure or political philosophy of the country.

b. The manner in which managers in different countries perform their functions differs primarily because of differences in stage of economic development and in the given politico-economic-social-educational environment within which the managers must operate.

c. As the economies within given countries develop and grow more complex, and as the societies at large become more affluent, industrial managers must perform their functions in an increasingly similar manner if economic growth and development are to be sustained. This in turn is likely to call for greater similarities in the given environments within which the industrial managers must function. It will certainly call for increasingly similar systems of education and training for management development.

This study is based on a comprehensive survey of available Soviet and Western sources, as well as information obtained firsthand from more than one hundred Soviet managers, engineers, industrial specialists, workers, educators, researchers, economists, planners, and political officials interviewed and observed by me in 1960 and 1961. Appendix A contains a detailed list of pertinent interviews in the USSR during my 1961 trip.

I was invited by the State Committee of the USSR Council of Ministers for Science and Technology to revisit the Soviet Union in 1966 and to give some lectures and seminars on trends in management education in America. Due to other previous committments I was not able to accept the invitation, and this is most unfortunate since such a trip would have certainly made this book better and more up-to-date. However, I have been in touch with a number of the Soviet experts I met in Russia, and they have done much to help me in this study.

In general, a special debt of gratitude is owed to the many Soviet citizens and organizations who were very helpful and kind to me during my trips to the USSR. In this connection, the staffs of the Ekonomicheskaya Gazeta in Moscow and Leningrad University deserve special thanks since they arranged for many of my personal interviews and visits to various types of organizations. Letters of introduction provided by Arthur F. Burns of Columbia University and the National Bureau of Economic Research, and Herbert Stein of the Committee on Economic Development helped me to obtain interviews with Soviet educators and research personnel.

I am particularly grateful to Professor Ray Bauer of Harvard University for his encouragement and very valuable comments and ideas in the preparation of this book. I also wish to thank Professor Warren Eason of Syracuse University for his review of an earlier draft of this study.

My extremely able and multilingual research assistant, Mr. Armin Schaffler, has provided an immeasurable service in helping me search out, obtain, and translate many of the Soviet and other foreign sources used in compiling this study. He has also rendered much in the way of valuable constructive criticism and advice.

I also want to thank Rand Corporation of Santa Monica for providing me with various Soviet sources not obtainable elsewhere in Los Angeles. The stenographers in the Bureau of Business and Economic Research at UCLA, and my wife, Vivian, also deserve a special note of thanks for typing the manuscript and patiently making sense out of my illegible writing.

Finally, I wish to thank my financial benefactors who have made the compilation and publication of this study possible. They are the Columbia University Graduate Business School; the Bureau of Business and Economic Research, University of California at Los Angeles; the Division of Research of the Graduate School of Business Administration, University of California at Los Angeles, and last but certainly not least, The Ford Foundation.

Barry M. Richman
Malibu, California
October, 1966

Contents

List of Tables and Charts

I

Management, Economic Progress, and Education

Management of industrial enterprise involves the coordination of human effort and material resources toward the achievement of organizational objectives. The basic objectives of industrial organizations in any country are economic in nature, and ultimately reflect the desires of society for useful goods and services. This is true whether the enterprise is a private corporation attempting to achieve a desired level of profitability, or a public entity attempting to fulfill a production plan established by state authorities. In the final analysis, all industrial enterprises are social organizations, and their survival is directly linked to their ability to provide useful goods and services, regardless of whether these goods and services are consumed by other organizations, the government, or the public at large.

The basic problem of industrial management, from society's point of view, is to become steadily more efficient over time. Increasing productive efficiency is generally considered a desirable goal for managers in most societies. In fact, increasing productive efficiency may be regarded as the basic inherent social desideratum of virtually every managerial job. In capitalist countries, improved efficiency generally means higher profits and greater rewards for firm owners and managers; at the same time, the public benefits from more useful goods and services. In Marxist countries, the planners stress enterprise efficiency so that the country can produce more useful output with the same inputs. Since a country's total production will be the sum of production of component productive enterprises, the more efficient each enterprise is, the more efficient the country will be.

The nature, extent, and quality of education and training received by the industrial managerial class in a given country tend to have a very significant bearing on the productive efficiency of individual enterprises and the level of economic progress of the country as a whole. There is a danger that one becomes bemused with data showing enormous aggregates of educational enrollments, graduates, and the like, forgetting the qualitative aspects of education.

It may be true that any kind of education imparts some knowledge. But it is the type and depth of knowledge and skill imparted through education and training that are crucial in connection with the quality of managerial performance. Knowledge about music, Latin, or even literature is not very important in running a complex industrial organization, while knowledge about economics, human motivation and behavior, engineering, statistics and mathematics, and the techniques and functions of management is of utmost importance, particularly in complex enterprises. Hence in this study we are interested not only in the purely quantitative aspects of Soviet education and training that relate to management development, but also in the quality and content of them.

Also of major importance regarding effective management development is the problem of time lags that tend to exist between education and application. A person who graduates from a particular formal educational program this year may be working for twenty, thirty, or more years, and it is impossible to predict accurately the changes that may occur in skill and personnel requirements in that time. Skills and knowledge, which now seem important, may become obsolete while still newer requirements cannot be foreseen with any certainty, especially in a dynamic, rapidly changing environment. It tends to be much easier to cope with this problem if managerial personnel have broad, high-quality educations, and training in their particular fields than if they have received only highly specialized narrow training.

In order to evaluate in a meaningful manner any country's system of education and training for management development, it is necessary to determine what the requirements for the managerial job are at present, and what they are likely to be in the foreseeable future. In other words, one must have some useful description of the things that business and industrial organizations and their managements do and are likely to be doing, as well as an analysis of how well they perform. A general classification scheme of the overall management process is presented in this chapter,[1] and a more detailed discussion of the Soviet managerial job is in Chapter IV.

Attention in this chapter will first be given to the basic economic decisions that must be made and executed, and the business and industrial productive functions—also referred to as enterprise functions in this study—that must be performed in any contemporary society if it is to survive and progress economically through time. Closely related to the enterprise functions are a number of critical policy decisions generally applicable to business and industrial operations in any country. The emphasis will be on the role of management in the economic decision making and policy formulation process, and on the organization and execution of the productive functions.

Also of paramount concern here are the common basic managerial functions performed by the managements of business and industrial organizations throughout the world. Finally, the more important skills required by the managements of complex industrial organizations in relatively sophisticated economies, to achieve a relatively high level of productive efficiency are examined. The necessary high talent managerial manpower has a direct bearing on the requirements of education and training for effective management development.

In this study, management is represented by the hierarchy of individuals who play a direct and major role in the performance of the basic managerial functions, economic decision making and policy formulation, and the organization of the productive functions. In most cases a member of the management profession will be a person having subordinates, but this need not necessarily be the case. A so-called "staff man" may also fit into the accepted concept of the managerial hierarchy, and this study avoids differentiating between line and staff personnel in the definition of management. The terms manager, executive, supervisor, and administrator are used synonymously unless otherwise noted.

MANAGEMENT, BASIC ECONOMIC AND BUSINESS POLICY DECISIONS, AND THE MAJOR ENTERPRISE FUNCTIONS

In any type of economy certain basic economic decisions must be made and executed, and certain critical enterprise functions must be performed if the economy is to survive.

The first problem is production. Land (including natural resources), labor, and capital must be combined to produce usable goods and services. Production can range from combining factors in the most automated factories to handicraft production in peasant huts; but unless a society can produce some minimum amount of goods to house, feed, and clothe its population, it cannot survive. An advanced modern industrial state must produce far more than the minimum in order to maintain its status.

In all cases, the product to be produced must be selected and the amount needed must be determined. Methods used to produce these selected commodities must also be chosen. Since production can be combined in unending variations, particularly in advanced economies, the choice is great, especially in the long run. For any given period, however, total production is limited; increased production of one commodity means decreased production of another. Hence, directly related to the critical function of production is the problem of procurement of scarce resources and their allocation among competing users in order to achieve the maximum desired output. The proper quantity and quality of resources must be directed to those productive sectors that can deliver the needed goods and services.

The second critical productive function is marketing or distribution. While the production function is concerned with the problem of kind and amount of product, this problem is intimately linked to the distribution problem of for whom to produce. An economy must somehow market the commodities it produces to their intended destinations, regardless of whether the goods in question are processed materials, parts, components, machines, or consumer goods. Distribution, or marketing, is concerned with the analysis and satisfaction of customer or consumer demand; the organization of selling activities and distribution channels, which involves the interrelationships between buyers and sellers; and physical distribution of goods, which involves warehousing, transportation, and inventory planning. Such distributive organizations and facilities can range from the most primitive barter systems to elaborate worldwide networks of trade.

Third, an economy must finance its production and distribution activities, and here too resource allocation in the form of capital is essential. This goes deeper than mere money financing, although such activity is extremely important. Real saving must somehow be accumulated in the form of stocks and capital if there is to be economic expansion in the future.

Fourth, a progressive society must do research and development to obtain new and improved products and processes. This can range from activities in elaborate laboratories of the most advanced type to mere observation and adoption of simple innovations emerging in the next village; but no society can make substantial advances without innovation in the product and process.

In addition to the above critical functions, any economy, as well as each complex enterprise within a given economy, must keep track of its economic activities in order to effectively plan and make decisions for tomorrow. Statistics of every type are necessary to perform this function, as are various systems of accounting. Without any knowledge of what is going on at present, no meaningful or efficient pattern can be planned for the future.

In most societies there are many integrated firms performing all of the above productive functions, and there are also numerous organizations performing only one or a few. In capitalist countries the productive functions are typically diffused in all sorts of complex ways through the economy. The American businessman who sets about establishing a new enterprise is limited only by his conception of the advantages of different types of organizations open to him. By contrast, in Marxist states the various types of productive enterprises are usually assigned one or more of the productive functions, and the state consciously fashions their basic forms of organization.

In most economies, the bulk of the nation's industrial wealth is the result of the work of the integrated enterprises engaged in varying degrees in all of the critical productive functions. It is the integrated type of enterprise that is of major concern in this study.

Industrial organizations and their managements virtually everywhere operate—either consciously, unconsciously, or by default—within a common framework of policy decisions pertaining to the different enterprise functions in which they engage. The common policy decision areas pertain to production, procurement, marketing or distribution, finance, and research and development. Table I-1 presents a classification of the major or critical policies pertaining to these enterprise functions.[2]

TABLE I-1

Critical Enterprise Policy Decisions

I. *Production and Procurement*

Make or buy (e.g., components, supplies, facilities, services, extent to which subcontracting is used).
Number, types, and location of major suppliers.
Timing of procurement of major supplies.
Average inventory levels (major supplies, goods in process, completed output).
Minimum, maximum, and average size of production runs.
Degree to which production operations are stabilized.
Combination of factor inputs used in major products produced.
Basic production processes used.
Extent of automation and mechanization in enterprise operations.

II. *Marketing (and Distribution)*

Product line (degree of diversification *vs.* specialization, rate of change, product quality).
Channels of distribution and types and location of customers.
Pricing (for key items, in relation to costs, profit margins, quantity and trade discount structure).
Sales promotion and key sales appeals (types used and degree of aggressiveness in sales promotion).

III. *Research and Development*

Nature and extent of R & D activity (e.g., product development and improvement, new material usages, new production processes and technology).

IV. *Finance*

Types of financing (e.g., equity, debt, short-term, long-term).
Sources of capital.
Major uses of capital.
Protection of capital.
Distribution of earnings.

V. *Public and External Relations*

Customer and consumer relations (e.g., does firm management regard consumer loyalty and satisfaction as being important, or is it chiefly interested in short-run results, quick profits).

Supplier relations.
Investor and creditor relations.
Union relations.
Government relations.
Community relations (e.g., educational institutions, chambers of commerce, business and professional associations, community welfare activities).

Personnel policies will be dealt with later under the managerial function of staffing; those policies pertaining to other business functions such as accounting and data processing will not be treated as a separate classification, since they are inherent in our concept of the managerial functions—particularly planning and control. Policies pertaining to the relationships that enterprise managements have with external parties and organizations will be considered next.

A major difference between a capitalistic and communistic economic system is that individual industrial enterprises in the former case tend to have much greater freedom and independence in policy formulation than in the latter. In Soviet industrial enterprises a large proportion of their operating policies are formulated by higher level planners and administrators and are taken as given by enterprise management. In both cases, however, enterprises operate in accordance with a common classification of policies, even though the specific policies themselves are variables rather than constants in each case.

The Functions of Management

While the tangible economic results of the industrial enterprise are achieved through the various productive functions, the organization and execution of these functions is only part of the managerial job. In complex business organizations management coordinates, organizes, and executes the productive functions by engaging in certain basic managerial functions. In reality the productive functions and the managerial functions are closely and intricately interwoven, with the conscious or unconscious aim of coordinating human effort and material resources toward the achievement of organizational objectives. The manner in which the managerial and productive functions are actually performed has a direct and significant bearing on the productive efficiency of the enterprise. Coordination is at the heart of all of the major managerial and enterprise functions.

If a complex productive enterprise is to continue operating, certain common functions of management must generally be performed regardless of whether the enterprise is state- or privately-owned and whether resources are allocated through state planning or a competitive market price system. In this regard some objectives and plans must be formulated, operations must be controlled, organization structures must be established, some authority must be delegated and responsibility exacted, and personnel must be recruited, selected, trained, appraised, motivated, led, and supervised. Moverover, firm managers are generally expected to improve operations and results through innovation where feasible, particularly where ownership and control are separated. In addition, at least some administrators of each enterprise engage in negotiations of various sorts with external parties and organizations.

In this study the basic functions of management are classified as planning (including decision making and innovation), control, organization, staffing, and direction (including supervision, motivation, and leadership). These functions are defined as follows:[3]

Planning is the function that determines organizational objectives and the policies, programs, schedules, procedures, and methods for achieving them. Planning is essentially decision-making since it involves choosing among alternatives, and it also encompasses innovation. Thus, planning is the process of making decisions on any phase of organized activity.

The *control* function includes those activities that are designed to compel events to conform to plans. It thus measures and, if necessary, corrects the activities of subordinates to assure the accomplishment of plans. It involves the establishment of control standards and the gathering of information required for evaluating performance, which form the basis for subsequent planning.

The *organization* function of management determines and enumerates the activities necessary to carry out the plan, groups these activities, assigns such groups of activities to units headed by managers, and delegates the authority to carry them out. Sometimes all these factors are included in the single term "organization structures"; sometimes they are referred to as "authority relationships." In any case it is the totality of such activities and relationships that constitutes the organization function.

The *staffing* function comprises those activities that are essential in manning, and keeping manned, the positions provided by the organization structure. It thus includes the activities of defining the personnel requirements for the jobs to be done; the activities of inventorying, recruiting, appraising, and selecting candidates for positions; and the activities of training and developing both candidates and incumbents to accomplish their tasks as effectively and efficiently as possible. It also includes the provision of adequate basic inducements to attract and maintain needed personnel.

The *managerial* function of direction embraces those activities related to leading, guiding, supervising, and motivating subordinates so that they will perform their tasks effectively and efficiently. This function entails personal communication, man-to-man relationships, and the use of rewards or penalties to motivate personnel in desired directions. It is the center for getting things done through people. While clear plans, sound organization, and proper staffing set the stage for coordinated efforts, a manager must also provide direction and leadership if the people in his organization are to work together to achieve its objectives. It is the job of effective management to maintain a good balance between individual motivation and cooperative efficiency.

We could add to our category of functions that of assembling the non-human resources which are required to keep the enterprise functioning. Such activity, however, is implicit in the productive function of procurement, and in finance, as well as in the managerial function of planning.

Not only in Soviet enterprises, but even in poorly managed business firms in underdeveloped countries such as Saudi Arabia,[4] managements engage in the above basic functions—at least to some extent—although this may not be very evident to an outsider. Nevertheless, the ways in which these functions tend to be performed in different countries vary strikingly in many cases. Since managerial effectiveness and productive efficiency are so largely dependent on how and how well the managerial functions are performed, our analysis of management development in Soviet industry will deal with this problem.

It is recognized that there are classifications of managerial functions other than the ones used here, but it does seem that the overall classification scheme used in this study permits logical analysis of the managerial job. Moreover, it represents a reasonably accurate portrayal of the functions of management as Western managers see them, and as the Soviets are beginning to see them. It is only within the last few years that the Soviets have begun to perceive management as an independent field of research, knowledge, and application. But the functions of management, as defined in this study, have always been inherent in the Soviet managerial job.

Table II-2 presents a list of critical elements of the management process classified according to the managerial functions.[5] Each element is a variable corresponding to a specific type or pattern of management or organizational behavior. Most of the elements are basically structural aspects of the management process; the others are essentially dynamic, problem-oriented variables which may be present in varying degrees in the management process and organizational behavior patterns found in enterprises in different countries, or even within the same country.

Micro-Management and Macro-Management

In discussing management in any country it is useful to distinguish between micro-management and macro-management.[6] Micro-management is the management of individual productive enterprises on the lower operating levels of the economy, from whence production and wealth actually come. In any fairly large country there are typically thousands of productive units which contribute to and largely determine overall national economic performance. Managers at this level engage in the basic managerial functions and various business productive functions within their respective enterprises.

On the micro level are found the production managers in factories, sales directors, vice-presidents of finance, and all other persons concerned with the management of individual enterprises, large and small. Such managers may be working in public or private organizations. A plant superintendent and a company sales manager are clearly micro-managers, as is a steel company president (except in the situation where one steel company, as is common in some smaller countries, is the only firm in the industry). In Communist countries micro- and macro-management clearly represent a continuum of control. It is difficult to determine at times where one leaves off and the other begins.

TABLE I-2

Critical Elements of the Management Process

I. *Planning and Innovation*

Basic organizational objectives pursued and the form of their operational expression.
Types of plans utilized.
Time horizon of plans and planning.
Degree and extent to which enterprise operations are spelled out in plans (i.e., preprogrammed).
Flexibility of plans.
Methodologies, techniques, and tools used in planning and decision making.
Extent and effectiveness of employee participation in planning.
Managerial behavior in the planning process.
Degree and extent of information distortion in planning.
Degree and extent to which scientific method is effectively applied by enterprise personnel—both managers and non-managers—in dealing with causation and futurity problems.
Nature, extent, and rate of innovation and risk-taking in enterprise operations over a given period of time.
Ease or difficulty of introducing changes and innovations in enterprise operations.

II. *Control*

Types of strategic performance and control standards used in different areas; e.g., production, marketing, finance, personnel.
Types of control techniques used.
Nature and structure of information feedback systems used for control purposes.
Timing and procedures for corrective action.
Degree of looseness or tightness of control over personnel.
Extent and nature of unintended effects resulting from the overall control system employed.
Effectiveness of the control system in compelling events to conform to plans.

III. *Organization*

Size of representative enterprise and its major sub-units.
Degree of centralization or decentralization of authority.
Degree of work specialization (division of labor).
Spans of control.
Basic departmentation and grouping of activities. Extent and uses of service departments.
Extent and uses of staff generalists and specialists.
Extent and uses of functional authority.
Extent and degree of organizational confusion and friction regarding authority and responsibility relationships.

Extent and uses of committee and group decision making.
Nature, extent, and uses of the informal organization.
Degree and extent to which the organization structure (i.e., the formal organization) is mechanical or flexible with regard to causing and adapting to changing conditions.

IV. *Staffing*
Method used in recruiting personnel.
Criteria used in selecting and promoting personnel.
Techniques and criteria used in appraising personnel.
Nature and uses of job descriptions.
Levels of compensation.
Nature, extent, and time absorbed in enterprise training programs and activities.
Extent of informal individual development.
Policies and procedures regarding the layoff and dismissal of personnel.
Ease or difficulty in dismissing personnel no longer required or desired.
Ease or difficulty of obtaining and maintaining personnel of all types with desired skills and abilities.

V. *Direction, Leadership and Motivation*
Degree and extent of authoritarian *vs.* participative management (autocrats *vs.* consultative direction).
Techniques and methods used for motivating managerial personnel.
Techniques and methods used for motivating nonmanagerial personnel.
Supervisory techniques used.
Degree and extent to which communication is ineffective among personnel of all types.
Ease or difficulty of motivating personnel to perform efficiently, and to improve their performance and abilities over time (irrespective of the types of incentives that may be utilized for this purpose).
Degree and extent of identification that exists between the interests and objectives of individuals, work groups, departments, and the enterprise as a whole.
Degree and extent of trust and cooperation or conflict and distrust among personnel of all types.
Degree and extent of frustration, absenteeism, and turnover among personnel.
Degree and extent of wasteful time and effort resulting from such things as restrictive work practices, unproductive bargaining, and conflicts.

Macro-management deals with the management of the economy as a whole and its key sectors. The macro-managerial structure is defined here as that part of the external environment that significantly and directly bears on and influences the activities of the micro-managers of industrial enterprises. With macro-management the problem of interpretation can be quite vexing.

In some countries, particularly Communist states, this type of management is pervasive and detailed. All significant phases of economic activity are regulated through comprehensive national economic plans, and virtually all productive organizations and assets are owned by the state. In other countries, most typically those considered capitalistic, such management is often by law, tradition, or custom rather than by comprehensive design. In this type of system, the key economic regulations are competitive market prices and the profit motive; another distinguishing feature is widespread private property ownership of productive assets. But in either case, macro-managerial activity imposes various restraints on micro-managers and sets forth various "rules of the game" for them. The U. S. Federal Reserve Board is acting in a macro-managerial role when it alters interest rates; so is the government when it approves changes in corporate tax rates or antitrust laws. So, for that matter, is a Soviet central planner who makes investment or resources allocations for the steel industry.

Macro-management is not normally considered management in the sense the word is used in business administration; but in fact it is, since it involves economic decision making and policy formulation. Macro-managerial organizations include the entire government economic, regulatory, and administrative apparatus apart from productive enterprises per se; for example, central banking and budgetary organizations, regulatory and planning agencies, and various other governmental departments. In all Communist states, and in many other countries as well, various macro-managerial agencies play a major and direct role in economic decision making, policy formulation, and in the managerial functions of planning, controlling, staffing, directing, and organizing the activities of virtually all of the productive enterprises in the system. This is very different from the situation found in privately owned American firms.

This study is basically concerned with Soviet micro-management. But macro-management will also be considered since the manner in which various Soviet macro-agencies are managed and perform their activities has a direct bearing on micro-managerial performance and the productive efficiency of Soviet enterprises.

In general, societies have endless ways of organizing and performing the productive and managerial functions. In theoretical political terms, the possible range is from laissez-faire capitalism through monolithic totalitarian communism.[7] But regardless of how a particular economy is organized, the ultimate economic objective is generally more useful goods and services, which results in increased per capita gross national product; and the basic desideratum of the managerial job is to increase productive efficiency.

Education, Training, and the Development of High Talent Managerial Manpower

Basic general education, of the type normally presented in primary schools, has a universal value to individuals and to countries. However, as a person moves through the educational system, he tends to specialize in subjects of interest to him or in which he is talented. Hence, we find the typical higher educational institution offering majors in various fields, while secondary schools may present technical curricula of programs intended as preparation for college.

Highly skilled people are needed for specific roles in industrial enterprises and society. The college graduate with a general education will not do when an electrical engineer, a financial specialist, a marketing researcher, a computer programmer, or a general manager with a background in a particular field is needed. But the usual desire, and the more efficient course of action, is to train a basically qualified candidate for his particular role in the firm. In addition, ideally all of the industrial managerial skills of a given person will be used in performing his job. That is, there should be a perfect fit between the man's qualifications and the requirements of his job. If he is substantially over-qualified there is a great waste of talent, and if he is under-qualified the job will not get done efficiently and effectively.

In reality, it is true that a person who has received a secondary or higher education in almost any field may be better suited to the needs of industry than one who has had no education at these levels. In other words, substitutability of non-specialists and non-professionals in specialist and professional jobs would be more effective where persons have a good education in almost any field, than an inadequate education in total—in the former case there would usually be at least some trade-offs of knowledge and skill possible.

For example, other things being equal, a university graduate in law or liberal arts could, in most cases, perform marketing, financial, or general management functions better than someone without any higher education, but probably not as competently as persons formally trained in these fields. Eventually, of course, he could become a very competent business specialist or general manager, through company training, which may entail substantial time, cost, and effort, or through self-education. In U. S. industry, numerous lawyers and liberal arts graduates do in fact turn out to be competent performers in various business and industrial fields, including top management positions, in which they have received little or no formal education. But the fact that they did have a quality higher education in some field is of great benefit; and the fact that they typically receive considerable training on the job, or through various part-time formal programs, and acquire vast experience by having authority delegated to them is crucial to their success.

In spite of possibilities for knowledge trade-offs and substitutability of educated people in various managerial jobs, the way in which the formal educational system meshes with the managerial and high talent manpower requirements of productive enterprises is a problem of great importance in any country.[8] The American educational system has responded to this problem in large part by its rapid, extensive, and dramatic expansion of business and industrial management programs at both the undergraduate and graduate levels, which have been offered increasingly through new and expanding schools and colleges of business and industrial administration. This phenomenon, along with other forms of quality education, has undoubtedly had and will continue to have a very significant favorable impact on productive efficiency and economic progress in the United States.

In general, modern industries are voracious consumers of high grade managerial manpower. Even a cursory examination of the types of managerial and technical tasks to be done by members of the managerial hierarchy in a moderately complex American industrial firm suggests that this type of highly skilled managerial manpower is critical for efficient operations. It is clear that an extensive, diverse, and high-quality system of education and training is required in order to develop an effective and efficient managerial class.

The list of managerial manpower skills shown below is far from complete, but it does suggest the kinds of high talent human resources found even in a small, simply-organized, modern manufacturing firm in the United States. The availability and use of such skills have a significant bearing on managerial performance and productive efficiency.

Most of the activities outlined call for well educated persons if they are to be carried out in an efficient manner. In the United States probably a substantial majority of the persons performing these activities possess at least some education beyond the secondary school level.

In countries where there is a critical shortage of people with the indicated skills, the related activities will either be performed poorly, or not at all. Consequently, many of the modern techniques, tools, and practices of management found in American industry, would not be found on any sizable scale, if at all, in these other countries. It is true that the economies of many countries—particularly underdeveloped and newly developing nations—may not yet be sophisticated or complex enough to require these skills in any sizable volume. The Soviet Union, at its present level of economic development, does need these skills in large volume if its industries are to achieve even a relatively high degree of efficiency.

The list of managerial manpower skills follows:

Marketing and Distribution. Market research capabilities, including knowledge of economic and psychological factors influencing demand. Statistical abilities, including sampling techniques, rational and logical compilation of sales information, wide knowledge of product prices and costs. Complex report writing. Sales promotion techniques, including packaging and purchasing of ad space in various media, channel design abilities, inventory planning techniques, product line additions and deletions.

Enterprises may operate without detailed knowledge in these areas only at their peril and with potential inefficiency. It is clear that the kinds of knowledge required to handle these types of operations are not taught in the primary schools; nor are they taught in the required depth in most secondary level educational and training programs. Even many higher educational institutions do not cover the types of advanced statistics, mathematics, economics, and psychology often used routinely by modern marketing departments and organizations. While self-taught, capable individuals may do quite well in such activities, the availability of persons with at least some of the basic skills required for a specific job in this area tends to cut short the training time and increases overall managerial effectiveness.

Production, Procurement, and Research and Development. Engineering and possibly scientific talents of all sorts, including product development and design, process planning and design, and evaluation of technical changes in product lines or processes. Ability to purchase materials and capital equipment logically and efficiently and to integrate new equipment into older processes properly. Quality control management, including statistical analysis of existing outputs in terms of production norms. Plant and layout planning for optimum efficiency. Time and motion studies of personnel activities to determine the operations that will produce maximum efficiency. Value engineering, including analyses of present utilizations of materials and operations to obtain greater efficiencies. Design, operations, and changes in materials handling systems such as conveyors, fork lifts, and manpower. Management of maintenance of machinery and plant; costing and cost effectiveness studies; inventory control.

Again, firms can survive (at times) without this type of skilled manpower, but usually not very efficiently. Most of the skills noted above are typically taught in a systematic fashion at the college or university level, and some of the more advanced techniques of production management and control are not encountered by students until they are in graduate schools of engineering or business. Persons can teach themselves such skills, but only at the cost of a good deal of effort, and firms may suffer if properly trained personnel are not available.

Personnel. Ability to handle the typical routine of payrolls, leaves, illnesses, and similar factors, and in addition deal with complex problems of statistics, including such items as the construction of interrelated, intricate pay structures. Describe positions in the firm—a practice which requires more skill than is immediately apparent—and often considerable knowledge relating to the recruiting, selecting, appraisal and training of personnel. Effective practitioners in the field of labor law, which may call for a specialized knowledge of complex law rivaling that of a practicing attorney. Qualified personnel specialists must frequently know a great deal about behavioral sciences, particularly psychology, in order to perform their functions adequately.

Even this brief description of a few personnel duties suggests the need for advanced training of all sorts for competent people. Lacking such specialists, a firm may perpetually be in difficulty with governments, their own employees, trade unions, and individuals. The larger and more complex the firm, the more likely it will be that this function becomes a specialized part of the firm, staffed by professionals in the field. Inability to obtain such persons results in inefficiencies which can only help defeat the major goals of the firm.

Finance. Operations of money markets, including technicalities of bank loans and similar factors. Ability to analyze interest rate changes, find credit, prepare financial feasibility reports, develop projected profit and loss and balance sheets, cash flow analysis, and similar data for use by firm management and credit suppliers. Preparation of financial projections of all sorts for the firm, in light of foreseen cost and revenue predictions. Analysis of company's liquidity position now and in the future. Management of the firm's available cash through planned uses and investments. Working capital planning and control. Short-term and long-term budgeting.

As is typical in business situations, such persons do not emerge fully trained from a country's educational system. However, such men can be prepared for a firm apprenticeship in finance through extensive university training in money and banking and finance, often through some years of postgraduate study. Such a candidate is clearly superior, other things being equal, to a man who must learn, at company expense, the kinds of basic economic, monetary, and financial theory needed in such a job.

Accounting and Data Processing. Ability to prepare profit and loss and income statements. Analysis of reporting systems in light of possible improvements. Evaluation of the firm's cost and financial position now, historically, and in the future. Refinement and improvement of reporting systems in light of requirements for information, safety of company funds, and cost of reporting. Exploration of the theory of accounting in terms of effects of various accepted systems on tax liabilities, accurate reporting, and information required by management. Maintenance of accurate records required by company officials, governments, tax authorities, and others. If the firm finds it feasible to use electronic computers in the accounting or any other function, a variety of additional special skills are entailed. Accounting and data processing activities are closely linked to the managerial functions of planning and control.

In this area, many countries have an organized professional group (in the United States, Certified Public Accountants), who are qualified by examination by their peers. A vast and intricate body of received theory and practical knowledge must be mastered by candidates before they can expect to become practitioners in this field. The complexity of knowledge in this area is suggested by the usual requirement that a candidate have extensive accounting work in a university before he even qualifies to take the examination. Non-college graduates can occasionally qualify, but only after many years of practical experience with a qualified accounting firm. Lack of such trained men often means that a firm is operating without financial control. Since no one is able to document and analyze the financial position of the company, no one is in a position to manage effectively.

Management. Management in itself must be added to the list since it contains its own unique functions, as discussed earlier. Whether a manager is involved in one of the above enterprise functions, or is part of general or top management, he will, even if in a very unsophisticated way, engage in the functions of planning and decision-making, controlling, organizing, staffing, and directing. His behavior and effectiveness depend in large part on his knowledge of the techniques, tools, criteria, principles, and concepts that can be used in these functions.

When additional skilled types of professional talent and various other highly skilled persons required in performing sub-functions of the above categories are included in a firm's requirements, it is easy to see why complex industrial firms all over the world turn increasingly to schools of higher education to obtain the men they need.

It is a major thesis of this study that as the Soviet economy continues to approach the American economy in terms of affluence, volume and diversity of production, technological complexity, and scope and complexity of market structures and inter-organizational relationships, the external environments or macro-managerial structures in both countries will become more similar in many respects. This calls for an increasingly similar type of industrial managerial class upon which future economic well-being and growth largely depends. In turn this calls for increasingly similar educational and training programs for management development.

The system of Soviet education and training for management development and the requirements of the Soviet managerial task are the intimately related major themes of this study. Before turning our attention to the Soviet Union, a chapter on management development in the United States is in order.

II

Management Development in the United States

I lived in the U.S.A. for 30 years, saw excellently equipped factories and farms there, worked in enterprises outfitted with first class equipment, taught in the largest educational institutions. And still, to the question of what I consider most noteworthy in the country across the ocean, I invariably answer: not the machinery, but the American methods of management and organization.

These are the words of a Soviet research economist who went to live and work in the United States in the 1930's and recently returned to live in his native country, the Soviet Union. This quotation is taken directly from an article that he published in a recent issue of the Soviet government newspaper, *Izvestia.*[1]

Few countries in the modern world that are concerned with economic growth and development fail to recognize and respect American management know-how as being a highly significant factor in the economic progress and prosperity of the United States, regardless of what they may think of this country on other issues. The education and training that American business and industrial managers receive explains much of the reason why American management know-how is so advanced and, also, respected and envied throughout most of the industrial world. In spite of many problems and much self-criticism, the United States is clearly the world leader in professional management education and training, and the American managerial class is probably the most effective, in terms of economic progress, in the world.

Extent and Nature of American Managerial Manpower

The number of persons in managerial positions in the United States has grown steadily in this century. As of the mid-1960's there are approximately 7.6 million persons classified under the official census occupation grouping of "managers, officials, and proprietors, except farm," out of a total employed civilian population of some 69 million.

In addition there are hundreds of thousands of foremen in business and industry who also perform managerial functions. In 1960, there were about 744,000 foremen employed in manufacturing enterprises. There is also a substantial number of persons who are part of the business and industrial managerial hierarchy listed under the occupation grouping of "professional, technical, and kindred workers." In 1964 there were some 8.6 million persons in this grouping, and about 35 percent, or three million, of them were employed in business or industrial positions. These include engineers, chemists, physicists, technicians, designers, accountants, auditors, lawyers, economists, and other social and behavioral scientists.[2]

Table II-1 indicates the percent of total civilian employment classified as managers, officials, and proprietors (except farm), and professional, technical, and kindred workers for selected years during the 1900-64 period.

TABLE II-1

Percent Distribution of Selected Occupation Groups for Selected Years: 1900-1964

Major Occupation Group	*1900*	*1920*	*1940*	*1950*	*1960*	*1964*	*1975*[a]
Total all groups	100.0	100.0	100.0	100.0	100.0	100.0	100.0
Managers, officials and proprietors (exc. farm)	5.8	6.6	7.3	10.7	10.6	11.1	14.0
Professional, technical, and kindred workers[1]	4.3	5.4	7.5	7.5	11.2	12.6	14.0

a. Estimated projections for total male employment.

1. The proportion of persons employed in this category who have had business or industrial positions has averaged about 30-40 percent since 1950.

SOURCE: Derived from 1965 *Economic Report of the President.*

The distribution of persons employed in these two major occupation groups in manufacturing enterprises only for the years 1950 and 1960 is indicated in Table II-2. This table also contains data on fore-

TABLE II-2

Distribution of Employment in Selected Occupations in the Manufacturing Industry

Occupation	*1950*		*1960*	
	Number (Thousands)	*Percent Distribution*	*Number (Thousands)*	*Percent Distribution*
Total employment	14,453.0	100.0	17,513.0	100.0
Managers, officials and proprietors	690.9	4.8	890.4	5.2
Foremen (not classified elsewhere)	506.6	3.5	744.0	4.3
Professional, technical and kindred workers	700.8	4.9	1,328.5	7.7

SOURCE: Derived from *NICB Business Record,* XX, 3 (March, 1963), 18.

men. While both these major occupation groups, as well as the foremen group, show an upward trend in manufacturing, the proportions are not as large as in the total all-sector employment figures in Table I-1, because of the much larger proportion of workers and other operatives in manufacturing operations. This is largely the result of the technology employed.

In both manufacturing and total civilian employment, these two occupation groups account for the bulk of the high talent managerial manpower in the American economy. All indications are that these two occupation groups will continue to grow substantially in absolute numbers and proportionately. It is estimated that by 1975, 14 percent of all employed males will be managers, officials, or proprietors, excluding farm.[3]

An interesting trend can be discerned within the breakdown of the managerial, official, and proprietor grouping; that is, the trend toward a substantially greater proportion of salaried as compared to self-employed persons as indicated by the figures contained in Table II-3. The trend toward salaried and more professional management is most pronounced in the manufacturing sector.

The earnings of the managers, officials, and proprietor grouping are substantially higher than the national average. In 1959 the median earnings for the total male civilian labor force was $4,621 as compared to $6,664 for the above occupational group. Salaried managers, officials, and proprietors had a median earnings level of $7,389 as compared to $5,764 for those self-employed in this group. Those persons employed in manufacturing had the highest median income, $9,156. The

TABLE II-3

Distribution of Male Managers, Officials, and Proprietors, except Farm[1]

		1950		1960	
		Number	Percent	Number	Percent
I	*Total*	4,407,925	100.0	4,695,205	100.0
II	*Salaried*	1,598,750	37.0	2,252,255	49.0
	Manufacturing	395,539		609,914	
	Wholesale and retail trade	587,810		708,568	
	Finance, insurance and real estate	166,047		295,267	
	Other industries	449,354		638,506	
III	*Self-Employed*	2,210,596	50.0	1,702,683	36.0
	Manufacturing	231,097		160,141	
	Construction	201,345		227,940	
	Wholesale trade	171,441		128,894	
	Retail trade (excluding eating and drinking places)	965,385		680,897	
	Eating and drinking places	217,071		145,869	
	Other industries	424,257		358,942	
IV	*Other* (includes local administration, officials, inspectors)	598,579	13.0	740,265	15.0

1. Employed in experienced civilian labor force.

SOURCE: Derived from data issued by U. S. Bureau of the Census; U. S. Bureau of Labor Statistics, *Employment and Earnings.*

median earnings in 1959 for professional, technical, and kindred workers was $6,619, with engineers averaging $8,361, accountants and auditors, $6,611, and social scientists, $7,674.[4] The relatively high income level of these two major occupational groupings is probably a factor inducing numerous highly talented and ambitious people to pursue careers in these areas.

A comprehensive study of 10,000 individuals engaged in some 124 specific occupations reveals that business and industrial managers as a class rate higher than the total population surveyed on general intellectual ability.[5] Company presidents, vice presidents, treasurers, controllers and secretaries, and production and personnel managers rate very much higher; production superintendents and industrial, branch, financial, and office managers rate significantly higher in varying degrees in that order; while insurance, service, transportation, wholesaling and retailing managers, and foremen rate somewhat lower than the population average in varying degrees. Sales managers fall approximately at the mean score. There is clearly a very significant difference in the scores achieved by upper level as compared to lower level managers. Moreover, the majority of those managers rating relatively low on general intelligence are probably self-employed owner-managers of relatively small businesses, while the majority of those rating high are more likely to be salaried managers of relatively large organizations.

The same study reveals that physical and social scientists, as well as engineers, including sales engineers, rate very significantly above the average general intelligence score of the total population surveyed. (In fact chemical engineers ranked highest of all occupations.) Accountants and auditors and industrial relations specialists rated significantly higher. A wide range of scores was obtained for different types of salesmen with securities salesmen rating highest, significantly above average, and industrial hard goods salesmen and sales clerks scoring significantly below average.

While general intelligence undoubtedly tends to be one significant determinant of managerial effectiveness and career advancement, achievement drive probably tends to be at least of equal importance, particularly at higher managerial levels. Achievement drive pertains to the manager's desire to succeed in his job, to better himself and his performance, and to get ahead. Competent research studies indicate that business and industrial managers with a high achievement drive would be inclined to desire and strive to accomplish fairly challenging, but realistic, enterprise plans and objectives. Such managers would also be more likely to take calculated rational risks and to be innovators. In general, evidence strongly suggests that able persons with a high achievement drive are likely to make the best managers, particularly entrepreneurs or high level managers.[6]

There is convincing evidence available indicating that American managers tend to have a relatively high achievement drive, probably higher than managers in most other countries. This can be explained by a number of factors including prevailing religious beliefs and cultural values, parental behavior and child rearing practices, the formal system of education, and the class structure.[7]

Studies dealing with management and entrepreneurship in a number of diverse countries—including communist Poland—indicate that the best groups from which to recruit business managers are the middle and lower middle classes, because they are more apt to have a higher need for achievement than those from an upper or lower class background. Moreover, evidence suggests that people from the middle and lower middle classes with a high achievement drive are inclined to prefer and pursue business and managerial careers, since their self-image and aspiration level makes them feel that they can succeed in this type of occupation.[8] Therefore, in terms of managerial effectiveness and economic progress, it is very significant that it is precisely this group of broadly middle and lower middle class families that in general produces the highest achievement drive in its sons in the United States. Hence, so long as there is freedom and opportunity to enter business and industrial management in a country such as the United States, there appears to be a built-in recruiting mechanism for attracting candidates.

There is considerable evidence that as the economy has developed, business leaders and upper level managers have been drawn more widely from a less elite group.[9] For example, a study of the backgrounds of 158 executives attending the Advanced Management Program at the Harvard Business School indicates that executives with lower, lower middle, middle and upper middle, and upper class backgrounds were roughly equal in proportion; the respective percentages being 22, 26, 32, and 20.[10]

However, even in the United States—which is commonly regarded as a rather open society in class terms—there are many class barriers and constraints on individual mobility.[11] High level management in many major business firms frequently excludes virtually all minority groups, including Negroes, Orientals, Mexicans, and American Indians; most women; and probably most people with unusual physical characteristics, to say nothing of many Jews, Mormons, atheists, and even Catholics. While such barriers have clearly slipped gradually over many decades, it is still true that social barriers serve as significant obstacles for many competent persons who might otherwise be qualified for key managerial jobs.

There is undoubtedly a cost involved to U. S. society for this type of behavior. As indicated earlier, large, complex productive enterprises are voracious consumers of high grade managerial manpower, and it seems clear that productive efficiency is somewhat less than it might be if such class barriers did not exist. These barriers are not simply those of the firms themselves—quite often many companies are quite willing to hire any acceptable candidate who is qualified. But because relatively few Negroes in the United States are employed as business managers, the educational system produces few trained for this job; because relatively few women are engineers, few are encouraged to educate themselves in this demanding profession; and this is true in many areas. The result can be a perpetuation of the existing system, at a loss to the entire society.

In spite of various social barriers to individual mobility, managerial staffing in American industry is based on professional competence and objective criteria to a much higher degree than in most other countries. Educational qualifications and ability have become increasingly important to a managerial career, and persons of all backgrounds now have access to good schooling and training if they are qualified and have the ambition.

In smaller U. S. business firms where nepotism is still practiced quite extensively, sons and relatives who take over the business frequently have a good education, proper training, and a fairly high achievement drive. In larger firms where promotions to higher management positions are based largely on social factors, even here the individual selected often has had enough education and training to perform the job quite adequately even though someone else could perform it better.

Formal Education: Level of Achievement

It is obvious that effective managers cannot be produced solely in the classroom any more than medical practitioners, lawyers, or engineers can be. To manage effectively one must acquire on-the-job training and planned practical experience. In general, American companies tend to be well aware of this fact and attempt to provide for such training and experience. However, formal educational programs can serve as a very significant catalyst for management development by providing systematized knowledge, information, and training having a bearing on the skills and attitudes required for effective management. Through effective formal education much trial-and-error can be eliminated in the practice of management.

Even before 1900, the proportion of business leaders having a college education was substantially above the national average and since that time the disparity has increased. A 1900 survey of business leaders holding top management positions revealed 39 percent of them had attended college.[12] A 1950 sample of 863 presidents and board chairmen of 428 of the largest U. S. corporations revealed that 80 percent of them had attended college.[13] A 1952 study of more than 8,000 top level managers showed that 76 percent of them had gone to college, and 57 percent of them graduated with degrees. Only 4 percent of them had less than a high school education.[14] These are impressive figures when compared with a similar study of top managers in 1928, which revealed that only 32 percent of them graduated from college and 27 percent had less than a high school education.[15] The figures are even more impressive when one considers that only 13 percent of the adult population over 30 had gone to college, only 7 percent had graduated, and more than 50 percent of adult males in the general population did not have a high school education.[16]

More recent surveys of top level business and industrial executives reveal that the proportions who have attended college and graduated have continued to increase in the 1960's. Bond, Leabo, and Swinyard conducted a study of the educational backgrounds of 66 chief executives of a broad cross section of leading U. S. companies. They found that only 3 percent had not had any college education, 85 percent earned college degrees, 43 percent earned master's or law degrees, and 4 percent obtained doctoral degrees. The unanimous opinion of these executives was that it is essential for newly selected high level managers to have college degrees, and virtually all of them stated that this would be one necessary prerequisite in their selection of a successor.[17]

A 1964 survey of 1,001 chairmen, presidents, or principal vice-presidents in the 593 largest U. S. non-financial corporations, sponsored by *Scientific American* magazine, indicates that about 90 percent of top executives now have some college background—compared with 10 percent in the total male population of the same age groups.[18]

A survey conducted by the Council for Financial Aid to Education compared the educational attainment of the 200 men holding the top two management posts in 100 of the largest U. S. corporations for the years 1955 and 1964. Here are some key findings:[19]

	1955		*1964*	
	Number	*Percent of Total*	*Number*	*Percent of Total*
Attended college	151	75.5	177	88.5
Graduated	128	61.0	150	75.0
Earned advanced degree	34	17.0 of total 22.0 of graduates	51	25.5 of total 29.0 of graduates

A 1964-65 survey of 918 American managers engaged in international business operations, conducted by Gonzalez and Negandhi reveals the following figures on educational attainment.[20] The sample represents a broad cross section of major companies and upper and middle level managerial positions: 3 percent did not complete high school, 95 percent had some college education, and 80 percent were college graduates.

When we examine the educational level of the entire official census occupation group of managers, officials, and proprietors (excluding farm), the results are well below those for top level executives, since all levels of management as well as a large number of owner-managers of very small businesses are included in this grouping. However, the level of educational attainment of this occupational group is substantially above the national average, as can be seen in Table II-4, ranking second after professional, technical, and kindred workers,

TABLE II-4

Percent Who Have Completed Specified Levels of Schooling by Major Occupation Group[1]

	Percent with less than 5 Years of School		*Percent High School Graduates*		*Percent with 1 or more Years of College*	
Major Occupation Group	*1940*	*1960*	*1940*	*1960*	*1940*	*1960*
Professional, technical and kindred workers	0.4	0.2	84.7	91.3	72.7	74.5
Farmer and farm managers	13.4	6.1	9.5	32.5	4.1	7.5
Mgrs., officials, and proprietors, (exc. farm)	2.2	1.0	46.7	68.0	23.5	35.4
Clerical, sales, and kindred workers	1.2	0.8	47.1	65.6	20.4	28.0
Craftsmen, foremen, and kindred workers	4.9	3.0	15.8	36.4	4.4	8.0
Operatives and kindred workers	8.1	5.7	10.9	24.9	2.9	4.0
Service workers	5.4	5.2	15.2	34.0	4.4	8.1
Farm laborers and foremen	21.2	29.2	6.3	12.1	1.9	2.7
Laborers (exc. farm and mine)	13.5	12.3	7.3	17.2	2.0	2.8

1. Employed native white males 35 to 54 years old in 1940; all white males 35 to 54 years old in the experienced civilian labor force in 1960.

SOURCE: Derived from J. Folger and C. Nam, "Trends in Education in Relation to Occupational Structure," *Sociology of Education,* XXXVIII, 1.

which also has a substantial number of its members in the business and industrial managerial hierarchy.

It is not surprising to find that as one goes down the managerial hierarchy, or looks at small businesses run by owner-managers, the proportions of those having attended or graduated from college (or even high school) decreases significantly. There are also significantly more holders of graduate degrees at higher managerial levels. This can be seen from the figures presented in Table II-5. This table summarizes some key findings from O'Donovan's 1960 study of 326 managers from four major, multi-plant industrial corporations. About half of them were upper- and middle-level managers, while the others were first- and second-line supervisors.

TABLE II-5

Educational Achievement: Upper vs. Lower Level Managers[1]

	Major Executives (Percent)	*Lower Managers (Percent)*
College Education		
College graduates	69	25
College dropouts	21	34
Graduated before age 23	60	30
In top 10% of class	36	22
Earned graduate degrees	20	3
High School Education		
College prep	65	41
In top 10% of class	45	20
Trade school	3	16
Did not graduate	3	19

1. Sample 326 managers from four major industrial corporations.

SOURCE: T. O'Donovan, "Differential Extent of Opportunity Among Executives and Lower Managers," *Academy of Management Journal* (August, 1962), p. 145, table 4.

EDUCATION AND TRAINING: TYPE, CONTENT, AND REQUIREMENTS

It is not very meaningful to make sweeping generalizations about the type or quality of formal education that the "typical" American manager receives. Surveys of this kind often come up with different figures and conclusions because of major differences in the companies and managers sampled and the levels of management studied. Hence, some surveys reveal that the trend in college education for business executives is toward some liberal arts or general education, while others find that it is toward greater technical and scientific training.[21]

There is also the problem of comparing the content of an A.B. or B.S. degree earned from one institution with that earned from another. The quality of degrees among different universities tends to vary greatly in many cases. In recent times most of the better colleges and universities (and the majority of top level executives or "business leaders" receive their education at about a dozen of the leading universities) have been broadening the types of programs they offer in many fields, emphasizing an inter- or multidisciplinary approach. Hence, a degree in liberal arts may include some or even substantial training in technical, scientific, business, and economic subjects, while a scientific or engineering program may include liberal arts, humanities, social science, and business courses.

In spite of the above problems of sampling and comparability, available studies of the educational backgrounds of business and industrial managers do suggest a number of trends and conditions. Some of these conditions and trends are reflected by the figures presented in Tables II-6 to II-9.

As was pointed out earlier, the trend is definitely toward more and probably better education among the business managerial class, particularly at higher levels. At the higher echelons of management, it appears that there is a slight trend toward broader training in the liberal arts, economics, and social science fields, while engineering

TABLE II-6

Study of Educational Backgrounds of Managers Sponsored by the Council for Financial Aid to Education[1]

	1955		*1964*	
	Number	*Percent*	*Number*	*Percent*
No college degree	78	39	50	25
A.B.	41	20	70	35
B. Eng.	29	15	22	11
B. BA	1	1	2	1
Other—mostly B.S.	51	25	56	28
Advanced degrees	34	17	51	26
MBA.	3	2	10	5
Law	not reported		19	10

1. 200 top executives in 100 largest U. S. corporations.

TABLE II-7

Bond, Leabo and Swinyard–1963 Study of Educational Background of U.S. Managers[1]

	Number	*Percent*
No college degree	16	24
A.B.[2]	28	42
B.S.	15	23
B. BA	7	11
Advanced degrees	27	41
MBA.	11	17
Law	13	20

1. 66 chief executives of a broad cross section of leading U. S. companies.

2. The majority of these executives receiving an A.B. degree took economics as either a major or minor. Many of these economics courses at the time they were taken were similar to present day business administration courses. Only 44 percent of the 66 chief executives attended a university or college offering a business administration program.

SOURCE: F. Bond, D. Leabo, and A. Swinyard, *Preparation for Business Leadership* (Ann Arbor, Mich.: Bureau of Business Research, University of Michigan, 1964).

TABLE II-8

Gonzalez and Negandhi's 1964-65 Study of Educational Backgrounds of U. S. International Executives[1]

Major Field in College	*Number*	*Percent*
Liberal Arts	323	35.2
B. BA. and/or MBA.	205	22.3
Engineering	120	13.1
Law	40	4.4
Physical sciences	11	1.2
Other	31	3.4
No reply	188	20.5

1. 918 higher and middle level managers engaged in international business operations.

SOURCE: R. Gonzalez and A. Negandhi, *The American Overseas Executive: His Orientations and Career Patterns* (East Lansing, Mich.: Institute for International Business and Economic Development Studies, Division of Research, Graduate School of Business Administration, Michigan State University, 1967).

TABLE II-9

O'Donovan's 1960 Study of Educational Backgrounds of 326 Managers[1]

	Major Executive (Percent)	*Lower Managers (Percent)*
No college degree	31	75
Those with degrees who majored in:		
Liberal arts	20	5
Engineering	20	38
Economics	15	8
Business administration	31	30
Other Fields	14	19
Earned graduate degrees	20	3

1. 178 upper and middle level managers, called major executives, and 148 first and second line lower managers of four major, multi-plant corporations.

and technical training seems to be substantially more widespread at lower levels.

The figures also indicate that the proportion of top level managers who have majored in business administration as undergraduates is still relatively small. This could be due in part to the fact that business administration courses in formal education are relatively new, so graduates in this field have not been in their careers long enough to have reached the top level in management. However, the proportion of business administration majors is relatively large when upper middle, middle, and lower levels of management are considered. Undergraduate programs in business administration have and will probably continue to supply business and industrial firms with substantial and increasing numbers of managers at these levels, as well as staff men, functional specialists, and various types of technicians.

While law still tends to be the most common type of graduate training among high level business executives, graduate study in business administration is clearly becoming much more popular.

Business education and management training, particularly at the graduate level, is a relatively new phenomenon, emerging as a major force in America only in the past several decades. A substantial number, if not a majority, of the executives in the above surveys did not go to a college or university which even offered a program or major in business administration. For example, in Bond's study of 66 chief executives only 44 percent attended a higher educational institution having a business administration school or program. Bond's study shows that a substantial majority of these chief executives felt that they would want their successor to have some type of graduate education. Seventy-seven percent of those favoring graduate education selected graduate training in business administration as their first choice of curricula. For the next generation of top level managers, most of these chief executives felt that the ideal educational background for top level managers would be undergraduate training in liberal arts, preferably with a major in economics, or, as a second choice, engineering or science, followed by graduate training in business administration. The concensus among these business leaders was, however, that many types of business programs are needed, including undergraduate training, to meet the complex and diverse requirements of business and industry for qualified management personnel of all types.

Bond's study reveals certain other interesting findings pertaining to business education. An analysis of the career patterns of the 66 chief executives revealed that those who had majored in business administration were substantially more mobile than the liberal arts, science, or engineering graduates. Their paths of advancement entailed transfers and relocations to different departments, companies, and industries to a much greater extent. In the process they tended to receive much broader and more diversified company and industrial experience, and this may well be a major plus factor in a dynamic and complex industrial milieu involving frequently changing conditions. This situation also suggests that there may be greater transferability of skill and knowledge in managerial jobs with a business education than with other types of formal education.

Another interesting finding is that of those executives studied who set up their own company, all but one were business school graduates. This may suggest that there tends to be more of an entrepreneurial spirit—and perhaps a higher achievement drive—among business administration majors than among graduates in any of the other fields.

The proportion of business and industrial managers who have received some formal business education, either through full- or part-time college programs or correspondence courses, has increased significantly in recent decades. Table II-10 pertaining to three studies of American business executives provides us with some figures in this regard.

TABLE II-10

Data on Formal Business Training of U.S. Managers: 1928, 1952, and 1960

Extent of Formal Business Education	*Taussig and Joslyn 1928 Survey (percent)*	*Warner and Abegglen 1952 Survey (percent)*	*O'Donovan's Major Executives (percent)*	*1960 Study Lower Managers (percent)*
None	71	42	36	36
Correspondence courses	22	25	10	21
College training	7	33	48	33
No answer	0	0	6	10

SOURCE: T. O'Donovan, "Differential Extent of Opportunity Among Executives and Lower Managers," *Academy of Management Journal* (August, 1962), p. 145, table 5.

In Warner and Abegglen's 1952 study of more than 8,000 business leaders, all of whom were top level executives, they found that only 42 percent had no formal business education, as compared with 71 percent in a similar study undertaken in 1928 by Taussig and Joslyn. O'Donovan's 1960 study of 326 managers reveals a figure of only 36 percent for both classes of managers surveyed—major and lower, with not all of the major executives being top level. Moreover, a significantly larger proportion of the major executives received college business training than the lower level managers in this 1960 survey; and this proportion was also very substantially greater than the 1928 study and significantly larger than the 1952 survey.

If consideration is also given to other types of management training programs—such as formal company programs and those operated by such organizations as the American Management Association, National Industrial Conference Board, and industry and professional associations—probably a substantial majority of American corporate managers at the middle and upper levels have received some type of formal business and management training.[22] In a survey of the 500 largest U. S. corporations undertaken by *Fortune*, it was found that 39 percent of the higher level managers had attended at least two executive development programs.[23] In general, management training programs of all types tend to draw heavily on the research conducted and course materials developed by schools of business and industrial administration.

Bond's study, as well as various other authoritative sources,[24] indicate that the following skills are essential for sound and effective management:

1) Analytical ability and sound well-balanced judgment.
2) Problem solving skill and well-organized decision making.
3) Creativity and imagination.
4) The understanding of human behavior and the ability to work with and lead others.
5) Understanding the socio-economic and political environment in which the firm operates.
6) Self-development and initiative.

The significance of these skills tends to increase in importance as one advances up the managerial hierarchy.

The subjects that tend to be most significant as one's managerial career progresses are economics, human relations and behavior, general management, and business and government. Knowledge of accounting, law, marketing, technology, and engineering also tends to be very useful at the top as well as at specific functional levels.

The above indicated skills and subject-knowledge areas would tend to be just as important in American public enterprises as in private ones.

In general, the highly effective, modern day, top level professional manager would typically be a person with considerable breadth of knowledge and the possessor of many complex skills and abilities. As one descends down the managerial hierarchy of a given organization, the effective manager would tend to require specialized knowledge in a more limited number of areas. The above mentioned skills and abilities would still be important, but not to as great a degree as at higher levels, except possibly skills (4) and (6) above.

Hence, educational programs aimed at the development of future higher level managers should be broad and interdisciplinary in content, emphasizing analytical, creative, and problem-solving abilities; a high tolerance for ambiguity must also be developed. The graduate programs at a number of schools of business and industrial administration, particularly the leading schools, have been moving vigorously in this direction. At the same time many graduate and most undergraduate programs in this area are aimed primarily at developing functional specialists, technicians, and lower level administrative personnel, all of whom are also extremely important to the efficient functioning of complex business and industrial organizations.

Educational Programs in Business and Industrial Administration

All types of talented managerial manpower are required for substantial economic progress, and American industry continues to be plagued by shortages of highly competent executives in spite of its high level of development. American business firms have come to depend more on business school graduates and business and management education. In spite of many problems, schools and programs of business and industrial administration have been turning out increasing numbers of qualified managerial personnel of all types. All indications are that in the next generation the number of managers who have received formal business and management training at the university level will increase sharply. As of 1965, one-third of the American companies that recruit college graduates do so exclusively from the 600 U. S. schools and programs of business administration, which now account for approximately 20 percent of all graduate and undergraduate enrollment.[25]

Business education in the United States, and management training in particular, has indeed come a long way since the nineteenth century British economist Alfred Marshall pointed out that management is a key economic resource,[26] and since Henri Fayol, the eminent French management practitioner, showed early in this century that management is a distinct enterprise activity possessing its own unique functions.[27]

The emergence of American undergraduate and graduate schools of business and industrial administration is a product of the twentieth century. Although the Wharton School of Finance and Commerce was established in 1881, the great majority of business schools in this country have been established in the past few decades. Until quite recently business administration has been a field of study unique to America, in spite of prominent Europeans like Marshall and Fayol. However, business administration programs are now beginning to emerge in Western Europe, as well as in various other countries—including many developing nations—with considerable momentum.

A current report on U. S. business and management education prepared by the Committee for Economic Development emphasizes the significance of such education:

Far more students major in business than in any other subject. Thus the quality of college training for business careers affects not only the probable performance in the hands of the oncoming generation, but the overall quality of higher education and, indeed, the very health of our society.[28]

From a few hundred college students enrolled in business administration programs in the early years of this century, the number of students reached 400,000 by 1960; by 1964 there were approximately 500,000, and the expected figure by 1970 is 600,000.[29] As of 1964 there were more than 600 collegiate business schools and departments of business administration in the American educational system, an increase of 40 since 1960, only four years earlier.[30]

During the 1948-59 period, there were more than 500,000 graduates in the field of business administration. The large majority obtained undergraduate degrees from regular business schools, while about 25 percent majored in business in liberal arts schools.[31] Since the middle 1950's, bachelor's degrees in business have represented 13 to 14 percent of all bachelor's degrees awarded annually; further, 12 to 13 percent of all levels of degrees awarded have been in business administration.[32] The number and quality of master's and doctoral degrees in business have risen sharply in recent years. In 1960 the 47,600 degrees awarded in business and commerce plus the 6,800 in economics exceeded the collective number of degrees granted in the biological and physical sciences, English, journalism, foreign language and literature, philosophy, geography, sociology, history, and anthropology.[33] By 1963, nearly 60,000 degrees were awarded in business administration at all levels (53,684 bachelor's and first professional, 5,647 master's, excluding first professional, and 250 doctorates).[34]

In spite of the evolution of American business schools and programs in business administration as a major factor in industrial development and economic progress, business education has experienced many serious problems and deficiencies. This was brought to light in 1959 by two comprehensive studies, the Gordon-Howell and Pierson reports, sponsored by the Ford and Carnegie Foundations respectively.[35] These studies revealed that, in general, business administration programs were beset by low academic standards and tended to attract the less competent college students, particularly at the undergraduate level. Criticisms were also leveled at teaching methods, content of curricula, the lack of competent faculty personnel, inadequate research programs, overspecialization, and overemphasis on vocational training.

Since 1959 much progress has been made in numerous business and industrial administration programs in eliminating or at least partially overcoming these deficiencies.[36] There is a trend toward broader education as new courses in mathematics, statistics, the behavioral and social sciences, decision making, and the environment of business management have been established in many programs. More attention is also being given to the development of analytical and problem solving abilities, as well as other skills, values, and attitudes essential to effective management.

At the undergraduate level many programs have emerged which combine business training with liberal arts, engineering, or scientific education. At the graduate level, particularly among the leading business schools, the trend is clearly away from highly specialized vocational training. Emphasis is being given to the development of well-rounded generalists who can create and adapt to changing conditions and who have the potential to become effective upper level managers. In spite of the problems entailed in achieving a balance between broad and specialized education, at the graduate level in particular, there has been much progress in raising the overall quality and effectiveness of business education and management training.

American business school faculties are currently composed of members with surprisingly heterogeneous backgrounds. In many of the larger and more progressive programs it is common to find specialists in various business fields, former executives and management consultants, retired military officers, economists, political scientists, engineers, lawyers, psychologists, sociologists, anthropologists, as well as a variety of natural and physical scientists.

A major problem still confronting American business educators is one of curricula and course content that will most effectively prepare those students destined for management careers. There is marked disagreement among faculty members of higher educational institutions as to the best formal education program for management development, and the best way to integrate the materials covered. Different philosophies of business and management education evolve and curricula and methods of instruction are continually modified as business schools attempt to establish distinct images and reputations for excellence. Thus one hears much about "management theory jungles," quantitative programs, the systems approach, the behavioral science approach, management games, the case method, environmental courses, and new integrated core programs. The intellectual debate and competition thus developing offer the best guarantee that professional business management training in America will continue to attract the attention and interest of educators and managers throughout the world.

Among the nation's business schools there are both major similarities and differences in the programs that they offer. In virtually all programs there are courses dealing with the basic productive functions of business enterprises, such as production, marketing, and finance, as well as a variety of courses relating to general management, organization theory, business policy, economics, business and labor law, industrial relations, personnel, accounting, and statistics. A growing number of programs contain courses in operations research, data processing, and computer programming. Many provide for heavy doses of higher mathematics and the behavioral sciences. In many business schools one also finds courses in transportation, insurance, procurement, research and development, communications, information theory, science and technology, heuristic programming, industrial engineering, business and society, business history, business and government, international business, and banking, among others.

While there are several common subjects taught in virtually all business schools, the precise content of courses, the arrangement of the overall program, and the materials and teaching methods utilized, differ rather sharply in many cases.

The Field of Management and Organization Theory

There is no subject area where there is currently more ferment and debate than in the field of management and organization theory.

In this country during the past few decades university circles and business leaders have come to recognize that the field of management per se warrants thorough study; this recognition is based on a variety of reasons. The evolution of large-scale, complex business organizations has led to decentralization of authority, and hence the need for a growing number of competent managers. The introduction of modern technology, and the need to coordinate the activities of a growing number of various technicians and specialists have placed greater demands on the functions of management. Increasingly complex market requirements and inter-organizational relationships, constant innovation and change, and the increasingly diverse nature of factor inputs and product mixes have all served to make the task of managing more difficult. Greater understanding and concern for problems of human motivation and behavior have also made for greater demands on the managerial job.

As the task of managing an enterprise becomes more difficult, the need for identifying, understanding, and mastering the essentials of management becomes more apparent. There is now widespread recognition among American educators and managers alike of the need for an operational theory of management. A sound theoretical underpinning is clearly essential for improving research, teaching, and practice in any field of application.

The striking rise in concern about managing has been accompanied by a tremendous increase in sources of data that have value for developing and improving managerial skills. Management practitioners and scholars with widely diverse backgrounds are devoting their efforts to the development of a scientific body of management theory. The behavioral scientists are devoting attention to human motivation and behavior, and are expanding our understanding of how men actually work together and manage. A growing group of decision theorists are expanding our knowledge of and skill in organizational and individual decision-making. The so-called universalists or management process theorists, as well as many practitioners, are contributing to the delineation, analysis, and further development of concepts, principles, criteria, and techniques for effective management.

This is not to say that the development of a scientific body of knowledge for management is without its problems and limitations. There are differing opinions as to what falls within the domain of management theory. There is a lack of integration between new findings in the behavioral sciences and decision theory and the other approaches to management theory. In this connection there are also serious semantic and definitional problems.

In general, the development of an operational theory of management having universal application is extremely difficult because of the human element, the lack of large numbers of comparable situations, problems of measurement, difficulties in assigning weights to pertinent (and at times contradictory) factors, and the problem of reproducible controlled experiments. For these reasons high-powered predictive or prescriptive theory is hard to come by.

In spite of the above problems considerable progress is being made in the development of management theory. Much fruitful effort is being devoted to improving the art of managing by improving the science of management through inductive and deductive methodolgy, introspection, empirical studies, and experimentation. As a result, great headway is being made in diagnosing and explaining the key elements of the managerial job, and in the formulation of an operational, systematized body of knowledge for managerial action.

Virtually all American business schools give courses dealing with management and managing, which have as their chief aim the development of effective general management skills, abilities, and attitudes. There are currently, however, a number of different approaches in the broad and important field called management theory.[37] The various approaches are made up of descriptive, explanatory, predictive, and normative or prescriptive elements.

There is the universalist or management process approach to management theory. The focus is on the common functions of management (for example, planning, controlling, organizing, staffing, and directing) inherent in any managerial job. The functions are described and analyzed; the principles, techniques, concepts, and criteria which serve as guidelines for carrying out these functions effectively and efficiently are identified and discussed. The major contributors to this brand of management theory have been scholars, executives, engineers, and consultants with considerable practical experience in the field of management.

A second approach, which has also received the attention of persons with considerable managerial experience, is sometimes referred to as the empirical school. In this approach management is identified as a study of experience, sometimes with the intent to draw pertinent generalizations, but often merely as a means of transferring this experience to students and practitioners. Both the experiences of successful managers and the mistakes made by managers are topics of study. The emphasis is largely on business policy, problem solving, and the study and analysis of cases.

In the past few decades a growing number of behavioral scientists —psychologists, sociologists, anthropologists—have contributed much to management and organization theory. Their chief aim has been to describe and explain human motivation and behavior in organized groups. By acquiring greater understanding of human behavior in on-going organizations, it is now widely acknowledged that the manager is in a better position to motivate his subordinates, to predict their behavior, and to effectively direct them toward the achievement of organizational objectives. Within the overall behavioral science approach there has been a wide range of research studies. In several instances biologists, political scientists, economists, and mathematicians have also contributed greatly to our understanding of organizational and human behavior.

Many scholars have focused on interpersonal or human relations bringing to bear existing and newly developed theories, techniques, and methods of the relevant social sciences upon the study of interpersonal and intrapersonal phenomena. Some behavioral studies look upon management and organization as a social system, that is, as a system of cultural interrelationships. They identify the nature of the cultural relationships of various social groups and attempt to show these as related and, usually, integrated systems. A few prominent scholars have been concerned chiefly with organizational equilibrium, and have focused on the organization as a cooperative system. This ecological approach, as it is sometimes called, deals with relationships between the organization, its internal and external environment, and whatever forces regulate interdependent adaptation, innovation, and change. The approach is similar to that of biology since it deals with mutual relations between organisms and their environments.

Many behavioral scientists have been concerned with theories of bureaucracy and the impact of various elements of the formal organization on human behavior. In this connection, there have been numerous studies dealing with the interaction between formal and informal organization. Some scholars have focused their attention on the manager as a leader in an attempt to depict key leadership traits that have universal significance. Others have been concerned with the most effective leadership and direction techniques to utilize in a given situation. Many behavioral scientists, particularly psychologists, have been concerned with the development of tests, techniques, and criteria that would aid in the appraisal, selection, and training of personnel.

A group of theorists with diverse backgrounds are expanding our understanding of organizational decision making and human problem solving. Elements of decision making actually cut across all of the different approaches to management theory. However, there are two major groups of decision theorists contributing to management theory.

The descriptive decision theorists, made up in large part of behavioral scientists, are primarily concerned with describing and explaining how organizational decisions are actually made. In this approach, researchers may deal with the pertinent steps in decision making, the decision itself, the individuals or organizational groups who make the decision, or with an analysis of the entire decision process. Some scholars in this field expand decision theory so it covers the psychological and sociological aspects of decisions and decision makers. By expanding the horizons of decision theory far beyond the process of evaluating and selecting alternatives, they use the subject as a springboard from which to bound into an examination of the entire sphere of organized human activity (e.g., the development of pertinent information for decisions, organization structure, communication networks, incentives, and the psychological and social reactions of individuals and groups). A number of descriptive decision theorists make use of learning theory, information theory, and heuristic programming techniques.

The so-called normative decision theorists, or "management scientists," as they are sometimes called, view decision making as a highly rational process entailing a series of logical steps, and are concerned with how optimum decisions ought to be made. They draw heavily on mathematics, statistics, economics, logic, and engineering, and use as their chief tools computers, operations research, mathematical models, and econometrics. They sometimes focus their attention on business policy, simulation exercises, and management games.

To the above list of approaches to management and organization theory one could also add the approach taken by a relatively new and small group of theorists concerned with the impact of the external environment on the management of business and industry.[38]

While many business schools tend to favor one brand of management theory over the others, it appears that the majority of programs—especially at the graduate level—are now exposing students to all the approaches. There is currently much discussion and debate among management scholars regarding the best way to synthesize all the approaches into a meaningful overall conceptual framework. A growing number of scholars are calling for an eclectic approach to management theory revolving around a hard central core, such as the functions of management. Several of them are concentrating their efforts in this direction and marked progress is being made.[39]

Key Questions of This Study

What of the Soviet Union? What do their industrial managers do? What are their qualifications? Are there numerous philosophies and educational programs in connection with management development? Do they have management theory jungles, or can their approach to management education and business training be equated with a swamp of ideology? Do they have too many specialists, too many generalists, or not enough of one or the other? Does their system of education and training adapt to the changing needs of management development over time? We will attempt to shed light on these and other important questions in this study.

In view of increasing competition between the communist and capitalist systems, it is important to gain a thorough insight into the Soviet system of education and training for management development. It is not enough to simply investigate, analyze, and appraise Soviet management development to date—we must also look into the future.

III

Soviet Management Development, Education, and High Talent Manpower: Historical Perspective

Marxist Theory and the Unimportance of Management

Marx proposed his grand scheme of history when the typical production unit was an owner-operated small firm. The idea of managing, or coordinating human effort toward the achievement of goals in complex organizations, was an unreal concept, not significant in the existing world.

Preceding the Communist takeover in Russia in 1917, and during the initial years following the revolution, the problems of industrial management were virtually ignored by Marxist theoreticians and political leaders. Some lip-service was given to the idea that management should be sound, decent, and honest, but in large part the subject was beyond the realm of discussion. Few Marxists had ever had any practical managerial experience in industry. In their view a manager was a man who wore a white collar and did little, if any, observable work. It appeared quite likely that the management group could easily be eliminated and replaced by workers and Communist Party members.

There was little recognition by the Russians during this period of a trend quite noticeable in the more developed capitalist countries. The professional hired manager made his appearance as soon as firms grew large enough to require more than a few managers.

Marx himself completely failed to see management as a problem, and even his later disciples, such as Lenin, at first failed to realize that the management of large enterprises would be significantly different from the operation of simple firms. Lenin could say in 1917:

> It is perfectly possible . . . immediately, within twenty-four hours after the overthrow of the capitalists and the bureaucrats, to replace them in control of production and distribution, in the business of control of labor and products by the armed workers, by whole people in arms.[1]

The view that management was after all unnecessary became part of the Communist dogma. However, it was not long before Russia ran into managerial difficulties.

Realization and Growth of the Importance of Management in the Soviet Economy

Soviet leaders quickly learned that problems of industrial and economic management were significant and numerous.[2] They soon realized the importance of having competent managers and technicians to operate enterprises at the grassroots level of the economy. Lenin soon shifted his early position on management: by the early 1920's he was praising Fredrick W. Taylor's work on scientific management. He advocated the adoption of Taylor's principles, methods, and techniques. In one of his major published works, Lenin's essay "Better Less, But Better," called for widespread concern regarding the development and application of management and organization theory. In 1923 Lenin ordered the development of a highly efficient managerial system based on the latest developments in the field of management. He also decreed that students would be sent abroad for study to learn more about industrial management and technology. In the same year a consulting agency called "Orgstro" (Building of Organization) was established to serve as a consultant in the field of management to other institutions and enterprises.

By the mid-1920's a strong movement had emerged in the Soviet Union which advocated the development of a large managerial group highly educated in the science of management. During the 1922-1930 period there was a widespread program for translating foreign literature, primarily American and German, in the field of management for use in Soviet educational and management development programs. In 1926 a scientific-research institute in the field of management was created with branches in major industrial centers of the country. The task of this institute was to undertake major research projects and to develop management theory and effective management personnel. It had its own publishing house and journal.

During the 1923-37 period, twenty journals appeared in the USSR dealing with the science of management and organization—some titles were "Organization of Management," "Systems and Organization," "Techniques of Management." Generally during this period, many research studies were undertaken, and many books were translated and published with the aim of improving management at all levels and understanding managerial problems of all types. By the 1930's the Russians were inviting American and other foreign experts—engineers, technicians, and managers—into the country to set up factories and improve their industrial and managerial operations.

The Soviets also learned that politicans and the Communist Party elite could not necessarily run an enterprise efficiently or properly. It became obvious that persons with managerial and technical ability were critically necessary. This led to the formation, which got underway at the end of the 1920's, of an extensive educational and training system to serve as the key source for developing suitable managers, technicians, and specialists for industry and the economy at large.

Decline of Management Research, Theory, and Education in the Soviet Union

Although Stalin played a major role in building this extensive educational system, by 1937 he had stopped virtually all research, publication, and education in the field of management. Management and managing were no longer recognized as independent fields of research, knowledge, education, or application.

Stalin undertook this drastic action as widespread purges and the "cult of personality" emerged in Soviet society. He apparently felt threatened by the possible evolution of a managerial elite composed of well educated independent thinkers who might be tempted to take over the Soviet Union. Moreover, a system of highly centralized economic administration—unlike the New Economic Policy of the 1920's—had emerged in the Soviet economy in the 1930's, beginning with the first Five-Year National Economic Plan in 1928. Stalin evidently felt that a relatively small number of top level politicans, Communist Party members, central planners, and administrators could make virtually all of the significant managerial decisions for the economy and run the economy from the center. Hence, there would be no need to educate and train a large group of enterprise or lower level managers in the field of management. Stalin, however, still stressed the importance of education and training for business and industrial managers, but this took a narrow, specialized form, chiefly in engineering and technical fields. Managers at virtually all levels were to be given the status and training of specialists and technicians rather than well rounded, independently thinking, creative, decision making generalists.

Management theory, research, and education were eliminated in the Soviet Union when they were still in a rather crude and embryonic stage, even in the United States. Since that time the field of management has advanced greatly in America. It has become an interdisciplinary area of research theory and education based in large part on pertinent findings, studies, and techniques from the social, behavioral, physical, and mathematical sciences. The Soviets have benefited very little from this modern management movement, and only in the last few years have they come to realize this major deficiency in their present system. In spite of this deficiency, the Soviet Union must be given due credit for their tremendous educational revolution, which has provided industry and the economy with a large supply of high talent manpower, and which has been in large part responsible for the country's impressive economic development.

The Soviet Educational Revolution

In the 1920's Lenin decreed that education should be a weapon for moving the society forward on the road to Communism.[3] Ever since, Soviet leaders have used the educational system to serve the state in the attainment of its economic, political, and social goals. Stalin made the development of high-talent manpower resources for industry one of the top priorities of economic reconstruction at the time of the first Five-Year Plan in 1928. In this connection he stated:

> We can no longer manage with the very small engineering, technical and administrative staffs with which we managed formerly . . . the old centres for training engineers and training technical forces are no longer adequate . . . we must create new centres—in the Urals, in Siberia and in Central Asia. We must now ensure the supply of three times, five times the number of engineering, technical and administrative forces for industry if we seriously intend to carry out the program of the Socialist industrialization of the USSR.[4]

Stalin later predicted in 1931, "There is no doubt that our educational institutions will be turning out thousands of new technicians and engineers, new commanders for our industry."[5] Since it takes several years to produce such a crop, in the interim the Soviets relied on the relatively few capable but politically questionable existing managers and specialists, the foreign experts, and the many inadequately trained but politically zealous Communist Party members.

The Soviet educational system is designed to serve, not the individual, but the state and its goals. While all education is free for those who gain acceptance, it is only within the confines of choice determined by the state that the individual may develop his abilities. This substitution of the utilitarian concept of service to the state, for the concept of individual benefit, constitutes the basic distinguishing characteristic of Soviet educational philosophy and practice.

In line with this concept, the Soviet higher educational system trains the individual to perform a specialized job in society immediately upon graduation. It is a system of specialized-professional, rather than general-liberal, education. In fact, this system probably places more emphasis on specialized education than any other in the world.

It is a major thesis of communism that all economic activity, including all aspects of manpower requirements, should and can be planned. Since the educational system is the primary source from which manpower requirements are filled, it is subject to rigid state planning and control. There is much greater integration of education and manpower policies with national economic, political, and social objectives than in any capitalist country. The Soviet educational plan is closely linked to the national economic plan. The central planners determine enrollment quotas by field of specialization, programs and methods of instruction, text materials, and all other important educational policies. The educational system is adjusted in light of the goals and needs of society as determined by the Soviet leaders.

The Soviet higher educational revolution, which began in 1928, has never subsided as can be seen from the statistics presented in Table III-1. In 1928 there were 148 higher educational institutions with a total enrollment of only 168,500 students. By 1933 there were 832 such institutions with a student body of 504,400. As of 1965 these figures were 749 and 3,500,000, respectively. While the number of institutions is now less than in past years because many small, inefficient, and extremely narrow programs were amalgamated into large institutions, the enrollment figures have increased sharply through time.

TABLE III-1

Soviet Higher Education

Year	*Number of Higher Educational Institutions*	*Total Enrollment*	*Number of Admissions*	*Number of Graduates*
1914-15	105	127,000	N.A.	N.A.
1927-28	148	168,500	N.A.	N.A.
1932-33	832	504,400	N.A.	N.A.
1940-41	813	811,700	263,400	126,100
1950-51	880	1,247,400	349,100	176,900
1959-60	753	2,267,000	511,700	342,100
1960-61	739	2,395,500[a]	593,100	325,500
1961-62	731	2,640,000	669,900	316,600
1962-63	738	2,944,000	727,500	330,000
1964-65	749	3,500,000	N.A.	400,000 (estimate)
1980-	Expected enrollment by 1980 is 8 million			

a. Part-time students, evening and correspondence, made up 50 percent of the enrollment by 1960, and the proportion has been rising since that time.

SOURCE: Derived from *Annual Economic Indicators for the USSR* (Washington, D.C.: U. S. Government Printing Office, 1964), pp. 74-84; V. Yelyutin, *Pravda,* March 20, 1965, p. 6; L. Tulchinsky, *Finansy SSSR,* No. 4, April, 1964, pp. 31-38; L. Tulchinsky, *Vestnik Vysshei Shkoly,* No. 4, April, 1964, pp. 27-32; *Narodnoe Khoziaistvo SSSR V 1963 Godu* (and some publications for 1962 and earlier years).

In recent years Soviet enrollment in higher education has been about four times greater than total combined enrollment in Great Britain, France, Italy, and West Germany, whose total population is approximately equal to the USSR.[6] However, Soviet enrollment has averaged annually only about 65 to 70 percent of the enrollment in U. S. colleges and universities (see Table III-2), or only about one-

TABLE III-2

U. S. Higher Education

Year	*Total Enrollment*	*Number of Graduates*[1]
1959-60	3,215,544	394,889
1961-62	3,726,114	420,485
1962-63	4,494,626	450,592
1964-65	4,774,000	N.A.
1975-	Expected enrollment by 1975 is 8.6 million	

1. Includes bachelor's and first professional degrees, e.g., engineering. This is comparable to Soviet classification of higher educational degrees.

SOURCE: Derived from annual publications of *Digest of Educational Statistics* and *Earned Degrees Conferred,* both published by the U. S. Department of Health, Education and Welfare, Office of Education, Washington, D.C. See also W. Trambley, "College Facing 10-Year Challenge," *Los Angeles Times,* June 24, 1965, Part II, p. 1.

third if Soviet part-time enrollment is not included. Since 1960 more than one-half of all Soviet higher educational students have been enrolled in part-time evening and correspondence programs, and the proportion has been increasing. The Soviet Union forecasts a higher educational enrollment of 8 million by 1980, while the United States expects 8.6 million by 1975.[7] If these long-range projections are achieved, the United States will still maintain a definite lead, but the Soviets will probably catch up somewhat.

When the sizes of annual graduating classes in the two countries are compared (Tables III-1 and III-2), the gap is somewhat reduced. One of the chief reasons for this is the higher "success" rate of Soviet students; but nothing about the quality of training can be inferred

TABLE III-3

Graduates in Engineering and Scientific Fields
USSR vs. USA

	USSR		*USA*	
	Number	*Percent of all Graduates*	*Number*	*Percent of all Graduates*
1926-60 total engineering and scientific	2,628,000	57	1,863,000	24
1926-60 engineers only	1,244,000	27	695,000	9
1960 engineering graduates[1]	111,100	32.2	37,800	9.6
1962 engineering graduates	115,600	36.3	34,735	8.3

1. Excluding agriculture and forestry.

SOURCE: Derived from N. Dewitt, "Education and the Development of Human Resources: Soviet and American Effort," in *Dimensions of Soviet Economic Power* (Washington, D.C.: U. S. Government Printing Office, 1962), pp. 258-261; figures on 1962 engineering graduates are from *Annual Economic Indicators for the USSR*, 1964, *op. cit.*, p. 82.

directly from this situation. It should be noted that Soviet graduates of higher educational institutions are given the status of and referred to as "professionals" in their particular specialized field of study.

While the Soviet Union trails behind the United States—and will continue to trail in the foreseeable future—in aggregate annual enrollment, admissions, and graduations in higher education, its carefully planned emphasis on engineering and scientific training has already achieved for them a substantial numerical advantage in these strategic fields. Table III-3 highlights some key figures in this regard.

During the 1926-60 period 2,628,000 or 57 percent of all Soviet graduates were in engineering and scientific fields; 1,244,000 or 27 percent of these were engineers. During the same period in the United States, only 1,863,000 or 24 percent of all graduates were in engineering and scientific fields, of whom 695,000 or 9 percent were engineers. In 1962 alone the Soviets graduated 115,600 engineers, and this represented 36.3 percent of the entire higher education graduating class; comparable figures for the United States were 34,735 and 8.3 percent.

On the other hand, the Soviet Union lags very far behind the United States in the social sciences, humanities, and general liberal arts fields (see Table III-4). During the 1926-60 period in the United States, there were 5,787,000 graduates in these fields, constituting 76 percent of all graduates. The Soviet figures were 1,897,000 and 43 percent. If we look only at the socio-economic fields, which include economics, law, business administration, management, and commerce,

TABLE III-4

Graduates in the Social Science, Humanities and Liberal Arts USSR vs. USA

	USSR		*USA*	
	Number	*Percent of all Graduates*	*Number*	*Percent of all Graduates*
1926-60 total social sciences, liberal arts and humanities	1,897,000	43	5,787,000	76
1960 economics,[1] management, business administration, commerce and law	24,700	7.1	68,300[a]	17.3
1962 economics, management, business administration, commerce and law	24,100	7.6	71,460	17.0

1. Excluding agricultural and forestry fields. Business administration, commerce, and management are all considered part of the economics field in the USSR.

a. Business administration, commerce, industry and trade, 53,428 or 12.7 percent; economics, 8,405 or 2 percent; law, 9,627 or 2.3 percent. Only about 20 percent of the Soviet graduates in this category were in law.

SOURCE: Derived from N. Dewitt, "Education and the Development of Human Resources: Soviet and American Effort"; 1962 figures are from *Earned Degrees Conferred* and *Digest of Education Statistics* (Washington, D.C.: Department of Health, Education and Welfare, 1963).

the gap is even more striking. (It should be noted that the relatively small amount of business administration, management, and commerce courses offered in the Soviet educational system are all considered part of the economics field.) In 1962 there were 71,460 graduates in these fields in the United States, or 17 percent of the total number of graduates; the Soviet figures were 24,700 and 7.6 percent.

Tables III-5, III-6, and III-7 present additional data that reflect the great emphasis placed on engineering-technical education in the Soviet Union, and the relatively small stress on economics fields. Enrollment in engineering fields has increased very substantially in both absolute and proportionate terms. By 1962-63 there were 1,398,600 students enrolled in engineering programs, and this represented 48 percent of total higher educational enrollment. The figures for economics fields in 1962-63 were only 277,300 or 9 percent.

When we consider the number and distribution of admissions and graduates by selected branch groups of higher educational institutions the great emphasis on engineering-technical fields and the small emphasis on economics is clearly evident. It should be noted that Soviet higher educational institutions are classified into branch groups according to the sector of the economy for which they are responsible for providing high talent manpower. Industry and construction programs primarily train engineering-technical personnel for the different branches

TABLE III-5

Enrollment in Soviet Higher Educational Institutions in Selected Fields
(Enrollment in thousands)

	1950-51		*1960-61*		*1961-62*		*1962-63*	
	Number	*Percent of Total*	*Number*	*Percent of Total*	*Number*	*Percent of Total*	*Number*	*Percent of Total*
Total enrollment	1,247.4	100	2,395.5	100	2,639.9	100	2,943.7	100
Engineering fields	346.6	27	1,080.5	47	1,264.4	48	1,398.6	48
Economic fields[1]	72.6	6	217.7	9	248.9	9	277.3	9

1. Includes business administration, commerce, and trade specialties. Currently these fields account for more than 20 percent of total enrollment in U. S. higher education.

SOURCE: Derived from *Annual Economic Indicators for the USSR* (Washington, D.C.: U. S. Government Printing Office, 1964), pp. 78-80; *Norodnoe Khoziaistvo SSSR V 1963 Godu.*

TABLE III-6

Number and Percent of Admissions to Soviet Higher Educational Institutions by Selected Branch Groups of Institutions

	Admissions in Thousands				
	1940-41	*1950-51*	*1955-56*	*1959-60*	*1962-63*
Total admissions	263.4	349.1	461.4	511.7	727.5
Industry and construction (specialties)[1]	45.4	74.0	144.8	185.6	270.8
Transportation and communications	8.3	12.0	29.0	32.2	40.0
Economics and law	13.6	25.5	28.5	40.1	47.3

	Percent of Total				
	1940-41	*1950-51*	*1955-56*	*1959-60*	*1962-63*
Industry and construction	17.2	21.2	31.4	36.3	37.2
Transportation and communications	3.2	3.4	6.4	6.3	5.5
Economics and law	5.2	7.3	6.2	7.8	6.5

1. Mostly engineering specialties.

SOURCE: Derived from *Annual Economic Indicators for the USSR* (Washington, D.C.: U. S. Government Printing Office, 1964), p. 80.

TABLE III-7

Number and Percent of Graduates from Soviet Higher Educational Institutions by Selected Branch Groups

	Graduations in Thousands				
	1940	*1950*	*1955*	*1959*	*1962*
Total all branch groups	126.1	176.9	245.8	338.0	316.6
Industry and construction (mostly engineering specialties)	24.2	30.0	56.4	92.3	99.7
Transportation and communications	5.9	6.1	9.5	16.3	15.9
Economics and law	5.7	11.4	15.6	25.0	24.1

	Percent of Total				
	1940	*1950*	*1955*	*1959*	*1962*
Industry and construction	19.2	17.0	23.0	27.3	31.5
Transportation and communications	4.7	3.4	3.8	4.8	5.0
Economics and law	4.5	6.4	6.4	7.5	7.6

SOURCE: *Annual Economic Indicators for the USSR* (Washington, D.C.: U. S. Government Printing Office, 1964), pp. 81-82.

of industry and construction; while economics programs train students in various fields of economics, such as national economy, economic planning, labor economics, material and technical supply (procurement), distribution, trade, finance, banking, and accounting. The majority of these graduates are employed in macro-agencies as opposed to industrial enterprises, although the number employed by business and industrial enterprises has been on the increase in recent years.

Table III-6 indicates that industry and construction specialties accounted for 270,800 or 37.2 percent of all admissions to higher educational programs in 1962-63. The figures for economics and law were only 47,300 and 6.5 percent. Table III-7 reveals that there were 99,700 graduates from industry and construction programs in 1962, and this represented 31.5 percent of all graduates. The figures for economics and law were only 24,100 and 7.6 percent. While the proportion of graduates in industry and construction specialties has increased substantially over time, the increase in economics and law has been very modest.

Professional engineers have filled a growing number of important managerial positions in Soviet industry over time. To a much lesser extent managerial posts have been filled by recipients of higher educations in economics fields, with macro-governmental economic, administrative, and planning agencies getting the large majority of such graduates.

Unlike the United States where a substantial and increasing number of business and industrial managers, as well as other types of high talent manpower in these sectors, have obtained graduate degrees (master's, law, and to a much lesser extent, doctoral degrees), graduate education is still very limited in the Soviet Union. Tables III-8, III-9, and III-10 highlight some key statistics in this regard.

In 1961 there were only 6,921 graduate degrees awarded in the Soviet Union, as compared with 88,844 in the United States. In recent

TABLE III-8

Aggregate Statistics on Soviet Graduate Education

	1940	*1950*	*1960*	*1961*	*1962*
Total enrollment	16,863	21,995	36,754	47,560	61,809
Total admissions	3,530	7,717	14,399	N.A.	N.A.
Total graduates	1,978	N.A.	5,517	6,921	N.A.

SOURCE: *Annual Economic Indicators for the USSR* (Washington, D.C.: U. S. Government Printing Office, 1964), p. 84.

TABLE III-9

Total Graduate Degrees Awarded in the United States for Selected Years

1961	88,844
1962	96,511
1963	104,240

Note: Includes all master's or second-level degrees except those classified as first professional degrees, and all doctoral degrees.

SOURCE: Derived from *Earned Degrees Conferred* and *Digest of Education Statistics,* for the years 1961, 1962 and 1963 (Washington, D.C.: Department of Health, Education and Welfare).

TABLE III-10

Enrollment of Soviet Graduate Students by Selected Branches of Study

	1950		*1960*		*1962*	
	Number	*Percent of Total*	*Number*	*Percent of Total*	*Number*	*Percent of Total*
Total enrollment	21,905	100	36,754	100	61,809	100
Technical (mostly engineering)	5,809	27	13,936	38	22,433	36
Economics (includes business, commerce, and trade)	1,366	6	2,776	8	4,627	8
Law	748	3	1,471	4	2,453	4
Physio-mathematics	972	4	3,435	9	6,345	10

SOURCE: *Annual Economic Indicators for the USSR* (Washington, D.C.: U. S. Government Printing Office, 1964), p. 84.

years there have been about as many graduate degrees in business administration, commerce, and economics alone in the United States as the total number awarded in the Soviet Union. The number of American engineering degrees awarded annually has been substantially greater than the total number of Soviet degrees awarded—in 1963, for example, there were 9,635 master's degrees and 1,378 doctoral degrees awarded in engineering fields in the United States. In 1962 total *enrollment* of Soviet graduate students amounted to only about two-thirds of total *graduates* in the United States, even though the Soviets have substantially increased graduate enrollment since 1960.

It is clear from recent Soviet efforts and policy statements regarding graduate education that a significant expansion in this level of training is now underway. It can be expected that the number of managers and other types of high talent manpower employed in business and industry who are receiving graduate training will increase gradually in the future.

The great majority of the relatively small number of Soviet graduate degree holders have been and are employed in educational and research careers. A small proportion work in research, design, and developmental organizations affiliated with various branches of industry, a limited number work in various governmental macro-economic agencies, and only a handful have been or are at present employed as managers or in other jobs in business and industrial enterprises.

In addition to the Soviet higher educational system, an extensive system of semiprofessional education has evolved, as can be seen from the data presented in Tables III-11, III-12, and III-13. This system

TABLE III-11

Aggregate Statistics on Soviet Semiprofessional Education

	1929	*1952*	*1959*	*1962*	*1963*	*1964*
Enrollment	238,000	1,477,400	1,907,800	2,667,700	N.A.	3,300,000
Admissions	N.A.	500,000	656,200	905,600	N.A.	N.A.
Graduations	N.A.	280,600	527,900	452,200	510,000	600,000 (est.)

SOURCE: *Annual Economic Indicators for the USSR* (Washington, D.C.: U. S. Government Printing Office, 1964), pp. 72-73; 1963 and 1964 figures obtained from *Pravda,* August 13, 1964, and March 18, 1965.

TABLE III-12

Admissions to Soviet Semiprofessional Programs in Selected Branch Groups of Educational Institutions

	1952		*1959*		*1962*	
	Number	*Percent of Total*	*Number*	*Percent of Total*	*Number*	*Percent of Total*
Total admissions	500,000	100	656,000	100	905,600	100
Industry and construction	193,800	39	271,200	40	360,000	40
Transportation and communications	35,500	7	51,600	8	73,000	8
Economics and law	35,700	7	77,000	12	122,000	13

SOURCE: Derived from *Annual Economic Indicators for the USSR* (Washington: U. S. Government Printing Office, 1964), p. 73.

TABLE III-13

Graduations from Soviet Semiprofessional Programs in Selected Branch Groups of Educational Institutions

	Number	*Percent of Total*	*Number*	*Percent of Total*	*Number*	*Percent of Total*
Total graduates	280,600	100	527,900	100	452,200	100
Industry and construction	79,300	28	224,300	43	163,600	36
Transportation and communications	14,700	5	40,500	8	34,600	8
Economics and law (includes business, trade and commerce)	23,700	9	50,300	10	59,800	13

SOURCE: Derived from *Annual Economic Indicators for the USSR* (Washington: U. S. Government Printing Office, 1964), p. 73.

has provided a great supply of technicians, specialists, and managers for industry and the economy at large. By 1959 a majority of industrial managers had completed semiprofessional educational programs.

The origins of the Soviet semiprofessional school, the "technicum," go back to the prerevolutionary period. These schools are essentially specialized secondary and, since the early 1950's, post-secondary schools, which provide diversity of training not found in the standard-curriculum, one-track, academic secondary schools. The aim of instruction in semiprofessional programs is to train students in skills and knowledge that will qualify them for employment at the intermediate levels of professional competence. There are 4 to 4½ year programs for students who have completed their primary education, and 2 to 2½ year programs for regular high school graduates.

In 1929 there were about 1,000 Soviet semiprofessional schools with a student enrollment of 238,000. In recent years there have been more than 3,700 such schools with enrollment exceeding 2 million. In 1962 total enrollment reached 2,667,700 and during the 1964-65 academic year, enrollment reached 3.3 million. The number of semiprofessional graduates reached an all-time high of 527,900 in 1959. In 1963 there were 510,000 graduates, up substantially from the 452,200 in 1962. Some 600,000 graduates are expected in the 1964-65 academic year.

As can be seen from the admission and graduation statistics presented in Tables III-12 and III-13, the major emphasis in Soviet semiprofessional education is on technical training of the industrial engineering type. Industry and construction technical programs have accounted for about 40 percent of all admissions to semiprofessional programs in recent years. In 1959 the number and proportion of graduates majoring in industry and construction specialties reached an all-time high, 224,300 and 43 percent of total admissions. In 1963 there were 163,000 graduates in these specialties, 36 percent of all graduates. The number of economics and law programs admissions and graduates in recent years has been a minor fraction of the total admissions and graduations. The economics semiprofessional programs train statistitions, planning specialists, accountants, merchandizing and trade experts, and other types of white collar specialists primarily for industrial, trade, distribution, procurement, and financial and governmental organizations.

There is nothing directly comparable to Soviet semiprofessional training in the American educational system. Many of the Soviet semiprofessional graduates are roughly comparable to the broad spectrum of American vocational and technical high school graduates and technical institute graduates. Graduates of Soviet post-secondary programs are roughly comparable to some types of American graduates of junior and community colleges. Better American institutes, such as the Wentworth Technical Institute in Boston, or some of the California junior colleges, offer programs much more diversified in content than Soviet semiprofessional schools. The American schools combine under the same auspices several types of specialized training that would be offered separately in individual Soviet schools.

The Soviet system of semiprofessional education is much more extensive than the American system, even though the latter has been expanding substantially in recent years (see Table III-14). Total Soviet enrollment in semiprofessional programs is still several times greater than that in U. S. programs. However, there are no data available to suggest that American semiprofessional education serves as a significant source of high talent managerial manpower, although it is likely that many lower level managers as well as talented technicians and specialists in business and industry are the recipients of such training. Higher education, and even graduate education, has long been a much more important source of high talent managerial manpower in the American economy than semiprofessional education. This has not always been the case in the Soviet economy.

TABLE III-14

Enrollment in U. S. Semiprofessional Programs

1920	8,100	1960	454,000
1940	150,000	1962	534,000
1950	244,000	1963	628,000

Note: Figures relate primarily to Junior Colleges and do not include semiprofessional schools and technical institutes not offering work toward a bachelor's degree.

If all types of secondary semiprofessional programs are included regardless of whether they provide credits toward a higher degree, the total enrollment in such programs in 1964 was 1,043,000. About one-third of this enrollment constituted vocational training not counting toward a higher degree. Only about one-third of U. S. semiprofessional graduates continue on to a regular college or university.

SOURCE: Derived from the *Digest of Educational Statistics* (Washington, D.C.: Department of Health, Education and Welfare, 1963), and *Time Magazine*, March 5, 1965, pp. 60-65.

If all types of secondary semiprofessional programs are included regardless of whether they provide credits toward a higher degree, the total enrollment in such programs in 1964 was 1,043,000. About one-third of this enrollment constituted vocational training not counting toward a higher degree. Only about one-third of U. S. semiprofessional graduates continue on to a regular college or university.

Distribution and Employment of High Talent Manpower in the Soviet Economy

During the last several decades, industrial activities have absorbed a large proportion of Soviet higher education graduates (professionals) and a significant and growing number of industrial managerial positions are filled by professionals. Table III-15 presents some comparative figures on the distribution of higher education graduates among different sectors of the economy in the USSR and the USA.

During the period 1940-60, industrial and related activities in both countries absorbed about the same proportion of higher graduates, 27 percent in the USSR, and 28 percent in the USA. The same is true of government administration, although many positions in other sectors in the Soviet Union would be classified as governmental jobs in the United States. Radical differences in the pattern of employment of Soviet and American higher education graduates are evident when the trade and distribution and the education sectors are compared. While 21 percent of U. S. graduates worked in trade and distribution,

TABLE III-15

Employment of Higher Educational Graduates by Branches of the Economy: 1940-1960, USSR vs. USA

	Percent of Graduates Employed	
	USSR	*USA*
Industrial and related activities[1]	27	28
Trade and distribution[2]	1	21
Government administration[3]	14	13
Agriculture	4	3
Education	43	22
Public health	11	13

1. Includes manufacturing, mining, construction, transportation, communication and related research and development activities.

2. Includes various procurement and material-technical supply activities in the USSR, which are handled by industrial enterprises in the USA.

3. Includes macro-economic management and planning activities, national, regional, and local.

SOURCE: Derived from N. Dewitt, "Education and the Development of Human Resources: Soviet and American Effort," in *Dimensions of Soviet Economic Power* (Washington, D.C.: U. S. Government Printing Office, 1962), pp. 265-67.

reflecting this country's consumption-oriented activities, only 1 percent was thus employed in the USSR, indicating the low priority given to this type of activity. The proportion of graduates employed in education was about twice as high in the Soviet Union (43 percent) as in the United States (22 percent) reflecting another basic feature of the Soviet effort—emphasis on education as a crucial feedback mechanism for the buildup of its specialized manpower potential. In sum, this pattern of deployment of professional manpower is a reflection of certain radically different patterns of orientation of human activities in the two economies, with the Soviet strategy aimed primarily at industrial expansion, and the development of human resources for its attainment.

Table III-16 presents data on the employment of Soviet professionals by sector for 1963. It can be seen that the proportion of professionals employed in industrial and related activities was 36.4 percent in 1963, a substantial increase when compared to the 1940-60 average. Industrial enterprises employed 14.4 percent of all professionals, the large majority of whom held responsible managerial positions. The proportion of higher education graduates employed in the trade and distribution sector in 1963 was only slightly more than the

TABLE III-16

Employment of Soviet Higher Educational Graduates by Branches of the Economy: 1963

	Number	*Percent of Total*
Total graduates employed	4,282,600	100.0
Industrial and related activities	1,567,500	36.4
Industrial enterprises	612,200	14.4
Transportation and communications	90,100	2.0
Construction enterprises	133,900	3.0
Research, designing and development organizations	731,300	17.0
Trade and distribution	73,700	1.7
Government administration (management of the national economy)	381,500	9.0
Education	1,594.1	37.2
Other	665.8	15.5

SOURCE: Derived from *Narodnoe Khoziaistvo SSSR V 1963 Godu,* p. 488.

1940-60 average, while the proportions in government administration and education declined by several percentage points.

Table III-17 presents data which indicate the proportion of persons employed in selected branches of the economies of the USSR and USA who have higher educations. In all sectors in the Soviet Union there have been significant increases in the proportion of professionals employed from 1956 to 1963. The proportion of professionals in industrial enterprises increased by 47 percent, as compared to the overall increase in all industrial and related activities of only 35 percent. The proportion in trade and distribution nearly doubled from 1956 to 1963, although it still remains small at 1.3 percent.

Even in 1950 in the United States the proportions of employees in all industrial and related activities, in industrial enterprises specifically, and in the trade and distribution sector with higher educations were significantly greater than the comparable Soviet figures for 1963. The disparity is especially great in trade and distribution. The 1963 Soviet figure for research, design, and development activities was only slightly higher than the comparable U. S. figure for 1950. However, it is clear that the Soviets have been channeling a very substantial number of professionals into industrial research and development,

TABLE III-17

Higher Educational Graduates as a Percent of Total Employment in Selected Branches of the Economy USSR vs. USA

USSR	*1956*	*1963*	*Rate of Change 1963 vs. 1956 (Percentage)*
Industrial and related activities	2.9	3.9	+35
Industrial enterprises	1.7	2.5	+47
Construction enterprises	1.6	2.5	+55
Transportation and communications	.9	1.2	+33
Research, design and development	26.6	33.9	+27
Trade and distribution (including procurement)	.7	1.3	+86
Government administration[1]	17.9	29.0	+62
USA: 1950			
Industrial and related activities			4.8
Industrial enterprises[2]			4.7
Construction			4.2
Transportation and communications			5.3
Professional services (research, engineering, architectural)			30.4
Trade and distribution			5.8
Government administration			9.4

1. Includes economic planning and administrative organs at national, republic, and regional levels; trade union, banking, finance and credit organizations.
2. Manufacturing only, does not include mining as does Soviet classification of industrial enterprises.

SOURCE: 1950 and 1956 figures are derived from N. Dewitt, *Education and Professional Employment in the USSR*, 1961, *op. cit.*, p. 474, Table VI-33; 1963 figures calculated from *Narodnoe Khoziaistvo SSSR V 1963 Godu*, pp. 486-89.

since more than one-third of all of the employees in this sector in 1963 were higher education graduates.

While in 1963 about three out of every ten employees in government administration in the USSR were higher education graduates, the 1950 figure for the United States was only about one out of ten. This large difference is due primarily to the nature of the economic systems in the two countries. In the highly centralized Soviet economic and political system, it has been necessary to staff the numerous high level government departments, administrations, and offices with a large proportion of the higher educated administrative and specialized manpower for the economy to function even with a modicum of efficiency. This is so because the governmental macro-apparatus has played the key role in planning, organizing, directing, controlling, and coordinating most significant phases of economic and industrial activity. In the decentralized American economic system, most important phases of economic and industrial activity are planned, organized, directed, controlled, coordinated, as well as executed, by high talent managerial and specialized manpower dispersed among a myriad of relatively autonomous micro-business, commercial, and industrial organizations.

As the Soviet economy has decentralized somewhat in recent years—rather erratically since 1957—the need for more high talent managerial manpower at lower levels, particularly in industrial enterprises, has increased substantially. If and when greater decentralization of authority and decision making takes place in the Soviet economy—and all indicators point in this direction—this need will be further intensified, and it will have to be satisfied if a favorable level of economic progress is to be forthcoming.

Thus far in this section we have been concerned with the employment of Soviet higher education graduates or professionals without considering their distribution according to former fields of formal education. Table III-18 presents data on the distribution of higher education graduates employed in the Soviet economy by selected fields of formal training for the years 1957 and 1963.

By 1957, 30 percent of professionals employed in the Soviet economy were graduates of engineering programs. In 1963 this proportion reached 33 percent.

TABLE III-18

Distribution of Soviet Higher Education Graduates Employed in the Economy by Selected Fields of Formal Training

	1957		*1963*	
	Number (Thousands)	*Percent of Total*	*Number (Thousands)*	*Percent of Total*
Total graduates employed (professionals)	2,805.5	100.0	4,282.6	100.0
Engineering graduates	832.2	30.0	1,420.5	33.0
Economics (includes planning, statistics and various types of business specialties)	145.2	5.0	252.7	6.0
Trade and distribution	12.3	.4	26.1	.6
Law	57.8	2.0	77.8	1.8

SOURCE: Derived from *Narodnoe Khoziaistvo SSSR V 1963 Godu*, p. 487.

TABLE III-19

Data on the Employment of Soviet Engineers Having a Higher Education (In thousands and percent)

	1957	*1963*
Total number of professional engineers employed in national economy	832.2	1,420.5
Number employed in industrial enterprises	282.4	458.5
Percent of total employed in industrial enterprises[1]	33	33
Total number of higher educational graduates employed in industrial enterprises	354.4	612.2
Percent of whom are engineers	80	76

1. In the USA in 1960 about 55 percent of all engineers—regardless of educational backgrounds—were employed in industrial enterprises. However, in total there are approximately twice as many engineers employed in the Soviet economy as compared to the U. S. economy.

SOURCE: Derived from *Narodnoe Khoziaistvo SSSR V 1963*, pp. 486-89.

Table III-19 contains additional information on the employment of Soviet professional engineers. As of 1963 there were more than 1.4 million engineering graduates employed in the Soviet economy, about 600,000 more than in 1957, and about double the number employed in the U. S. economy in 1963. In 1963 there were some 458,500 professional engineers employed in Soviet industrial enterprises, a great number of whom were in managerial positions. Approximately 76 percent of all higher education graduates employed in Soviet industrial enterprises in 1963 were engineering graduates. In 1957, this figure was 80 percent. This modest decrease from 80 percent in 1957 to 76 percent in 1963 reflects the recruitment and employment of more graduates from nonengineering fields as activities at the enterprise level have grown increasingly more diverse and complex, and as authority has been somewhat more decentralized to this level of the economy. Table III-19 also indicates that in recent years about one-third of all professional engineers in the Soviet economy have been employed in industrial enterprises.

There seem to be two major explanations for this difference. First, as noted above, there are about twice as many engineers employed in the Soviet economy, so even with a lower proportion of professional engineers employed in industrial enterprises, the absolute number has been just as great as in U. S. industrial enterprises. Secondly, there are substantially greater proportions of professional engineers employed

TABLE III-20

Distribution of Soviet Higher Education Graduates by Selected Branches of Employment and Former Fields of Specialized Training: December 1, 1960

Branch of Employment	Total Graduates (Thousands)	Distribution by Former Field of Training: Engineering (Thousands)		Economics[1] (Thousands)		Education (Thousands)		Agriculture (Thousands)		Medicine (Thousands)		Other (Thousands)	
Industrial and related activities	1,202.7	900.0	75.0	88.2	7.4	117.7	9.6	47.5	4.0	18.2	1.5	31.1	2.5
Industrial enterprises only	494.4	377.0	76.5	48.3	9.8	33.9	6.8	16.0	3.2	2.1	.4	17.1	3.3
Trade, procurement, and distribution	79.7	6.7	8.4	30.0	38.0	4.4	5.5	5.9	7.4	.6	.7	32.1	40.0
Government administration (management of national economy)	300.3	85.9	28.5	60.4	20.1	56.1	18.7	35.6	11.9	6.7	2.2	55.6	18.9

1. Includes business administration, management, and commerce specialties.

SOURCE: Derived from N. Dewitt, "Education and the Development of Human Resources: Soviet and American Effort," in *Dimensions of Soviet Economic Power* (Washington, D.C.: U. S. Government Printing Office, 1962), p. 265, table 10.

in non-industrial sectors in the USSR than in the USA. For example, as can be seen from Table III-20, in 1960 there were some 86,000 professional engineers employed in government administration (management of the Soviet economy), compared to only about 60,000 professional economists. In general, graduates of Soviet engineering programs occupy a large proportion of the managerial positions in several branches of the economy including government administration, agriculture, trade and distribution, as well as industry.

Table III-18 indicates that the proportion of employed Soviet professionals who received their formal training in economics, management, and business administration fields has been very small compared with the engineering figures. While the proportion of employed professional economists increased slightly from 1957 to 1963, as of 1963 only 6 percent of all higher education graduates employed in the Soviet economy had specialized in economics and business fields. The proportion of graduates in trade and distribution fields and law was even lower in 1963, .6 percent and 1.8 percent respectively.

It can be seen from Table III-20 that in 1960 only 7.4 percent of all professionals employed in industrial and related activities graduated from economics programs, as compared with 75 percent from engineering specialties. The figures for industrial enterprises only were 9.8 percent for economics and 76.5 percent for engineering. Apart from the fact that a large proportion of professional engineers are employed in government administration, Table III-20 suggests that there is a high concentration of Soviet higher education graduates in employment sectors coinciding with the fields for which they were trained. This pattern of employment suggests that not only initial placement policies—which assign graduates for a three-year employment period in a place designated by the state planning organs—but general employment policies of the Soviet regime concerning specialized professional manpower have been relatively effective in retaining professionals in those branches of activities for which they were specifically trained. However, as will be discussed in later chapters, once a Soviet professional assumes an important managerial position, his formal education proves to be very limited in terms of preparing him to be an effective manager.

The Soviets have relied even more heavily on semiprofessional education than on higher education as a source of talented industrial manpower, particularly managerial manpower. Table III-21 presents data on the employment of semiprofessional graduates by selected

TABLE III-21

Employment of Soviet Semiprofessional Graduates by Selected Branches of the Economy: 1963

	Number	*Percent of Total*
Total semiprofessional graduates employed	6,201,000	100.0
Industrial and related activities	2,462,600	40.0
Industrial enterprises	4,506,400	24.0
Construction enterprises	270,300	4.0
Transportation and communications	314,400	5.0
Research, design and development organizations	391,500	7.0
Trade procurement and distribution	346,700	5.6
Government administration	368,900	6.0

SOURCE: Derived from *Narodnoe Khoziaistvo SSSR V 1963 Godu,* p. 488.

branches of the Soviet economy for 1963. As of 1963, 40 percent of all semiprofessional graduates were employed in industrial and related activities, and 24 percent were employed directly in industrial enterprises. Since the end of the 1950's the majority of Soviet industrial enterprise managers have been semiprofessional graduates. However, in recent years a higher education has become a widespread requirement for higher level managerial positions in Soviet industry.

Table III-22 presents data indicating the proportion of persons employed in selected branches of the Soviet economy who were semi-

TABLE III-22

Soviet Semiprofessional Graduates as a Percent of Total Employment in Selected Branches of the Economy: 1957 and 1963

	1957	*1963*	*Rate of Change 1963 vs. 1957 (Percent)*
Industrial and related activities	4.0	6.1	+52
Industrial enterprises	3.9	6.0	+54
Construction enterprises	3.0	5.2	+73
Transportation and communications	3.0	4.1	+37
Research, design and development organizations	16.2	17.0	+ 5
Trade and distribution	4.0	6.4	+60
Government economic administration	18.3	28	+53

SOURCE: Derived from *Narodnoe Khoziaistvo SSSR 1963 Godu,* pp. 487-89.

professional graduates for the years 1957 and 1963. In all sectors except research and development, which has for some time relied heavily on professional high talent manpower, there have been significant increases in the proportion of semiprofessional graduates in total sectoral employment from 1957 to 1963. The trade and distribution sector has relied almost solely on semiprofessional graduates as its key source of managerial manpower.

Table III-23 presents figures on the distribution of semiprofessional graduates employed in the Soviet economy by selected fields of former training for the years 1957 and 1963. By 1957 about one-third of the semiprofessionals employed in the Soviet economy were graduates of technological programs; in 1963, this proportion reached 40 percent.

TABLE III-23

Distribution of Soviet Semiprofessional Graduates Employed in the Economy by Selected Fields of Formal Training: 1957 and 1963

	1957		*1963*	
	Number (Thousands)	*Percent of Total*	*Number (Thousands)*	*Percent of Total*
Total semiprofessional graduates	4,016.0	100	6,201.0	100
Technical specialties	1,278.0	32	2,446.4	40
Economic specialties (planning, statistics, and other economic and business specialties)	237.4	6	451.6	7
Trade and distribution	57.2	1.4	165.2	2.6
Law	20.2	.5	15.2	.2

SOURCE: Derived from *Narodnoe Khoziaistvo SSSR V 9163 Godu,* p. 487.

Table III-24 contains additional information on the employment of Soviet graduates of semiprofessional technical programs for the years 1957 and 1963. As of 1963 there were nearly 2.5 million semiprofessional technical graduates employed in the Soviet economy, about double the number for 1957. In 1963 there were 1,234,000 semiprofessional technical graduates employed in Soviet industrial enterprises, about double the 1957 figure, and a great many of them were in managerial positions. As of 1963 about 82 percent of all Soviet semiprofessional graduates employed in industrial enterprises had received their formal training in technical specialties. Since 1957 about half of all Soviet semiprofessional technical graduates in the Soviet economy

TABLE III-24

Data on the Employment of Soviet Technicians Having a Semiprofessional Education: 1957 and 1963 (In thousands and percent)

	1957	*1963*
Total number of semiprofessional technicians employed in national economy	1,278.0	2,446.4
Number in industrial enterprises	630.5	1,234.0
Percent of total employed in industrial enterprises[1]	49	50
Total number of semiprofessional graduates employed in industrial enterprises	748.3	1,506.4
Percent of whom are technicians	84	82

1. In the USA in 1960 about 44 percent of all technicians, regardless of educational background, were employed in industrial enterprises.

SOURCE: Derived from *Narodnoe Khoziaistvo SSSR V 1963 Godu*, pp. 486-89.

have been employed in industrial enterprises, and this proportion does not differ sharply from the 1960 figure for the United States.

Table III-23 indicates that the proportion of employed Soviet semiprofessionals who received their formal training in economics, business, and trade and distribution fields has been very small when contrasted with the number of technical graduates. While the proportions of employed semiprofessionals who received their training in these fields increased slightly from 1957 to 1963, as of 1963 only 7 percent of all semiprofessional graduates employed in the Soviet economy had specialized in economics and related business fields. The figure for trade and distribution was only 2.6 percent.

Before detailed discussion or evaluation of the Soviet system of education and training for management development, the Soviet managerial job must be described and analyzed and a more detailed prototype of the Soviet industrial manager developed. Only then can an intelligent appraisal be made of the success of the system in producing and developing managers who can competently perform their duties. Once familiar with the changing nature of the Soviet managerial job over time and the characteristics and qualifications of the Soviet manager, it will be possible to consider whether changes in the Soviet system of education and training have been, and will be, effective in terms of economic growth and development. Thus, an examination of the managerial job and prototype of the Soviet industrial manager will serve as a backdrop for analysis of Soviet education and training for management development.

IV
The Soviet Managerial Job

Soviet Micro-Management and Macro-Management

As was pointed out in Chapter I, our main concern in this study is with Soviet micro-management and specifically with the management and managers of industrial enterprises. Industrial enterprises employ by far the greatest portion of managers in the Soviet economy. Moreover, national industrial plans and results for any given period are comprised of the aggregate of all enterprise plans and results; hence, the industrial enterprise is the key administrative unit of the economy. In total, there are more than 200,000 industrial enterprises in the Soviet Union, although about 20,000 of the largest enterprises account for the bulk of the nation's industrial production and wealth.

Soviet macro-management encompasses the entire economic, planning, and administrative apparatus apart from micro-economic enterprises. The administrators of the numerous Soviet macro-agencies perform all of the basic managerial functions within their respective organizations. In addition, many of them play a direct role with regard to the managerial and productive functions of industrial enterprises. It is the Soviet macro-managerial apparatus that determines in large part the "rules of the game" within which the enterprise micro-managers must operate. In fact, there is a virtually complete interlocking of macro- and micro-management in the Soviet Union. For the above reasons, and also because management development is a problem of major importance for macro- as well as micro-organizations, we shall outline briefly the nature of industrial macro-management in the Soviet economy.

Sketch of Soviet Macro-Industrial Management

During the 1932-57 period, the macro-managerial organizational structure of the Soviet economy became typified by the large and powerful all-union (national) branches of industry ministries headquartered in Moscow.[1] These ministries supervised and in most cases directly intervened in management details of individual enterprises situated throughout the country. It was to these highly centralized ministries and their major departments that most of the important operational decisions were referred from the industrial enterprises. Each of the industrial ministries was in charge of an entire industrial sector, and the number of such ministries varied during this period from three in 1932 to a maximum of about thirty at the end of 1956, shortly before the ministerial system was abolished. The industrial ministers themselves were directly subordinate to the highest rulers of the nation.

The industrial ministerial system had proved itself effective in rapidly grafting relatively advanced industries onto the backward Soviet economy. But as the economy expanded and grew more complex, it became obvious by the mid-1950's that the inefficiencies of this extremely centralized and concentrated system of macro-management required some type of major reorganization.

In 1957, Khrushchev himself promoted the ostensibly sharp break with the ministerial system of industrial administration by establishing 105 regional economic councils *(sovnarkhozy)* along existing territorial-administrative boundaries with operational responsibility for the great majority of industrial enterprises located within their geographical confines. The industrial ministries, both at the center and republican (state) levels, with very few exceptions, were abolished. Thus, in 1957, the previously existing macro-managerial pattern of nationwide subordination and administration according to branch of industry was replaced by a territorial pattern of management. The new system provided for substantially greater deconcentration of power and decentralization of authority, particularly with regard to detail and day-to-day decision making.

Under this new system of industrial management the chain of command now stretched from the highest party organs and central government in Moscow through the governments of the fifteen republics to the sovnarkhoz within each republic and thence to the various enterprises within each sovnarkhoz. Each sovnarkhoz or regional economic council was made up of a number of functional departments similar to those in industrial enterprises—such as planning, production, commodity supply and sales, accounting, finance, transportation, and labor and wages,—and a number of industrial branch administrations. The types and number of these branch administrations within a given sovnarkhoz depend on the representation of enterprises within the region in question. During the 1957-62 period, the number of sovnarkhozy varied between 100 and 105.

A series of organizational adjustments evolved during the 1957-62 period as the Soviet regime restlessly sought a more effective and efficient macro-managerial organizational arrangement. There were some clear advantages forthcoming under the territorial system. At the same time, built-in tendencies toward localism and self-sufficiency necessitated the periodic reinforcement of strict centralization, although this primarily affected the decision making powers of sovnarkhoz administrators rather than industrial enterprise managers. In spite of various organizational changes in the macro-management system, the economic difficiencies inherent in the existing territorial system remained basically unchecked during the 1957-62 period.

In November, 1962, Khrushchev announced another major reorganization of the macro-managerial industrial apparatus, and his proposed reforms were implemented in 1963. Let us briefly summarize the most significant features of the 1963 industrial reorganization.

The hundred-odd sovnarkhozy were reorganized in 47 new regional economic councils, although the internal structure of sovnarkhozy underwent only minor changes. Only a few of the more fully developed and self-sufficient sovnarkhozy were not merged with other regional economic councils; the great majority were merged into larger regions in an attempt to make them more economically rational and efficient. Since 1964 there has been a slight trend toward increased decentralization of authority, independence, and local initiative at both the sovnarkhoz and industrial enterprise levels. In particular, many large amalgamated enterprises, often referred to as firms or production associations, have been granted more independence and authority with regard to their detailed operations; more will be said of this in a later chapter.

The entire central planning apparatus was revamped in an effort to improve national planning, control, and coordination. Gosplan, was once again made responsible for long-term development planning, and most of its old functions were given to a new central agency, the

Council of the National Economy (or National Economic Council). In March, 1963, the Supreme Council of the National Economy was formed under the USSR Council of Ministers to supervise and coordinate the activities of Gosplan, the National Economic Council, and Gostroy (State Committee for Construction). This supreme agency was made the highest coordinating authority for Soviet industry and construction in both decision making and control powers. Both a Gosplan and a republic economic council, which perform functions similar to their national counterparts, were set up in each republic.

In mid-1963, economic planning commissions were set up in 18 large (natural) economic regions, each of which contains several sovnarkhozy. These bodies serve as advisory staffs to Gosplan, and they are to work on long-range territorial development plans, beginning with the 1966-70 national plan.

In 1963, central state committees were also established for all industrial sectors, and the committee chairmen formed an advisory Technical Economic Council under the USSR Council of Ministers. In addition to advisory functions, these industrial-estate committees acquired certain decision making powers pertaining to investment, resource allocation, technical policy, and innovation in their respective branches of industry.

The macro-managerial industrial apparatus outlined above has remained largely intact as of the end of 1965. However, Premier Kosygin announced at the Plenary Session of the Central Committee of the Communist Party, held at the end of September, 1965, that a new system of industrial management is to be implemented during the 1966-70 Five-Year Plan period. The major reforms in the macro-managerial apparatus are to be implemented by 1967. The new system involves a return to a basically branch-of-industry ministerial macro-structure with, however, substantially greater decentralization of authority to enterprise managers than existed even in 1965. The evolving system of Soviet industrial management will be discussed in some depth in Chapter VIII.

There are a number of other central organs, agencies, and committees that significantly affect the management and operations of industrial enterprises, and that will continue to function under the new system of management. The State Committee on Labor and Wages is responsible for working out basic salary and wage scales for all job occupations. The State Committee on Standards, Measures and Measuring Instruments concerns itself with production quality, technical standards, and product standardization. The State Committee for the Coordination of Scientific Research has the task of coordinating and broadly defining the direction of basic and applied scientific research and development throughout the entire economy. The Central Statistical Administration, through its nationwide branches, gathers and disseminates data for economic planning and control purposes. The State Bank (Gosbank) has numerous branches that control the financial transactions of all enterprises through their bank accounts. The Ministry of Finance prepares the state budget that translates the overall national economic plan into monetary terms, and with its army of inspectors audits the books of industrial establishments.

Thus far we have talked mainly of major organizations and committees involved in managerial, economic, and industrial activities at the various macro-levels of the economy. In reality there are literally hundreds of different administrations, departments, offices, bureaus, and subdivisions at the central, republic, and regional levels. For example, there are separate departments and organizations dealing with the allocation of a given type of material or equipment, others with the sale or delivery of a certain kind of commodity, and still others with investment, production planning, financial planning, technical development, product innovation, and labor wages.

In addition to the above outlined industrial macro-managerial apparatus, there is a separate apparatus dealing with domestic trade, which involves the distribution and sale of consumer goods. In the Soviet Union goods are distributed through two distinct networks: material-technical supply, and trade. The bulk of producer goods are distributed through the former, and the economic and industrial organs previously discussed perform this function. Virtually all consumer goods are distributed and sold through the trade network, which includes both intermediary wholesale organizations and retail outlets.

Enterprises producing consumer goods have a relationship with republican Ministry of Trade organizations. Within each republican trade ministry there are subordinate wholesale and distributive organizations for different groups of commodities—for example, shoes, clothing, watches, and radios. Retail stores are also under the jurisdiction of the republican trade ministries.

The wholesale trade organizations, serving as the link between producers and retail outlets, perform distributive-warehousing activities, and are also responsible for analyzing and transmitting to the producers the consumer demand regarding varieties, styles, designs, colors, and sizes of products. The trade organs' relationships with producers concern only the product-mix and not aggregate production quotas.

As will be discussed in a later chapter, many enterprises producing consumer goods are becoming more involved in marketing activities. In addition, in some regions there is a trend toward greater integration of production and marketing activities. These changes are occurring because stocks of unsalable consumer goods have increased greatly in recent years, largely as the result of inefficient marketing activities, techniques, and practices. There is currently much discussion in the Soviet Union about greater and more effective use of advertising and sales promotion, more and better marketing research studies, and more rational marketing of consumer goods.

In general, the Soviet micro-managers in industrial enterprises are to be granted substantially more authority and independence in the immediate future. More will be said about this subject in Chapter VIII.

Extent and Nature of Soviet Managerial Manpower

The number of persons who manage and administer the Soviet economy and its micro-economic enterprises has been very substantial. Table IV-1 contains data on the number of managerial (administrative) personnel employed in the Soviet economy for selected years, as well as the percent of managerial personnel in the total number of

TABLE IV-1

Number of Soviet Managerial Personnel and Their Percentage of the Total Number of Employees and Workers in the Soviet Economy: Selected Years

Year	*Number of Managerial Personnel (Thousands)*	*Managerial Personnel as a Percent of the Total Number of Employees and Workers*
1952	6,232	14.6
1954	6,213	14.0
1955	5,807	12.4
1958	5,696	10.2
1959	5,645	9.7

SOURCE: Derived from N. Dewitt, *Education and Professional Employment in the USSR* (Washington: U. S. Government Printing Office, 1961), p. 486; and *Narodnoe Khoziaistvo SSSR V 1960 Godu*, p. 595.

employees and workers. The managerial grouping consists of managerial and supervisory personnel in enterprises and their subdivisions, and administrative personnel outside of enterprises in all types of governmental apparatus.

On the eve of Stalin's death, one out of every seven Soviet employees and workers was managing someone or something. In the United States during the 1950-1960 period about one out of every ten persons employed in the economy was a manager of some type (excluding farm managers), in spite of America's much more advanced stage of economic development, and in spite of the great number of owner-managers of very small businesses in the United States.[2] The relatively large proportion of Soviet managerial and administrative personnel has been due primarily to the extensive macro-managerial apparatus and governmental bureaucracy that evolved under Stalin.

Under Khrushchev's leadership the Soviet managerial apparatus had declined in size by some 600,000 persons by the end of 1959, and the proportion of managerial personnel was reduced to about one out of every ten employees and workers. This reduction took place in the macro-managerial apparatus rather than at the industrial enterprise level of the economy. The reduction was due in large part to the expansion of total employment during this period; however, the reorganization of Soviet industry in 1957 was also a contributing factor. The professed intention of this reorganization and the establishment of sovnarkhozy was to cut down on the size of the macro-bureaucratic apparatus and to streamline its functions. The apparent result was a cut of only about 150,000 administrative jobs.[3]

While there are no available specific figures, indications are that as of the mid-1960's the size of the Soviet macro-managerial apparatus has again become excessive in both absolute number and as a proportion of total employment in the economy. For example, one recent source reports that the number of employees of supply organizations alone above the enterprise level, increased by some 100,000 during the years 1958-62.[4] An article published in a leading Soviet economic journal at the end of 1962 claims that the size of the macro-planning and control apparatus had increased by about 50 percent since 1957.[5] It is not surprising that Soviet managerial and administrative manpower requirements are so great—particularly macro-managerial manpower—given the tremendous task of coordinating and integrating the myriad activities of a vast economy by conscious design rather than by the relatively self-regulating competitive market price system.

TABLE IV-2

Extent and Nature of Managerial and Leading Specialized Personnel Engaged in Business and Industrial Activity and Government Administration: USSR vs. USA

USSR: 1959	*Number (In thousands)*
A. Total number of managerial and leading specialized personnel Of Whom:	9,452.3
(1) Heads of business and industrial enterprises of all types and their subdivisions	1,352.4
(2) Foremen	753.5
(3) Engineering-technical personnel	3,542.4
(4) White collar administrative personnel (planners, economists, statistitions, accountants, controllers, etc.)	3,501.9
(5) Heads of governmental organs and their subdivision	392.1
B. Total number of workers and employees	56,509.0
C. A ÷ B = 16.7%	
USA: 1960	
A. Total number of managerial and leading specialized personnel Of Whom:	10,411.0
(1) Managers, officials and proprietors (except farm)	7,067.0
(2) Foremen	744.0
(3) Professional, technical and kindred workers employed in business and industrial activities.	2,600.0[a]
B. Total employment	
C. A ÷ B = 15.6%	

a. Estimate only, not actual figure.

SOURCE: USSR data in table are derived from N. Dewitt, *Education and Professional Employment in the USSR* (Washington, D.C.: U. S. Government Printing Office, 1961), p. 484, table VI-40A; *Vestnik Statistiki,* No. 12, 1960, pp. 3 ff.; and *Izvestia,* March 29, 1964, p. 4. USA figures are derived from *Economic Report of the President,* 1965; *NICB Business Record,* 1963; J. Folger and C. Nam, "Trends in Education in Relation to Occupational Structure," *Sociology of Education,* XXXVIII, 1 (1964), 26, table 2; March, 1963, issue of *Monthly Labor Review.*

Table IV-2 presents figures on the employment of managerial and leading specialized personnel in business and industrial activity and government administration in the USSR and USA. These figures constitute the bulk of high-talent manpower in these sectors. While sizable proportions of these personnel are not classified as managers, the large majority of them play significant roles in the management processes of business, industrial, and government organizations.

In 1959 there were nearly 9.5 million employees, 16.7 percent of total employment, in Soviet industrial, business, and governmental jobs classified as managerial and leading specialized personnel. The figures for the United States in 1960 were about 10.5 million persons, 15.6 percent of total employment. While the absolute number of such personnel is about one million more in the United States, the proportion in relation to total employment is slightly greater in the USSR. The greater percentage in the USSR is probably due mainly to the large number of white collar administrative personnel employed in the vast apparatus of Soviet macro-economic, planning, and administrative organizations. In general, the data in Table IV-2 suggest that present day needs for high talent manpower, particularly managerial manpower, in the Soviet economy are just about as great as in the American economy.

Table IV-3 presents data on the total number of managerial personnel in industrial enterprises and the percent of managerial personnel in relation to total industrial enterprise employment in the USSR and USA for selected years. Since 1928 both the number and proportion of managerial personnel as a percent of total employment in Soviet industrial enterprises have increased constantly and substantially. During the 1928-60 period, the rate of growth of enterprise managerial personnel was about 3 percent for each percentage increase in total enterprise employment. Currently about one out of every eleven employees and workers in Soviet industrial enterprises is employed in a managerial position.

In 1960 the proportion of employees and workers who were managers in U. S. manufacturing enterprises was only slightly greater than the Soviet figure for that year. However, American industrial enterprises employ substantially more staff men and high talent specialists who are not classified as managers, but who nevertheless play major roles in the managerial and productive functions.[6] Many of these staff and specialized activities are undertaken by personnel employed by macro-economic, planning, and administrative organizations in the Soviet economy.

In general, the statistics presented in Table IV-3 reflect the need for proportionately more managerial personnel as a given economy ex-

TABLE IV-3

Extent of Managerial Personnel in Industrial Enterprises
USSR vs. USA: Selected Years

Year	*Total Employment in Industrial Enterprises (thousands)*	*Number of Managerial Personnel Including Foremen (thousands)*	*Managerial Personnel as a Percent of Total Enterprise Employment*
		USSR	
1928	3,773.0	119.0	3.15
1932	8,000.0	420.0	5.25
1937	10,112.0	722.0	7.14
1950	14,144.0	1,197.0	8.46
1956	18,500.0	1,637.0	8.84
1959	20,205.0	1,803.0	8.9
1960	22,291.0	2,008.0	9.0
1961	23,475.0	2,168.0	9.1
1963	25,057.0	2,290.0	9.2
		USA	
1950	14,453.0	1,197.0	8.3
1960	17,513.0	1,634.4	9.4

1. Manufacturing enterprises only; does not include mining as does Soviet classification.

SOURCE: Soviet figures in table are derived from N. Dewitt, *Education and Professional Employment in the USSR* (Washington, D.C.: U. S. Government Printing Office, 1961), p. 500, table VI-51; M. Weitzman, M. Feshbach, and L. Kulchycka, "Employment in the USSR," in *Dimensions of Soviet Economic Power* (Washington, D.C.: U. S. Government Printing Office, 1962), p. 659, table A-2; *Narodnoe Khoziaistvo SSSR V 1962 Godu*, pp. 473-90. U. S. data are derived from *NICB Business Record*, XX, 3 (March, 1963), 18.

pands and develops, and as industrial enterprises become larger and more complex. The introduction of modern technology is a major factor contributing to the increased complexity of enterprise operations. Such trends have placed, and will continue to place, increasing demands on the Soviet system of education and training for management development.

The Soviet Industrial Enterprise

The Soviet industrial enterprise is some hybrid of an American corporation and an American factory. It operates as an autonomous financial entity with its own bank account(s). It also operates on a profit-and-loss basis, although the earning of profits is not a requisite for survival. In essence and law, the Soviet enterprise is the key unit for the administration of state property and productive resources. It is a juridical entity—it can sue and be sued—but it owns none of its assets. There is no charge (i.e., interest or rent) made for the use of the enterprise's capital since it belongs to the state anyhow. The state is entitled to transfer the enterprise's profit to the state budget, save for that portion which the state's regulations or various *ad hoc* decisions permit the enterprise to retain. Moreover, it is within the power of appropriate superior state organs to expand or take away any of the enterprise's assets, if they see fit, without charge or financial compensation.

The head of the enterprise is the director. Both he and his chief deputies are appointed by superior economic agencies with the consent, and often active participation, of various Communist Party organs. Production is the basic function of the Soviet industrial enterprise. However, it also engages in procurement, financial, marketing, accounting, and research and development activities.

The state prescribes the ultimate goals to be pursued by all industrial establishments. Local managers have virtually no direct voice in the economic, social, humanistic, or political goals to be pursued by their organizations. Every Soviet industrial enterprise is supposed to achieve as great a quantity of production as possible with given resources; or given certain production targets, they should be achieved with minimum practical resources and costs. Within the overall output goals, product mix and quality are supposed to conform to customer requirements and consumer demand. Managers are also expected to innovate in both the process and product sense. A balance between short-run and long-run considerations is called for so that current decisions and activities will not endanger future operations but will instead promote improved future results and provide the future needs of society.

While managers have no direct say in the ultimate objectives of their enterprises, they play a significant role in translating these abstract goals into concrete operating plans. A system of interconnected plan indices is used for this purpose. Each enterprise has an annual operating plan with quarterly subdivisions, which is formally approved by superior authorities. However, the enterprise manager's participation and expert knowledge of local conditions have become increasingly crucial to both the formulation and execution of the plan.

Enterprise Functions and the Managerial Environment[7]

If an American industrial manager could be transported magically to the Soviet Union—speaking Russian as well as he does English—and placed in charge of a Soviet enterprise, he would currently find both similarities and differences as compared to his accustomed environment. He would engage in the same basic managerial functions as in the United States, and he would find that similar enterprise functions have to be performed. However, if he had been a high level executive in an American company, his authority and independence in the USSR enterprise would be much more limited; he would not have nearly as much flexibility in running his enterprise. He would not be confronted with major problems of uncertainty that result from market competition, but would be confronted with great uncertainty in obtaining needed resources to fulfill his production plan.

Our transplanted American would be in sole charge of his enterprise in the sense that he would be responsible to those who appointed him and would expect his subordinates to follow his directions. He would also find a formal chain of command within the enterprise managerial heirarchy. However, the principles of unity of command and authority-level are subject in practice to significant limitations.

Not only do the enterprise director's direct hierarchical superiors exert control over his operations, but a large number of other external agencies exert functional authority and control over the enterprise. There also tends to be a considerable amount of functional authority exerted by various administrators within the enterprise over departments other than their own. Authority relationships with the Communist Party and trade union officials located at every enterprise may also present a sticky problem for our manager. These so-called "public officials" are supposed to act in an advisory-staff as well as control capacity, and their formal approval is required for certain matters. While our director would probably be both a Party and union member himself, he would hold no official position on either the enterprise Communist Party committee or the trade union committee. It would never be completely clear how much power the party secretary would have, and the director and the party agent would have to work out their own *modus vivendi.* In the event of conflict, several channels of appeal are open to disgruntled enterprise public officials, and this situation has always made the manager's job sensitive in terms of human relations.

Probably the major similarities between the Russian and American managerial job would be on the production side of management. If the American were in charge of a machine tool enterprise, for example, he would find that the same notions of quality control, intra-factory planning, budgeting, and production scheduling would exist in Russia as in the United States. Industrial products are inert objects responding to the same physical laws regardless of place of production. Such questions as the types of steel going into the final product, the production processes, and the statistical quality controls would be very similar.

The displaced American might also find that many personnel problems were the same. The technically oriented production personnel would tend to have much the same outlook about work. There would be problems of absenteeism, the sticky problem of who gets promoted to foreman, intricate problems of establishing labor utilization norms that are equitable and that promote coordination among interdependent production processes, the endless problem of finding someone who is technically qualified to work on the new special multipurpose automatic screw machines, and so on. As is the case with enterprise public officials, many channels of appeal are open to unhappy enterprise personnel. For example, a disgruntled employee can take his complaint to various industrial, party, or union officials within or above the enterprise, or he can even write a letter to the newspapers. Hence, the formal chain of command may be circumvented, and the enterprise manager's authority may be undermined if he cannot cope with the situation.

In general, union relations would tend to be a relatively simple matter for our transplanted American manager. All enterprise personnel belong to state unions, but strikes are illegal. The communists rationalize that since the enterprise is owned by the population as a whole, it makes no sense for a worker to strike against himself. The plant union officials, as well as management, are supposed to be interested in increasing productivity and improving operations. Hence, cooperation between union representatives and management, since both leaders work for the state, would be relatively simple. The manager could not squeeze labor unduly as personnel have the right to complain and, since 1956, to leave on relatively short notice. Hence, working conditions significantly worse than the average could lead to extensive personnel turnover.

The manager might find his enterprise operating extensive housing developments, day nurseries, cafeterias, recreation facilities, and similar social services for enterprise personnel. Soviet labor typically lives much closer to the factory than in the United States, often in enterprise-controlled housing. This makes the on-the-job and off-the-job lives of Soviet enterprise personnel closely related. In a housing shortage economy, plants that succeed in providing the best housing and amenities for workers may be in a position to attract and maintain the best labor. For this reason, the factory manager and party secretary might spend considerable time in trying to bargain with higher authorities to obtain still more and better housing.

Significant differences in management would be quite noticeable to any American who has worked in the marketing area. Instead of worrying about potential sales of the product, in the Soviet environment he would be concerned chiefly with meeting production quotas established in advance. The overall production target, as well as quotas for major items of the enterprise's product line, would be negotiated between management and appropriate external authorities. However, most consumer goods producers now engage quite extensively in marketing research and demand analysis activities. Output produced would be delivered to the customers listed in the plan, and selling or sales promotion in the American sense would be virtually nonexistent, although indications are that such activities will become increasingly important in the foreseeable future.

Our manager would find that procurement of needed resources would be a major problem. In his plan, he would indicate the types of materials, components, and equipment needed to fulfill his production requirements, and these factor inputs would be produced according to plan by other enterprises. But the likelihood would be that even if his enterprise were allocated all of the needed resources, which is frequently not the case, some of the supplying enterprises would either send too little, or send the wrong items, because of *their* difficulties with production. Since the manager is responsible for production, and since his own and his deputies' income, promotions, and prestige depend so greatly on aggregate production results, much time and energy would be spent in trying to make sure that supply sources provided the proper quantities and qualities of supplies.

Financial problems would be relatively simple compared to most American situations. The plan would give production figures; costs for supplies and labor would also be accounted for in the plan. Capital allocations from the state budget would be provided to carry out the plan. The only other available source of outside funds would be the state bank. Since 1955 the bank has been willing to make loans to enterprises for any projects that are expected to have a short-run pay-back period, usually two or three years. In many instances the enterprise can now independently negotiate such loans. In general, if our manager was able to keep his costs in line, he would have little difficulty in financing his operations. Surpluses generated within the enterprise would be turned over to the state, except for that portion (usually quite small) the enterprise is entitled to maintain and use independently within prescribed limits. Lacking any form of public participation in enterprise ownership, the manager would not have to worry about stock options, stock market share values, or any of the types of public financial problems that are so important to American publicly held corporations.

Our manager would find a highly uniform accounting system at any Soviet industrial enterprise he was charged to run. There would also be numerous standardized statistical, financial, and other reports to be compiled and forwarded regularly to appropriate superior agencies. The standardized nature of the data forthcoming from the enterprise level corresponds to the information requirements of the rather monolithic Soviet economic system. The amount of paper work required by enterprises in the immense Soviet bureaucracy might at first overwhelm the American executive, unless he had previously worked for an extremely bureaucratic organization.

If our manager were to be placed in charge of a fairly large enterprise, he would probably have at his disposal a sizable technical research and engineering staff as well as various facilities for research and development. Such activities would include product development and improvement and the testing of new equipment and techniques to be introduced in the production process. The enterprise would also work jointly on research and development projects with one or more outside institutes.

Hence the transplanted American executive would find many differences as well as similarities in managing a Soviet industrial enterprise as compared to an American firm. Managers with an engineering background would probably find the transition easier than those trained as marketing, finance, labor relations, or purchasing personnel.

An American manager who worked through World War II in the United States would find the present Soviet environment somewhat similar to that time. Resources are controlled in ways resembling the American experience during this period, although resource allocations and central planning are more comprehensive and pervasive in the Soviet Union. The same kind of production pressure continues interminably in the Soviet economy, for much the same reasons—output is critical to the Soviet goals, and the state planners are forced to adopt extreme resource allocation measures to expand it.

Enterprise Organization Structure

Within the Soviet industrial enterprise there are several strata of managerial personnel.[8] As was pointed out above, the enterprise is headed by a director, and his key deputy is the chief engineer. The head of production generally reports to the chief engineer, but in some cases to the director, and under the production manager are the shop and section chiefs. Within the manufacturing shops and large sections there are assistant chiefs, foremen, assistant foremen, and the heads of work teams. Closely akin to production there are managers in charge of various other departments, bureaus, and servicing units. For example, there are drafting, design, product development, quality control, fuel and power, and maintenance and repair units, laboratory facilities, technological departments, and warehouses.

There are also managers in charge of various "white collar" departments or units; planning, accounting, finance, personnel, labor and wages, supply (purchasing), transportation, capital investment, economic analysis, and sales and delivery. The heads of major white collar administrative departments report to the director or to a deputy director of economic or commercial affairs. In the last few years the position of chief economist has been established at a substantial number of enterprises, particularly large-scale firms. The chief economist is generally responsible for coordinating the planning and economic analysis, and often the commercial activities of the enterprise. He has come to be the director's key advisor on important managerial and economic problems in many enterprises. He deals with such problems as cost effectiveness, investment decisions, productivity of equipment, financial analysis, and integrated planning and control systems.

The size and complexity of the managerial apparatus vary, of course, with the extent and nature of enterprise operations. There are many enterprises having tens of thousands of personnel, such as the Likhachev Motor Works in Moscow. There are also a great number having only a few dozen or a few hundred employees; for example, small food processing and pottery plants. In recent years there have been hundreds of new large-scale enterprises established in the Soviet Union. At the sixteen enterprises in various branches of industry visited by me, the average number of personnel was about four thousand.

Traditionally, Soviet industrial establishments have been organized on a highly standardized basis. It has only been in the past few years that enterprise managers have been granted greater powers in organizing their activities; this point will be examined in the next section. Variations in organization structure among enterprises stem chiefly from differences in size and the technology employed. The latter relates to whether an enterprise is engaged primarily in mass, series, or custom-built production; type of industry as such has not been a key determining factor. For example, I surveyed a ball bearing plant and a textile mill; as both were engaged in mass production, they had a basically similar organization structure.

The description of enterprise organization presented below is generally applicable to the large majority of Soviet industrial establishments. The actual organization of two different types of enterprises surveyed by me in 1961 are shown in Charts IV-1 and IV-2.

Planning Department(s) There are two types of planning at Soviet enterprises: (1) technical-economic planning, which entails the compilation of the overall operating plan for the enterprise as a whole; and, (2) operating-production planning, which involves dispatching and the distribution of supplies to shops, the proportions of graphs, and detailed production scheduling. The former type of planning precedes the latter.

At plants engaged in small series or custom-built production there may be two separate planning departments. This may also be the case at some large mass-production plants. The economic planning department compiles the overall enterprise plan, while production planning is handled by another unit referred to as the operating planning, planning dispatching, or preparation of production department. The head of the economic planning department reports to the director, and the head of the second planning unit reports to the chief engineer, his line assistant, or the head of production.

At enterprises having one unified planning department, this unit is called the economic or production planning department. The one or more planning departments at a given enterprise serve as the coordinators and focal points for the flow and analysis of data during

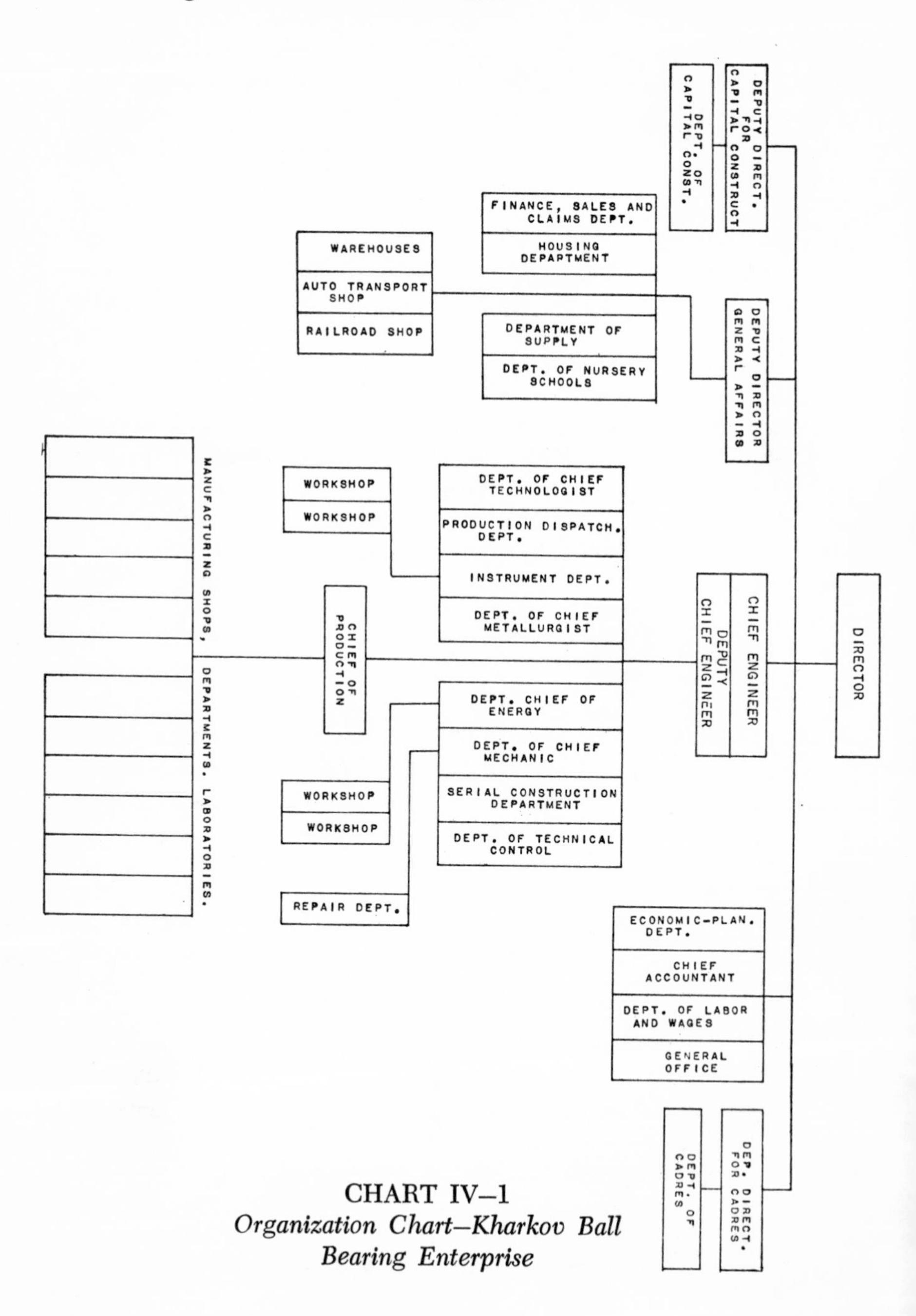

CHART IV–1
Organization Chart–Kharkov Ball Bearing Enterprise

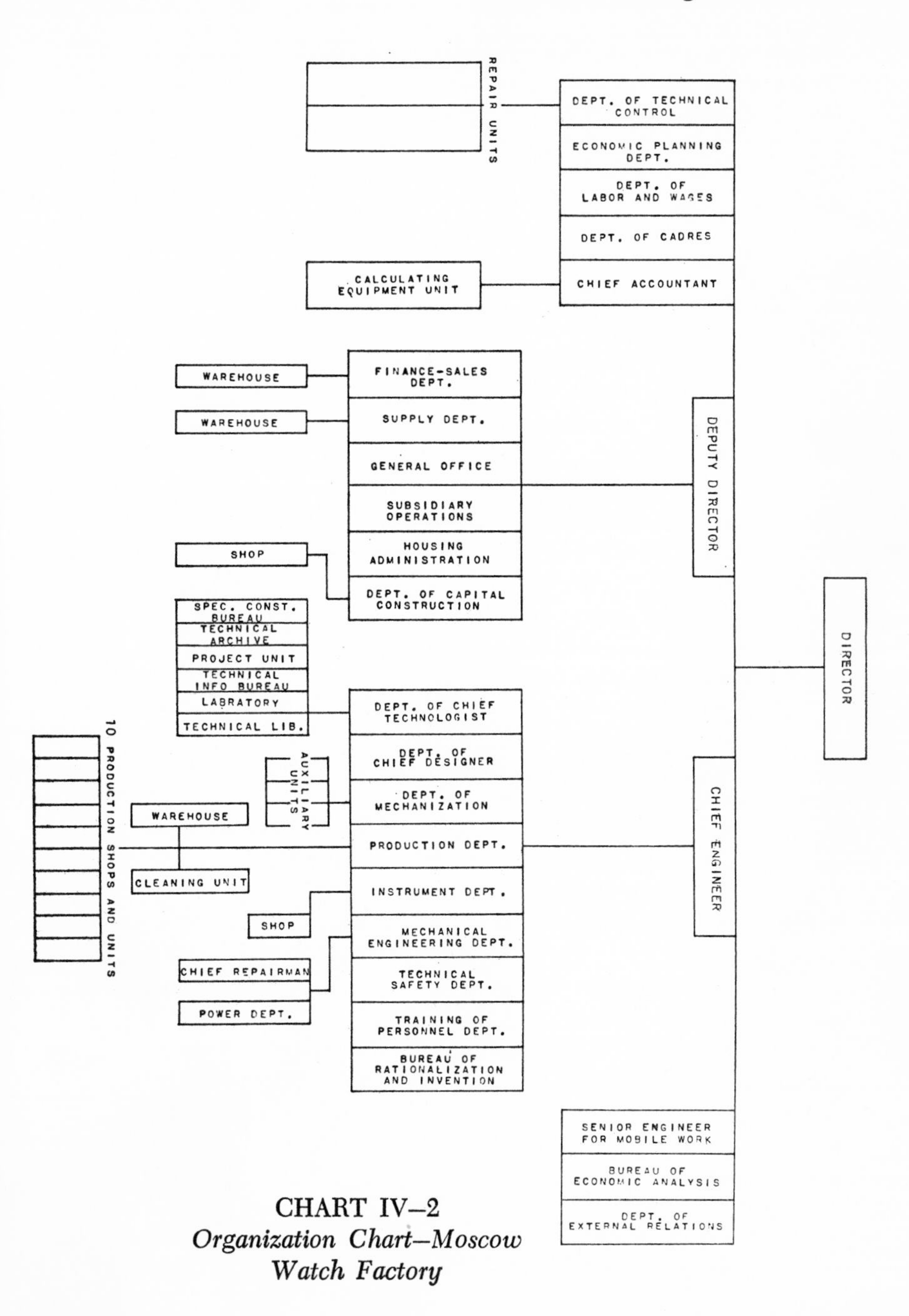

CHART IV–2
Organization Chart–Moscow Watch Factory

the planning process. The economic planning department also maintains a constant check over plan fulfillment, and its staff provides the current information on the basis of which management knows where it stands and what alternatives are open to it. The head of this department is in a key position to detect incipient difficulties and to make recommendations for dealing with them.

There was one notable exception in the organization of the planning department at the sixteen enterprises I surveyed. An electrical equipment enterprise had a unique planning department which its deputy chief referred to as "an innovation in industrial organization." In the late 1950's this department was established with four deputy planning directors under the head of the department. It has deputy directors for sales, production coordination, expediting, and warehouse functions; these usually are separate departments at other plants. He stated that this department was responsible for the initial negotiations of an order and for coordination until the completion and delivery of the finished product to the customer. He said that this resulted in more efficiency and great time saving in custom-built and small series production. It was set up on an experimental basis and apparently other large enterprises producing complex machinery and equipment are adopting this arrangement.

Production Department and Shops: The head of the production department has the shop chiefs subordinate to him. The number of shops at the plants surveyed ranged from three to about sixteen. Most shops contain a number of sections. Since 1961, at many enterprises, particularly those producing machinery, large shops have been broken up into autonomous sections with the section head reporting directly to the chief of production. These self-contained sections are responsible for an entire manufacturing process. The organization of a shop or large section is like a microcosm of the enterprise itself, with its head as a microcosm director. He may have a staff of planners, labor normers, accountants, maintenance personnel, and the like, who carry out shop activities in accordance with the procedures and methods prescribed by the appropriate functional or service department.

Department of the Chief Mechanic: The head of this unit reports to the chief engineer. He and his staff maintain and repair the plant and equipment. These and various other officials carry out the staff and service functions of a technical nature.

Department of the Chief Technologist: The chief technologist reports to the chief engineer. His staff calculates material utilization norms for the products produced by the enterprise, and this information is forwarded to the planning and supply departments. The chief technologist's department also prepares estimates on machine capacities, technical calculations for new production processes, and cost estimates for the introduction of new technology and shop reconstruction. It also works on and analyzes organizational and technical improvement measures in production operations.

Department of the Chief of Power and Energy: This unit calculates fuel and energy utilization norms, and forwards these data to the supply and planning departments. The head of this department reports either to the chief engineer or chief mechanic.

Department of Bureau of the Chief Designer (Constructor): This unit deals with the design, development, and perfection of new products, as well as improvement of old ones. In larger enterprises it maintains a number of laboratories and experimental shops. The employees of this department usually work with outside research institutes on product development. In some plants the head of this department is subordinate to the chief engineer, and his staff works closely with the department of the chief technologist.

Art or Assortment Department: This department is found chiefly at consumer goods enterprises and its head reports to the chief engineer or director. The department is comprised of designers, stylists, artists, and fashion specialists who are responsible for initiating new products and improving old ones. Employees generally spend a few weeks each year on "creative leave" visiting retail outlets and the design and styling organizations in large cities. Some of the employees go to other regions where the enterprise's products are sold, and even to other countries, to gather new product ideas. This department also sends representatives to periodic conferences where consumer demand is discussed and analyzed. As a result of these activities, sample products are prepared in experimental shops with the aid of the art department.

Enterprises having an art department also usually have an art council subordinate to the chief engineer or director. This council consists of key art department specialists, as well as various technicians and other enterprise personnel. The council makes recommendations to management on what new products should be produced. It has only been since the late 1950's that art departments and councils have been established at enterprises on a widespread basis, and in the last few years their marketing activities have been increasing.

Department of Quality Control: This department is responsible for quality control over output, input materials, and plant machinery and equipment. It carries out activities in light of prescribed quality-technical standards. Large shops have their own quality-control bureaus, and there are quality-control inspectors in all major production units. The head of the quality-control department reports to the director, and in some cases to the chief engineer.

Department of Bureau of Technical Information: This unit screens new ideas and employee suggestions relating to improvements in enterprise operations. It channels "worthy" proposals to the chief engineer for further study. It is also concerned with the exchange of information with other enterprises in connection with the improvement of operations. This department also obtains information from various domestic and foreign publications. The head of this unit reports to the chief engineer or director.

Bureau of Rationalization and Invention: This bureau estimates costs and economies that would result from the implementation of employee suggestions. The head of the bureau is subordinate to the chief technologist or chief engineer. The suggestions are first channeled to one of the above two managers by the bureau of technical information. After the proposals are screened, they are submitted to the rationalization and invention bureau for further analysis before a decision regarding implementation is made by either the chief technologist or chief engineer. Information about costs and economies from suggestions to be implemented is forwarded to the planning department for inclusion in the overall enterprise plan.

Prior to 1959 many plants did not have a bureau of rationalization and invention. A May, 1959, statute made the establishment of such bureaus obligatory for all enterprises in order to provide effective implementation of worthy employee suggestions.

Department of Labor and Wages: This unit works out wage rates and tariffs, job classifications, standard hours, and other data that are then submitted to the planning department for use in the overall plan for labor and wages. At most plants the establishment of utilization norms and specific piece rates is carried out under the auspices of this department, but in some cases this may be the responsibility of the chief technologist's department. The department of labor and wages also works out collective agreements with the plant trade union committee. In addition, it participates with enterprise party and union officials, as well as the department of technical information, in organizing socialist competition.

Department of Cadres (Personnel): Employee recruiting, selection, and training, as well as the preparation of work teams for carrying out the plan, are the responsibility of this department. The department of cadres is in close touch with the shop chiefs and various other supervisory personnel. The head of this unit reports to the director, and in some cases the chief engineer or his assistant.

Department of the Chief Accountant: This department deals with historical data pertaining to enterprise accounts and balances, and its head reports to the director. It is responsible for controlling monetary expenditures, and depreciation calculations utilizing prescribed rates. The chief accountant prepares certain crucial quarterly and annual reports on which the fate of enterprise management depends in significant measure. For this reason he is a close confidant of the director in matters that are not entirely legal. At smaller enterprises the chief accountant may also be in charge of financial activities.

Finance Department: This department receives the plan of expenses from the planning department; it receives the sales plan either from the planning or sales department. On this basis a plan of income, expenses, and profit is drawn up. The finance department determines sources and uses of funds, and handles bank relations, as well as monetary allocations from and to the state budget. It calculates the enterprise fund that relates to that portion of earned profits remaining at the enterprise. In addition, it participates in all selling and buying contract negotiations, and is responsible for cash planning including the payment and receipt of funds. This department also calculates working capital norms in value terms for different categories of materials. It submits the financial plan to the planning department for inclusion in the overall enterprise plan. The head of this department reports to a deputy director or the director.

Sales Department: In the larger enterprises, there is a separate sales department whose head reports to a deputy director; in the smaller ones, the sales unit is part of the finance department. The sales unit is responsible for translating the detailed production plan into monetary terms. It engages in contract negotiations with customers and then draws up the sales plan, which indicates the detailed product mix and delivery dates by customer. This unit is responsible for controlling deliveries to customers and dealing with customer complaints.

Supply (Purchasing) Department: This department prepares the supply plan for the enterprise. This plan is based on input utilization norms submitted by various other departments. The supply department usually calculates some norms for minor commodities on the basis of past requirements. The head of this department engages in contract negotiations with suppliers and controls incoming deliveries. At enterprises where there is no sales department, the supply department may also be responsible for the delivery of the plant's output. The chief of supply reports to the director, and at some enterprises to a deputy director. At large enterprises there are often several supply departments subordinate to the chief procurement officer. The preparation of the supply plan is a key activity, since failure to anticipate needs for materials and components may involve the enterprise in endless difficulties. Perhaps even more important than supply planning is the task of seeing that needed materials are actually delivered on time, in the proper quantities and qualities. Because of the nature of the supply manager's work, he is apt to have more personal contacts with other organizations than the other executive personnel.

Department or Bureau of Economic Analysis: Since 1961, this department has been established at larger enterprises. It analyzes past performance to find untapped reserves and other areas of potential improvement in enterprise operations. In some plants this unit is part of the economic planning department, in others its head reports to the director, the deputy director of economic affairs, or the chief economist.

The above departments and bureaus are the major organizational units of the typical Soviet industrial enterprise, but there can also be other units that play a minor role in enterprise operations.

The Functions, Authority, and Independence of Enterprise Management: A Historical Sketch

The management of the Soviet industrial enterprise does not possess any ultimate authority per se, since its decisions are either subject to higher approval or can be rescinded by superior authorities. In reality, however, management, through an exertion of delegated authority, can significantly influence the enterprise's plan, operations, and results. Moreover, Soviet enterprise managers tend to have more independence than one might expect.

Since the mid-1950's Soviet managers have acquired greater authority and independence over all enterprise activities and, as will be discussed in Chapter XI, they will in all likelihood acquire even more in the foreseeable future. As a result, the managerial functions have become of greater significance at the industrial enterprise level. The following brief historical sketch of managerial authority and the managerial job is based on information I obtained from Soviet officials.[9]

Until the latter part of the 1950's, planning at the individual Soviet enterprise was largely confined to implementing plans and policies prescribed in considerable detail by superior authorities. Enterprise management's planning job was essentially one of intra-factory planning, the distribution of planned tasks among subordinates, and undertaking various technical computations, although it could often influence the content of the overall plan by bargaining with higher authorities. A multitude of detailed plan indices (of such factors as material, labor and equipment utilization norms, product mix specifications) were approved, and in many instances also established by superior agencies. Most of the materials, components, equipment, and other supplies allocated to the enterprise had their specifications spelled out in considerable detail from above. Moreover, product and process innovation tasks were, for the most part, initiated and prescribed by superior bodies.

Higher authorities controlled enterprise plan fulfillment in considerable detail. Most component elements of the enterprise's comprehensive system of accounts were subject to both higher approval and control, and management had little authority over sources and uses of funds.

The organization structure of the enterprise was also prescribed in considerable detail from above. Local managers had authority only over the organization of certain minor servicing activities and of worker brigades. Authority relationships within the enterprise hierarchy were rigidly dictated by the state.

The philosophy of personnel administration in Soviet industry is a matter of governmental policy. This policy calls for employee participation in planning and decision making, and the use of consultative direction by all managers. For many years each enterprise has had a suggestion system, which has enabled personnel to put forth proposals for improvement in operations and to be rewarded for those suggestions implemented. Enterprise managers are charged with motivating subordinates to act in the best interests of the state at all times. They are supposed to constantly improve the skills and abilities of subordinates through careful appraisal and training. Moreover, enterprise management is supposed to be concerned with the general safety, welfare, and education of personnel.

In the past, particularly during the Stalin era, personnel problems, including staffing and direction, were not of significant concern to enterprise managers or the state. The labor force was in effect a captive one. There was little freedom to change jobs. There was surplus manpower since the rate of capital investment had not yet outstripped the labor supply. Local managers needed to pay little attention to recruiting, selecting, appraising, or maintaining personnel. In most instances employees were assigned to enterprises by superior organs. In addition, training was not very important since the level of technology employed and the nature of enterprise operations were not yet very complex.

The government prescribed in detail the types of rewards and penalties to be utilized in motivating and disciplining personnel, while local managers had only a modicum of leeway in their implementation. Monetary incentives served quite effectively as inducements since the physiological needs of the labor force were not being filled. In practice, there was a widespread tendency among managers to use autocratic direction techniques not only because of their personality characteristics, but also because subordinates had little worthwhile advice to offer due to their relatively low level of educational backgrounds and skills.

By the mid 1950's it became increasingly obvious to the Soviet rulers that industrial overcentralization, resulting from the concentration of decision-making powers and initiative in the hands of relatively few high level administrators, was leading to much inefficiency and waste, as well as inadequate innovation, in the increasingly complex and expanding Soviet economy. New industries had evolved—chemicals, electronics, various consumer goods, and new types of machinery—output was much more diverse; technology, production processes, and market requirements were all becoming increasingly complex. The problem of efficiently combining factor inputs and securing proper product specifications was becoming more severe. Innovation through local initiative in both the product and process aspects sense was now deemed essential in order to raise productivity and satisfy the wants of a population growing restless with shoddy consumer goods. In general, the task of planning, organizing, directing, and controlling national economic activity now required much greater precision. This in turn called for greater managerial initiative and ability at the enterprise level.

Since 1955, the authority and independence of enterprise management have been increased to meet changing conditions, and the manager's job has grown increasingly more difficult. As will be discussed in later chapters, this has already led to some significant changes in Soviet education and training for management development.

With a 1955 government decree extending the powers of enterprise directors, the micro-managerial job began to take on new significance. An April, 1956, "liberalization" edict repealed an earlier law tying people to their jobs, and also gave local managers more authority over the recruitment and selection of personnel (with the notable exception of new graduates from educational institutions). In May, 1957, Soviet industry was reorganized from a highly centralized and concentrated branch-of-industry ministerial system, to a territorial system of industrial management. The reorganization served to deconcentrate and somewhat decentralize economic decision making, authority, and initiative to lower levels in the industrial hierarchy. In this process enterprise management also acquired greater authority and independence. At the end of 1957 it was decreed that thereafter local managers would take the initiative in proposing and compiling enterprise plans each year.

At the end of 1962 the macro-industrial apparatus was again reorganized. Since then a growing number of enterprises have been extended the right to experiment with their organization structures and the use of various incentives for motivating personnel. Moreover, many enterprises can now independently procure and sell more services and minor commodities than in the past. All of the above reforms have served to enlarge the micro-managerial job to what it is today.

It is true that major decisions regarding what to produce, how much of each item, for whom to produce, and even how to produce are still made by superior agencies. Higher authorities still approve a number of key enterprise plan indices. Most major types of supplies and equipment, as well as the bulk of financial resources, are still allocated to the enterprise, but now largely in aggregate terms. In general, the number of targets, tasks, and other plan indices subject to higher approval and control has been substantially reduced. The enterprise now has greater authority and independence over the establishment of factor input utilization norms and cost estimates. Local managers can now also directly procure and sell a variety of services and a growing number of minor commodities independently. They also have somewhat greater independence over sources and uses of funds, and in adapting the enterprise plan to unforeseen changing conditions.

In numerous instances enterprise managers now work out detailed product mix specifications directly with customers and suppliers. In the consumer goods sector the industrial enterprise plays a much larger role in marketing research and demand analysis, although these activities are still primarily the responsibility of the Ministry of Trade organization. The emphasis on marketing activities has been precipitated and intensified in recent years because of growing consumer resistance to shoddy goods. Now having at least one pair of reasonably adequate shoes, the consumer is reluctant to buy just any kind of shoe.

Enterprises now initiate prices for new, custom-built, and other unstandardized products, and for products where change specifications are undertaken. These prices are usually proposed on a cost-plus basis. While higher authorities still formally approve such prices in the majority of cases, the price proposed by the producer is usually adopted.

Local managers are also encouraged to initiate and implement product and process innovation measures to a much greater extent than in the past. As a result research and development staffs, activities, and facilities have been significantly expanded at numerous enterprises in recent years. In general, the complexity, quality, and quantity of information required for planning and control purposes has increased considerably in the past few years, and this has tended to make the Soviet manager's job more difficult.

In the sphere of organization, enterprise managers are now encouraged to reorganize shops, sections, and, in some instances, entire departments to derive greater operating efficiency. The work of a growing number of varied specialists and technicians must be assigned, integrated, and coordinated. As a result, new administrative units are created and authority relationships tend to become more blurred. As will be discussed more fully in Chapter VI, a merger movement involving both horizontal and vertical integration at the enterprise level has been underway in Soviet industry since 1961. This merger movement is gaining considerable momentum. As a result many micro-managers have new and greater organizational responsibilities.

The managerial function of staffing has taken on new significance with growing manpower shortages, greater labor mobility, and increased competition among enterprises for competent personnel. Recruiting, selection, appraisal, and training have become increasingly important activities for enterprise managers. In 1958, for example, direct hiring constituted 84.1 percent of all accessions of industrial establishments subordinate to regional economic councils. Direct hiring by individual enterprises from among the local labor supply includes bidding personnel away from employment in other organizations by offering substantial monetary and other inducements. In order to attract and maintain competent personnel, it is increasingly important to train them so they can earn more pay and status through upgrading, merit increases, and promotions. Furthermore, it is important to improve the overall working environment, housing conditions under the control of the enterprise, welfare benefits, and the educational level of the labor force. Training has also become more important and time-consuming with more difficult jobs to be done, and with the introduction of complex technology at many enterprises.

The fact that the Soviet labor force can no longer be considered a captive group has placed new demands on the direction and leadership function. With greater freedom and independence, personnel no longer always tend to listen and obey. With somewhat better living standards, monetary incentives do not appear to be as potent a motivating force for many workers as they were in the past. There is evidence of high rates of employee turnover at numerous Soviet enterprises. It is true that personnel change jobs in the majority of cases because they can obtain better conditions (housing and pay) at other enterprises; however, in many instances personnel relocate because they are unhappy with their superiors and the "human" environment at their place of employment.[10] It is evident that motivational and human relations problems have become more significant for enterprise managers. Mass indoctrination, slogans, and even monetary incentives are often no longer enough to induce employees to act as their superiors or the state wishes them to.

In recent years local managers, the enterprise directors in particular, have been given somewhat greater independence over the distribution of monetary incentives and other rewards among personnel. Several new types of employee participating bodies were established after 1957, and again during the 1962-63 period, at industrial enterprises. There is now increased emphasis on the elicitation of employee proposals for improvement of enterprise operations.[11] With better educations and greater skills, personnel are now in a much better position to contribute worthwhile suggestions than in the past. In general, leadership, communication, and supervision have taken on new dimensions with recent changes in the "human" environment in Soviet industry. In the final analysis, how well Soviet industrial personnel perform their jobs depends in large part on the quality of interpersonal relations between supervisors and subordinates.

In concluding this chapter, it is significant to note that a survey conducted at a number of Soviet chemical enterprises in 1963 reveals that department heads, shop chiefs, and even foremen are doing work that requires technical skill for only a minor part of their working day. The bulk of their time is spent on administrative problems. Managerial functions play an even greater role in the activities of the enterprise director and his deputies.[12]

It is evident from the above discussion that managerial skills have become much more important in Soviet industry in recent years. The micro-managerial job in particular has been significantly expanded. Enterprise managers are called on to make complex decisions, to act independently, and to exert initiative to a substantially greater extent than in the past. This situation in turn has led to changes in the requirements for effective management development.

An examination of the Soviet enterprise manager in terms of his qualifications, career advancement, and position in society is presented in the following chapter.

V

Prototype of the Soviet Manager

It is easier and more meaningful to generalize about the Soviet industrial managerial class than about American managers. The educational background, training, path of promotion, status, and various other characteristics found among Soviet managerial personnel are in many respects relatively similar and uniform. This is true primarily as a result of the Soviet socio-political-economic system and Communist philosophy.

Educational Background and Job Classification

The management staffs at Soviet industrial enterprises are referred to as Engineering-Managerial-Technical Personnel or *ETMP*. The ETMP grouping encompasses all managers and supervisors regardless of level or type of job.[1] Since 1960, there have been more than two million persons classified in this category, and the number has been increasing steadily.

The educational level of ETMP has risen sharply over time, and is well above the national average. On a national scale only about 6 percent of all workers and employees in the Soviet economy have higher educations, and approximately 9 percent have semiprofessional educations. Since 1950 the majority of managerial personnel at industrial enterprises have been recipients of higher professional or semiprofessional educations. Table V-I indicates the level of education attained by ETMP as a class for selected years during the 1928-63 period.

TABLE V-1

Distribution of ETMP Employed in Soviet Industrial Enterprises by Level of Formal Education: Selected Years

Year	*Total ETMP (in thousands)*	*Completed Higher Professional Education (Percent)*	*Completed Semiprofessional Education (Percent)*	*Practicals*[1] *(Percent)*
1928 LS	100.0	13.7	10.5	75.8
1932 LS	331.0	15.3	21.7	63.0
1937 LS	520.0	20.9	34.8	42.8
1941 T	932.0	16.4	16.9	66.3
1956 T	1,637.0	19.5	38.5	42.0
1957 T	1,689.0	20.9	44.3	34.8
1959 T	1,803.0	24.5	57.0	18.5
1960 T	2,008.0	24.9	61.0	14.1
1961 T	2,168.0	25.2	63.0	11.8
1963 T	2,290.0	26.7	65.8	7.5

LS: Large scale industry only.

T: Total industry.

1. Those with neither completed higher nor semiprofessional educations.

SOURCE: Data for the years 1928-59 are derived from N. Dewitt, *Education and Professional Employment in the USSR* (Washington, D.C., Government Printing Office, 1961), p. 501, table VI-52. Later figures are derived from *Narodnoe Khoziaistvo SSSR V 1962 Godu,* pp. 464-76; and *ibid.,* 1963, pp. 473-91.

Although the pre-and post-World War II figures are not directly comparable because of the extent and type of industry covered, it is evident that the Soviet educational revolution, begun in 1928, had produced a substantial increase in the proportion of managers with higher educations by 1937. The figures for 1928, 1932, and 1937 are for large-scale industry only—chiefly heavy industry—and, when all industrial branches are taken into account, as of 1941 there is a substantial drop in the proportion of managers with higher educations. This clearly reflects the high priority given to the allocation of high talent managerial manpower for heavy industry, and the low priority of light industry—particularly the consumer goods sector—in this regard. It is also a fact that Russia's entry into the war in the early 1940's drained a substantial proportion of industrial managers with higher educations into military service.

During the 1950's and early 1960's a constant and significant upward trend in the proportion of ETMP with higher educations is evident. The absolute number of industrial managers having higher educations in the early 1960's is several times greater than in the 1930's.

The trend in semiprofessional education during the 1930's, and particularly during the 1950's and early 1960's is even more impressive. By 1959 a majority of all ETMP had semiprofessional educations. This reflects the Soviet objective of rapidly producing an abundance of specialists deemed essential for the attainment of ambitious economic goals. The great emphasis on semiprofessional education led to debate and concern in the Soviet Union in the early 1960's as to whether managerial positions available for semiprofessionals are reaching the saturation point. This has resulted in a widespread campaign to employ them as skilled workers, and this situation has brought about revision in the curricula of semiprofessional schools, which will be discussed in Chapter VIII. However, to date the proportion of ETMP having a semiprofessional education has continued to increase at a very substantial rate.

Soviet semiprofessional graduates have been filling many industrial positions that are occupied in the United States by college graduates, especially immediately upon graduation. It is very likely that the proportion of Soviet semiprofessionals employed as managers will begin to decline in the foreseeable future, while the proportion of those with higher educations can be expected to increase rather significantly.

The number and proportion of managers without a professional or semiprofessional education has decreased sharply over time. There are still many "practicals" holding responsible executive positions, but these are mostly older persons with much experience. This was the case at the Soviet enterprises I visited. Currently, practicals can typically only become front-line supervisors at best. Before they can assume even the lowest managerial post, they generally must work directly in production at least three to five years.

Many personnel acquire their semiprofessional or higher educations through part-time evening and correspondence programs while maintaining their jobs; in fact there is an increasing trend in this direction. By 1960 more than half of the higher education enrollment were part-time students. The completion of part-time educational programs frequently leads to immediate promotions within the managerial ranks, and greatly enhances the chances for future promotions.

Improvement of capabilities is a major tenet of Soviet ideology. The incentives for individual improvement are substantial opportunities for higher earnings and greater social mobility. Most enterprises have on-the-job training programs for improving the capabilities of all personnel. In addition, Soviet managers seem to be more inclined to do outside reading in fields relating to their jobs than American managers.[2] There is, however, little in the way of management literature available to the Soviet manager, and therefore he is confined primarily to technical literature.

In terms of aggregate statistics regarding the educational level of Soviet *vs.* American managers as a class, the Soviets are not very far behind. However, a direct comparison between Soviet and American enterprise managers is not entirely meaningful, given the nature of the Soviet macro-managerial structure. Macro-management and micro-enterprise management interlock in the Soviet economy, and the latter is a lower level link in this continuum. Hence, a senior executive of a Soviet enterprise typically has less authority, responsibility, and independence, as well as a less diversified job than his counterpart in an American firm. Therefore, the former would generally not require the breadth of knowledge, education, or training that the latter would in order for him to perform his job well. However, this difference in knowledge and educational requirements is becoming less pronounced as the Soviet enterprise manager's job is enlarged and grows more complex. In spite of this trend, it is probably still more meaningful to compare a high level American company executive with a high level manager of a major Soviet macro-managerial organization. Here the level of educational attainment, particularly with regard to higher education between Soviet and American managers is probably quite similar, although no specific figures are available.

Senior executives of Soviet industrial enterprises are roughly comparable to upper middle or middle level managers of American companies. (Ten years ago, before the Soviet micro-managerial job was substantially enlarged, high level managers of Soviet enterprises were roughly comparable to middle or lower middle level managers of American firms.) If we follow this approach, the educational level of Soviet enterprise managers as a class has been for some time, and is now, just as impressive as that of their comparable American counterparts.[3]

While the educational level of Soviet enterprise managers as a class has been rising substantially and is currently quite remarkable, there are major differences in the educational backgrounds of Soviet managers when consideration is given to level and type of managerial position, branch of industry, and enterprise location.

Just as is the case in American industry, as one goes down the managerial hierarchy of Soviet industrial enterprises the educational level of managerial personnel decreases. For example, of ten Soviet enterprise directors questioned about their educational backgrounds by me in 1961, seven of them, 70 percent, had completed higher educations and the other three were semiprofessional graduates. Of thirteen upper and middle managers below the level of director questioned on this topic, five of them, less than 40 percent, had higher educations, seven had semiprofessional educations and one was a practical. (These upper and middle level enterprise managers consisted of two chief engineers, one deputy chief engineer, one chief technologist, one head of a plant chemical laboratory, four heads of planning departments, one deputy chief of planning, two heads of labor and wages departments, and one chief of technical information.)

I did not have an opportunity to question lower level Soviet enterprise managers on their educational backgrounds. However, it is probable that the educational level of lower managers and front-line supervisors is substantially below that of upper and even middle level managers. There is some fragmentary evidence that supports this conclusion. For example, at the large Bezhitsa Steel Enterprise of the Iron and Steel Casting Production Association, a high priority industrial complex in terms of resource allocation, 56 percent of all lower level managers (called junior executives), which includes section chiefs, senior foremen, and foremen, are practicals. Only 7.6 percent of the lower level managers have a higher education, while 36.4 percent have a specialized secondary education.[4]

Soviet industrial enterprises are managed primarily by engineers; this is evident from the statistical data on Soviet education and employment presented in Chapter III. It is estimated that at least 90 percent of all enterprise top executives (directors) are engineers by vocation and training, although many have not received a higher education.[5] Of the seven directors who had higher educations that I interviewed, five were engineering graduates, one was an engineer-economist, and only one received his professional training in economics. Two of these seven directors received their higher educations through part-time programs. The three directors questioned on their educational backgrounds, who did not have higher educations, were all semiprofessional graduates in technological fields.

Managerial jobs below the level of director in Soviet enterprises are also filled by engineers, as well as highly specialized technicians and economists. The job classification of economist in the Soviet Union is much more inclusive than in America. A Soviet economist may be engaged in the management or execution of any one of a number of white-collar business administration or managerial activities. This includes planning and control activities of various types, accounting, finance, budgeting, merchandising, distribution, procurement, transportation, labor and wages, personnel, economic analysis, and so forth.

At higher managerial positions within and above the enterprise, knowledge of economics and various business administration fields becomes increasingly important. In various high level macro-managerial agencies the proportion of personnel performing managerial functions who have had economics training is substantially greater than at the enterprise level. Consequently, in the early 1960's, at the highest level, Gosplan USSR, the top posts were divided about equally between engineers and economists.[6]

There are also a number of so-called engineer-economists employed in Soviet industry. They are the recipients of training in engineering, economics, and business fields from higher engineering-economics and some engineering institutes. Because of his relatively broad background as compared to regular engineers and economists, the engineer-economist often advances far up the managerial ladder. However, the number of engineer-economists is very small as compared to the total number of engineers in Soviet industry. Some current Soviet sources are urging a great increase in the number of engineering-economics graduates.

In recent times, about three-fourths of all higher education graduates employed in Soviet industry have been engineers. About one-third of all engineers employed in the Soviet economy have higher educations, while the figure for personnel classified as economists has been less than 6 percent. Some Soviet sources contend that there are now too many professional engineers employed in Soviet industry in both managerial and nonmanagerial positions. The Soviet educational policy of graduating tens of thousands of professional engineers each year has come to be labeled by some authoritative Soviet sources as "engineer-mania" and "technical aristocratism."[7]

Numerous professional engineers are employed as lower level managers, foremen, and highly specialized technicians, although semiprofessionals and even experienced practicals are capable of doing the job. Moreover, in many cases managerial positions that should be filled by persons trained in economics and various business administration fields are filled by professional engineers and semiprofessional technicians. For example, at several enterprises that I surveyed professional engineers and semiprofessional technical graduates were heads and deputy heads of planning departments, heads of labor and wages departments, personnel managers, and holders of various other white-collar administrative jobs.

Engineers employed in the Soviet economy are evidently abundant, but there is widespread complaint about the serious shortage of qualified economists, particularly in white-collar managerial positions. One recent source reveals that on the average there is only one professional economist for every three Soviet enterprises. At the large Kirov Tractor Enterprise more than 90 percent of the engineers have higher educations, while the figure for the personnel classified as economists is less than 5 percent. Nearly all of the enterprise's white-collar managerial personnel are considered economists. This same source goes on to reveal that only 32 percent of all the economists in the central and republic-level economic planning agencies, and only 15 percent in the regional economic councils, have higher educations.[8]

Another source reveals that out of 209,400 positions classified as economist in Soviet industry, only 17,548 are filled by higher education professionals, and only 5,046 by semiprofessionals. Moreover, 2,436 of these positions are filled by persons with engineering rather than economics training. According to the same source, the higher educational institutions of the Russian Republic satisfied the demand for graduate economists by only 43.7 percent in 1960, 35.6 percent in 1961, and 22.2 percent in 1962. Semiprofessional economics schools provided only 71.1 percent of the required graduates in 1960 and 43.4 percent in 1962.[9] This is resulting in a serious shortage of qualified higher and middle level, white-collar managers.

There is also much evidence of shortages of qualified accounting personnel, particularly chief accountants. The position of chief accountant in Soviet industry is roughly comparable to that of an American company controller. In the Moscow region only 6 percent of all accountants have higher educations, and in Leningrad enterprises, only 1 percent.[10] In the city of Moscow in July, 1964, there were 24 vacancies for the position of chief accountant.[11] In the Sverdlousk region only 2.1 percent of all chief accountants at industrial enterprises have higher educations; the figure for the Atlai region is only .8 percent.[12] Hence it is not surprising to find frequent criticism in Soviet sources regarding the low caliber of accounting work at industrial enterprises.

There are also frequent complaints involving the deficient educational backgrounds of other types of white-collar managerial personnel. For example, only 30 percent of the heads of planning departments at industrial enterprises and economic council administrations in the Sverdlousk economic region have higher educations; the proportion in less developed regions is much lower.[13] This administrative position is one of the most important in Soviet industry.

Soviet personnel classified as white-collar managers or economists tend to wield little influence or authority at many enterprises, largely because of their sparse educational backgrounds, but also because of the higher status generally accorded to engineers. As one Soviet source points out, "the present role of the economist within the enterprise is disparaging."[14] The same is frequently true of chief accountants and other white-collar administrative employees who have not been trained as engineers;[15] they often have little status compared to engineering personnel, and their duties and authority relationships are frequently not spelled out. Those economists occupying administrative positions are often hindered from making decisions and performing their managerial functions, while the professional engineers have all the authority. There are many complaints that economic managers are "confined to working out the details of plans, filling statistical reports and drawing all kinds of charts."[16] A current Soviet source gives the following job description of managerial personnel classified as economists, and attributes the situation to poor educational background:

> They typically examine the labor consumption of past periods, fill out large numbers of forms and tables, work very little on the analysis of the productive process, and have little influence on the improvement of technology or organizational structure.[17]

On the other hand, engineers with little or no economic education and training make the important economic decisions, and dispose of millions of rubles of economic resources.

Economic and business training have become increasingly important in the Soviet Union. In recent years the Soviets have expanded and somewhat improved economic and business administration education for management development. Indications are that it will be further expanded and improved in the future; this topic will be taken up in more detail in later chapters.

There are significant variations in the level of formal education attained by managers in different branches of industry. For example, in 1956, 89 percent of all enterprise directors in the machine building industry had higher or semiprofessional educations, and in heavy machine building the figure was 99 percent. In low priority sectors such as light industry, which includes consumer goods production, the figure was only 45 percent.[18] Of the ten directors interviewed, the three who did not have higher educations were all with consumer goods enterprises—a book, a clothing, and a textile enterprise. All of the directors of enterprises producing machinery, equipment, and related components had higher educations.

It is clear that consumer goods enterprises have been in a low priority position regarding the allocation of high talent managerial and technical manpower. For example, 77 out of 163 ETMP at the Sterlitamak clothing firm in the Bashkiria region do not even have a completed secondary education. Not one managerial official of the relatively large Davlekanova Footwear Enterprise has a higher or semiprofessional education.[19]

In general, about one-half of all professionals and semiprofessionals employed in Soviet industry are absorbed by the high priority machinery and metal processing industries. The numbers and proportions in other branches are much less.[20] It is striking to note that in recent years about 75 percent of all administrative personnel in the trade and distribution sector, which handles the marketing of consumer goods, have been practicals.[21] These figures clearly indicate that government educational and manpower placement policies have tied in directly with priority national economic objectives.

There are also significant variations regarding the educational level of enterprise personnel in different regions of the country. Enterprises in less developed and isolated regions tend to fare much worse than those in advanced industrial areas. For example, in 1958 Moscow and Leningrad organizations of all types absorbed 20 percent of all Soviet higher education graduates while these districts contain only 5 percent of the total population in the country.[22] As of 1962, about half of all Moscow enterprise directors had higher educations, while the proportion was substantially less in most other areas.[23]

To sum up: the chances of becoming a top level manager of a Soviet industrial enterprise have been greatest with a higher education in engineering or engineering-economics. For key positions in high level macro-managerial agencies, a higher education in economics has been more common than at the enterprise level. For some upper level managerial positions at industrial enterprise—such as chief economist, deputy director for commercial affairs, the heads of planning, accounting, or finance department—professional economics education is becoming much more important.

Technical Specialists *vs.* Managerial Generalists

In both the United States and the Soviet Union there has been for some time considerable emphasis on the need for professional management in industry. With the end of the Stalin era, and particularly with the emergence of Kosygin—who has long been respected as a first rate professional administrator in Russia, and who has held such high level posts as Chairman of Gosplan USSR—as Prime Minister in late 1964, the emphasis on the need for professional and efficient management in the Soviet economy has been further intensified. However, the concept of "professional management" has been quite different in certain respects in the USA and USSR.

In the United States the term professional as applied to a manager not only means that he is a hired manager as opposed to an owner-manager, it also frequently pertains to his ability to manage per se, that is, his ability to perform the various managerial functions for which he is responsible. Here general management and managing is viewed as a distinct field of theory, skill, education, knowledge, and application.

In the Soviet Union, the term professional management usually implies that the manager in question possesses a high degree of technical competence, typically in a specialized branch of engineering or economics. This difference in concept stems from the fact that general management or managing per se has not traditionally been perceived as an independent field of knowledge, skill, or application by the Soviets, although this is gradually changing at present.

In general, technical competence in a specialized field has long been the key to entry and advancement within the Soviet managerial ranks. Individual technical competence in Soviet industry is usually limited to one branch of industry, and in many cases to only a few specific types of enterprises. As will be discussed in later chapters, the Soviet educational system produces narrow specialists, and focuses on the development of technical skills. It does not produce any broad generalists with the aim of preparing them to become qualified managers in any one of a number of different branches of the economy. A Soviet engineer is rarely proficient in the technology of more than one branch of industry. Economists are narrowly trained in labor economics, economic or production planning, accounting, finance, and various other white-collar administrative specialties.

Since management has not been perceived as a distinct field of knowledge or skill, the Soviet manager acquires his managerial competence and skills almost entirely through practical experience, and he usually assumes a managerial position only after having displayed a high level of technical proficiency. It's no wonder then to find that about one-half of all Soviet engineers hold managerial posts; about one-third of all Soviet physicians employed in the health service combine their practice with managerial duties; and nearly two-thirds of all agricultural specialists are employed in management.[24]

Given that specialized technical proficiency is deemed essential for management positions, and that the Soviets have not recognized certain basic managerial skills as being transferable and usable in any managerial job, it is not surprising that managerial mobility and promotions are rigidly confined within the same branch of industry. This situation serves as a built-in constraint in the Soviet economy, which greatly facilitates educational and manpower planning.

Contemporary management philosophy in the United States has been quite different from that in Russia. Here a premium is often placed on well-rounded generalists when it comes to key managerial positions. This is why so many liberal arts graduates become high level managers. As many graduate schools of business have placed greater emphasis on broader education and the training of generalists as opposed to specialists, a growing number of MBA's have been assuming the high level managerial positions in recent years. Moreover, in the United States it is generally accepted that certain basic managerial skills can be developed both through formal education and through training and experience, and that such skills are in large part transferable among different managerial jobs, Hence, American managers can and frequently do shift readily from one firm, industry, or sector of the economy to another. This is especially true at the upper and middle levels of management.

In many lower level managerial positions, technical skills are clearly essential. Technical competence also serves to give the supervisor needed status among his subordinates. However, even at lower levels, managerial mobility among different industries in America is probably much more common than in the Soviet Union. This can be largely attributed to the recognition of the transferability of managerial skills, and also to the broader education and training of American supervisory personnel.

In the Soviet Union there are many high level administrators in the various regional, republic, and central macro-managerial agencies who must coordinate the activities of many different branches of industry and types of enterprises. In many cases a rather broad background of knowledge is required for doing the job properly. The need for Soviet administrative generalists has increased significantly since the establishment of the territorial system of industrial management in 1957. In current times an enterprise merger movement is underway in Soviet industry that entails both horizontal and vertical integration of producing units. As the merger movement becomes more widespread, additional generalists will clearly be needed in order to manage the integrated, more complex enterprises effectively and efficiently.

The growing need for managers with broader training to manage Soviet industry has recently led, and will continue to lead, to various changes in the Soviet system of education and training for management development.

Initial Employment and the Path of Career Advancement

Soviet higher education and semiprofessional graduates are generally committed to three years of assigned work. In relatively few instances are they permitted to seek their own jobs. In all cases new graduates cannot be hired without a special permit issued by their educational institution. Each institution has a personnel placement committee and a roster of available jobs issued by central authorities.

Engineers and engineer-economists entering industrial enterprises upon receipt of their professional diplomas (degrees) often begin employment as lower level production supervisors, such as foreman or assistant shop chief. Some assume fairly responsible specialized staff or supervisory positions relating to materials or quality control, product design, research and development, or shop dispatching. Engineer-economists in particular, often are employed in production planning activities, such as production scheduling.

The path of promotion of professional engineers and engineer-economists is usually directly up the line: for example, foreman, shop chief, head technologist, assistant chief engineer, chief engineer, director.[25] A director of a large enterprise earns as much (or more) income, and perhaps prestige, as high level administrators in macro-managerial agencies. It appears from interviews with Soviet officials that many engineers are content to remain enterprise directors rather than assume major jobs with macro-managerial organizations above the enterprise level.

An interview with the director of a Leningrad heavy machinery enterprise disclosed a career that is fairly representative of the promotion path of many qualified professional engineers. This director became a design engineer at a Moscow machinery plant upon completion of his higher education. After three years he became a shop chief where he remained for four years. Then he became assistant chief engineer where he remained for five years. Following this he moved to the Leningrad enterprise; in 1958, after six years as chief engineer, he assumed his present position of director at the age of 46.

Professional graduates from economic institutes usually obtain fairly responsible positions at enterprises, with various government planning, financial, or banking agencies, or with trade and distribution organizations. At the enterprise level most professional economists begin employment in the white-collar administrative departments, either as staff assistants or routine supervisors. In some cases economic graduates become assistant department heads at smaller enterprises; it is also quite common for them to begin their careers as shop economists or shop planners.

The deputy head of the planning department of a large Moscow machine-tool enterprise was interviewed. His path of promotion is quite typical of professional economists, although he indicated that his career advancement has been rather rapid considering his age. At the age of 25 he graduated from a Moscow economics institute, where he specialized in "Economics and Organization of Machine Building Industry." He began employment with the Moscow plant as a shop economist. At the age of 28 he obtained his present position, which he had held for four years by 1961; and he was at that time being considered for promotion to head of the planning department at another fairly large Moscow machine-tool enterprise.

Eventually many economists having a higher education head up their own white-collar departments at industrial establishments. In some cases they even become enterprise directors, but usually only after they receive some engineering training either through courses at educational institutions or special executive engineering programs. Of those enterprise directors, who were interviewed, only one was a professional economist; he had taken a number of engineering courses through a special training program before he assumed this position.

Initial employment of semiprofessional graduates is generally in less responsible positions than those obtained by recipients of a higher education. For example, they often begin working as maintenance, repair, or laboratory technicians, or skilled workers. In some cases they obtain low level supervisory positions such as brigade leader and assistant foreman. While many semiprofessionals have moved up the line to responsible managerial posts, the recent trend is now apparently one of placing and maintaining them in jobs as technicians, skilled workers, and routine supervisors.

In some cases enterprise managerial personnel have assumed full-time Communist Party positions at some time during their careers. The director of a Kharkov clothing factory that I visited is a case in point. He served as party secretary at his enterprise before becoming director. However, this path of promotion up the managerial hierarchy is not nearly as common as it was during the 1920's and 1930's.

It was pointed out earlier that those persons who combine full-time employment with part-time formal education frequently obtain responsible managerial jobs immediately upon completion of their studies. This is especially common in connection with higher education. In fact personnel studying in part-time higher educational programs are frequently earmarked for promotion by their enterprise and the local Communist Party committee. In many cases permission from the enterprise director and local party and union officials is required for an individual to combine work with formal study. The same process generally holds true in connection with semiprofessional education, although resulting promotions do not usually involve as responsible administrative positions.

The chief engineer of a Kharkov equipment enterprise who received his professional engineering education through a part-time program was a worker engaged in metal-casting prior to completing his higher education. Upon completion of his professional training he became a shop chief, and eventually chief engineer at the Kharkov enterprise.

The director of the large Transcaucasion Steel Mill at Rustavi began his career as a construction worker after attending a metallurgy trade school. While working he obtained his higher education at the Tiblisi Polytechnical Institute. He was then employed at a steel mill as a foreman. Following this he became an engineer. Then he shifted to the present steel mill where he became, in turn, head of the open-hearth shop, deputy chief engineer, and ultimately, director.[26]

Vassili Rusev was a practical who became a plant foreman. He began his professional engineering education through the Polytechnical Correspondence Institute in 1951. In May, 1957, he graduated and was immediately promoted to shop superintendent. He was soon promoted to the technological bureau where he eventually became chief technologist of the enterprise.[27]

One Western observer who visited several Soviet plants has this to say about career advancement and part-time education:

> Many technical men and women had begun their studies in these plants, continued at institutes, and returned as engineers. In two of the plants visited, the director had begun as an ordinary worker, in one case at the factory school, continued his education by correspondence and at the institute, and worked up through the plant; one director was still studying at the institute.[28]

The above cases reflect the significance of part-time education as a means of entering and moving up in the managerial hierarchy. Practicals who do not obtain a higher, or at least a semiprofessional education are now likely to be blocked from promotions to administrative jobs.

In American industry substantially fewer higher level executives have worked directly in production some time during their careers than Soviet managers.[29] American college graduates generally begin employment in staff, white-collar, or sales positions. In some cases they may enter the managerial ranks, usually following completion of a formal or informal company training program. In general, the "dirty hands" path to upper managerial positions has become somewhat of a rarity in America while in Soviet industry it has become even more prevalent since the 1958 educational reform. This situation will be explored later.

The Appraisal and Promotion Process and the Communist Party

As a Soviet citizen moves up the managerial hierarchy, Communist Party membership, and particularly party approval, become increasingly important. It is estimated that at least 90 percent of all Soviet enterprise directors are party members. I did encounter one Soviet director who was not a member of the party.

In earlier periods zealous party activity and support were essential for membership. In contemporary times, with emphasis on professional management, outstanding technical competence or leadership ability are often sufficient for party membership as long as loyalty to the regime and its goals is not in question. It is now probably more common to promote a highly competent employee to a key executive post and grant him party membership, rather than appoint a party member to such a post without regard to his ability to do the job.

In all cases of upward mobility to responsible managerial positions the party comes directly into the picture. Not a great deal is known of the procedures by which party organs exercise their control over executive appointments; in fact, the whole question of how Soviet managers are appointed still remains somewhat of an enigma.[30]

The Central Committee of the Communist Party works out lists of jobs requiring party approval. Party agencies also maintain files on existing managerial personnel. The job to be filled may require the approval of central, republic, or local party organs, depending on its significance. The same holds true for dismissals and transfers within the higher managerial ranks. For example, the positions of director, chief engineer, and even shop superintendents or department heads at large or important enterprises require central party approval. At about 1,200 industrial enterprises, the position of director requires such approval. At all enterprises every higher level managerial position requires the approval of some party organ.

There are frequent criticisms that the party agencies are not familiar with the capabilities of appointees, and that personal friendships and favoritism rather than merit are often deciding factors in promotions. There is also a tendency to promote managers already on the lists of personnel maintained by the party. This means that many capable young personnel not yet entered on the lists are overlooked in the promotion process. In 1959, the party launched a campaign to have responsible managerial jobs filled by practicals reassigned to competent young specialists. As an alternative, it was strongly suggested that practicals study in some job-related, part-time program, either professional or semiprofessional.[31]

In general, there are indications that managerial appraisal and promotion is often carried out in an arbitrary manner.[32] This is undoubtably largely the case because the managerial job and the requirements for effective and efficient management have not been adequately defined or spelled out in Soviet industry. It seems that in numerous cases the bonus record of the individual manager, which depends on the fulfillment and overfulfillment of certain enterprise targets, is a key determinant with regard to promotions, transfers, and dismissals.[33] At sixteen enterprises surveyed, managerial personnel in many instances indicated that the amount of bonuses (premiums) received for plan fulfillment constitutes a significant criterion in the evaluation of executives. One director asserted that this is the case "since it [the bonus] represents socially desirable behavior and results." It is true that bonuses received for the fulfillment of certain enterprise targets may reflect, at least to some degree, managerial ability. However, the major shortcoming with reliance on bonus records for managerial appraisal and promotion is that bonuses are often earned or not earned because of easy or unrealistic enterprise plans or other conditions beyond the control of enterprise managers.

In spite of the above shortcomings in the managerial appraisal and promotion process, the Soviets appear to have been doing a reasonably good job in staffing responsible managerial positions with relatively competent personnel. There is, however, considerable room for improvement.

Social Structure, Individual Upward Mobility, and the Managerial Class[34]

Educational background and professional competence (primarily technical competence) have come to play an increasingly significant role in determining individual advancement in the managerial hierarchy in Soviet industry. In spite of various forms of discrimination that might exist, formal education at all levels is probably accessible to the large majority of those persons who clearly have the required intellectual ability for admission. Upward individual mobility in industry and the economy as a whole has been greatly enhanced by the great expansion that has taken place in part-time education during the last decade. In recent times, more than half of all persons enrolled in higher educational degree programs have been studying on a part-time basis; a majority of them are employed in industry. Successful completion of a part-time higher educational program frequently leads to career advancement in the managerial hierarchy.

It is possible that there is a somewhat higher degree of social flexibility with regard to individual upward mobility in the USSR than in the USA. This statement is, of course, quite speculative. There is discrimination of various types in the Soviet Union, both in the educational system and career advancement, primarily on the basis of nationalities. For example, persons of Russian nationality may have a somewhat better chance of obtaining a good higher education or key managerial job than an oriental or member of an Asiatic nationality. There is also some evidence that quotas involving Jews exist in the Soviet educational system. However, the per capita enrollment of Jews in higher education and the proportion of employed Jews with a higher education is very substantially above the national average.[35] Moreover, many important managerial positions in the Soviet economy are filled by Jews. In general, it seems that there is less discrimination in the Soviet Union on the basis of family background, nationality, race, sex, and even religion (as long as one is not an open ardent believer and zealous practitioner of a religion) than in most other countries of the world.

During my two trips to the Soviet Union in the early 1960's, I had the opportunity to interview and observe dozens of Soviet managers of all types. The social backgrounds of these managers seemed to be greatly varied, as were their ages. Among those managers questioned informally about their social backgrounds, there were a number of Jews in important jobs, many Armenians, Georgians, Ukrainians, and Belorusseans, and even some Orientals from the Asiatic republics, as well as members of various other nationalities. There were sons and daughters of managers and professional persons of various types, government officials, military careerists, academicians, farmers, skilled and unskilled laborers, and others. Moreover, a substantial number (about 25 percent) of the managers observed or interviewed were women.

Women and the Managerial Class

Women in Soviet industry comprise a much greater proportion of managerial and technical personnel than in American industry. In addition to greater social acceptance of women in such occupations in the Soviet Union, there are certain other reasons for this situation. One major reason is the great loss of life suffered during World War II. There are about 20 million more women than men in the USSR, and only up to the age of 20 are there slightly more men than women. Another important reason for the greater number of women in managerial positions is ambitious Soviet economic goals and the fact that a much greater proportion of women hold full-time jobs than in America. Women make up nearly half of the total Soviet working population. In 1958 women constituted 45 percent of all industrial enterprise personnel and 66 percent of all personnel employed in trade and distribution organizations.[36]

The proportions of women with higher and semiprofessional educations in fields from which the bulk of Soviet business and industrial managers are drawn are very substantial. Figures to this effect for the years 1957 and 1963 are presented in Table V-2.

TABLE V-2

Number and Proportion of Women Professionals and Semiprofessionals in Selected Fields Employed in the Soviet Economy: 1957 and 1963

	1957		*1963*	
	Number (Thousands)	*Percent of Total*	*Number (Thousands)*	*Percent of Total*
Higher education graduates				
All fields	1,464.3	52	2,237.4	52
Engineers	236.1	28	434.1	31
Economists, statisticians and trade experts	90.0	57	170.5	61
Lawyers	19.0	33	24.9	32
Semiprofessional graduates				
All fields	2,623.4	65	3,864.7	62
Technicians	503.3	39	922.2	68
Statisticians, planners and trade specialists	217.0	74	431.7	70

SOURCE: Based on data derived from *Narodnoe Khoziaistvo SSSR V 1963 Godu*, pp. 491-92.

Since the majority of all managerial and leading staff positions in Soviet industry are filled by recipients of higher or semiprofessional educations, it is not really surprising to find that a large proportion of these jobs are held by women. Hence, 45 percent of all managers and leading staff specialists at Soviet industrial enterprises were women at the close of the 1950's; the figure for trade and distribution organizations was 66 percent.[37] While the possibility of career advancement for women is apparently more favorable in the Soviet Union than in America, it is still rather restricted as far as top managerial jobs are concerned. For example, only 12 percent of all top management positions at all types of Soviet enterprises were held by women in 1959.[38] This can, however, probably be attributed in part, to a desire among many married women for less responsible positions that are more convenient and compatible with family obligations.

I and other Western observers, who have visited Soviet enterprises have found that women hold high level management posts primarily in low priority industries such as consumer goods and food processing. Even here those enterprises in which women are directors or chief engineers are generally not large in size (under 2,000 employees). I also found proportionately more women in managerial positions at enterprises in the Ukraine than in the Russian Republic. This probably reflects the much greater loss of life from war in the Ukraine.

It was also observed that the majority of women in responsible managerial jobs were middle-aged or elderly. In general, a substantial proportion of women were found to be managers heading up or within the following administrative units: planning, labor and wages, accounting and general office, laboratories, and art and design departments at consumer goods enterprises.

Achievement Drive of Soviet Managers

Communist ideology and the vast amount of publicity aimed at both collective and individual achievement, as well as self-improvement and dedicated hard work, have undoubtedly done much to spur economic progress and industrial development in the Soviet Union. Rigid organization of economic activity and the establishment of ambitious economic plans and tight production targets have also done much to raise the achievement drive of industrial managers. One study indicates that in the USSR between 1925 and 1950 the achievement drive of the population rose substantially.[39] It is likely that the achievement drive of industrial managers as a class is significantly greater than in most other occupations.

Many Western educators and businessmen, including me, who have visited the Soviet Union and met with industrial managers have been impressed with their energy, drive, ambition, and dedication to their jobs. The Soviet manager is under many of the same pressures to produce and perform well as his American counterpart, although procurement and production tend to be greater problems than in the United States. The fact that numerous Soviet citizens undertake the burdensome task of combining full-time employment with part-time education in an attempt to advance up the managerial ladder is another indication of high achievement drive.

There is substantial evidence that individuals with a high need for achievement tend to perform well in, and want, jobs entailing decision making under conditions of uncertainty, calculated risks, and relatively challenging goals.[40] The Soviet industrial managerial job tends to offer these conditions.

The Soviet enterprise manager, particularly the higher level executive, tends to be a type of entrepreneur, a rational, fairly aggressive risk taker, and he must make decisions in the face of uncertainty.[41] A large part of his risk taking decisions and activities involve the procurement function. Probably a substantial majority of Soviet enterprises are frequently confronted with considerable problems and great uncertainty regarding the allocation and receipt of adequate physical resources to fulfill their operating plans. Since the enterprise managers are judged and rewarded according to the degree to which certain key targets, such as production, cost reduction, and in some cases profitability and various other goals, are fulfilled, and also because they may be spurred on by the challenge entailed, they frequently engage in risky ventures in order to obtain critically needed supplies. Such ventures typically include both semilegal and illegal procurement practices.

Soviet enterprise managers also tend to pursue other types of potentially risky decisions and activities, in order to be judged competent in their jobs and advance up the managerial hierarchy. For example, they frequently produce goods not in accordance with the product mix plan, of substandard quality, or having improper specifications, in order to fulfill the aggregate targets by which they are evaluated and rewarded. For the same reason, they falsify records and results, conceal productive capacity, inflate prices and costs of output, hoard supplies, and so forth. More often than not they get away with such activities, thus suggesting considerable risk taking skill, even if such risk taking may not be conducive to productive efficiency or beneficial to society at large. Such undesirable management practices are chiefly due to the "rules of the game" within which Soviet enterprise managers must operate; more will be said about this in Chapter VIII. But aside from judging whether various behavior patterns of Soviet managers are good or bad, it is evident from their behavior that they tend to be highly achievement oriented, energetic, and ambitious.

Inducements for a Managerial Career

In the above section we noted that a career in industrial management in the Soviet Union is likely to attract persons with a relatively high achievement drive. Apart from the distinct possibility of satisfying one's achievement drive, does it really pay the intelligent, well educated and generally capable Soviet citizen to seek a managerial career in terms of income, prestige, recognition, and other occupational benefits? There are some data available that throw light on this issue.

One such set of data was compiled in 1950-51 by a Harvard Russian Research Centre project on the Soviet social system. The findings presented in Table V-3 are based on 2,146 interviews with former

TABLE V-3

Ratings of Occupations in the USSR

	Rating Profiles for Selected Occupations					*Summary*		
Occupation	*Desirability*	*Material Position*	*Personal Satisfaction*	*Safety*	*Popular Regard*	+	*0*	*1*
Doctor	+	0	+	+	+	4	1	0
Scientist	+	0	+	0	+	3	2	0
Engineer	+	0	0	—	+	2	2	1
Factory manager (director)	+	+	+	—	—	3	0	2
Foreman	0	0	0	0	0	0	5	0
Accountant	0	0	0	0	0	0	5	0
Army officer	0	+	0	—	0	1	3	1
Teacher	0	—	—	+	+	2	1	2
Worker	0	—	—	+	0	1	2	2
Brigade leader	—	—	—	0	—	0	1	4
Party secretary	—	+	+	0	—	2	1	2
Farm chairman	—	+	0	—	—	1	1	3
Collective farmer	—	—	—	+	0	1	1	3

Note: A + indicates that an occupation ranks among the top four; an 0 indicates ranking among the middle five; and a – indicates ranking among the lowest four. The occupations are listed in order of average desirability.

SOURCE: Derived from P. Rossi and A. Inkels, "Multidimensional Rating of Occupations," *Sociometry*, September, 1957, p. 241.

Soviet citizens concerning desirability, material reward (income), personal satisfaction, personal safety (e.g., from arrest), and popular regard for 13 occupations. It should be noted that the data are indicative of the subjective attitudes toward the advantages or disadvantages of each occupation compared with the others. In addition, the interviewees left the Soviet Union in the 1940's. Nevertheless, the findings are, in most respects, compatible with the observations of various types of Western specialists, including me, who have visited the Soviet Union in recent years.

The table indicates that industrial enterprise managers (directors), ranked among the highest occupations in terms of desirability, income, and personal satisfaction. They ranked low in popular regard, perhaps because of their positions of power and preferential treatment regarding income, housing, and other material benefits. However, in my encounters with many Soviet workers, academicians, economists, planners, and government officials I found enterprise managers to be held in high respect and rather popular regard. It is true that this reflects subjective impressions formed in a relatively short period of time and from a very limited sample. However, it leads one to question whether popular regard for managers has not changed somewhat during the past two decades, and particularly with the end of the Stalin era and the growing emphasis placed on professional management.

Managers also ranked low on personal safety. Severe penalties, such as imprisonment, invoked on enterprise executives are rare now compared to the Stalin era, although there are still reports from time to time of managers being fined and put in jail for such things as poor performance, falsification of records, or minor embezzlement. Managers are widely confronted with another type of security problem regarding their jobs. There has been and still is much short-run managerial mobility involving demotions, transfers, and promotions. At sixteen enterprises I visited, nine of them had directors who had held the position less than four years. In general, however, in recent times there are less risks and greater incentives for career advancement within the managerial hierarchy than in the past.

The table also indicates that engineers, many of whom are or will become industrial managers, ranked high on desirability and popular regard, average on material position and personal satisfaction, and below average on safety. This too, then, is in general a relatively desirable occupation. Foremen ranked among the middle five occupations in all categories, and this occupation is probably more desirable in general in the USSR than in the USA. Accountants, many of whom are or become managers, also ranked among the middle five occupations in all categories.

Income is probably the prime attraction of the managerial ranks, especially as one moves up the ladder.[42] While the income differential betwen ETMP and workers is not as great as in the past, it is still substantial. At the enterprises surveyed by this writer, higher executives received on the average from three to six times more basic income than production and clerical workers. Even middle and lower level enterprise managers received about two or three times more pay than workers. Top executives of key industrial enterprises are among the highest paid personnel in the Soviet Union. The basic earnings of all ETMP rank well above the national average. In general, however, managerial income does vary considerably by type of position, branch of industry, and enterprise size.

Table V-4 presents data on the range of monthly earnings for 16 occupations in the Soviet Union as of 1960.

TABLE V-4

Range of Monthly Earning for 16 Occupations in the Soviet Union: 1960

Occupation	*Range of Monthly Earnings (In dollars, converted from rubles)*
Scientist (academician)	880 - 1650
Minister (government ministry or department)	700 - ?
Professor (science)	660 - 1100
Opera star	550 - 2200
Professor (medicine)	440 - 660
Industrial enterprise manager (director)	330 - 1100
Assistant professor	330 - 550
Engineer	110 - 330
Skilled worker	110 - 265
Physician (head)	105 - 180
Teacher (high school)	94 - 165
Physician (staff)	94 - 110
Technician	88 - 220
Teacher (primary school)	66 - 99
Semi-skilled worker	66 - 99
Unskilled worker	30 - 55

SOURCE: N. Dewitt, *Education and Professional Employment in USSR*, pp. 541-44, especially Table VI-81.

In addition to basic salary, ETMP can earn substantial bonuses (premiums) for fulfilling and overfulfilling various enterprise targets and planned assignments.[43] In the past, enterprise managerial personnel often earned incentive compensation equivalent to their basic earnings, and at times even more. In current times bonuses in most industries are limited to 40 to 60 percent of basic pay, depending on the type of enterprise. However, they still provide for a potential source of substantial additional income.

Table V-5 presents data on the amount of premiums received in proportion to basic salaries by the managerial staffs of ten enterprises surveyed by me in 1961. In addition to substantial monetary incomes, enterprise directors also typically receive other benefits such as a company car and chauffeur, and favoured housing facilities. Such benefits represent significant status symbols in the Soviet Union.

TABLE V-5

Managerial Premiums Received as a Percent of Basic Salaries at Ten Soviet Enterprises

	1960 Quarters (Percent)				*1961 Quarters (Percent)*	
Enterprise	*1*	*2*	*3*	*4*	*1*	*2*
Leningrad Machine Building	40	40	30	40	40	40
Moscow Machine Tool	50	50	0	50		
Kharkov Mining Equipment	40	0	0	0		
Kharkov Air Conditioning and Ventilation	40	40	40	40		
Kharkov Ball Bearing	0	0	0	0		
Kharkov Clothing	0	0	20	40		
Moscow Silk Fabric	0	38	20	30	0	
Moscow Watch	25	40	40	30		
Leningrad Shoe	40	20	0	0	0	
Kharkov Book					40	40 (expected)

One Western expert of Soviet affairs has summed up the desirability of a top level enterprise manager's position in this way:

> If he is successful he is well paid and receives production premiums. He has a great deal of prestige and power—virtually an empire of his own and he enjoys a standard of living second only to a few extraordinary privileged groups. If he fails he is demoted and in extreme cases may face political charges.[44]

In conclusion then, there are several factors that make managerial positions, particularly high level posts, very desirable in the Soviet Union. A manager who makes the grade experiences high income, challenge, and great personal satisfaction. His popular regard is perhaps open to question, but he seemingly has a great deal of status and respect. On the other hand, the Soviet manager must assume the risks that accompany his responsibilities. As he approaches the top of the administrative ladder his job becomes less secure. On balance it can safely be concluded that the managerial profession attracts many of the most able, intelligent, well educated, and highly motivated Soviet citizens. This has undoubtedly been a major contributing factor with regard to the Soviet Union's impressive economic performance and industrial development to date.

VI
Soviet Education and Training For Management Development

It has been pointed out that the majority of managerial positions in Soviet industry now are filled by recipients of higher professional or semiprofessional educations. Higher education is becoming an increasingly significant qualification for advancement up the administrative ladder. While the large majority of industrial managers have been engineers, economics and business administration training are becoming increasingly important.

This study will investigate all of the Soviet educational and training programs that have a relevant bearing on management development. In this connection semiprofessional, professional, and postgraduate educational programs in engineering and economics (which includes business administration) will be analyzed as will special training programs, both on and off the job, that relate to management development.

In order to provide pertinent background information, the first part of this chapter deals with reforms introduced in the Soviet educational system in recent years.

The 1958 Soviet Education Reform

In 1958 the Soviets embarked on a major educational reform.[1] Several of the changes stipulated in the reform called for much experimentation, and they were not scheduled to be fully implemented until the latter half of the 1960's. Most of the major changes relate to primary and general secondary education, although certain changes relate to semiprofessional and higher education and have a bearing on management development.

The reform has been precipitated primarily by growing shortages of skilled labor on the one hand, and the Soviet commitment to economic growth on the other. The short-run aim of the reform has been to speed up additions to the labor force, while the long-run goal has been improvement and refinement in the qualitative skills of the labor force to complement the buildup in technical capital. These objectives have been leading to a schooling for the masses oriented to vocational skill so that the academic preparation of sufficient numbers of professional specialists need not be sacrificed. In addition, a restructuring of the lengths of primary and secondary educational programs has channeled and shifted off more of the population into employment at a younger age. These changes have made higher education even more essential for responsible managerial positions.

The reform has had certain direct implications for management development. The major one is the linking of formal study to the "real world." There has been much greater emphasis on combining higher and semiprofessional education with practical experience and employment. Priority for admission to higher and semiprofessional schools has been given to persons with at least two years of working experience; however, this has been less pronounced in some strategic fields such as mathematics, physics, and certain branches of engineering. There has also been a trend towards the fusion of full- and part-time education with increased emphasis on the latter. Students have been required to spend substantial time, at intervals during their studies, in full-time employment and industrial practice assignments.

In line with linking study to the real world, a number of new educational establishments have been set up at industrial enterprises, and pilot plants and production shops have been organized at educational institutions. More industrial managers and specialists have been recruited as part-time instructors in educational programs, while faculty personnel have been encouraged to do more consulting and research relating to industrial problems. All of these measures have been aimed at the preparation of specialists who can upon graduation assume responsible positions in industry, including managerial jobs, with little or no on-the-job training. At the same time it has been presumed that by requiring all students to combine study with employment as workers, they will gain a better understanding and appreciation of the problems of labor and production.

The 1964 Educational Reform

In August, 1964, the USSR Council of Ministers and Central Committee of the Communist Party decreed various changes in the Soviet educational system, to be implemented over a three-year period.[2] The major reforms dealt with shortening general secondary programs by about one year, and curtailing polytechnical (production) training to some extent.

In addition, most semiprofessional and higher educational programs will also be shortened by six months to one year. For example, full-time semiprofessional programs in machine building, instrument making, economics, and trade have been reduced from 4 or 4½ years to 3 or 3½ years, while mining, chemical, and metalurgical specialties, which formerly took 4½ or 5 years, will be 4 years in duration. Various regular daytime higher educational programs, including engineering and engineering economics, have been reduced from 5½ years to 5 years, while most university programs and certain other specialties have been reduced from 5 to 4 years. At the same time, most part-time higher educational programs have been increased by 6 to 12 months in order to lessen the load on a student, who must hold a regular job while participating in such programs.

The cutback in both semiprofessional and higher level regular day programs is being made possible by reducing the amount of time students must spend in employment and production practice. Moreover, employment in production is to be spread over three years, primarily in the upper grades, rather than in the initial two years as was the case in the past. The reason for these changes regarding employment and production practice in regular day programs, is that the large majority of higher level students and a substantial proportion of semiprofessional students now entering regular programs have had two years of full-time working experience.

Other Recent Changes

In recent years there have been a number of other changes in Soviet education, which are of direct interest in this study. The changes have been brought about, in large part, by the enlargement of the managerial job beginning in 1955. The aim has been to prepare future managers and specialists with a "broad view" so that they can make effective independent decisions and cope with changes in the structure and needs of the Soviet economy. The changes already undertaken, as well as those likely in the foreseeable future, will be discussed in more detail later. However, brief mention of certain significant changes is warranted here in the way of background.

In professional and semiprofessional programs there is now less time given to lectures and more time given to independent projects. The degree of specialization has been somewhat reduced through amalgamations of very narrow specialties and courses, particularly in engineering programs. These measures have been undertaken since 1956 to provide for more creative independent thought and to improve theoretical training.

Of major interest with respect to management development is the expansion and improvement of training in applied economics in both economics and engineering programs. The stress on more and better economic education for management development began in 1956. The following words expressed the sentiments of Soviet leaders at that time: "The study of economics is necessary not only to train production engineers but also to manage industry and the economy, to manage the economic side of enterprises, to make independent decisions." [3] In 1956, Khrushchev himself stated: "Higher educational establishments still fail to provide young engineers with sufficient knowledge about problems of economics and the organization of production." [4] A number of changes in this direction have already been introduced in Soviet educational programs, and more are likely in the near future.

It should be noted that the Soviet conception of the field of applied or practical economics includes most subject areas labeled as business administration or management in American schools. Hence, accounting, statistics, finance, merchandising, distribution, procurement, industrial organization, and planning of production as well as various other business and management type courses are referred to by the Soviet as being part of the economic sciences. In our own analysis, wherever feasible, we will break down the Soviet programs into both economic and business administration components.

Another factor of interest in this study is the recent adoption of new courses dealing with mathematical methods for planning, cybernetics, electronic computers and data processing, mechanization of accounting, and various others with a quantitive and operations research emphasis. In 1960, the Ministry of Higher and Specialized Secondary Education advocated the adoption of new courses and specialties in these fields at engineering and economics schools. By 1961, at least five of these higher educational institutions had established appropriate facilities and adopted such courses.[5] A number of semiprofessional schools, also, are now offering courses in these fields.

Many students taking courses in these new fields will become administrators or responsible staff specialists. The stress on quantitative techniques and scientific planning methodology has evolved with the utilization of such tools and techniques in practice. Thus far, most advances are being made and implemented at the national and republic levels, but in some cases within regional economic councils. Some experiments in the use of mathematical methods, operations research, and electronic computers for planning, decision-making, and control are also being conducted at some large industrial enterprises.[6] While these new tools and techniques currently have greatest significance in connection with macro-management (i.e., the management of the overall economy), they will no doubt assume increasingly greater importance at the micro-managerial level. For example, they will eventually be used on a widespread basis in such areas as dynamic programming and production planning, determining optimum combinations of factor inputs, inventory control, cost accounting, and investment decisions.

With all of the above changes, courses in general administration, management theory, human relations and the behavioral sciences, or decision-making are not yet to be found in any Soviet educational or training program. One major reason for this situation is that the decentralization of managerial authority occurred as a sudden, rather drastic, change following the death of Stalin and the emergence of Khrushchev as leader. This was especially true of the 1957 reorganization of industry. Therefore the Soviet educational system has not yet had time to fully adjust to the changing requirements of effective management development. At present there are strong indications that further decentralization of authority is in the making; this will be discussed in a later chapter. In general, the Soviet managerial job is becoming increasingly complex. Whether the Soviets will respond appropriately to the changing needs of management development is a topic that will be examined after the existing system of education and training has been explored.

It should be noted here that Appendix B contains data about the Soviet textbooks that are most similar to those used for management education at American schools of business and industrial administration.

Higher Education

General Background[7]

There are two basic types of Soviet higher educational establishments, institutes, and universities. About 90 percent of all students enrolled in higher educational programs attend institutes. A number of large industrial enterprises have their own higher educational institutes; for example, the Likhochev Motor Vehicle enterprise in Moscow has its own higher technical institute, and most of this firm's production superintendents and engineers have graduated from this program.[8] Engineering, engineering-economics, and economics institutes are the key sources of professional managerial manpower for Soviet business and industrial organizations.

Soviet universities also train specialists in economics fields, some of whom become managers. However, the universities primarily produce researchers, academicians, and propagandists, most of whom are engaged in Communist Party work. The closest Soviet equivalent to American schools of business and industrial administration are the economics and engineering-economics institutes, although a growing number of engineering institutes are offering programs similar to those at engineering-economics institutes.

In all programs students major in a chosen field called a specialty and many educational institutions offer similar specialties. All specialties offered are determined by the central educational authorities. Within each specialty there are a number of required specializations (courses). Larger educational institutions can modify, within limits, the courses within a given specialty upon the request of the major employers of their graduates. For the most part, text materials, methods of instruction, and other important educational issues are prescribed by the Ministry of Higher and Specialized Secondary Education and various other central authorities. As of 1962, there were more than 300 specialties, the great majority being in the industrial fields (including construction, transportation, and communications) and broadly economic activities.[9]

Graduates of higher education programs receive diplomas rather than degrees. Most regular day programs are on a two-semester basis (September 1-June 30), and the length of most programs now ranges from 4 to 5½ years. In general, Soviet students carry a burden that is 50 to 100 percent greater than American students.

Chart VI-1 presents a hypothetical structure of instruction programs in Soviet higher education.[10] The hypothetical number of hours indicated is valid as a crude approximation only, and in actual curriculums the time inputs allocated to different phases may deviate by as much as 10 to 20 percent. In the allocation of time, the deviation is considerably smaller, with a variation of several percent from the hypothetical distribution. It is estimated that the total load for an average 5½-year program is about 6,330 hours. In the next few years there will probably be a modest reduction in the time spent in industrial practice.

CHART VI–1

Hypothetical Structure of Instruction Programs in Soviet Higher Education

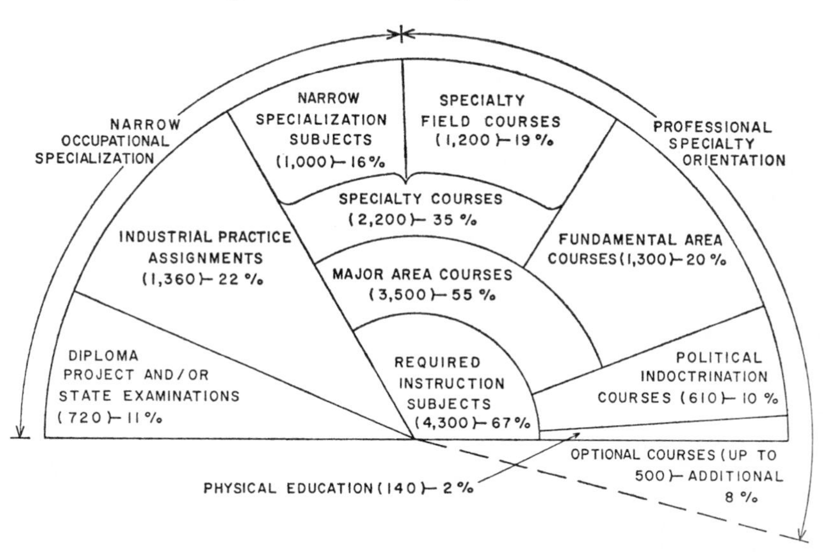

In sum, the general pattern of Soviet higher education programs is that about 88 percent of the student's time must be spent on professional specialty training, of which about 39 percent is devoted to fundamental and broad specialty courses and 49 percent to narrow occupational specialization. As can be seen, only a minor portion of the total program remains for electives.

The method of instruction in any program depends on the course. A combination of lectures, seminars, independent projects, laboratory experiments, examinations, and diploma theses are found in virtually all programs. Seminars play a larger role in social science courses, while theoretical education in engineering and the physical sciences is conducted in engineering. The physical sciences courses are conducted largely through lectures and laboratory exercises.

Depending on the student's field and previous employment record, he spends from about one to two years in full-time employment and special industrial practice assignments during the course of his studies. Employment is usually undertaken in two installments, typically during the third and fourth years, but in some engineering and engineering-economics programs, the first installment may be earlier. There are few American higher educational institutions offering comparable combined study and employment programs. One of these is Antioch College.

Many Soviet educational institutions have their own pilot plants and production shops where students engage in practical work assignments. A large number of higher schools also have patron industrial enterprises and other organizations that provide paid jobs and facilities for their students. In many cases students return to these patron establishments upon graduation.

At the outset of their industrial practice and employment assignments, students usually assume positions as workers, technicians' aids, or junior staff assistants; later on they sometimes assume lower level supervisory positions. However, in virtually all cases attention is focused on the development of technicial rather than managerial skills. In reality there is much criticism that employment is often divorced from the student's field of study, and that enterprise personnel, particularly managers, pay little attention to the development of the student's skills.[11] It is no doubt very difficult to match the student's field of study with closely related on-the-job experience on a national scale.

Students are also required to prepare independent course projects dealing with real-life industrial business or economic problems. Soviet sources indicate that such projects are usually highly descriptive and often superficial, rather than creative, analytical, or evaluative. Rarely do they deal with managerial problems. The stress is almost always on technical problems.

Emphasis in instruction and examinations is on description and the memorization of facts. This is most pronounced in the social sciences and humanities, but it is also true to a much greater extent in Soviet engineering programs than in typical American programs. For the most part examinations are oral, although for some courses they are written. Western observers who have attended Soviet examinations, or who have had access to examination questions, are awed by the great stress on memorization and description rather than critical evaluation analysis, or original thought.[12] In recent years there has been a modest attempt to provide for more creativity, analysis, and independent thought in Soviet higher educational programs, particularly engineering programs.

As his final phase of study, the Soviet student is required to prepare a thesis, called a diploma project. The thesis usually takes from four to eight months during the student's final year. Roughly 50 percent of the diploma projects at engineering and economics institutes involve "real-life problems."[13] Often the student obtains his data from industrial enterprises or various other organizations. Rarely do these projects involve studies of managerial problems or practices. In general, Western observers have found that Soviet theses are virtually void of original contribution, critical analysis, creativity, and significant conclusions.[14] My own investigation of several dozen Soviet theses (including doctoral dissertations) disclosed relatively few that were not almost entirely descriptive; even fewer were found that dealt with the field of management.

To further illuminate the educational background of Soviet high level personnel requires a detailed examination of the specific higher educational programs that provide the key source of managers for the Soviet economy.

Engineering and Engineering-Economics Programs

There are two basic types of industrial engineering institutes, branch and polytechnical. The branch institutes, of which there are about 160, train engineers for a specific industry such as machine-building, metallurgy, chemical, food, or textiles. These institutes offer a number of specialties each relating to the one branch of industry. There are about 30 polytechnical institutions; one of the largest ones is in Leningrad, and it has an enrollment of more than 10,000 students.

These institutes offer many specialties relating to several branches of industry. However, the individual student's education corresponds to a specific type of engineering and a specific branch of industry.

Engineering-economics institutes combine engineering and economics training in a number of branches of industry, but here, too, the student specializes in a specific branch. In some respects these institutes are similar to American schools of industrial administration.

While American engineering programs train mechanical, chemical, electrical, and other types of engineers, who obtain employment in any one of a number of branches of industry, all Soviet engineering schools prepare students for employment in a specific branch, and in many cases for only a few types of enterprises. Many of the things the Soviet student learns while still in school, the American student learns on the job in a specific company after graduating. Since Soviet engineering education is closely linked to a specific type of technology, graduates need little on-the-job training as compared to their American counterparts.

To provide some insight into the degree of specialization prevalent in Soviet professional engineering education a small sample of specialty titles is presented here: Metallurgical Furnaces, Pressure Process of Metals, Mining Machinery, Equipment and Technology of Welding Processes, Turbine Construction, Chemical Technology of Fuel, Technology of Feed Products, Technology of Garment Manufacturing, Mathematics and Computing Instruments and Devices.

Appendix C-1 contains the detailed program for a mechanical engineering specialty titled "Design and Technology of Machine Tools." It should be noted that this program breakdown was for the 1955 academic year. Since then some changes have taken place; the nature of these changes will be reflected during the discussion in this section.

With the enlargement of the managerial job, and in light of changing technologic requirements in the Soviet economy, a number of changes have been introduced in Soviet engineering programs since 1956. The reduction in the intensity and extent of specialization in recent years has been most pronounced in engineering fields. While Khrushchev could boast in 1956: "Now we have more engineers and more technical intelligentsia than any capitalist country," he was very concerned about the qualitative aspects of engineering education. During the same year he stated, "While we can be fully satisfied with the quantitative aspects of this business, we should devote more serious attention to the quality of training of specialists." [15]

The Minister of Higher Education, V. Elyutin, in one of his initial reports dealing with the amalgamation of engineering specialists, called 1956 "a year for the training of specialists with the broad view, a year of search for the most rational teaching methods." He went on to comment:

The aim in amalgamating specialties is to train engineers with a broad view, who will be able to direct broad fields of production work, be able to reorganize their own work to suit the future inevitable reorganization of the branches of the national economy and of the management of the economy.[16]

A prominent Soviet engineering professor, named Ginev, published an article entitled, "Prepare Engineers with the Broad View," about the same time as the Elyutin report. This article clearly indicates that revisions in engineering programs have had as their aim not only the strengthening of theoretical and technical training, but also the mastering by students of related technical disciplines. The article states: "A deeper knowledge of related disciplines will enlarge the horizon of metallurgical engineers, will enable them in the future to perform their duties as managers with a broad view of general plant requirements." [17] It is evident that the Soviet's use of the above term "broad view" relates to technical rather than managerial skills.

The general structure of Soviet engineering curricula for the years 1952 and 1957 is presented below. It is evident from the data that some broadening in engineering education took place between the two years, probably after 1955.[18]

Group of Subjects	*Instruction Time Allocation in percent*	
	1952	*1957*
General sciences	30	32-35
General engineering	35	35-40
Specialized engineering	28	20-25
Political and socioeconomic	7	8

A more recent source indicates that the 1959 structure is basically the same as the 1957 structure.[19] As of the mid-1960's, there is once again growing criticism regarding overspecialization in engineering education.[20]

The above figures exclude the time allocated for two important undertakings required in all engineering programs: a diploma project and industrial assignments. In addition, students are required to work full-time for two extended periods during the course of their studies. Engineering students must also master at least one foreign language

(English, French, or German) since much significant information in their fields of specialization can be found in foreign sources.

Soviet engineering education is at present basically similar to the undergraduate programs of M.I.T. and Cal. Tech. in terms of general scientific and certain general engineering subjects. In some respects, such as the amount of knowledge transmitted, Soviet programs rank with portions of master's degree programs found at American universities. However, there are certain basic differences between Soviet and American engineering education.[21] Even taking into account recent changes, Soviet schools are much more specialized and limited in scope. In engineering courses many of the text materials are no more than detailed descriptive technical manuals. There is generally less training in the social sciences and humanities, and what little training there is, is fertilized with much ideology and indoctrination.

In recent years new theoretical courses dealing with such subjects as automation and mechanization of production, and engineering principles, have been added to engineering curricula. In the past, engineering institutes offered few, if any, courses in practical economics. As of late some new economics courses have been added at many institutes. A number of larger institutes have also added specialties that combine engineering and economics (including business) training. We will discuss the inroads economics and business administration are making in Soviet engineering programs shortly.

Since the late 1950's, independent projects, laboratory assignments, and industrial practice and employment have been used much more extensively in engineering education. The aim here is to develop the student's creative, analytical, and problem solving abilities, and to relate theory to practice. However, there are still many complaints that lab experiments, "independent" projects, and general course work require little creativity, independent thought, or problem solving ability. Students are provided with standard manuals and prescribed solutions for solving problems and preparing assignments.[22]

Since 1959, students have spent substantially more time in industrial practice assignments apart from required full-time employment. There are at least two such practice assignments, one called "technological assignment" and the other "prediploma assignment." The technologic assignment lasts not less than one year following the third or fourth year of study; the prediploma lasts from two to five months during the final year.

The usefulness of industrial practice assignments is open to question. There are frequent complaints that many students do not participate actively but are merely passive observers of the operation of machinery, technological processes, and techniques. Enterprise personnel often refer to student employees as "tourists." It is very likely that in most cases industrial practice in Soviet engineering programs may be merely a somewhat superficial introduction to the production process rather than a thorough study of production techniques. It was pointed out earlier that it is difficult to assign all students to activities directly related to their field of formal study. Perhaps a greater shortcoming is the reluctance on the part of enterprise personnel—particularly managers—who are pressed to fulfill the enterprise plan, to have inexperienced students actively participate in the production program because of various annoyances, like spoilage or breakage, that may take place.[23]

In both industrial practice activities and full-time employment assignments it is unlikely that students get a chance to actively supervise plant personnel even if they are placed in managerial positions. In all cases any useful experience that students may acquire would tend to relate to technical rather than managerial skills. Several current sources strongly advocate that more emphasis should be given to economic, organizational, and managerial problems in employment and industrial practice assignments at engineering institutes.[24]

In spite of shortcomings in industrial practice and employment, students do gain some knowledge and appreciation of labor and production problems. Moreover, many students return to the same enterprise upon graduation, and this may substantially reduce the amount of on-the-job training required.

Examinations and diploma projects at engineering institutes are criticized for overemphasizing description and the memorization and presentation of multitudes of facts. Diploma projects as a rule are highly technical and specialized, running about 100 to 200 pages in length. They usually entail the design or layout of a shop, machine, or production process. Many projects involve investigations and data collection at industrial establishments. In most cases the thesis apparently serves to test the student's ability to perform and compile engineering calculations, charts, and technical drawings by applying standard norms and specifications already in use. In some cases theses present genuine innovations that have practical applications and are put into use. However, attention is seldom given to vigorous analysis, problem solving, or the economic implications of the project that is being investigated.[25]

It is rather surprising that until recently engineering institutes offered few, if any, courses in practical economics or business administration although the majority of responsible managerial positions in Soviet industry are filled by engineers. The need for courses in these fields became acute with the enlargement of the managerial job beginning in 1955. With more independence and increasingly complex enterprise operations, it became obvious that training in only engineering and science was not adequate to manage effectively and efficiently. It was only in the Soviet institutes of engineering-economics that programs combining engineering and economics (including business administration) training were offered.

In recent years more practical (applied) economics courses have been added at many engineering institutes. Subjects taught include planning calculations of individual types of production, cost reduction, economic analysis of enterprise activities, estimating overhead expenses, and others. There are also courses now offered in some engineering programs that aim at integrating technological problems with economic analysis. For instance, the course "Technology and Machine Construction" examines questions relating to the economic soundness of technological processes and the effectiveness of individual types of devices. The courses "Theory of Metal Cutting" and "The Cutting Instrument" set forth such problems as the evaluation of the economic soundness of ways of cutting and means for saving metal in the production process. In several programs new courses in computer techniques and mathematical methods of planning are now given.

In spite of the above changes regarding economics education in engineering programs, there are still frequent complaints voiced by prominent authorities that the economics and business training given to engineers is highly deficient. For example, the Director of the Moscow Power Institute wrote an article in *Pravda* entitled "Give Economic Knowledge to Future Engineers." [26] In this article he forcefully points out that numerous engineering graduates who became managers and key decision makers know very little about pricing, costing, capital investment and payback, the economics of plant modernization, production processes and design, labor productivity, and other problems that call for a good grasp of economic analysis. The head of the Tonesk Polytechnical Institute in an *Izvestia* article voices similar criticisms.[27]

The major change that has taken place at a growing number of the larger engineering institutes—mostly polytechnical—since the mid-1950's has been the adoption of specialties that combine engineering and economic training. These specialties are referred to as "Economics and Organization" of a particular branch of industry (e.g., machine building, metallurgy, chemical, food products, consumer goods).[28] At engineering institutes where such specialties are offered, students may take the economics and organization program that corresponds to their branch of engineering training. Graduates who have undertaken such specialties are referred to as engineer-economists. There are also a number of economics institutes that offer engineering-economics specialties. Here a limited number of trade majors take engineering-economics specialties, devoting less time to engineering and science courses, and more to procurement, distribution, finance, and organization of trade activities.

An apparently serious problem at the institutes offering specialties that combine engineering and economics training is that materials and concepts in these two disciplines are not effectively integrated. Technological problems tend to be divorced from economic issues, while economic issues are often divorced from reality. Inadequate attention is given in most programs to economic calculation, econometrics, or problem solving exercises, which combine both technical and economic factors.[29]

Only relatively few students at engineering or regular economics institutes major in economics and organization fields. The majority of engineer-economists in Soviet industry still come from three large engineering-economics institutes: Moscow, Leningrad, and Kharkov. These institutes offer about 40 different specialties. With the great need for more managers and specialists who have a sound grasp of both engineering and economics it is expected that more engineering institutes will adopt engineering-economics specialties in the future.

Currently, there are widespread complaints that not enough engineering-economists are employed as planners, economists, or white-collar managers in Soviet industry. The great majority are managers or staff specialists engaged in technological and production activities at industrial enterprises.[30] Several Soviet sources are proposing that new programs be adopted that will serve to produce engineer-economists with broad training applicable to more than one branch of industry.[31] It is felt that such generalists are needed to manage the many government economic planning agencies, as well as the growing number of large industrial establishments.

The specialties combining engineering and economics training at engineering and engineering-economics institutes are similar in content. Appendix C-II contains a detailed comparison of the specialty "Economics and Organization of the Machine-Building Industry" for the years 1955 and 1959. It should be noted that some minor course changes have probably taken place since 1959. Slightly more than 40 percent of total instruction time has been devoted to science and engineering subjects, about 35 to 40 percent to economics and business administration, and the remainder to political indoctrination, foreign language, and physical education.[32] Business administration courses typically include accounting, statistics, finance and credit (banking), business and labor law, and organization and planning of production. Courses in practical (applied) economics include many of those cited earlier, as well as others dealing with economic problems organization, and planning in the branch of industry under study.

Business administration courses are highly descriptive. They familiarize the student with the various enterprise functions that must be performed, and some of the techniques, as well as the prescribed rules, methods, and procedures used in carrying out these functions. Courses dealing with macro-economics are also primarily descriptive. Subjects covered include facts and figures on the national economy, economic tasks of the branch of industry under study, formal organization of Soviet industry, planning procedure, paper flows, and so on. Micro-economic courses deal with standard methods for analysing enterprise economic activities and results. More will be said about the quality and content of Soviet economics and business courses in the section on economics institutes.

The closest Soviet equivalent to the management courses found in American programs are those dealing with production planning and organization and planning at industrial enterprises. Such courses are referred to as management courses. Here the student learns about the enterprise organization structure, formal authority relationships, components of the enterprise operating plan, prescribed methods and procedures for preparing plans and establishing targets, and various other topics spelling out in detail who should do what, when, and how. Some of the textbooks used are flavored with early American scientific management and include discussions on norm setting, time and motion study, and worker incentives.

Students being trained as engineer-economists must usually prepare course projects based on concrete production data collected at enterprises. A central place, in both course and diploma projects, is supposed to be assigned to problems combining both technological and economic factors in the organization and planning of production. But, as in independent projects in regular engineering specialties, most are highly descriptive rather than creative or analytical.

In general, all economics and business administration courses focus on description and facts. Little attention is given to theory, explanation, prediction, problem solving, analysis, or decision making based on the evaluation of alternatives. There is virtually no study of underlying principles and concepts. This is also true of courses in organization and planning. The only reference to management principles and guidelines for effective managerial action are discussions on unity of command, and the principle of "democratic centralism," which calls for mass participation in the management of production and the use of consultative direction by all managers. Little attention is given to the managerial functions of staffing, control, communication, direction, or leadership, and virtually no attention is given to organizational behavior, the behavioral sciences, organization theory, and other topics covered in management courses in American programs.

As was indicated above, economics and organization specialties are similar in content at both engineering and engineering-economics institutes. However, it is possible that the quality of training in these specialties may be somewhat superior at the engineering-economics institutes. In any event it appears from interviews with Soviet managers that a graduate of an engineering-economics institute has more status in industry than any other type of graduate. This may be merely an "Ivy League" type of image that results from the first-class reputations of the three major institutes of engineering-economics (Moscow, Leningrad, and Kharkov), and many high level industrial managers are graduates of these institutes. Upon graduation, students from those three institutes frequently obtain responsible junior executive positions.

Each engineering-economics institute has its own scholarly journal, something quite rare for Soviet educational institutions, and this reflects their stature in Soviet education. Many faculty members have held, or currently hold, responsible administrative and advisory posts in industry. A good number have doctoral degrees and professorships. They also engage quite extensively in practical industrial research, publication, and consulting. In fact many of the proposals for Soviet industrial reform and the improvement of managerial performance emanate from faculty members of these institutes. The currently famous "Liberman Plan," which calls for a profit motive and considerably more managerial authority at Soviet enterprises, was initiated by Professor Evsey Liberman, who was until recently with the Kharkov institute. More will be said about the Liberman Plan in a later chapter.

The engineering-economics institutes have recently adopted, and are currently designing, new courses in computer programming, mathematical methods in planning, and others with an operations research emphasis. These institutes apparently cover in greater depth than do engineering institutes, such subjects as inventory control, production scheduling, economic calculation, and methods for analysing enterprise performance.

A faculty member at one engineering-economics institute implied to this writer that in some cases instructors discuss with students managerial and industrial problems not discussed in textbooks, but which relate to their research and consulting activities. Such discussions are evidently off-the-cuff, since they are not part of the formal program.

Even though students may be exposed to various problems of management in discussions, and benefit from the experiences of highly qualified faculty personnel, little attention is given to the formal study of management. Therefore, in terms of management education they are not significantly better off than students at engineering institutes who undertake similar specialties.

A graduate engineer-economist, regardless of the institute he has attended, is probably quite thoroughly taught the values and goals of a given branch of industry. He acquires knowledge and technical skills in engineering, economics, and various business fields. However, he does not receive through formal education a conceptual framework or scientific body of knowledge that will help him manage effectively and efficiently in order to attain the goals of the industry. He also learns little about what lies behind the formal façade of industry and management. This he learns only through experience and perhaps in part by reading discussions in the Soviet press and various journals not usually assigned as required reading. Formal educational instruction has not been considered the place for developing managerial skills.

Economics Institutes

Economics institutes are the closest Soviet equivalent to American schools of business administration. There are three basic types of full-time economics institutes. The types and the number of each as of

1960 were as follows: Economics (5); Finance-Economics (8); and Trade-Economics (6).

The distinction between the program offered at the different types of institutes is not very pronounced and there is considerable overlapping of specialties. All economics programs devote considerably more time to political indoctrination and ideology than do engineering institutes. In addition to indoctrination subjects, during their first two years students take general courses in higher mathematics, statistics, economic geography, technology of key branches of industry (e.g., machine-building), foreign language, and physical education. The trade-economics institutes devote little or no time to technology courses, but more time is given to the subjects of trade organization, distribution, and procurement.

Beginning in his third year, the student undertakes a program in his chosen specialty.[33] Students at all three types of institutes can major in accounting, finance and credit (banking), or economics of trade. At least one institute of each type gives a specialty called "Mechanization of Accounting and Computing." Only trade-economics institutes offer specialties in merchandising of industrial goods or food products; but unlike the other institutes, they do not offer specialties in economic and industrial statistics, or economics of industry. Only at some of the straight economics institutes can students specialize in planning of the national economy, planning of material and technical supply, and the economics of labor.

Regardless of the student's specialty he must take courses in accounting, statistics (descriptive), finance, and theoretical and applied economics. In most specialties he must also take at least one course dealing with organization and planning at industrial enterprises, and business law. The planning and organization course is given during the final term and it serves as an integrating and unifying course.

Below is presented a rough approximation of the program structure at all economics institutes. The allocation of instruction time to different phases indicated in percent varies somewhat by type of institute and specialty.[34]

Political indoctrination	10-15
Theoretical and applied economics	25-35
Business administration	35-45
General academic	10-20

Students majoring in national economic planning or economics of industry receive broad training and are referred to as "general" specialists. Upon graduation the majority obtain positions with national, republic, and regional economic-planning agencies; a small portion enter the planning or other departments of industrial enterprises.

Finance and banking specialists obtain employment in the agencies of the Ministry of Finance and Gosbank (State Bank), as well as in the finance, sales, or accounting departments of industrial enterprises. Accounting, statistics, labor, and supply majors obtain positions with numerous organizations at all levels of the economy, including industrial enterprises. In general, more graduates from economics institutes are being employed by industrial enterprises since the 1957 reorganization of industry.

Students who major in economics of trade are trained as general specialists. Trade specialists typically obtain positions in the trade and distribution sector, which includes both wholesale and retail organizations. The relatively few trade specialists employed in industry usually obtain jobs at large consumer goods plants. Merchandising specialists find employment primarily in the trade sector, although in some cases they enter various industrial organizations. I was informed by a number of Soviet academicians and economists that new and improved courses in consumer demand analysis are being added to the trade programs. This is not surprising considering the growing inventories of unsalable consumer goods in the Soviet economy. Even in planned economies adequate attention must be given to consumer demand and market research, especially in countries with rising living standards and increasing consumer choice.

Soviet sources clearly reveal that the quality of economic and business education leaves much to be desired.[35] There are many complaints that the training of economists lags far behind the requirements of the economy, both in quantity and quality. The stress in all programs of economics institutes is on the passive acquisition of knowledge rather than creativity and independent thought. Where engineering and engineering-economics programs have made considerable strides in linking formal study to the real world, and theory to practice, economics programs lag far behind. It is true that the majority of students now admitted to economics institutes have worked full time. However, once they enter the institute less time is devoted to combining employment and study, industrial practice assignments, or independent projects as compared to engineering and engineering-economics programs. Only modest provision has been made recently for more time in these activities; further provisions are widely urged.

The content of both theoretical and applied economics courses is currently under widespread criticism by the Soviets themselves. Many current sources condemn the undue stress on "what to think" rather than "how to think" in economics programs. Economics courses are condemned for being overly descriptive, historical, and nonoperational. These courses dwell on such topics as the basic economic laws of socialism, tasks and history of the Soviet economy, descriptions of the planning process, price formation, formal organization of industry, rules, regulations, standard economic calculations, paper flows, and various economic facts, figures, and reports. Little attention is given to objective criteria or guidelines for implementing economic laws or theory in practice. In fact, economics has traditionally not been treated as a theoretical empirical science by the Soviets.

Macro-economics in particular has been viewed as a philosophy of politics and government action.[36] Facts are typically memorized to form value judgments, not to reach analytical conclusions or solve problems. The "what ought to be" aspects of the Soviet economy are studied in depth in various courses, while there is little or no explanation of the "whys," and predictive theory, even in crude from, is virtually nonexistent. There is little in the way of a conceptual framework or a scientific body of knowledge that can indicate the best way to pursue the ideal economic conditions and results desired. Even applied economics courses are essentially pure description. Hence, Soviet economics education to date has been characterized by significant voids in an empirical-theoretical base, prediction and explanation, problem solving and analysis, creativity and experimentation.

Marginal and equilibrium economics receive little, if any, study. Only a few courses in cost accounting and economic analysis contain rather sparse subject matter somewhat similar to certain aspects (mostly production) of Western courses in managerial economics and economics of the firm. It is true that marginal and equilibrium economics are not as crucial in planned economies as in capitalistic economies, which are based largely on competitive market price systems. Nevertheless, such concepts are still essential for sound economic decision making—both macro and micro. Also not adequately covered in Soviet economics education are such significant concepts as the opportunity cost principle, law of diminishing returns, theory of capital investment and depreciation, and cash flow analysis.

The seminar method is used quite extensively in economics courses. The student is generally confronted with one point of view, and theoretical conflicts and problem solving are absent. A good portion of all economic text materials is political, even in "practical" courses. I have yet to come across a basic textbook used in Soviet economics institutes (or university programs in economics) that does not devote a great deal of space to Communist ideology and Marxism-Leninism.

In some economics courses a so-called "case" method is used. The cases are actually extensive presentations dealing with facts, figures, and national economic plans of past periods. There are complaints that the cases used are obsolete, and that current materials that serve a practical purpose should be developed. Existing case materials typically deal with economic plans and data from ten, twenty, and even thirty years ago.

As the Soviet economy grows more complex, and with increased independence in managerial decision making and resource utilization, predictive ability and the selection of alternatives based on economic calculation becomes increasingly important in terms of economic and managerial efficiency. Hence, the need for courses in marginal and equilibrium economics grows more acute. While some new economics courses are being adopted at economics institutes, relatively few deal in any depth with the above subjects. I was informed by a number of Soviet economists and faculty members in 1961 that provision would be made for new courses in these areas in the future. Apparently the courses were then in the design stage. However, I had corrspondence during 1963-64 with a number of faculty members of Soviet economics programs who were interviewed by me in 1961, and it appears that such courses have not yet been introduced.

A few economics institutes have recently added courses dealing with mathematical methods for economic planning, economic training with computers, input and output analysis, and linear programming. Several Soviet sources are urging that entire specialties dealing with the mathematical sciences, econometrics, and principles for applying computer techniques should be added to the curricula of economics institutes. Graduates with backgrounds in these fields would be employed primarily in government economic planning agencies, although a growing number could be expected to obtain positions at large enterprises in the future. Some leading Soviet economists are calling for the adoption of new courses in the above areas with a micro emphasis. For example, the prominent economist Nemchinov has suggested that much attention should be given to dynamic programming in plant production programs, and that students should be training in the utilization of scientific planning methodology and techniques for formulating optimum production programs.[37]

The major reason for the poor state of Soviet economic education, and the social sciences in general, has been the conflict between dialectical materialism and scientific method.[38] Until quite recently Soviet economic theory was accepted as a matter of dogma and faith. While much lip-service is still paid to dialectical materialism, more attention is now being devoted to the development, testing, and validation of theory through empirical studies and experimentation. For example, academicians now have more leeway to debate and undertake research projects in such areas as value and price, investment choice, and economic incentives. More will be said about this in a later chapter.

Shortcomings in economics training are also due in large part to unqualified faculty personnel. There are many complaints that most Soviet economists, academic personnel in particular, are too involved with history and nonoperational theory rather than being oriented towards the practical problems of the economy. For example, one recent Soviet source condemns economics faculties and doctors of economics for spending too much time on such topics as "the economic views of the Decemberists." Only about 5 percent of all members of economics faculties have doctoral degrees and are professors.[39] Relatively few Soviet economists are knowledgeable or experienced in equilibrium economics. Therefore, they have no frame of reference for tracing and predicting the overall efforts of economic and managerial decisions. There are also many criticisms that economics faculties do not engage in significant research, consulting, or publications dealing with the practical problems of industry and the economy.

For the most part Soviet economists tend to be more interested in ideology, propaganda, and Communist Party activities than in operational theory, empirical research, or practical economic and industrial problems. In fact, 90 percent of all professional economists in the Soviet Union are party members, although only about one-third of all Soviet professionals are members of the party. Hence, it is surprising to find that virtually all modern Soviet advocates of economic and managerial efficiency, and most of those doing important work and contributing significant ideas in new fields such as econometrics and mathematical models, input-output, linear programming, profit motive, and managerial incentives are engineers, engineer-economists, and physical scientists rather than economists.[40] Some prominent names in this regard are Liberman, Kantoravich, Novozhilov, Turetskii, and Nemchinov, who died in 1964.

Given the relatively poor state of Soviet economic education to date, and the relatively inferior faculties in most economics programs, it is likely that this field tends to attract the poorer students. There is some concrete evidence available that serves to support this statement. During the 1962-1964 period, a survey involving some 9,000 secondary school graduates in Novosibirsk province was conducted by the Novosibirsk State University's Laboratory for Economic-Mathematical Research. One phase of this study dealt with the attitudes of graduates regarding work in various branches of the natural, physical, and social sciences and humanities. Economics ranked next to last out of eleven fields, and only biology ranked lower. However, economic-mathematical research ranked sixth.[41]

In addition to economics specialties, economics institutes offer various business administration (in terms of the American conception of business administration) specialties. Students who major in accounting, finance and banking, and statistics are instilled with a great deal of detailed information in their chosen field. The student is well trained to perform a highly standardized task that corresponds to the planning, control, and informational requirements of the monolithic Soviet economic system. He learns the official rules, regulations, and types of data relating to his discipline; standard methods and procedures for obtaining, compiling, summarizing, and submitting data; the nature and content of forms he must prepare, and so on. While specialists in these fields are trained to analyze data, the orientation is historical rather than predictive. They are not equipped with any theory concerning the solution of complex problems that could be used in the application of norms and standard methods for future-oriented decision making and control. Current Soviet sources complain that more attention should be devoted to the analysis, synthesis, and development of data with a view to improving managerial decision making. Training in cost accounting, planning, and control is particularly weak.[42]

Students specializing in supply planning and the economics of labor also study much detailed descriptive data. In addition, they learn in detail the rules, regulations, standard methods and procedures, and types of data relating to their field. Supply majors take courses dealing with the planning, allocation, and procurement of material and technical supplies. Students specializing in the economics of labor learn about manpower and payroll planning, wage scales, classification of workers, labor norms, labor law, and labor productivity analysis. In both of the above fields students take related courses in accounting, statistics, finance, and the organization and planning of production.

In many business administration courses textbooks present a great number of case materials. The cases are descriptive presentations dealing with activities and operations of actual enterprises and various economic planning agencies. However, little in the way of independent thought or problem solving is called for in the study of these case materials. The student is not provided with a scientific approach or conceptual framework for analyzing data, and the emphasis is on memorization. For practice assignments students are given prescribed rules and norms to follow, but they are given no theory or concepts that could be used as guidelines in the effective application of these rules and norms for solving complex problems.

Another shortcoming in the training given at economics institutes cited by current Soviet sources is the lack of technical training in a specific branch of industry. Although most students who are not in trade programs take one or a few courses dealing with engineering, technology, and the techniques of production, little time is given to the integration of technological problems and economic analysis. Several sources propose that economics institutes adopt more courses and specialties similar to those offered at engineering-economics institutes in order to satisfy the demand for managers and other specialists who require a sound grasp of both economic and technological problems. For example, a prominent professor at the Moscow Engineering-Economic Institute currently states that graduates of economics institutes do not have a sound training in the technology of any branch of production and therefore "cannot do any serious economic work at enterprises." He goes on to ask, "How, pray tell, can a man who does not know the complex technology of modern metallurgical production have any useful grasp of the economics of a metallurgical enterprise." [43] He claims that such persons can only work successfully in government planning and economic agencies, but many more are now needed at industrial enterprises.

As we pointed out earlier, there are also complaints that engineers and engineer-economists are trained in only one branch of industry, and that more generalists trained in several branches are currently needed. Hence, it appears that the Soviets require a satisfactory combination of broad generalists and narrow specialists, who are trained in both economics and engineering, in order to effectively and efficiently manage the economy in both the macro and micro sense.

What has long been overlooked by the Soviets is the need for training in management and organization theory and the behavioral sciences, so that a manager can draw upon certain basic knowledge, concepts, and skills in performing his managerial activities. There is also no attention given to the behavioral sciences in economics programs. While students in most economics programs take from one to three courses (80-240 hours of instruction) labeled management, in their last two years[44] these courses are not very similar to courses in management and organization theory offered by American business schools. Soviet courses deal with the organization, planning, and financing of a particular branch or sector of the economy, and both the lecture and seminar methods of instruction are used. As is the case in engineering and engineering-economics programs, management courses in economics programs focus on pure description, the memorization of facts and prescribed procedures, rules, methods, and techniques. Little attention is given to theoretical concepts, explanation, prediction, human motivation and behavior, problem solving, the analysis of complex situations involving several disciplines, or operational guidelines for performing the managerial and enterprise functions effectively and efficiently.

Only in the last few years have some economics institutes come to recognize the need for American-type courses in management and organization theory, and the functions of management per se. Concern about this problem was very evident at the Leningrad Economic-Finance Institute where I interviewed a number of faculty members in 1961. This institute apparently has an above average staff in terms of ability and qualifications. There are several professors and holders of doctoral degrees on the faculty. Many of the faculty are actively engaged in research and consulting activities related to pressing industrial and managerial problems. The director and deputy-director of the institute were interested in adding new courses dealing with management and organization theory. In fact they asked for a list of the best and latest American publications in this field. It was implied that new management courses would be designed and added to the curriculum in the not too distant future.

More will be said about the field of management theory in the Soviet Union in a later chapter.

UNIVERSITIES

There are about forty universities in the Soviet Union. It was pointed out earlier that only about 10 percent of all students enrolled in higher education attend universities. The majority of university graduates become teachers, researchers, and propagandists. About a dozen universities offer economics specialties. Some economics and engineering majors evenutally obtain managerial and responsible staff positions in industry and trade.

Some of the larger universities offer a specialty in political economy. In a number of regions where there are no economics institutes, local universities offer specialties in economics of the national economy, economics of trade, accounting, finance and credit, and merchandising. Only a few remotely situated universities offer a limited number of engineering specialties.[45] The great majority of university graduates employed by economic planning agencies, trade organizations, and enterprises are those who have attended universities in areas where no institutes exist. They usually obtain employment in the same region where they attended university.

Soviet universities are made up of several divisions, each one relating to a particular discipline (e.g., chemistry, physics, humanities, law, medicine, economics). Each division contains a number of departments. However, education in each field is highly compartmentalized and students do not obtain a broad education in several disciplines. For example, the Division of Economics at Leningrad University contains the following departments: Political Economy, Economics of Branches of Industry, Statistics and Accounting, and Economics of Imperialism (capitalist countries). Economics majors receive narrow training and can take only very few elective courses given by the departments of other divisions. Likewise students in other divisions can only take few, if any, elective courses in economics and business administration.

Nearly all economics and engineering specialties offered by universities are basically similar in content to those offered at institutes. The major difference, particularly in economics specialties, is that in university programs considerably more time is devoted to indoctrination subjects and teacher education. Since the number of engineering students at universities is very small, there is no need to discuss this type of education here.

The structure of the political economy specialty offered at Soviet universities is presented below. The breakdown reflects distribution of instruction time in percent and is fairly representative of all university specialties in economics.[46]

Political indoctrination subjects	20
Socialist economics (theory and practice)	30
Business administration	40
Other (general academic, foreign language, physical education, etc.)	10

Appendix C-III compares in detail the university political economy specialty for the years 1955 and 1959.

The quality of university economics education is generally inferior to training received at economics institutes. Faculty members of universities are even less qualified than those found at economics institutes, and their orientation to the real business and industrial world tends to be even more remote. For example, there are no doctors or full professors in the large economics division at Leningrad University. Apparently very few university educators are involved in research, consulting, or publication that deals with current economic, business, or industrial managerial problems.

With only one notable exception, the faculty personnel I interviewed at Moscow and Leningrad Universities had little interest in, or contact with, current problems confronting the Soviet economy. A professor of business administration subjects at Moscow University did not even appear to be up to date on the economic and managerial reforms under discussion and taking place in the Soviet Union. Discussions with university personnel almost always ended up being political and highly theoretical. This was the case to a much lesser extent at economics institutes. American exchange students who have attended Soviet university economics programs have been amazed at the closed minds of Soviet students.[47]

One Western expert on Soviet economy had the opportunity to attend an oral examination in "Socialist Industry" at Leningrad University. Students merely recited detailed descriptive data from their notes in response to a random selection of topics. There was virtually no follow-up with questions requiring independent thought or original ideas. The same was true of the defense of a diploma project.[48]

For entrance into university economics programs, most students must now have had at least two years of prior employment. Students spend several months during the program in full-time employment, but the length of time is apparently not as long as that spent at institutes. They also must prepare a number of independent practical assignments and a diploma project, but the time spent on these activities is also somewhat less than that at economics institutes. Students who expect to enter the teaching profession spend several weeks in a practice teaching assignment.

A British economist who has spent some time in the Soviet Union studying university economics programs, summed up these programs as follows: The Soviet graduate has a high level of detailed knowledge in his economic specialty; a good knowledge of accounting, statistics, and a foreign language; and a fair knowledge of mathematics, calculating techniques, economic geography, and business law. The stress in Soviet university education is on what, rather than how, to think.[49]

My opinion is basically the same. American university students majoring in economics or business administration generally derive a wider background in related and, in many instances, unrelated disciplines; a greater capacity for independent thought; and greater analytical skills than Soviet university students. On the other hand the Soviet student derives more detailed knowledge, and more intensive specialized training and experience, which are useful immediately upon graduation. The same generalizations hold true for training at economics institutes, although graduates are somewhat better prepared to assume positions in industry.

In general, it is likely that Soviet universities will remain a relatively unimportant and ineffective source of managerial manpower in the foreseeable future.

Part-Time Higher Education

Part-time higher education in the Soviet Union is composed of extension correspondence and evening programs.[50] The distinction between full-time (day divisions) and part-time education is becoming more obscure, particularly since the 1958 educational reform. By the late 1960's, it is anticipated that a unified system combining correspondence, evening, and regular higher education will evolve.

Ambitious national economic plans, manpower shortages and, to a lesser extent, the Communist goal of higher education for the masses are the key factors that have led to the great expansion in part-time higher education. By combining full-time employment with formal study the Soviets can move in the direction of universal higher education, increase the skills of the population, and at the same time not impede short-run economic growth and development.

In the past decade, and particularly since 1958, the proportion of students enrolled in part-time programs has increased substantially, as can be seen from Table VI-1.

The national educational plan calls for 60 percent of total enrollment in higher education to be in part-time programs in 1965.[51] Since 1958 the total number of day division students has not increased significantly. The greatest rate of growth has taken place in evening programs.

Since 1952, admission to part-time programs has been competitive. It was pointed out earlier that in numerous cases students enter part-time programs upon recommendations from their enterprises and local Communist Party officials. In such cases the individual is usually earmarked for promotion, often to a responsible managerial position. The student is supposed to take a specialty that will be of direct and

TABLE VI-1

Enrollment in Higher Education by Type of Instruction: Selected Years, 1940-1963
(Percentage)

Year	*Day Divisions*	*Correspondence*	*Evening Divisions*
1940-41	68.8	27.9	3.3
1950-51	65.7	32.1	2.2
1955-56	61.5	34.1	4.3
1959-60	50.6	40.7	8.7
1960-61	48.0	41.8	10.2
1961-62	45.6	42.7	11.7
1962-63	43.0	43.0	14.0

SOURCE: This table is derived from *Annual Economic Indicators for the USSR*, (Washington, D.C.: Government Printing Office, 1964), p. 77, Table VI-B-6.

immediate use in his occupational field. Students in evening and correspondence programs get several months leave from work with pay and, if necessary, travelling expenses during the course of their studies for consultations, diploma projects, and state examination.

Prior to 1950, correspondence and evening programs were confined for the most part to students pursuing academic careers in education. Since the early 1950's enrollment in part-time engineering and economics programs has increased sharply. From 1950-58 there was a five-fold increase in engineering correspondence enrollment and a seven-fold increase in evening enrollment. By 1959 about one-third of all engineering students were in part-time programs.[52] Currently, approximately three-quarters of the specialties offered in evening programs are in engineering and industrial fields. There is also a great expansion underway in part-time economics education. This is in line with the shortage of qualified economists in Soviet industry.

The engineering and economics specialties offered in part-time programs are basically similar to the daytime specialties, although not as many are given. Even though many graduates obtain responsible managerial positions, no special provision is made for management training as such. The part-time programs, if strictly adhered to by students, take from one to two years longer to complete than the regular programs. As was pointed out earlier in this chapter, part-time programs are now being lengthened by six to twelve months in order to reduce the burden on students. Employment assignments and laboratory work are somewhat less in part-time higher educational programs, while the course work is being spread over a longer period of time. There is narrower specialization and less time is devoted to theory. Courses and diploma projects are usually carried out at the enterprise where the student is employed. In general, the work load in part-time as compared to regular programs is about 70 percent.

The quality of part-time higher education, particularly correspondence education, is definitely inferior to the regular day programs. Whereas in the regular programs there are on the average only 10 to 15 students per instructor, in part-time programs there are 65 to 80 students per teacher.[53] Part-time students receive low priority in the use of faculty time, libraries, laboratories, and other facilities.[54] In particular, course materials and textbooks are inadequate and of inferior quality. Attendance at lectures in evening programs, and also in correspondence programs where lectures are given, is not compulsory. Textbook learning and rigid self-discipline are the keys to success. Part-time programs also usually have less qualified instructors.

Correspondence education is carried on through a number of large multibranch institutes and correspondence divisions at many of the regular higher educational institutions. The institutes and their branches are concentrated chiefly in major cities such as Moscow. In some outlying areas there are consultation centers. However, in most cases these centers are only administrative in nature. They assign students to use the facilities of regular higher institutions in the locality, and check to see if employer organizations are giving students proper leaves from work, expenses, and so forth. At a few of the larger centers having at least several dozen students, consultative advice by instructors is given as well. Lectures are given periodically at the large branches of the correspondence institutes and at some of the divisions attached to regular higher institutions. These are usually survey type lectures to help students prepare for their state exams. It is currently urged that the lecture method of instruction be greatly expanded in correspondence programs. It is also being urged by some educators that in larger cities where many students are studying in the same field, correspondence institutes and branches should be transformed into evening institutes. At present, student guidance, printed lectures, and other assignments in correspondence programs are conducted almost entirely through the mail.

Evening education is also conducted by a number of independent institutes, and by evening divisions and branches at regular higher institutions. Here too, programs are greatly concentrated in the larger cities. The evening student is, however, generally better off than correspondence students since he can attend lectures and have more contact with faculty members.

Many new part-time programs have been established at regular higher educational institutions since 1958. The number of programs in the Russian Republic has nearly doubled during the 1958-62 period.[55] However, the lack of programs and facilities in outlying areas and poor-quality training still remain as key problems. At present, many part-time programs are being made directly subordinate to regular higher educational institutes so that students can benefit from the same staff and facilities.

Perhaps the most significant problem in part-time higher education is the high dropout and failure rates. For example, in recent years only one-quarter of the correspondence students of the Kiev Polytechnical Institute reached their final year of study. Also one-half of the evening division students had failing grades in their final year in 1958. The All-Union Polytechnical Institute, which has a six-year, part-time program, graduated only 1,300 students in 1958. The average annual enrollment has been around 30,000 students.[56] There is much evidence that students frequently spend 10 years or more without successfully completing part-time programs, particularly correspondence programs.[57]

There have been substantially fewer students enrolled in part-time economics as compared to engineering programs, although the gap has been narrowing somewhat in recent years. However, there have been nearly as many economics graduates. In 1957, for example, 5,700 students graduated from part-time economics programs, while the figure for engineering was only 5,800.[58] It is possible that more of the economics graduates have been earmarked for responsible jobs because of substantial shortages of specialists in this field, thus providing a greater incentive to complete the program.

A student poll conducted in 1962-63 clearly indicates that part-time students are greatly overworked since they hold permanent jobs at the same time.[59] Dropouts occur most frequently where employment and formal study are not closely linked. There are many complaints that part-time education is poorly coordinated with the student's employment. The student must take many courses that impart knowledge already learned on the job. Several Soviet sources are urging that part-time students should not take the standarized specialties given in the daytime programs. Rather, major adjustments in content should be made in specialties offered in part-time programs, and new specialties should be designed. There are two conflicting points of view on how this may best be done, but neither calls for more management training as such.[60]

On the one hand there are Soviet experts who contend that even greater specialization is best in part-time programs; in this way students would receive training directly related to the special problems of their job and their enterprise, thus enabling them to make immediate use of this knowledge. On the other hand, some experts contend that part-time students should receive broad training in several related fields, so that they will be able to undertake more responsible duties in the future. The debate continues, experiments are underway at a number of educational institutions, but no final decision has yet been rendered.

There are widespread complaints that many enterprise personnel who obtain a correspondence diploma do so not to acquire more knowledge but only to hold down a job or get promoted. One source states, "It is not the student who requires the diploma but the personnel department . . . The empty, formal passing of workers through the evening and correspondence study system is useless; it is a waste of time, energy and money." [61] Many sources condemn the current trend of driving employees to part-time higher education "with a stick" since what is learned is for the most part knowledge already acquired on the job or not needed for future work.[62] Some sources recommend that the length of part-time higher educational programs should be substantially reduced in light of the work experience already possessed by students.

It is evident that many enterprise managers are upset by the disruptions and often adverse impact on plan fullfillment that results from employee leaves in conjunction with part-time study. It was computed that at the drilling machine shop of the Urals Machine Building Plant the loss of time resulting from study leaves came to 2,000 man-shifts in 1962. This is equivalent to 700,000 rubles worth of output.[63]

It is recommended by a number of Soviet authorities that part-time education would be improved by assigning the student more responsible and complicated work at his enterprise as he progresses with his studies. It would be very difficult, however, for enterprises to coordinate their activities with the progress of those employees enrolled in part-time programs. Many enterprises have dozens, and even hundreds, of employees studying on a part-time basis. In general, coordination is a key problem in Soviet higher education. Coordination between part-time and regular programs, and work and study arrangements, is a very difficult task in the Soviet planned economy.

Factory Higher Technical Schools

In an attempt to overcome the many shortcomings present in part-time higher education, a new type of program has been introduced on a limited scale since 1960. "Factory Higher Technical Schools" have been set up at a number of large, technically advanced machine building and metallurgy enterprises in the Russian and Ukraine Republics. As of 1961 there were five such schools, and several more planned for the future.[64] The programs are all in engineering-technical fields directly linked to the needs of the enterprise. They operate like evening divisions at higher institutions, and run about six to twelve months longer than regular day programs. Only one of the metallurgy enterprises now contains more than one division and offers a number of specialties. The faculty at these factory higher schools is made up of both leading enterprise personnel and outside instructors from affiliate higher educational institutions. Students are selected on the basis of recommendations from enterprise management and local party and trade union officials. Technicians, designers, foremen, and other supervisory personnel with a completed high school or semiprofessional education constitute the student body. Upon graduation they become engineers, and many assume responsible executive posts.

A typical program is the one established at the Penza Machine-Building Enterprise.[65] They have set up a higher school as a branch of the Penza Polytechnical Institute. The program began in September, 1960, with an enrollment of 300 students. The aim of the factory school is to provide students with sound theoretical training and at the same time provide training in a complex of workers' vocations. Job rotation related to formal study is a unique feature of all the factory programs. For example, at the Penza plant students work as fitters, lathe operators, and milling machine operators in their earlier years. Later they work as electricians, assemblers, and installers of high-speed computers. Leading enterprise specialists participate in the design of courses. Plant shops are used as laboratories and many course projects are related to the technical problems of the enterprise. The student's work and study periods are alternated: two weeks of full-time study followed by two weeks of full-time employment with evening education.

Current Soviet sources indicate that these new factory higher schools coordinate and combine formal study with employment and specialized training much better than the regular higher educational programs, although there are still a number of problems. One source pointed out in praising the factory programs:

> An integral part of their curriculum consists of the so-called shuttling of jobs, the consecutive movement of students from one job to another; this makes it possible for the learner to become well acquainted with production and to study in practice the questions treated in the corresponding descriptive courses.[66]

This revolutionary approach to higher education is expected to serve as a model for improving and reorganizing all correspondence and evening programs. The factory programs no doubt have a high short-run pay-off in terms of improving and making maximum use of the technical skills of graduates. However, as is the case with all other Soviet higher educational programs, managerial skills and courses on organization theory and behavioral sciences are overlooked.

By the middle or late 1960's a new system of Soviet higher education is expected to emerge. The character of the existing regular (day) programs will change further in the direction of part-time programs. This will serve to further obliterate the distinction between regular, correspondence, and evening programs. A unified system combining all three forms of education is expected to evolve.[67] This system will integrate, at different stages of instruction, part-time study of the correspondence and evening type with full-time study during the day. It is anticipated that the new system will eventually be adopted at the great majority of higher educational institutions. The schemes of alternating work and study will vary somewhat by specialty. It is anticipated that no major changes in specialties will take place, although new specialties will continually be added.

In general, it is still premature to predict, in any detail, what the content of the programs of instruction in the various specialties will be. Leading Soviet educators have indicated that it will probably not be until the late 1960's before the final shape of the new programs will be fully realized. There is currently much experimentation being undertaken at several higher educational institutions. An official of the Russian Ministry of Higher Education reported at a Conference on Higher Education held on March 19, 1963, "It is still difficult to determine the optimum correlation of the three existing forms of education. We have not yet had enough objective experience for this| But the matter deserves study." [68] Whatever the outcome, it is clear that the Soviets are striving to effectively combine education and theory with employment and practice, while meeting national manpower requirements at the same time.

Other Types of Higher Educational Programs

The Communist Party operates a network of higher schools, apart from the regular educational system.[69] These schools are not of much interest in this study and only very few industrial managers receive their educations through the party school network. I did not come across any Soviet business or industrial managers who had graduated from a party educational institution, although some of them had attended special programs and short-term courses offered by party schools. One enterprise party secretary interviewed was a graduate of a party higher school.

During the 1920's and 1930's party schools did serve as a fairly significant source of industrial managerial personnel. In current times they primarily train party functionaries for organizational and ideological work in economic activities and mass communication media. While the party schools offer a number of technical and economic programs—

with much more emphasis on the latter—similar to those found in the regular educational system, the quality of training is inferior. Moreover, more than 40 percent of the work load involves political and ideological subjects. Although there are courses dealing with leadership and administration, such courses are not based on empirical research, operational theory, or the behavioral sciences. Rather they stress ideology, zeal, stimulation of the masses through propaganda, and organizational and training activities aimed at getting personnel of various organizations to know and follow the party line, adhere to Marxist-Leninist "principles," and to improve their performance and productivity.

There is also a network of professional military schools and academies in the Soviet Union. However, like the party schools, these schools are not an important source of business and industrial managerial personnel.

There is still another group of special institutions providing training regarded as equivalent to regular higher education. These are the industrial, managerial, and trade union academies. There was a fairly large network of such academies in the 1930's, but their number decreased sharply following World War II, and only a handful are still known to exist at present. These academies offer training courses of 2 to 4 years for higher level administrative and industrial management personnel, and are operated by various central organs and administrative agencies, as well as by trade unions. It appears that politics and ideology are also stressed in these programs, and there are no indications that any more attention is given to management and organization theory, the functions of management, problem solving, or the behavioral sciences than in other higher educational programs. Information on the national budget in 1957 indicates that there was a substantial cut either in the number of these academies or the scope of their activities.[70]

Although the party schools and special academies described above are regarded as equivalent to regular higher educational establishments, they are the only institutions on this level which do not require certification of completion of general secondary or semiprofessional schooling for admission. At the same time, however, they are most restrictive in the selection of candidates, particularly stressing party loyalty and standing, party activity, and past performance record.

Concluding Remarks on Higher Education

There is a certain amount of objective knowledge transmitted to the student in any system of higher education. In engineering fields the Soviet system probably transmits about the same amount of knowledge as the American system. In economics fields objective knowledge is typically coupled with a doctrinaire interpretation of Communist dogma. In no case is administration or management per se perceived as a distinct field of knowledge or application. It is important to emphasize this here since the same holds true for Soviet postgraduate education, which is discussed in the next chapter. While many American students who take management and organization theory courses do so in graduate programs, the Soviet system does not provide for such courses at either the undergraduate or graduate level.

American higher education philosophy places great emphasis on the development of generalists or well-rounded individuals with a view to the long run. In all cases, in every discipline, the Soviet higher education curricula are characterized by intensive specialization, with the result that the student's training is made functional, pragmatic, and applied, and much of it can be put to immediate use. This has probably been an asset for attaining the short-run economic and technological goals of the Soviet economy. On the other hand, it may have a petrifying effect on the more important long-run development of creative and independent thought and action. This could become a crucial shortcoming with respect to management development as the Soviet economy grows more complex, and as further decentralization of authority in industry takes place.

Graduate Education and Special Training Programs

In order to more fully understand management development in the USSR it is necessary to examine graduate study, the awarding of advanced degrees in the Soviet Union, and the special training programs and courses for improving the qualifications of key industrial personnel, particularly managers. Those programs and courses for persons who have a completed higher education are of primary importance.

There are two types of advanced degrees in the Soviet Union; the candidate degree which corresponds roughly to the American master's degree; and the doctorate or Ph.D.[71] Advanced degree programs are conducted at many of the major higher educational institutions. They are also offered at scientific and research institutes attached to the

Academy of Sciences, regional economic councils, and various other state organizations. In recent years, higher educational institutions have accounted for about 60 percent of student enrollment and degrees awarded in graduate programs.[72]

Technically, the candidate and doctoral degrees are sequential. In practice, however, a large proportion of doctoral degree holders never received a candidate degree.

Since 1956 there has not been a formal educational program with respect to the awarding of the doctoral degree. The candidate degree programs are called *aspirantura.* In some cases the candidate as well as the doctoral degree may be awarded without the recipient having to complete a formal program of study. In such instances the degree is awarded solely on the basis of some outstanding achievement such as a significant textbook, an outstanding scientific discovery, or a major theoretical contribution. A number of measures have been introduced since 1960 in an attempt to insure that only worthy contributions result in the awarding of advanced degrees.[73]

Graduate education in the Soviet Union began in 1925. It was not until 1934, however, that the first degree programs were established. It is only since 1938 that graduate degrees could be obtained through part-time correspondence programs. Prior to 1955, graduate education was confined almost entirely to persons pursuing academic, research, or scientific careers. Seldom did a holder of an advanced degree enter the industrial apparatus. In 1954, there were a number of discussions and conferences on graduate education involving leading Soviet educators. At that time one of the decisions adopted called for more graduate training of leading technical and administrative personnel, or so-called "production-men" for industry. This task was clearly formulated in the course of the discussions:

> We consider it necessary to make a concrete decision as to the possibility of training good production-men in graduate work. This would raise the level of graduate work and would give science and industry more highly qualified candidates of science.[74]

The emphasis on more graduate education for persons employed in economic planning agencies and industrial enterprises was further augmented with the 1958 educational reform.[75] At that time an expansion of correspondence graduate study was also advocated. As of 1961, about 40 percent of all graduate students were enrolled in part-time programs.[76]

The number of students in graduate programs has increased sharply in the past few years. While there were only 36,754 graduate students in 1960, by 1962 the figure reached 61,809.[77] However, there are still frequent criticisms in influential Soviet circles that there are not enough candidate and Ph.D. degree holders in science, engineering, and economics employed in industry. Large enterprises in particular require many more leading personnel, including managers, with advanced training because of their complex and diverse technical, economic, and business operations, and their expanding research, design, and development activities.[78]

The Candidate Degree

Graduate training at the candidate degree level, as it relates to management development, encompasses engineering, engineering-economics, and economics programs. The majority of candidate degree holders in industry are employed in research, design, and development activities, either as managers or key staff specialists. While the number employed in industry (and the trade sector) is still relatively small, the number and proportion will in all likelihood increase over time. For this reason a brief investigation of graduate education is warranted in this study.

In most cases industrial personnel who undertake graduate study are earmarked for promotions, often to key managerial positions. Many large enterprises have several dozen of their employees preparing for their candidate degrees while still maintaining their jobs.[79] For the most part these are engineering personnel, most of whom undertake dissertation projects related to their work. The majority of industrial engineers engaged in graduate study in recent years have been employed in the machinery and metallurgy industries. In general, graduate students who are sponsored by industrial enterprises must return to their sponsoring organization upon completion of their studies.

While the number of students enrolled in graduate economics programs, which at this level includes business administration fields as well, lags far behind engineering, technical, and scientific fields, an expansion of graduate education in economics is underway. As of 1962, there were 4,627 graduate students enrolled in economics fields, and this group comprised 8 percent of all graduate enrollment. The figures for 1958 were 1,584, or 6.9 percent and for 1950, 1,366 or 6.2 percent.[80]

Prominent Soviet authorities are calling for a substantial increase in the number of candidate degree holders in economics to meet the modern needs of industry and the economy. Some are even advocating that professional engineers who become upper level industrial managers should receive postgraduate training in economics fields, with much emphasis on rational decision making.[81] This is a conviction that has gained rather widespread acceptance in the United States in contemporary times.

A number of Soviet institutions offering graduate economics programs are now advertising in leading Soviet economics journals and the press to attract more qualified applicants.[82] A number of them are looking for students to undertake specialties in the organization and planning and the economics and organization of various branches of industry. A significant proportion of students graduating in such specialties would undoubtedly obtain key managerial and staff positions in industry.

Many more economists with advanced degrees are expected to obtain employment in industry. As was pointed out in Chapter IV, at many large enterprises, particularly the newly merged firms, the position of chief economist has recently been created. He reports to the enterprise director and serves as his key advisor on economic problems. He has the title of deputy director and has line authority over various departments including, in most cases, planning, accounting, finance, supply, labor and wages, and sales. The position of chief economist is expected to be filled by more candidate degree holders in the future.

Most students now entering candidate programs must have at least two years of working experience after completing their higher education. In mathematics, the physical sciences, and a few engineering fields, a small proportion of students enter immediately after completion of their higher educations. In addition to letters of recommendation from employers and local party officials, oral entrance examinations are major determinants in the selection of applicants. Potential candidates must take exams in their major field of specialization, one foreign language, and the history of the Communist Party of the USSR.

The engineering, engineering-economics, and economics fields of specialization in graduate programs are similar to the higher educational specialties, although much more rigorous and intensive study is involved. Full-time programs are supposed to take three years for completion, and part-time correspondence programs, four years. In many cases, particularly in part-time programs, students take considerably longer to successfully complete the program. The trend now is one of having students begin their graduate training on a part-time basis, and if they are judged successful, many of them can switch to full-time study in later years. In a few special fields deemed of great importance to the national economy, students study throughout on a full-time basis, with only a few months interruption for employment practice. In all engineering and economics programs, whether they are full- or part-time, students spend several months in industrial work related to their formal studies. In a few engineering and economics specialties, students are admitted only on a full-time basis. For example, the Moscow Institute for National Economy admits only full-time students in the field "Use of Mathematics and Electronics in the Field of Planning." [83] This is due to the critical shortage of, and immediate need for, specialists in this area.

In all programs the candidate works closely with an assigned faculty advisor, and is considered to be a junior member of his department. He must take required seminars in political indoctrination subjects and two foreign languages (English, French, German, Spanish, or Italian). He must also acquire a theoretical knowledge in at least one socioeconomic discipline if he is an engineer. Extensive knowledge in the student's specialized occupational field is acquired through assigned comprehensive reading lists comprised of Soviet and foreign sources, and through contact with his faculty advisor. In engineering fields the student undertakes some independent experimental work. In all programs the emphasis is on independent study. Some of the assigned readings in scholarly journals include discussions on managerial problems and problems of human motivation and behavior. However, the student apparently is not examined on such topics, and his exposure to them is peripheral rather than of central importance.

Prior to beginning work on his dissertation (thesis) project the student must pass qualifying exams in his area of study. The dissertation is supposed to entail a significant original contribution either theoretical or practical in nature. In engineering and economics programs most students undertake research studies and obtain data for their dissertations at economic or industrial organizations such as factories or sovnarkhozy. Since 1960, before the dissertation is presented at a required public defense, a favorable opinion regarding its quality must be obtained from a leading enterprise or other organization whose activities are directly related to the dissertation theme.

Since 1957, one of the dissertation readers can be an enterprise manager or leading specialist who does not even have a higher education.[84] A central agency, the Supreme Attestation Commission, attached to the Ministry of Higher Education, confers all advanced degrees.

No definite conclusions can be reached about the quality of candidate dissertations. Evidence indicates that some are original contributions and these are put into practice, while others are criticized for being worthless, overly descriptive, or entirely unoriginal.[85] The ability and conscientiousness of the student and his faculty advisor, and the reputation and standards of the student's institution all probably play an important role in the quality of an individual's dissertation. Few candidate dissertations deal with management or managerial problems. They generally deal with technical problems.

In sum, the candidate program serves to broaden and improve the technical capabilities of the engineer or economist. The professional engineer who receives graduate training in an economics specialty is probably in a better position to manage effectively than a manager who has had only engineering training. Inasmuch as a candidate degree program gives the graduate more knowledge and information and enhances his technical competence, it can improve—at least to some degree—his managerial ability. In this connection he may be in a somewhat better position to plan, control, organize, and staff activities with greater insight, and to see that various enterprise functions are carried out more efficiently. His managerial status may also be enhanced by the graduate degree, which implies a high degree of technical expertness, thus facilitating his direction and leadership role among subordinates. However, improvements in managerial ability would tend to be, for the most part, an indirect, rather than a direct result of graduate training at the candidate degree level.

The Doctoral Degree

A brief discussion about the doctoral degree is warranted even though Ph.D.'s are rarely employed as industrial administrators. The great majority of Soviet Ph.D's are engaged in research or teaching at higher educational and scientific research institutions. However, a survey of the number and qualifications of Ph.D's in engineering and economics fields will suggest whether there is an adequate supply of competent experts engaged in the training of managers for industry, and in research related to managerial and industrial problems. The recipients of the doctoral degree are generally judged highly competent in their field, and at the same time politically reliable in terms of ideological conformity. The latter qualification has undoubtedly served as a constraint with respect to the research, publication, and teaching activities of, particularly, economists seeking a Ph.D.

The major difference between the procedure for awarding the candidate degree and the doctoral degree is that in the former case the degree is awarded by the academic or research institution and subsequently certified by the Supreme Attestation Commission, while in the latter case the degree is awarded directly by the commission after a meticulous review of the dissertation and the personal qualifications of the recipient. Persons who are considered "worthy" of doctoral degrees may be proposed to the commission by academic councils of the various institutions without going through the routine of dissertation preparation and defense. The proposal is accompanied by a statement about the person's past performance and an evaluation of his research and published works. A special committee of experts at the commission judges the case and makes the final decision on the awarding of the degree.

During the 1956-59 period, 860 or 45 percent of all doctoral degrees awarded were in the physical sciences and engineering. Only 374 or 19.5 percent were in the social sciences and humanities.[86] As of 1959, about 2,200 or 20.6 percent of all doctoral degree holders employed in the Soviet economy were in engineering fields. The figures for economics and planning were 250 and 2.5 percent.[87] It is evident that there are considerably more highly qualified personnel teaching and doing research in engineering than in economics fields. This cannot help but have a more favorable effect on the quality of training in engineering as compared to economics programs. It is true that there are substantially fewer students enrolled in economics programs. During the 1958-59 school year there were 847,000 students in higher engineering programs, and only 158,000 in socioeconomic fields.[88] However, the ratio of doctors of economics to doctors of engineering was .114, while the ratio between socioeconomic and engineering students was .175.

The research activities, including the dissertations, of Soviet Ph.D.'s in both engineering and economics fields, seldom involve substantive studies or analyses of managerial problems. There are apparently many high quality doctoral dissertations dealing with technical problems, particularly in engineering fields, although there are also evidently some of low quality not only in engineering but in all fields. I was directed by Soviet academic and research personnel to what were claimed to be superior doctoral dissertations dealing with managerial problems. Copies of some of these dissertations were investigated at the Lenin library in Moscow.

Soviet dissertations tend to have long involved titles—not unlike many American theses. One dissertation dealing with managerial problems is entitled "Planning of Commodity and Gross Output of the Shop in Value Expressions for Individual and Small Scale Types of Production." This opus was completed at the Leningrad Polytechnical Institute in 1959.[89] It entails a study of intra-factory planning based on data collected at a number of industrial enterprises. Although the dissertation is essentially descriptive in nature, planning deficiencies and some recommendations for overcoming these deficiencies are presented. The focus is on the formulation of planning indices and norms.

Another dissertation investigated is entitled "The Cost of Industrial Production and Means for Its Reduction by the Improvement of the Management of Production." This work was completed at the Moscow Finance Institute in 1960.[90] The study presents a comprehensive discussion on the planning and calculation of production costs at the industrial enterprise. There is also an analysis of the ways by which production costs can be lowered. One part contains interesting data on the reduction of costs by reducing the working force through the reorganization of plants. The dissertation does make some use of the marginal analysis concept, chiefly in physical terms.

In general, only a few of the dissertations investigated appear to be worthwhile contributions in the management area. None, however, are concerned with the dynamics of the managerial functions per se or organizational behavior. They are all mechanistic in nature. It can safely be concluded that very few leading Soviet experts undertake major research projects that result in significant contributions to management theory or practice.

Special Educational and Training Programs

There are advanced training programs, conferences, and various courses attended by industrial personnel that do not result in the awarding of degrees. Of significant interest here are the professional qualification improvement programs given by higher educational establishments, research institutes, and special organizations set up for this purpose. Such programs typically run anywhere from a few months to two years. The 1958 educational reform called for an expansion of qualification improvement programs for professionals employed in industry.

There are programs in engineering fields and, to a lesser extent, economics. In some of the programs, primarily the longer ones, participants obtain diplomas or certificates. In most of the major programs attended by engineers and economists employed in industry, the participants must have a completed higher education. Generally those industrial personnel designated to attend qualification improvement programs are earmarked for promotions to key managerial positions. In many cases the participant already holds a responsible administrative post, and upon completion of the program he will be promoted to an even higher position. However, these programs focus on the improvement of technical qualifications rather than on managerial skills, human relations, or managerial and organizational behavior.

The Department for Perfecting Graduate Engineers, which is attached to the All-Union Correspondence Energetics Institute in Moscow, conducts a major qualification improvement program for industrial engineers.[91] This Department was established in 1947, and is regarded as a place of direct training for leading administrative-technical posts. The conditions of admission require that entering students be professional engineers with considerable experience in their specialized fields. In 1957, over one-third of the students had more than ten years experience in their fields. Many of the students are already responsible administrators who are due after completing the program to be promoted to still more responsible posts. From a 1957 report of the director of the institute we learn that "about 50 percent of the participants are leading industrial personnel (enterprise directors, chief engineers, shop chiefs, energetics specialists, etc.)."

The Department offers more than a dozen engineering specialties, and the study period for each specialty is two years. The Department gives a number of lectures for Moscow students. In general, however, the organization of instruction is similar to the ordinary higher correspondence institutes, but the work is on a considerably more advanced level. Practical and laboratory work are considered unnecessary. After taking all examinations and completing course projects, the student prepares a thesis, which is reviewed by a thesis commission. The final stage before the student earns his diploma is the thesis defense, which takes place in Moscow at the Department.

The Department's diploma enhances the recipients chances of rapid promotion up the industrial hierarchy. The Institute's director has stated, "The Institute recommends the successful student for increased salary in the enterprise where he is working, and also recommends him for promotion." He goes on to cite an example of a graduate who was appointed director of one of the largest Soviet hydroelectric stations. There can be no doubt as to the function of this program: the training of the leaders of Soviet industry and of the Soviet economy.

There does not appear to be any elaborate advanced economics training program similar to the above engineering program. I was informed by a number of Soviet officials interviewed in 1961 that in recent years more special economics programs and conferences lasting from a few days to several months are being conducted. They are often attended by industrial managerial personnel. There are also special engineering programs and conferences lasting anywhere from a few days to several months. In recent years, a growing number of managers with engineering backgrounds have apparently been receiving training in economics and business administration fields through special programs and by taking courses at educational institutions. On many occasions the Communist Party educational network offers special courses and programs in economics and business fields attended by industrial engineering personnel. In general, special training programs and conferences in both engineering and economics fields as a rule devote little attention to management as such. They tend to focus on technical problems. In this respect in particular, they differ from most American executive-training programs.

Several current Soviet sources are urging that more refresher type programs be conducted to provide engineers and economists, particularly managerial personnel, with up-to-date training.[92] Such programs would serve to disseminate information about new methods, techniques, and improvement measures being utilized and implemented at other enterprises. A number of sources even recommend that a central place be given to managerial problems, and the development of managerial skills. However, it is now recognized that little headway can be made in this because of the absence of management literature and a systematized body of management theory.[93]

Semiprofessional Education

Semiprofessional education in the Soviet Union is conducted through an extensive network of specialized educational establishments, often called technicums.[94] They are also referred to as secondary specialized schools, or as they will be referred to in this chapter, semiprofessional schools. Regional economic councils run many semiprofessional schools, and in recent years a growing number have been established at, and attached to, industrial enterprises.

Semiprofessional schools provide a diversity in specialized training not found in the standard-curriculum, one-track, regular academic secondary schools (high schools). It was pointed out in Chapter III that there is no direct American equivalent to Soviet semiprofessional education, although a number of establishments offer somewhat similar training. In general, Soviet programs are narrower and provide for more intensive specialized training than most comparable American programs.

Soviet semiprofessional schools offer 2 to 2½ year programs for students who have completed regular secondary education—this is like a junior college program, and 4 to 4½ year programs for those with only elementary schooling. As was pointed out earlier, regular semiprofessional programs are to be shortened by 6 to 12 months over the 1964-67 period, and this will result in a reduction and reorganization of industrial projects and employment activities. Part-time programs will be increased by 6 to 12 months in order to spread the work load over a longer period of time. Since the mid-1950's the majority of semiprofessional students have been enrolled in the shorter 2 to 2½ year programs, particularly in technological fields.

In spite of the 1964 reform, semiprofessional programs will continue to place considerable emphasis on linking study and industrial practice and employment. The aim is still to concentrate on applied and functional training without undermining the theoretical content.

Trends and Prospects

The Soviet semiprofessional education system produces a large supply of narrowly trained technicians, a great many of whom have assumed managerial positions in industry. The training is job-oriented, highly specialized and illiberal. In spite of his narrow illiberal education, the semiprofessional graduate typically has considerably more status than the regular high school graduate, and he has had a much better chance of moving up the industrial-managerial hierarchy.

In Table V-I, Chapter V, it was noted that by 1959, 5 percent of all industrial enterprise managerial personnel (ETMP) were semiprofessional graduates, and as of 1963 the proportion reached 65.8 percent. In 1959, more than 20 percent of all semiprofessional graduates, in all fields, employed in the Soviet economy held managerial positions at industrial enterprises. The majority, about 66 percent, of the semiprofessional graduates in technical-industrial and economics fields were employed in the ETMP ranks at industrial enterprises.[95]

The aim of instruction in the semiprofessional schools has been to train the students in skills and knowledge that would qualify them for employment on the intermediate levels of professional competence. However, many responsible executive positions in Soviet industry have been filled by semiprofessionals. This will probably occur much less frequently in the future. Top and probably even middle-level executive positions will be filled increasingly by professionals. It was pointed out in Chapter V that the number of jobs within the ETMP ranks available to the semiprofessional is rapidly reaching the saturation point. Since the 1958 Soviet educational reform, students enrolled in semiprofessional programs must acquire thorough vocational training in a skilled worker occupation (e.g., lathe operator, metalworker, or electrician). There is a roster of about 1,000 allied occupations for which training in semiprofessional programs is now provided.[96]

In the past, industrial enterprises often placed new semiprofessional graduates in supervisory positions. There is evidence available which indicates that now the vast majority of jobs open to new graduates are as technicians and skilled workers.[97] However, this is apparently not true to as great a degree in the chemical industry, which is undergoing a vast expansion program. In this industry there is apparently a critical shortage of qualified semiprofessional graduates—as well as professionals—due to this expansion, increased automation, and the complex chemical processes utilized.[98] Due to these shortages, available graduates of semiprofessional programs geared to the chemical industry are being employed not only as technicians and skilled workers, but also in supervisory positions. As a result of the highly specialized nature of Soviet professional and semiprofessional training, chemical enterprises are severely restricted in employing graduates of programs not geared directly to the chemical industry.

In general, however, it appears that in the future semiprofessional graduates will increasingly remain in the ranks of technicians and skilled labor, or at best rise to only a lower level supervisory post. This may tend to discourage "practicals" from seeking a semiprofessional education, since there would frequently not be a significant job advantage resulting from such training.[99]

The 1958 Soviet educational reform, and another decree adopted in 1960 have placed greater stress on priority admission to semiprofessional schools for persons who have had at least two years of employment, and particularly those who are assigned by their enterprise to study on a full-time basis. Up to 80 percent of the entering class vacancies in semiprofessional programs are supposed to be reserved for individuals with prior employment, who also have favorable references from their enterprises and local party, Young Communist League (Comsomal), and trade union officials.[100] It is unlikely that this measure will meet with much success in the future, if there is to be no significant job advantage resulting from semiprofessional training.

While the number of managerial positions, particularly upper and middle level posts, open to semiprofessionals is likely to decline substantially in the future, it appears that semiprofessional education will continue to expand in order to provide adequate numbers of skilled workers, and especially technicians for industry. In several branches of industry the ratio of engineers to technicians is inefficient. For example, in the machine building industry there are only three technicians for every two professional engineers, and in a number of enterprises there are more professional engineers than semiprofessional technicians. Soviet experts advocate that by 1970 there should be three or four technicians for every professional engineer in the machine building industry.[101]

Since 1958 a campaign has been underway to expand part-time semiprofessional education, especially correspondence programs. It is hoped that there will be a fusion of full- and part-time semiprofessional education similar to the trend underway in higher education. The semiprofessional schools have a smaller proportion of part-time students than the higher educational institutions. However, part-time evening programs have been emphasized somewhat more than in semiprofessional education since face-to-face contact with instructors is deemed more important than in higher programs.

TABLE VI-2

Admissions to Semiprofessional Programs by Type of Instruction: Selected Years, 1952-1962
(Percentage)

Year	*Day Divisions*	*Evening Divisions*	*Correspondence Instruction*
1952	82	6	12
1959	58	15	27
1962	52	16	32

SOURCE: Derived from *Annual Economic Indicators for the USSR* (Washington, D.C.: U. S. Government Printing Office, 1964), p. 73, Table VI-A-6.

Thus far no well developed and effective system of semiprofessional correspondence training has been created; to do so in the future will be difficult because semiprofessional training is so applied and yet oriented that it lends itself to correspondence instruction to a far lesser extent than higher education. In spite of this problem, there has been a considerable increase in semiprofessional correspondence programs in recent years. Table VI-2 presents data on admissions to semiprofessional programs by type of instruction; as of 1965, nearly 50 percent of all students enrolled in semiprofessional education are in part-time programs.[102]

Since the 1930's quantitative trends in Soviet semiprofessional education have closely paralleled trends in higher education. The stress has been on technical (also referred to as engineering and industrial) fields. During the 1928-60 period, 2,676,800 or 35 percent of all semiprofessional graduates have been in technical-industrial fields. The figures for socioeconomic programs for this period are 578,300 or 7 percent.[103] Since the early 1950's technical industrial training has been significantly expanded, while economic training has also expanded as can be seen from the data presented in Tables III-12 and III-13.

Although semiprofessional training in economic (and business) fields has been expanded during the last decade, several current Soviet sources complain about the shortage of semiprofessional graduates in economics and business fields. They urge a great expansion of semiprofessional economics education. A majority of statisticians, accountants, and planners, including "white-collar" managerial personnel, at industrial enterprises do not even have a semiprofessional education.[104] It is felt that such training is the minimum needed for such personnel, especially in light of increased independence at the enterprise level in recent years.

Content of Instruction Programs

Soviet semiprofessional schools, including their organization of studies, are patterned very closely after Soviet higher educational institutions. Their curriculum often includes some of the same courses offered in higher programs. This is done on the assumption that professionals and semiprofessionals will be closely associated in their work. There are more specialties offered in semiprofessional programs, and they are considerably narrower in scope than higher specialties. Many of them are listed under the same classification code number and carry the same title as higher educational specialties. Soviet sources voice the complaint that in various fields, technical-engineering in particular, semiprofessional programs are not only modeled upon the corresponding specialty offered by higher educational establishments, but even partly duplicate their syllabi.[105]

As in higher programs, there has been an amalgamation of semiprofessional specialties since the mid-1950's to provide for somewhat broader training. At one time there were about 1,000 specialties offered by the various technicums. In 1955 there were 575, and by 1957 only 349.[106] About 75 percent of all specialties are in the engineering-industrial area. Many of the specialties are so narrow that the graduate can only use his knowledge and skills at a very limited number of enterprises. In fact, some large Soviet plants have their own technicums where they train workers and front line supervisors such as foremen and section heads. For example, the Red Proletarian Machine Tool Enterprise in Moscow, which I visited, has its own technicum with an enrollment of about 500 plant personnel.

In order to illustrate how narrow in scope semiprofessional specialties are, a few titles will be cited. In engineering-industrial programs, some of the specialties offered are: Thermo Techniques of Gas-Fired Furnaces, Welding Production, Dust Collecting and Cleaning of Technological Ventilation Gases, and Equipment of Metallurgical Factories.[107] Since 1964 a number of new specialties have been added, while others have been merged. Some of these new specialties are: Technology of Plastics, Technology of Chemical Fibres, Agricultural Chemicals, Chemical Cleaning and Dying, and Building Management.[108]

At economics technicums the student can specialize in accounting, statistics, finance, state budget, trade, merchandising of various types of goods, and planning at various types of enterprises. Recently, new specialties dealing with electronic computers have been added to the programs of some economics and engineering technicums.

As is the case with all other types of Soviet education, management as such is not perceived as a field of knowledge or application in semiprofessional programs. Some Soviet sources are calling for more training in applied economics and business administration subjects at engineering technicums. It is unlikely that much headway will be made in this respect since the work load for engineering as well as all other types of semiprofessional students is already extremely heavy. In fact the load has been significantly increased since 1958 in all programs with the extension of applied instruction, which is being reduced somewhat during the 1964-67 period. Applied instruction includes industrial practice, workshop assignments at the school, full-time employment assignments at plants, and a diploma project at technical-engineering technicums.

The structure of a typical specialty program offered by engineering technicums in 1960 is presented below.[109]

	General Technicums (for 8-year school graduates)		*Advanced Technicums (for 11-year school graduates)*	
	Hours	*Percent*	*Hours*	*Percent*
I. General academic subjects	1,990	30.9	300	6.4
II. General technical subjects	820	12.7	760	16.1
III. Specialty subjects	1,250	19.3	1,250	26.5
IV. Applied instruction	2,400	37.3	2,400	51.0
Total	6,460	100.0	4,710	100.0

General academic subjects include courses in political indoctrination, Russian and foreign language, literature, mathematics, and the physical sciences. General technical subjects at engineering technicums include courses in technical drawing and drafting, theoretical and engineering mechanics, materials technology, machines and mechanisms, and others. At economics technicums the general academic and technical courses are obviously different, and more time is devoted to economics and the humanities with emphasis on political indoctrination and ideology. Specialty subjects cover basic and narrow training in the student's chosen field. In the advanced programs much less time is spent on general academic subjects since the student will have fulfilled most of his requirements in the regular high schools.

Graduates are usually assigned to three years employment at an enterprise or other organization designated by appropriate authorities. Upon completion of this job assignment, they may apply on an equal basis with other applicants to full-time higher educational institutions. Only the top 5 percent of the graduating class can apply for admission to regular higher educational programs immediately upon graduation, generally only in the field of their former specialization. The rest of the graduates may apply for acceptance in higher correspondence programs during their three-year job assignment, but only in the same field of specialization. Only relatively few semiprofessionals have gone on to obtain a higher education.

It is evident from the above discussion that semiprofessional education is highly pragmatic, functional, and applied. The student is taught in detail what to think and do in his narrow specialized field. There is little attention given to creativity or independent thought. A leading American expert on Soviet education has summed up Soviet semiprofessional training in the following words: "Most semiprofessional school graduates acquire sufficient knowledge to perform certain specialized functions. They receive theoretical preparation in certain specialized fields, but their training restricts them to narrow practical pursuits." [110]

Upon graduation the semiprofessional can begin his employment with little or no on-the-job training. Semiprofessional education definitely has had a high short-run payoff for the Soviet state. However, major changes in technology, production processes, policies, methods, or procedures may well render much of the semiprofessional's knowledge and technical skills obsolete. If the semiprofessional assumes a managerial position, his formal education has done little to develop his managerial skills, even less if his training has been in engineering rather than economics. Moreover, his semiprofessional education has not prepared him to be creative, to solve diverse problems, to make independent decisions, or to understand people and get things done through them. Nevertheless, if the semiprofessional is to be restricted to routine supervisory and skilled worker jobs in the future, the above voids in his formal education will probably not have a disastrous effect even if industrial enterprises acquire more authority and independence.

On-the-Job Training Programs

Improvement of Technical Skills

Even when the Soviet citizen completes his formal education and obtains a position, managerial or otherwise, in industry there is little in the way of formal training to develop his managerial skills. There are training programs at nearly all industrial enterprises, but these deal chiefly with the development of technical skills. It is estimated that about 75 percent of all occupational wage workers in Soviet industry have gone through some type of on-the-job training program.[111] There are programs for new employees without any skills or with low-level skills. There are also programs for improving existing technical skills and acquiring new skills, as well as special purpose programs due to changes in such areas as technology, production processes, or product mixes.

On-the-job training may be conducted on an individual or group basis or through special course study programs. In some cases a new employee serves as a "double" for an older employee until he acquires sufficient knowledge about his job and those aspects of enterprise operations that affect him. During 1960, 6.8 million industrial personnel took part in some type of on-the-job technical training program. The large majority (5.4 million) were nonmanagerial personnel.[112] The administrative personnel were primarily lower level supervisors such as brigade leaders and foremen. In spite of all these technical training programs, evidence suggests that managerial personnel tend to devote inadequate attention or effort to the training of subordinates. For example, a mechanic at an Alma Ata machine castings plant states: "Management does little to help new employees to raise their qualifications."[113] This situation is apparently a significant contributing factor with respect to increasing labor turnover at many enterprises. It is probably due in large part to the constant short-run pressure on management to fulfill enterprise operating plans.

Management Development Activities

In many instances higher education graduates, particularly professional engineers, are initially employed in routine supervisory positions such as assistant foreman. This may provide the new manager with administrative and human relations experience without seriously jeopardizing enterprise operations and plan fulfillment. He learns the art of managing through managing, "force of example," and his mistakes. At this stage he may well be in a sink or swim position with respect to his future managerial career.[114] With no formal training in management or human behavior, the new manager is now placed in a position where these aspects of his work are critical. If he has been a leader and an administrator in school activities this may well be of some benefit to him.

It appears that superiors tend to do little in the way of developing the managerial abilities of their subordinates who are managers, or who may become managers. From interviews with Soviet executives, it is evident that the principle of direct management development is generally not adhered to in Soviet industry. Techniques such as coaching, personal tutelage, or job rotation are evidently not conscientiously applied in the development of managerial skills of subordinates. There may be several reasons why superiors do not devote time or effort in developing their subordinates' managerial skills. In the first place management has not been perceived at all as a science or theoretical discipline. Even if a manager wants to train his subordinate in the art or practice of management, he must do so without the benefit of a systematized body of knowledge consisting of operational theory, concepts, and principles. Secondly, there is the problem of time due to pressure to fulfill short-run operating plans. Thirdly, a given manager often does not have the final or even a vital say in the promotion of his subordinates, particularly if a responsible post is involved. Superior authorities, especially the Communist Party, frequently play the major role in such matters. For all of the above reasons, Soviet managers probably do not to perceive the development of managerial skills of subordinates as an important responsibility.

Even in training programs for upper level executives, the emphasis is on the further development of technical skills. For example, one current Soviet source reveals that at the initiative of the Moscow City Communist Party and the Moscow Economic Council special training programs were recently established for directors and chief engineers of Moscow enterprises. One day each week is devoted to these programs. However, because of the lack of management research and theory, little attention is given to managerial problems as such.[115]

It appears that good managers tend to emerge in Soviet industry more by chance and self-development rather than through formal training and development. It was pointed out in Chapter V that there is no effective appraisal program with respect to the selection and promotion of Soviet managerial personnel. The rather subjective appraisals of higher authorities and party officials are typically key determinants in this connection. No doubt in many cases it is obvious that an individual has the qualities of a good manager even without utilizing objective appraisal criteria. A manager's past performance record, the quality of which is supposedly reflected chiefly by his bonus record, also serves as a key indicator of his competency. It is felt that those administrators who fulfill and overfulfill their plans, and thus receive bonuses, have the ability and know-how to coordinate human effort and physical resources toward the accomplishment of organizational objectives. Yet, as was pointed out earlier, in many cases plans are fulfilled and overfulfilled because they were easy and deficient to begin with, and not necessarily because of effective and efficient management. Some current Soviet sources are now calling for the design and utilization of an effective objective appraisal system for managerial personnel, based on their management ability.[116]

There are certain ways that personnel can reveal and display their administrative and leadership abilities, even if they are not at present employed as managers. As is the case in the Soviet educational system, life at the Soviet enterprise is highly organized. There are a number of committees, councils, and other organizational bodies at every industrial enterprise where personnel participate and can be elected or appointed to a leadership or administrative type of position.[117] If the employee is a member of the Communist Party he may be elected an officer of a shop or even of the enterprise party committee. Likewise he may obtain a position on the enterprise trade union committee. Any employee, regardless of his job, may be elected an officer or even chairman of the Permanent Production Conference, which is under the guidance of the enterprise trade union committee. He may also be appointed or elected a member or an officer of the technical council, the council of innovators, the artistic council, or various other organizations at the enterprise. In fact, some organizations are not directly related to enterprise operations. At many enterprises there are organizations dealing with social welfare, housing, education, recreation, and various other off-the-job problems. The on-the-job and off-the-job lives of Soviet personnel are closely linked, particularly at larger enterprises, which provide much in the way of housing, cultural, and recreational facilities and other social services for employees.

In general, the Soviet citizen who has initiative, leadership ability, and management potential has a number of opportunities to reveal these qualities at his enterprise. No doubt an individual's performance in the various enterprise organizational bodies is often a significant factor with respect to promotion within the managerial hierarchy.

Economic and Business Administration Training Programs

Before concluding this chapter, it is important to discuss economic and business administration training programs at Soviet enterprises. This type of training in Soviet industry is becoming widespread and increasingly important. The chief aim of these programs is to train employees to perform their duties more economically and efficiently. In the case of managerial personnel, with increased authority at Soviet enterprises in recent years, it has become more important that they be able to make independent decisions taking into account the overall economic implications.

At many enterprises, programs that attempt to unite technological with economic and business training have recently been established.[118] Both managers and workers take part in such training, and the program content varies somewhat according to the occupations and duties of the trainees. Attention is given to such subjects as cost accounting, economic calculation, and "rules for economy in the working place." The programs are of a fairly short duration, generally lasting from several days to a few weeks, while trainees still maintain their regular jobs. Seminars, lectures, and the solving of actual problems are the devices used in such training.

Some large enterprises, such as the Ural Machine Building Enterprise, conduct technological-economic training programs on a continuous basis. In fact the Urals enterprise established a technological-economic "school" under the chief economist in 1962.[119] This school administers and coordinates all of the economic training programs at the enterprise.

At more than 500 major industrial enterprises, economic analysis bureaus have recently been established.[120] These bureaus conduct economic and business administration training programs at the enterprises. Several thousand personnel in all occupations have already participated in the programs conducted by these bureaus.

At numerous enterprises, economic and business administration training is under the guidance of local Communist Party units, and party course materials and syllabi are used. In 1962 a book dealing with on-the-job economic training at the enterprises in the Moscow region was published.[121] This book presents a comprehensive first-hand study of the methods and programs of instruction utilized for enterprise economic training programs. Some of the findings are worth mentioning here.

The programs are conducted by Communist Party members at the enterprise, usually under the guidance of the local party committee. For the most part, the instructors, who are also called "propagandists" or "educators," are ETMP who have received training in economics and have considerable experience in the problems and operations of the enterprise. In many cases, the chosen instructor will have augmented his education, especially if he is an engineer, by attending special economics and business courses offered by the Communist Party school system. An additional key qualification is that the instructor be well versed in, and dedicated to, Communist ideology and party "theory."

It is evident that the quality of the training programs suffers because of the great stress placed on ideology. For example the scope and purpose of economic training at the enterprise level is defined as follows:

> Economic education in the enterprise is one of the most important works of the party. In the seminars, groups and programs personnel learn not only economics, but are also passing through a course of Communist education. This is part of the total Marxist-Leninist education and an important tool in the propagation of the Marxist-Leninist point of view.

The stress on indoctrination is further revealed in defining the job of the instructor: "In his attempt to connect theory with practice and use it to the solution of daily problems, the instructor or seminar leader should always show the righteousness of the party position and how it applies to its internal and external efforts."

It is also clear that the programs are rigidly controlled and confined to the party line from the following statement: "It should be kept in mind that the discussions take place within the guidelines established by the party, thus the discussions will always be those suggested by the party."

Obviously such an approach to economic and business training has significant shortcomings, especially in connection with management development. Creativity and independent thought tend to be suppressed. However, through the swamp of ideology the programs probably yield some practical results.

There are four basic types of programs. Participants attend the appropriate program at lunchtime, after work, or in some cases during working hours.

I. The Beginner Program

This program is apparently for new enterprise personnel and those employees who have little or no background in economics or business administration. Many of the participants in this program are lower-level managerial personnel, or persons who will soon assume managerial positions. Some of the practical subjects covered in this program are: (a) managerial activities in the brigade, shop, or department, (b) enterprise goals, (c) organization and management of the enterprise and industry, (d) employee participation in planning and decision making, (e) delegation of authority and authority relationships among different personnel, (f) the role and functions of various committees, councils, staff groups, and departments.

This type of training is used extensively at Moscow enterprises. For example, at the First State Ball Bearing Enterprise in 1961-62, 10,000 persons participated in the beginner's program. At the giant Likhachev Motor Vehicle Enterprise there were 500 study groups with 18,000 participants.

The training program is descriptive in nature with little attention given to problem solving or criteria for sound management. Still, it probably does serve a useful purpose for management development, if only by acquainting participants with overall enterprise operations.

II. Economic Study Groups for Advanced Personnel

This type of program is conducted at every Moscow enterprise. The participants are middle managers and responsible staff specialists with a higher education and considerable practical experience. The great majority are professional engineers. The instructors are supposed to be outstanding engineers with an extensive background in economics and party ideology. In this program, somewhat less time is devoted to indoctrination in political doctrine.

Instructional devices utilized are lectures, reports by the participants, assignment of projects for individual solution to be presented to the class for discussion, question and answer periods, and examinations. Actual enterprise problems and proposals for their solution receive considerable attention in this program.

Some of the topics covered are: cost reduction and cost planning, analysis of plan fulfillment and the future improvement of operations, raising labor productivity and profitability, better utilization of working capital, and pricing of industrial production.

This program probably improves the capabilities of participants in their jobs. It is, however, somewhat handicapped by the lack of a systematized body of theory and concepts that could be applied in the solution of complex problems. Also, little attention is given to getting things done through people, or to the managerial functions per se.

III. Seminars for Top Administrative-Technical Personnel

This program is somewhat similar to the economic study groups for advanced personnel, except there is more independent study, and the participants are upper level managerial personnel and key staff specialists. Seminars consist of a discussion forum at which problems and subjects are examined and debated with a view to application in practice. The main duty of the instructor is to inspire the members of the seminar to think independently (but within the bounds of the party line) and to analyze and solve the problems within their areas of authority. Any problems deemed important by the instructor and the participants receive consideration in this program.

IV. Economic Conferences

These conferences are designed mostly for those persons who have finished at least one of the above three programs. They may take place upon the completion of the above programs or on a yearly basis as a refresher course. The conferences are conducted on an enterprise, departmental, or group basis. Primary attention is given to problems in enterprise operations and proposals for improving performance. Major subject areas usually covered are: general economic problems such as planning and productivity, new pay rates and regulations, organization for efficient production, management of instruments and tools, repair of equipment, reduction of spoilage, and new technology and changes in production.

In sum, economic and business administration training programs at industrial enterprises probably serve a useful purpose with respect to management development in spite of emphasis on political indoctrination and adherence to the party line. The programs for leading managerial personnel, who have already been adjudged politically reliable by the party, devote less time to ideology and more time to practical problems and pursuits. The effectiveness of these training programs, in terms of management development, would be greatly enhanced with a systematized body of management theory and more emphasis on human motivation and behavior. Without an effective conceptual framework for analyzing the managerial job and organizational behavior, much greater reliance must be placed on the random study of managerial problems and trial-and-error techniques.

Appraisal of Formal Management Education

It is evident from the preceding pages that formal instruction at Soviet educational institutions does not contribute substantially to the development of managerial skills or ability. This is especially true in straight engineering programs, although more courses in economics and business administration have been added to the curricula of many engineering institutes in recent years. It is rather surprising that so little time has been devoted to business, economics, and management education at engineering schools since the great majority of managerial personnel in Soviet industry are engineers by training.

In America, many of the students who study management do so in graduate programs. The Soviet system provides little for management education as such, either in undergraduate or graduate programs. It is true that in some programs the Soviet student acquires an insight into the formal procedures and regulations pertaining to the planning and organization functions of management. To an even lesser extent he may acquire some insight into the management functions of direction, staffing, and control. However, the emphasis is chiefly on descriptive, static, and nonoperational aspects rather than the dynamic aspects of management. In fact the key elements of the managerial job are not even defined or clearly spelled out in formal instruction programs. The student receives little or no instruction pertaining to principles, criteria, concepts, or other guidelines to be used in performing managerial activities. Little if any attention is given to decision making and the analysis of alternatives, human motivation and behavior, leadership, and various other topics covered in American management and business administration courses. In general, Soviet education virtually ignores the entire management theory, decision making, human relations, and behavioral areas.

The Soviet system of formal education for management development apparently operates on the assumption that some managers are born good managers, others ripen through the process of living and managing, but none can be produced in the classroom. This philosophy also holds true to a large extent in connection with on-the-job training.

In a nutshell, then, the Soviet position has been basically that the art of management can only be learned and perfected through managing, without recourse to science, principles, theory, or education. On the other hand, the American philosophy is that management theory can be developed and taught, and that a catalyst can be introduced into the management development process through formal instruction. Various devices such as diversified case problems, role playing, problem solving, independent projects, and sensitivity training are used, which simulate the real-life management world and serve as a means for applying the theory and concepts learned.

The Soviets do not utilize such devices. Courses in management theory, decision making, human relations, or the behavioral sciences are not offered in any engineering or economics programs. The Soviets have in fact condemned "bourgeois sociology" and Western advances in the study of human relations, behavior, and motivation in industry. The commonly held Soviet view of Western behavioral studies is that they have been and are a method "for ideologically disorientating the masses, for molding their ends in a direction advantageous for the ruling class; and to control and plan the behavior of a given social group at a given enterprise at any particular moment."[122]

There are also American educators and managers who are of the opinion that the teaching of the behavioral sciences and human relations for management development at colleges and universities can be carried too far.[123] Few, however, express the opinion that formal instruction in these fields is not of value in the development of managerial skill and ability. The main point of dispute is to what degree managers and potential managers should be trained to manipulate personnel to do things unwittingly or against their will rather than relying on voluntary cooperation.

At the same time one should not overlook the fact that the Soviets utilize a system of mass indoctrination through education, mass media, and party channels in an effort to induce the population to behave as the state wants it to. It is true that such indoctrination is carried on at a somewhat superficial, although intense, level; but it may be that more potent manipulative devices would be employed by the Soviets if they were available. But the Soviet labor force is no longer a captive one, particularly since the end of the Stalin era, and the emergence of more individual freedom and of growing labor shortages.

Activities Contributing to the Development of Managerial Skills

It is important to point out that the Soviet educational system does employ a number of devices for simulating the managerial world and for management development. One major device is the creation of a tight organizational world of their own for the students while in school.

The extracurricular life of the Soviet student is highly organized, filled with meetings, committees, and various other activities, probably to a much greater extent than at most American schools.[124] This is particularly true of Young Communist League (Komsomal) members, and those persons with leadership ability and initiative tend to gravitate to this organization. A comprehensive system of student self-government is found at virtually all educational institutions. The Komsomal body within the school, just like the party unit in adult life, is expected to guide and direct the activities of many local organizations and programs. In this way many students, especially those elected to administrative positions, acquire a great deal of managerial, leadership, and human relations experience. They must plan, organize, staff and control activities, delegate authority and exact responsibility, and gain the cooperation of the general membership through effective direction, leadership, and motivation. Such organizational activities are taken seriously by the Soviet student body, and outstanding service is a significant factor in the evaluation of students for employment upon graduation. Through this process of "natural leadership selection," many students are labeled as potential managerial material for industry.

The combining of formal study with practical work in Soviet education programs may also have some favorable effects with respect to management development. The Soviet manager's first major practical experience in industry occurs while he is still under academic tutelage. In many instances the student's formal education is interrupted because he assumes a full-time job. This serves as a bridge between formal study and the real world, even though theory is often not effectively linked to practice.

As was pointed out earlier, there are also a number of other problems entailed in combining study and work programs for the student population. Moreover, probably only a very few students get a chance to actually manage at enterprises while still in school. However, by requiring students to work as laborers directly in production, this "dirty hands" experience cannot help but instill in the student some appreciation of labor and human relations problems at the grass-roots operating level of the economy. It is an experience that will probably remain with the student all of his life. If he moves up the managerial hierarchy he will have had first-hand exposure to the procedures at the bottom rungs of his organization where tangible operating results are actually achieved. He will be at least somewhat familiar with the problems, behavior, and needs of the working force, and this may well enhance his effectiveness as a manager and leader. Khrushchev himself, when premier, often drew on and referred to his experiences as a worker when analyzing problems and issuing decrees pertaining to industrial personnel.[125]

Relatively few American managers have worked as laborers at any time in their careers as compared with Soviet managers. Even fewer have gone through an educational program that serves to bridge formal study with the real world through related employment. On the other hand, many students, particularly graduate students, do work on their own initiative while attending school. Many have also, at some point, interrupted their studies to work full-time. There is little or no validated evidence available that indicates that students who have worked or who work while attending school, are more likely to be better managers. However, many American educators with whom I am acquainted feel that business school students with some practical business experience tend to apply themselves to their studies more conscientiously and get more out of their formal education.

A number of the leading American schools of business administration give some priority in admissions to those persons who have some practical business experience. It is no doubt felt that such persons will be in a better position to relate the theories, principles, and conceptual framework provided in formal instruction to practice and the real world. There is talk among some American business school faculty members that the combining of study and employment in business educational programs has much merit and is worthy of serious consideration. In this connection the Soviet experience may have something to offer. In general, however, formal education for management development is far more advanced in the USA than in the USSR. The Soviets have much to learn from us, and it appears that their educational system will converge somewhat in the direction of ours in the near future. This prospect will be discussed in the last two chapters.

VII
The Changing Needs of Soviet Management Development

Management Development and the Managerial Job in Retrospect

Preceding the Communist takeover in Russia in 1917, and during the initial years following the revolution, the problems of industrial and business management were virtually ignored by Marxist theoreticians and political leaders. The traditional Marxist view was that management is unimportant. By the 1930's the Soviets had drastically changed their earlier appraisal of the significance of management. The Soviet regime realized that national economic goals could not be achieved unless it had a highly trained manpower pool from which to draw large quantities of trained specialists, including managerial personnel, to staff its enterprises and macro-economic planning agencies. Capital investment alone was clearly not enough. To train the personnel required for rapid industrialization, it was necessary to develop an extensive system of education and training heavily oriented toward engineering, science, and technology. Hence, the Soviets were able to industrialize rapidly by generating and accumulating a high level of human resources, which were then directed into productive channels.

Concentrating on the development of narrowly trained technical specialists has provided a fast payback for investment in Soviet education. Large quantities of such specialists were essential and adequate for rapid growth and development in a simple economy. In the rather unsophisticated Soviet economy of yesteryear substantial gains could be made by utilizing even the crudest and most simple administrative techniques. Coordination and industrial organization were not complex problems. Planning and control could be carried out fairly effectively in a highly centralized manner. Direction over subordinates was also not a serious problem since the labor force was in effect a captive group which had to work and obey in order to survive.

The major industrial problems were technical in nature, and specialists were narrowly trained to seek the "one best way" in the solution of technical problems. Innovation was also not a significant problem since substantial gains in productivity could be made by borrowing and adopting even the simplest innovative techniques of the advanced capitalist countries. Independent thought, creativity, ingenuity, and administrative skills were not required of local managers in any high degree since the state provided one central line with ready answers for most problems of an administrative nature. The enterprise manager's job was essentially one of a technical expert who could command the obedience of his subordinates in the solution of technical problems and in the fulfillment of plans prescribed by the state.

By the mid 1950's, it was becoming increasingly obvious that economic overcentralization was leading to extreme waste and inefficiency in the now complex Soviet economy. Some decentralization of authority to local managers was deemed essential. Since 1955, local managers have acquired greater authority and independence over the activities of their organizations and in the execution of their managerial activities. Because of their narrow technical training, predominately in engineering fields, numerous enterprise managers were not prepared to cope with the enlargement of their administrative duties. The enterprise manager was now in a position where he had to make substantially more independent decisions on more diverse matters than before in carrying out his functions.

The manager now had to play a greater role in planning, organizing, controlling, staffing, and directing enterprise functions and operations. The problems of coordination became more complex as enterprises grew in size and acquired more complex technology. Changes and innovation have been occurring relatively rapidly in the now dynamic Soviet economy, and Soviet leaders have been concentrating on automation and mechanization to increase labor productivity. The work of a complex hierarchy of enterprise specialists and technicians has to be coordinated and integrated by managerial personnel. With greater labor mobility and growing shortages of skilled manpower, the direction and motivation of subordinates became more difficult. Employees and workers could no longer be considered as a captive labor pool. It became evident to the Russians that human behavior is not always easily controllable, and that men are not like machines.

The Soviet economy was now also faced with increasingly larger and more complicated market structures than in the past. With rising living standards and somewhat greater consumer choice, the problems of demand analysis and product mix have become more important. The input-output relationships among the interdependent productive sectors of the Soviet economy also have become more complex and delicate in terms of product specifications and quality. It is true that important aggregate decisions with respect to market requirements are still made by higher level planners above the enterprise. However, enterprise managers now play a greater role in connection with their product mixes. Even the planned Soviet economy requires the intensive use of well trained specialists and managerial personnel in connection with marketing decisions.

The enlargement of the managerial job, and the 1957 reorganization of industry in particular, occurred as somewhat drastic necessities rather than planned changes. Therefore, the Soviet system of education and training for management development did not have time to adjust promptly to meet these changes. It was clear that education and training no longer corresponded to the managerial job. It was now necessary to train managers and potential managers with a broader view of enterprise operations. Engineers especially had to acquire a broader background in economics and business administration fields, as well as a broader theoretical base so that they could cope with future changes in technology. It was no longer adequate to know a great deal about a few things; some background in several areas was now essential for sound management. Since the Soviets can move quite rapidly by decree to respond to the urgent needs of a given period, a number of changes—although somewhat belated—have been introduced with a view to more effective development.

Education and training in economics and related business administration fields have been expanded and somewhat improved both at educational institutions and in on-the-job training programs. Courses in these fields have been added to the curricula of many engineering schools. Some engineering institutes are also now training engineer-economists who acquire a background in both technological and economics fields. The degree of specialization has been broadened, particularly in engineering programs. A somewhat better theoretical base with a view to the longer run is now provided in engineering education. Attempts are also being made to effectively combine formal study and employment, and to link theory with practice, so that students will become better specialists and managers. One may question whether the trend toward more part-time higher education is significantly affecting the quality of training. Apparently the Soviets are convinced that the benefits outweigh the drawbacks since there is no indication that the trend will be reversed.

In general, the above changes, as well as a number of other changes discussed in preceding chapters, are probably conducive to better education and training for management development. However, there are currently still certain major shortcomings that could have a disastrous effect on management development in the long run if they are not overcome. This is especially true in light of the inevitable further enlargement of the managerial job in the future, which will be discussed in the next section.

In the first place, the Soviet educational system still does not produce well rounded, independently thinking, creative generalists who also have broad and deep insights into human motivation and behavior. Such generalists are needed in any society to effectively and efficiently manage, coordinate, and integrate the activities of complex industrial organizations. It is true that the Soviet educational system has had a high short-run payoff by producing narrowly trained specialists who could put their training to use immediately upon graduation. But the production of narrow specialists who are trained primarily "what to think" rather than "how to think," can have a petrifying effect on future economic results, given the current stage of Soviet economic development. In a dynamic economy confronted with rapidly changing conditions and increasingly complex problems, narrow technical skills tend to become obsolete more quickly over time. Long-run considerations and behavioral factors become increasingly important with respect to education and training. Managers, in particular, must have a broad background of knowledge, as well as experience, to effectively cope with change and with complex problems. Technical skills in highly specialized fields are clearly not enough.

This brings us to the other major shortcoming in the existing system of Soviet education and training for management development; that is, the view that management per se is not an independent field of knowledge that can be formally taught in the classroom or elsewhere. The traditional Soviet view has been that managerial skills can be developed and the art of management perfected, only through experience. The view has prevailed that purely technical problems cannot be separated from those of administration. Until very recently, whenever managerial problems have been discussed in Soviet circles, they have been treated in close connction with technical and production problems in specific industries.

The lack of attention or study given to management as an independent field of knowledge and application did not have a significantly adverse effect on the earlier, more simple economy. The Soviet economy, however, has now passed into a phase in which managerial skills, as we understand them, have become important and they will become increasingly so in the future. It was pointed out in Chapter IV that a recent survey of a number of Soviet enterprises reveals that managerial personnel, even at lower levels, spend most of their time dealing with administrative rather than technical problems.

The Existing Need for Management Education and Theory in the Soviet Union

There is much evidence that the functions of management are performed inefficiently on a widespread scale in Soviet industry. This is due in large part to the absence of adequate education and training for management development. In turn, effective management education and development cannot be achieved without a systematized body of knowledge, based on sound research, that sets forth valid generalizations, concepts, criteria, and techniques for sound management. Numerous examples of unsound management practices due primarily to the absence of such a body of knowledge and deficient training could be cited here, but only a limited number will be examined briefly in order to demonstrate the point.

There is substantial evidence that on a widespread scale the organizing function of management is carried out rather inefficiently in the Soviet economy.[1] Many Soviet sources condemn managers for not effectively delegating authority to, or exacting responsibility from, subordinates. There is a general tendency to delve into the detailed affairs of lower levels in the industrial hierarchy, thus undermining the authority and status of subordinate managers. This type of behavior typically overburdens the manager's span of control, inhibits managerial initiative, and leads to inefficient operations. At the same time managers, in their roles as subordinates, tend to have little appreciation of the concept of responsibility and refer even minor matters within their area of authority upwards for decision. Such organizational inefficiency stems in large part from failure to clearly define authority relationships, responsibilities, and assigned tasks. Job descriptions tend to be hazy and inadequate, and throughout Soviet industry there is little or no parity between an individual manager's authority and his responsibility. The enterprise director in particular often does not know at what level problems should be solved or what his own authority is in running his enterprise. The authority, responsibilities, and duties of the myriad macro-managerial agencies are typically in a constant state of flux and confusion.[2]

Soviet sources concerned with such organizational inefficiency point to effective management education as a means for substantially improving the situation. One Soviet expert on management problems has stated:

> It is not unusual for them (managers) to try to deal personally with the great majority of questions that arise in managing production. Not knowing how to foster initiative in their subordinates, they unintentionally curb it by intruding upon their responsibilities at every turn, by meddling into the trivial details of their day to day moves, and then sincerely complain that their assistants are ineffectual, that they are unprepared to act on their own. "What sort of staff have I been saddled with? Not one of them will make a decision on a single question. They pester me with every trifle. I have to do everything myself." Education in administration may prove the sovereign remedy for ailments of this sort. It is time to recognize that the highly skilled performance of organizational functions, good economic management, the art of administration, is a specialty that requires training in depth.[3]

The author points out that such training is not possible without a systematized body of management concepts.

In the same vein a Soviet manager, who is an engineer by training, complains, "There is a constant delving by higher managers into affairs which are not in their sphere of activities, and which are solved better at a lower level without their interference."[4] Such violations of sound organizational practice, he feels, can be largely overcome by management education.

An editorial in the highly influential *Ekonomicheskaya Gazeta* supports these views:

The science of management requires a clear delegation of authority at all managerial levels. One of the major problems in management is that higher levels do the work which can be done by lower levels. Therefore numerous managers cannot fulfill their own tasks and obligations properly.[5]

This editorial cites concrete examples of managerial inefficiency, attributing such inefficiency to inadequate management training. It also advocates that such training should instill in managers the crucial qualities of initiative and creativity.

Many influential Soviet sources and officials reveal other significant shortcomings in connection with the organization function. Little use is made of objective criteria or serious analysis in decisions involving the design of organization structures and organizational relationships. Decisions involving the establishment of departments, other administrative units, and the grouping of activities tend to be made in some *ad hoc* and frequently irrational way.[6] Khrushchev has pointed out with much concern that the same basic organization structure exists at enterprises of 100 or 10,000 personnel.[7]

Servicing activities, in particular, tend to be very efficiently organized, while considerable confusion regarding the duties and roles of line and staff personnel is common throughout Soviet industry.[8] While many enterprises are being merged to improve economic results, there are no theoretical concepts or guidelines available for determining how to efficiently organize the new firms.[9] Operational criteria are also clearly needed in Soviet industry for determining to what degree authority should be centralized or decentralized in a given situation.[10]

Excessive administrative staffs persistently evolve throughout all levels of the economy in a willy-nilly manner, and Premier Kosygin has expressed serious concern about this problem on a number of occasions.[11] The organizational structures and reorganizations of the industrial macro-managerial apparatus are typically based in large part on entirely unscientific arbitrary decisions, without regard for sound analysis or knowledge of prevailing conditions.[12]

Another major organizational defect attributed largely to the lack of adequate management training and knowledge is the inefficient use of committees, conferences, and meetings.[13] Frequently 100 people or more attend meetings at industrial organizations that very often turn out to be a complete waste of time for everyone. In general,

Soviet industrial personnel spend considerable time serving on committees and attending meetings. It seems that more often than not inappropriate personnel attend meetings, there is no clear statement of the problems to be considered, there is no agenda, the chairman is highly ineffective, and hence there is wasted time, effort, and expense. The Soviet press is currently waging a widespread campaign involving a more rational and scientific approach to meetings and conferences. As a result of such deficiencies in the organizing function of management, waste, a poor division of labor, and duplication of effort on the one hand, and lack of adequate attention to important activities and problems on the other hand, prevail as constant problems throughout Soviet industry. Only recently have some Soviet leaders and experts come to recognize the need for objective guidelines, based on sound research, in connection with the overall organization of activities.

In his September, 1965, address to the Central Committee of the Communist Party, Premier Kosygin had much to say about deficient management practices resulting from deficient education and training. One such statement involving the organizing and staffing functions of management is quoted here:

> In many establishments the engineers and technicians are improperly utilized; heads of factories and building projects, engineering and technical workers are made to participate in futile conferences instead of attending to their productive duties. Some of the specialists are engaged in extraneous functions like the drawing up of various reports, statistical data and information. All these shortcomings in the training and use of personnel must be eliminated.[14]

The execution of the managerial function of planning is also impeded because of inadequate training and the absence of sound theory involving a logical, systematic approach to planning. This frequently leads to the establishment of deficient operating objectives, policies, procedures, methods, programs, and budgets at all industrial levels.[15] Kosygin has pointed out on many occasions that planning in Soviet industry tends to be highly subjective and arbitrary, and that very little use is made of in-depth analysis or scientific principles.[16]

In general, there are widespread and serious deficiencies in the planning of all business functions—production, supply, marketing, finance, research and development, and so forth—which could be substantially reduced through more and better research, theory, and training.[17] This would also entail much more effective and pervasive use of sound economic analysis and cost accounting focusing on explanation and cause and effect relationships, rather than arbitrary normative rules. It is also becoming evident to the Soviets that greater understanding of human behavior is essential to substantial improvements in the planning and decision making process.[18]

There is frequently poor planning communication and coordination at all levels of the economy among administrators who are responsible for planning and scheduling interdependent and interrelated activities.[19] As a result, inconsistent planning premises are adopted and the structure of plans is not properly integrated vertically or horizontally in time. This typically leads to serious bottlenecks, waste, inefficiency, and coordination problems once the plans are implemented. There is also a complete absence of criteria for balancing short- and long-term considerations in planning and decision making.

Managers tend to devote little or no time to searching out and evaluating alternative courses of action, or establishing clear-cut priorities, even when costly decisions are involved. A common trait among Soviet managerial personnel is that they tend to make hasty decisions, not distinguishing between strategic and trivial factors.[20]

Planning deficiencies are due in large part to defects in the organizational function since authority relations and responsibilities are not clearly defined.[21] Since planning is a continuous process, poor planning is also due to shortcomings in the control function.

The Soviets have shown little awareness of various basic and universally applicable concepts of effective managerial control. Control systems are not adequately designed to reflect the major aims and structure of plans, or to meet the personal needs of the individual manager. Perhaps the major shortcomings relate to timely informational feedback linked to strategic controls standards, which is essential for effective corrective action. For example, economic council administrators, who are responsible for controlling the activities of enterprises in their region, receive needed control information too late for appropriate corrective action. Such information is first forwarded to the agencies of the Central Statistical Administration where it is typically held up for some time before it reaches the regional economic councils.[22] Administrators of one economic council recently experimented illegally with five-day informational feedback directly from subordinate enterprises and corrective action was greatly improved.[23]

Enterprise managers are also faced with serious informational feedback problems because of poorly designed control systems. As one plant director points out, even foremen "must manage blind" for extended periods because there are long lags before they receive the needed control reports.[24] It is evident that defects in managerial control are in large part due to defects in the organizational function. Another prevalent control problem at all industrial levels is that procedures for corrective action are not clearly spelled out and communicated to the managers responsible for results.[25]

There are many indications that numerous Soviet managers fail to carry out their staffing and direction functions efficiently or effectively, and some evidence to this effect has been presented earlier. There are serious and widespread short-comings in the selection, appraisal, and training of personnel, and this frequently results in incompatible mismatches between individuals and their jobs, as well as individuals and their work groups.[26] Inadequate use is made of sound job descriptions or systematic selection and appraisal procedures. In fact, there is virtually a complete absence of effective techniques, efficient criteria, or principles with regard to managerial appraisal. The Soviets are beginning to realize that just because a manager overfulfills his plan and receives bonuses does not necessarily mean that he is a good manager. There is also no systematized body of theory available that the executive can draw on to develop the managerial skills of his subordinate managers. This greatly impedes on-the-job management training.

There are also serious and widespread deficiencies regarding the direction, supervision, and motivation of personnel. In general, there is a complete lack of systematized knowledge pertaining to personnel management, and the concept of effective managerial leadership in industrial organizations is an almost entirely unexplored sphere. This situation is due chiefly to the poor state of the behavioral sciences in the Soviet Union. Scientific methodology and empirical research studies have hardly been used at all to accumulate data and formulate meaningful theories about effective managerial direction, human motivation in organizations, organization behavior, or about leadership characteristics and ability.

However, the direction and leadership function of management will continue to make increasing demands on managerial personnel. For it is clear that even Soviet man does not behave solely in response to biological instincts; nor are his motives, attitudes, and personal objectives necessarily in harmony with those of his formal organization.

Material rewards have long been the most potent tool for employee motivation in Soviet industry. Employee participation has also been a fairly effective motivational device, but here too material incentives in the form of remuneration payments for implemented suggestions are utilized by the Soviets.

It is a known fact in American industry that monetary rewards are but one factor in the attainment of desired performance from employees. The hierarchy of human needs is seemingly significant in practice as well as in theory. Human motivation in industry encompasses the entire enterprise environment including individual, group, and job satisfaction; work group and superior-subordinate interaction; informal organization; and human relations in general. Few studies have been made, and little is known about these other factors of human motivation in Soviet industry.

With rising living standards and the fulfillment of basic physiological needs, material incentives will become less potent as a motivating force in the Soviet economy. Even now Soviet man cannot be thought of as merely "economic man," and psychic and social needs are becoming more important.

In current times growing and excessive labor turnover has become a problem of major concern in Soviet industry. Many sources and prominent Soviet authorities reveal that poor direction and motivation of subordinates is often a major contributing factor in connection with labor turnover and poor performance.[27] At the Drogobych Crane Enterprise, for example, the Director, V. Orlenko, fired 168 employees while 131 left on their own during the second half of 1964.[28] This situation, which is said to be fairly common at Soviet enterprises, is attributed primarily to poor management. Soviet leaders often condemn the tendency of many managers to be autocratic and rigid, and to rule by orders and administrative fiat. Managers are also criticized because they have little understanding of human motivation and behavior, and "do not know the needs and moods of the people." [29]

While better pay and other material benefits are still major reasons for changing jobs, many personnel relocate for non-material reasons, often resulting from deficient managerial attitudes and practices. In 1964, the first extensive research study dealing with the motives involved in labor turnover was conducted in the Soviet Union.[30] A total of 11,000 people who had recently changed jobs were questioned about the reasons for their job changeovers. Only 27 percent stated that greater material benefits—particularly better housing and living conditions—were the prime reason, and of this proportion only 21 percent relocated primarily because of more pay. In fact, 28 percent changed to worse paying jobs at enterprises where they claimed that their superiors treated and understood them much better. Almost one-third of the respondents stated that deficiencies in the organization of work—which includes such factors as job content, work relationships, and inadequate training programs—was the major reason for changing jobs.

It can be predicted with confidence that direction, motivational and leadership ability will become increasingly important for the successful and efficient Soviet manager. On a national scale, the development of such ability will require much better research and education in those fields dealing with human motivation and behavior.

It is evident that there is now a fairly significant gap between Soviet education and training for management development, and the requirements of the managerial job. If appropriate action is not taken soon this gap will become much more pronounced. For it is inevitable that the managerial job will be further enlarged and will become increasingly complex through time. Whether appropriate action is in the making to fill the gap between management development and managerial requirements is a matter that will be investigated in a later chapter, but first the Soviet manager's job will be explored and some predictions made about the next few years. If the Soviet system of education and training for management development is to be effective now and in the future, it must not only prepare managers for today, but also for tomorrow.

VIII
Soviet Management in Transition

It is essential to point out in this study that even the most competent Soviet enterprise managers are generally deterred from carrying out their activities in a highly efficient and effective manner because of shortcomings in the macro-managerial structure within which they must operate. Soviet attempts to overcome these shortcomings, as well as certain other emerging conditions in the Soviet economy are now leading to significant changes in the managerial job. The Soviet enterprise manager's job in particular will continue to grow in scope and complexity. This in turn will place new demands on education and training for management development.

It is beyond the scope of this study to consider in detail the defects in the Soviet macro-managerial structure, and the attempts to overcome these defects. For those interested, there are a number of other sources available, which consider these problems in considerable depth.[1] This section will investigate the situation only briefly, focusing on those factors that have significant implications for management development. Attention will now be turned to current shortcomings in the macro-structure, which result in deficient managerial performance.

Major Problems Under the Existing System of Industrial Management

Although enterprise managers are confined by the aggregate targets and resource limits prescribed by the plan, their participation and expert knowledge of local conditions are indispensable to both the formulation and execution of the plan. The environment in which Soviet managers operate is clearly deficient in providing the proper motivations to achieve the overall results desired by the state. As was indicated earlier, managers receive large premiums (bonuses) for fulfilling and overfulfilling quarterly aggregate output, cost of production (that is, cost performance below plan), and in most cases labor productivity targets also. Executives who consistently obtain premiums are adjudged competent managers and are those most likely to be promoted; laggards remain as they are or may even fall.

Since local managers participate in the formulation of the enterprise plan, they are in a position to gain by understating production capabilities and overstating cost estimates and resource needs. Executives who are optimistic in their planning proposals, or who have little persuasive abilities with higher authorities, may find themselves with unattainable targets. Central planners, desiring maximum national performance, attempt to cut away the fat from enterprise proposals. The higher level planners confronted with defective information establish deficient plans. Moreover, there are many serious resource allocation errors due to poor coordination and communication in the extremely cumbersome and bureaucratic macro-managerial apparatus. Evidence suggests that probably a majority of enterprises receive plans that are either too difficult or too easy.

As the plan gets underway, plants that have trouble meeting production quotas are unable to deliver needed goods on time to assigned customer enterprises, which in turn may find they cannot achieve their production programs. Evidence clearly reveals that managers are frequently unresponsive to customer needs or consumer demand. Rather, they tend to act in ways most beneficial for the fulfillment and overfulfillment of their aggregate enterprise targets. This often leads to serious distortions in product mix and output quality.

Product and technological innovations also lag since there is no incentive to create better products or to use new technology and processes. There is no operational long-range enterprise plan. The expenditure of time, effort, and resources, and the risks and delays inherent in innovation, all make innovation something to be actively avoided for fear that short-run aggregate targets will not be achieved. For many of the same reasons, managers are often reluctant to devote adequate time and attention to the training of subordinates, to major organizational changes in enterprise operations, and to various other activities that would yield favorable long-run results.

Difficulties of the types noted above have been increasing as the Soviet economy expands and grows more complex. Problems of inefficiency, waste, and opposition to innovation tend to reach the crisis point. At this time such a crisis is acknowledged and widely discussed by the Soviets, and new industrial and managerial reforms are sought and are underway.

What is perhaps most striking in the situation is that the changes under study and being implemented are much less trammeled by dictates of traditional ideology than ever before. In fact, current business and industrial problems are causing the Soviets to consider seriously the adoption of certain administrative techniques that were formerly labeled as "petit bourgeois" elements of decadent capitalism. One such technique is the introduction of a profit motive in conjunction with greater decentralization of authority to the enterprise level.

During the Stalin era, Marxist-Leninist economic doctrines had hardened into dogma, and the Soviet economic system depended more on faith than on a national system. Criticism of the master, or even penetrating thought about the defects of the system in use, was positively discouraged. Present-day Soviet leaders are now realizing that in many respects modern industry in any society has a uniform prescription for sound management.

At the present stage of Soviet economic development, blind adherence to Communist ideology greatly impedes the achievement of desired economic results. When ideology in economics breaks down, the dogma must be discarded. What counts most is workability and results; and it now appears that if capitalistic styled techniques will best serve the Soviet cause, the Soviets are much more willing to use them than in the past. This is reflected by Khrushchev's statement at the November, 1962, Plenum of the Central Committee of the Communist Party:

> There was a time—I am speaking of the period of the cult of the individual—when the idea was intensively propagated that everything that was ours was absolutely ideal and everything foreign was just as absolutely bad . . . . We should remember V. I. Lenin's directive that we be able, if necessary, to learn from the capitalists, to adopt whatever they have that is sensible and advantageous.[2]

Khrushchev's successors, A. N. Kosygin and L. Brezhnev, have proved themselves to be even more liberal in the solution of Soviet managerial, economic, and industrial problems.

The Liberman Plan: Content and Appraisal

In recent years numerous prominent Soviet experts have made a host of proposals aimed at improving the Soviet system of industrial management. The most widely publicized proposal has been commonly referred to as the "Liberman Plan."

Evsey Liberman, eminent Kharkov engineering-economics professor and official of the Kharkov Regional Economic Council, has advocated certain reforms regarding industrial enterprise management that have been the subject of great debate in the Soviet Union, and that have received much attention in the West.[3] His proposals revolve around the adoption of a profit motive in conjunction with greater decentralization of authority to enterprise managers. The Liberman Plan has been the subject of wide discussion since its publication in *Pravda* and the *Ekonomicheskaya Gazeta* in the autumn of 1962, although some of his recent proposals previously appeared in specialized Soviet journals as early as 1955. However, Liberman's recommendations for radical reform were kept from widespread discussion and general public view until Soviet leaders gave the green light to seriously consider the adoption of some type of profit motive in Soviet industry.

This came at the 22nd Congress of the Communist Party in October, 1961, when Khrushchev stated:

> We must elevate the importance of profit and profitability. In order to have enterprises fulfill their plans better they should be given more opportunities to dispose of their profits, to use them more extensively to encourage good work of their personnel, and to extend production.[4]

The Soviet regime has rationalized, in part correctly, that profit in the Soviet system is not and would not be the same as in a capitalist system. True, in both cases profit at the enterprise level represents a surplus from operations. But the Soviets claim that on a national scale, enterprise profits benefit their entire population, whereas in capitalist countries profit winds up only in the hands of relatively few capitalists—which is a gross overstatement. In the former case profit is a means to an end—a better life for all—in the latter it is an end in itself for the owners of enterprises. More accurate, and more important, is that a profit motive in Soviet industry does not entail a system of private ownership or a competitive or a market price mechanism—and the latter appears to be essential if profit is to be a truly meaningful and precise measure of economic efficiency.

Liberman's plan would eliminate all existing assignments now established for the enterprise by superior authorities except aggregate output, major or most important items of the product mix, and key delivery schedules to be met. This would provide for more local autonomy at the enterprise level because several targets and tasks heretofore handed down from above—labor productivity, production costs, payroll, total number of personnel, administrative and overhead expenses, profit, a substantial portion of capital investment, and most developmental and innovation measures—would be handled locally. Apparently, the enterprise would still be assigned the bulk of major supplies necessary to accomplish its job, but Liberman has not been explicit on this point. However, he does urge that direct long-term ties between suppliers and customers be established in order for his plan to work effectively.

Profitability, expressed as the ratio of total profit divided by total fixed and working capital, would be the key enterprise success indicator and efficiency measure. Profit results would depend on actual sales to customers, but still apparently on the basis of fixed prices. The objective is to induce enterprises to utilize more efficiently their equipment and inventories and to be more sensitive to customer requirements and consumer demand, because by producing and selling more with the same resources, a higher return would be realized. Managers would be rewarded depending on the rate of return of their enterprises. For any bonuses to be paid, the three sets of targets still approved by superior authorities would have to be met.

Management would propose the enterprise's rate of return for each year at the outset of the enterprise's long-range plan—normally a five-year plan. The higher the profitability target proposed, the bigger the potential performance premium management would be paid if the target is achieved. Monetary rewards would be greater if targets are overfulfilled, but considerably more substantial premiums would be earned by bidding high at the outset and then accomplishing the task. However, some premiums could still be earned even if the target is not met as long as actual profitability exceeds the prescribed "profitability norm."

Profitability norms would be established for an individual enterprise and where possible for groups of comparable enterprises by superior authorities for the duration of the long-term plan period and for each planned year within this period. These norms would represent the minimum level of profitability that must be earned by a particular enterprise for any premiums to be awarded to its management. The norms would be established taking into account technical conditions, nature of output, and the price structure. Liberman anticipates that management would be encouraged to plan for profitability in excess of the prescribed norm in order to derive greater rewards. In all cases the actual rewards paid out would depend on a prescribed ratio between the profitability norm, the profitability target proposed by enterprise management, and actual profitability realized for a given period. This ratio would be spelled out prior to the long-term planned period, and the rules would remain unchanged for the duration of this period. By establishing profitability norms several years in advance, there need be no fear that targets would be raised if the enterprise does very well in any particular year. Since good work would not be penalized with higher profitability norms for the next period, management would have every incentive to raise its sights and no reason to hold back its productive efforts.

Norms would also vary according to the proportion of new products produced by the enterprise. Since the introduction of new products usually entails initial development costs, "bugs," and other unpredictable problems, the profitability norms against which the enterprise is being measured would be lowered when new products are being introduced, on the presumption that this would induce plants to develop and produce new items.

The enterprise would retain and have more independent control over a much greater share of profits earned, thus providing for substantially more decentralized investment and use-of-funds decisions. Because of this, it is anticipated that management would want to introduce new technology, improve production processes, and expand production by utilizing a large portion of retained profits in order to increase future profitability. Regulations governing the rates of profit retention and broadly prescribed uses of profit at the enterprise would also be spelled out several years in advance.

To insure a united effort in the profit drive, Liberman proposes a comprehensive profit-sharing system at industrial enterprises. Where possible, incentive compensation paid to departments, work groups, and individuals within the enterprise would be based directly on contributions to overall profitability. Management would be given virtually complete independence over the use of the bonus fund to stimulate efficient operations in the most expedient manner.

The Liberman Plan, if widely implemented, would clearly enlarge and make more complex the micro-managerial job. Enterprise managers would play a substantially more importantant role in the decisions and activities pertaining to production, marketing, finance, procurement, research and development, and personnel, as well as in the execution of the basic managerial functions.

While the Liberman Plan could possibly lead to improvements in managerial and overall economic performance in the Soviet Union, various potentially serious problems would probably evolve under this system.

Since enterprise management would have independence in regard to its payroll, manpower, and cost plans, and could undertake on its own many investment projects, serious disproportions on a national scale could conceivably emerge accompanied by serious fluctuations in economic activity. Resources might well drift from high priority sectors, which promote economic growth, into lower priority sectors where there is a pent-up demand for output. Substantial unemployment of manpower and other resources could emerge in some sectors, while severe resource shortages could plague others. Serious imbalances between wages and national income and consumption might evolve. In fact, the whole system of financial planning and control on a national scale, including the state budget, could well be seriously undermined. Problems such as these would inevitably lead to corrective action and interference by superior authorities resulting in recentralization of authority, and thus curbing the independence and local initiative extended to enterprise managers.

Inasmuch as profitable enterprises would be in a position to invest substantial funds independently, such decentralized investment activities would be likely to cause critical dislocations and disproportions throughout Soviet industry. Many projects that are high priority in the eyes of the state might be sacrified in favor of less desirable but more "profitable" projects, which would serve to increase enterprise profitability. Uncompleted projects could also prove a very serious problem. Because important supplies would continue to be allocated to plants, equipment and materials needed to undertake and complete decentralized investment projects might frequently not be available to the enterprise.

The Liberman Plan would probably fall short of encouraging enterprise managers to initiate realistic but ambitious plans as long as supply uncertainty persists. Enterprises could be expected to continue fulfilling their success indicators, including profitability, in undesirable ways if need be. They would still be inclined to engage in product-mix and quality distortions, to inflate prices, to hoard resources, and to sacrifice innovation tasks and other measures beneficial for the long run.

At present, a customer organization receiving defective merchandise has no inducement not to accept it—such merchandise may be better than nothing. Nor does the proposed profitability scheme offer an alternative to hapless customers, except that completely useless supplies would undoubtedly be rejected since the customer enterprise's rate of return would be needlessly lowered. Soviet experts agree that variations in profits in light of the product-mix produced cannot be avoided. The product-mix and quality problem would remain critical, but Liberman and his supporters optimistically claim that plants would not make potentially profitable but unneeded and unsaleable items since such output would always be refused by customers. Given the inflexibility of the supply system and the existing lack of effective controls over output distortions, this is much more of an aspiration than a realistic appraisal. The problem would probably remain most acute in connection with the delivery of consumer goods to wholesale trade organizations whose officials are not evaluated on the basis of sales to ultimate consumers.

Under the Liberman Plan, enterprise managers would probably still be confronted with considerable interference from above and many of the bureaucratic encumbrances with which they must deal at present. Superior authorities would still have the major voice regarding what to produce, how much of major items, and for whom, since they would continue to approve targets and assignments in these areas. The system also implies that major supply inputs—and hence, in large part how to produce—would still be determined in large part for the enterprise as well. With all of these constraints, can profit maximization be a very significant goal or measurement in terms of managerial or economic efficiency?

Bureaucratic action, subjectivity, and bargaining would persist in conjunction with the "profitability norms" as well as other targets and assignments approved by superior authorities. The establishment of meaningful profitability norms for industrial enterprises would be a very costly and time-consuming venture requiring profound expert analysis. There is much room for administrative discretion and bargaining. The profitability norms should be flexible and take into account such critical factors as technology employed and technical progress, extent of plant operations, makeup of the product-mix, share of new products, and, of greatest significance—the price structure. Deficiencies and illogicalities in the pricing system would be present in this system of profitability. Only at those enterprises producing a standardized, homogeneous type of output, which does not change much over time, would profitability be likely to represent a meaningful and fairly accurate measurement of efficiency.

The Liberman Plan was received sympathetically and in a cautiously favorable manner by Khrushchev at the November, 1962, Communist Party Plenum. Khrushchev also openly favored greater decentralization of authority to enterprise managers, and charged various agencies and authorities with the task of comprehensively analyzing this problem.[5] However, no final decisions were made at the time regarding the adoption of the Liberman Plan or greater decentralization, although Khrushchev called for experiments based on a modified version of the Liberman Plan to be conducted at some industrial enterprises. A number of experiments of this type have been carried out, and Khrushchev's successors, Kosygin and Brezhnev, extended experimentation to a number of other enterprises in various regions during the 1964-65 period. At the September, 1965, Plenary Session of the Central Committee of the Communist Party, Kosygin decreed that a modified version of the Liberman Plan, as well as several other major managerial and industrial reforms, would be introduced in the Soviet economy during the 1966-70 Five-Year Plan period.

Before exploring the experiments conducted or the reforms put forth at the September, 1965, Plenum, a general discussion of price reform, decentralization, and profitability in Soviet industry is in order.

Decentralization of Authority, Price Reform, and Profitability

The majority of influential Soviets, as well as Khrushchev, Kosygin, and Brezhnev, have gone on record as favoring greater decentralization of authority to enterprise managers. They are in accord in considering this as necessary to counteract the extreme bureaucratic encumbrances and inflexibilities with which the manager must deal. Although greater decentralization of authority is inevitable and in fact forthcoming under present Soviet leadership, there remains the extremely complex problem of precisely how and to what degree authority is to be further decentralized and delegated to micro-managers.

With greater decentralization, and in any profit system, prices are critical. Clearly, to establish any effective incentive system linked to profitability, full account must be taken of the ability of a given enterprise to make profits in light of the price structure. Prices that reflect relative scarcities and factor costs are also essential if enterprise managers are to be called on to make basic economic decisions independently. If prices are too high, enterprises would make profits without very much effort. Since factories are producing chiefly for assigned customers who badly need the items, demand factors are not particularly meaningful in the Soviet Union at present; nor would they be if profitability were to be the key enterprise success indicator under the existing features of the Soviet economic system. Wholesale factory prices for goods are quite inflexible, being set at infrequent intervals by the planners on the basis of average costs plus a small profit margin for the industrial sector that produces the item in question. The prices for various heavy industry commodities are actually subsidy prices; in such cases they do not reflect actual costs even when they are initially set.

Most Soviet experts—including proponents of the Liberman Plan—now realize that before a meaningful profit motive scheme can be adopted, and before substantially greater decentralization of authority can take place effectively, the pricing system must undergo a complete overhaul. This entails more than the mere revisions in fixed wholesale prices that have been underway on a modest scale since 1962; it means fundamental reform in the price structure itself. The experts generally agree that prices must be reviewed and revised on a timely basis of current rather than historical conditions, but how this is to be accomplished is still far from clear.[6] This type of price fixing would place new and great responsibilities on the planners, since errors here could vitiate the entire plan for greater decentralization. It would also call for considerable high talent manpower well versed in economic analysis, including marginal and equilibrium economics and concepts such as opportunity costs.

In general, there is much disagreement on how best to deal with the pricing problem. The numerous proposals for price reform fail to show clearly how they would be implemented in relation to important economic, technological, political, and social considerations. Moreover, most of the discussions on pricing are tempered with ideology as the experts still attempt to rationalize their proposals in terms of Marxist theory. A workable solution to the pricing problem is also hindered since Soviet economics has only come to life since 1956 after a prolonged period of intellectual stagnation under Stalin.

Given this situation, it is very difficult to come to grips with such concepts as marginal and equilibrium analysis or scarcity prices.

A majority of the experts agree that prices in most instances should reflect production costs, but what should be included in these costs is a matter of controversy. Some favor price subsidies for certain goods while others do not. A growing number of outspoken economists and planners assert that if prices are ever to approach more realistic levels, an outright charge—in effect, interest—must be imposed for the use of capital at enterprises.[7] They claim that a direct scarcity charge for capital not only would result in better investment decisions economically, but would also deter managers from maintaining idle fixed and working capital. It has also been advocated by many of the Soviet experts that prices should be linked to the quality and durability of products; in the case of certain producer goods, such as equipment, prices should reflect their effectiveness or productivity at user plants. Some also advocate "windfall" profits on new products during the first year of their production, and that prices of old products should be lowered each year. They feel that such a system would encourage enterprises to develop and produce new and better products.

Many Soviet experts are calling for a system of rational prices that reflect relative scarcities. They realize that prices may have to deviate somewhat from costs for the proper distribution of goods and to stimulate the right product-mix. Some of them point out that wholesale prices of consumer goods may also have to fluctuate with consumer demand. However, none overtly recommend an extensive system of genuine market relations to solve the pricing problem, although some suggest that for various goods not in short supply, there should be competition among producers for orders that would be placed where production costs are lowest.

Apparently only a handful of Soviet economists realize that a truly operational price system, based on administrative decisions rather than market mechanism, requires consistency in terms of relative costs among interindustry transfer prices, because the costs of factor inputs are reflected in the cost of output. It is highly questionable whether such a price system can be designed effectively without a market mechanism. If it cannot, the basic question of how to produce in the most economic sense cannot be solved very efficiently. Theoretically, a market mechanism could perhaps be simulated through input-output analysis and linear programming with the use of highly sophisticated electronic computers. In reality, the problem is immense because of the vast number, literally billions, of individual prices and computations entailed. Nevertheless, the experts are counting on advances in computer technology and scientific planning techniques—such as econometrics, linear programming, and economic cybernetics—to greatly help in the solution of the pricing problem.

If a market mechanism in conjunction with a high degree of decentralization of authority to enterprise managers emerges in the Soviet economy within the next decade, it will probably occur initially in the consumer goods and agricultural sectors. It is conceivable that use will also be made of a market mechanism for a limited but growing amount of producer goods that is in plentiful supply. A market mechanism is now used in the collective farm sector, but here resource inputs are minimal. Whether a market mechanism can ever be used on a substantial scale without deflecting resources from centrally planned sectors and the growing number of high priority projects is a matter of conjecture. At present there is a quasi-market mechanism in use for consumer goods and state farm produce at the retail level—retail prices are adjusted by adjusting turnover taxes in order to clear the market. But this has no direct bearing on the activities of industrial enterprises.

It is also conceivable that in the long run—perhaps ten years or so from now—the Soviet economy will evolve into a fairly widespread system of "market socialism" similar to that found in Yugoslavia. Yugoslavia has found a workable solution to its economic problems by making extensive use of the market price system, competition, and the profit motive, and by granting enterprises considerable authority and independence.[8] This country has proved that these factors can serve as fairly effective economic regulators even under a system of state-owned enterprises.

At present and in the foreseeable future, however, there are many strategic political, economic, social, and ideological factors that will prevent the Soviet regime from embarking on a course of "market socialism."[9] Nevertheless, if the philosophy and behavior of the Soviet leaders continue to be as liberal, open-minded, and rational as that of Kosygin and Brezhnev, the Soviet economy may well evolve into a system of market socialism similar to Yugoslavia. At such a time, the differences in the micro-managerial job and the requirements for effective management development in the Soviet Union and United States would be very minimal.

Experiments Involving a Profit Motive and Greater Decentralization of Authority

The first comprehensive experiment involving a modified version of the Liberman Plan was conducted in the Soviet economy in 1964. This experiment involved two large clothing firms—also referred to as production associations since these two firms have evolved through amalgamations of several smaller garment producers—the Bolshevichka enterprise in Moscow and the Beacon enterprise in Gorkey.[10]

During a six-month period in 1964, the two key success indicators in connection with the awarding of bonuses to managers were profitability computed as the ratio of total profits to total fixed and working capital, and amount of total output sold. The managements of these enterprises negotiated their product-mix plans directly with the managers of retail stores, rather than through intermediary wholesale organizations or regional economic council officials. The Beacon firm dealt directly with 28 stores and the Bolshevichka firm with 22. The producers and stores also negotiated directly on such matters as packaging, product quality, delivery schedules, and the prices of new and modified products. The orders from the stores set the overall enterprise operating plan.

While the aggregate payroll, profitability, total sales, and total output targets were approved by superior authorities, enterprise management independently established the other targets of the plan. However, major supplies and the bulk of financial resources necessary to fulfill the operating plan were still allocated to the firms, primarily in aggregate terms. A system of penalties, apparently basically similar to the one previously in use, was used in order to compel the two firms as well as their major textile suppliers to properly fulfill their product assortment plans.

The firms' managements were given substantially greater powers over personnel incentive schemes and various other personnel matters, organizational relationships, and the organization of activities, and various other staffing, planning, and control activities. In addition, the enterprise directors were given the authority to independently negotiate six-year interest-bearing loans, called credits, from the state bank for investment and major innovation projects, and to obtain advances for new equipment and supplementary working capital. In this connection, the directors were given the power to authorize various types of capital investment projects up to one million rubles.

Under this system, the firms overfulfilled their profitability and sales targets for a six-month period. However, these targets were apparently set relatively low anticipating that unforeseen problems were inevitable under transition to the new system, and total profits and aggregate output were somewhat less than in the previous six-month period under the old system. The major reason for this decline in profits and output was that the firms strained to produce more in accordance with consumer demand and to develop and produce new and better products.

A number of other significant problems emerged under this experimental system: The major one was apparently deficiencies in the pricing system, and such deficiencies induced the firms to still engage in various product-mix distortions. A substantial but lesser number of retail orders were not filled, and many complaints about product quality were still received from irate consumers. In most instances prices were not linked to consumer demand, pricing revisions were not promptly introduced, and the perennial conflict between plan fulfillment and the satisfaction of consumer demand still persisted. Another major problem was supply failures on the part of the firms' textile suppliers. These suppliers were in turn restricted by their own plans and supply difficulties. For example, some of their machinery and chemical suppliers did not come through according to plan. Penalties utilized to insure the proper supply and timely delivery of commodities at various links in the chain did not prove significantly more effective than in the past.

The firms' managements apparently had considerable difficulty in establishing effective integrated employee incentive schemes aimed at linking individual and group performance to overall enterprise profitability. Labor productivity did not improve under the experimental system. This system also failed to eliminate the conflict between product and technological innovation and short-run operating results. The firms also ran into various problems in dealing directly with more than twenty retail stores each, as opposed to a small number of wholesale organs in the past, and it appears that a given producer can effectively deal directly with only five or six large stores.

Under the experimental system, the organization structures of the two firms changed significantly and grew more complex, while staffing, planning, control, and communication problems also became more complex. The sales (marketing) and design departments expanded significantly since the firms dealt directly with more than twenty stores each, and because marketing activities became much more important. The supply departments also expanded since they had more independence over the determination of input needs and negotiation with suppliers.

The new system clearly revealed a critical need for more and better trained administrators and specialists in such fields as sales and commerce, sales promotion, design, styling, market planning, marketing research, and micro-economics. In spite of conscientious attempts on the part of both trade personnel and the staffs of the two producing firms to predict and satisfy consumer demand more satisfactorily than had been done in the past, the lack of properly trained personnel acted as a very major negative constraint. In fact several leading Soviet publications and authorities have put forward the proposition that special agencies with well trained experts are necessary to efficiently study consumer demand in view of the results achieved at the Beacon and Bolshevichka firms, and at other enterprises.[11]

Production and financial planning and control became more difficult since plans and operations were frequently revised and adjusted as consumer buying patterns changed, and where errors in predicting consumer demand became evident. On several occasions the schedules and activities of various production shops had to be completely revised and reorganized.

In general, the experimental system pinpointed a number of very critical actual and potential weaknesses in the existing Soviet system of education and training for management and development.

In spite of the various significant problems that emerged under the above experimental system, Soviet central authorities decided to extend the experiment to 40 shoe, textile, clothing, and leather producers in many regions in 1965. They were evidently convinced that the new system would be an improvement over the existing one. By mid-1965, 128 industrial enterprises were involved in this experiment since the major suppliers attached to the firms in the above sector also became involved.[12]

In mid-1965, consumer goods producers as well as mining and machinery enterprises in the Lvov region were put on a new system as well.[13] The key success indicators for these enterprises are profitability and output distributed and sold. For the mines and machinery plants higher authorities only approve total output targets and major items of the product mix. The consumer goods producers determine their product mixes directly with retail stores. In all cases major supplies are apparently still to be allocated by higher planners. This new system in the Lvov region involves substantially more authority for enterprise managers, as did the earlier experiments.

At about the same time, a system involving a profit motive and substantial decentralization of authority was also introduced at three Moscow and two Leningrad road-transport enterprises.

Taking into account the above experiments and at the initiative of Premier A. N. Kosygin, the Plenary Session of the Central Committee of the Communist Party at the end of September, 1965, decreed that during the next several years virtually all of Soviet industry would embark on a new system of management, similar in many respects to those discussed above and the one advocated by Evsey Liberman.[14] We will take up this topic in some detail after exploring other significant recent experiments, trends, and problems in Soviet industry.

Other Significant Experiments, Trends, and Problems in the Soviet Economy

A number of reforms have been advocated, and a limited number of other experiments conducted, which have as their chief aim the development in consumer goods producers of greater sensitivity and concern regarding consumer demand. Some influential officials propose that trade activities be integrated into the industrial apparatus; conversely, others recommend that consumer goods producers be integrated into the trade and retail complex. There have as yet been no major steps taken in either direction, although some minor experiments are being carried out.

In a limited number of experimental cases, producers have recently opened up or taken over retail outlets. For example, the large Progress Shoe Firm, a Production Association in Lvov now has its own stores in Lvov and Moscow, which carry only its products.[15] The head of the State Committee for Light Industry has recently advocated the creation of a widespread network of integrated production-retail sales organizations for various types of consumer goods.[16] Apparently many industrial officials and producers are in favor of opening or taking over their own store, and it is conceivable that such an arrangement will become more widespread in the future.[17] Whether this would significantly improve the quality and variety of consumer goods and better satisfy consumer demand is open to question. This depends in large part on the type and effectiveness of the system of managerial incentives and pricing that is utilized.

However, such a setup could lead to better communication in the transmission of consumer demand to the producer. There would also probably be somewhat greater effort on the part of producers to plan and produce in accordance with consumer demand for non-economic reasons. Most managers no doubt take considerable pride in the reputations of their enterprises and in the brand names of their products. For this reason they would be more concerned about satisfying the consumer if their enterprises were to have their own stores, or if they were the exclusive, direct suppliers of various retail outlets.

If the Soviets decide to integrate marketing and production activities in the consumer goods sector on a substantial scale this will clearly place greater demands on industrial enterprise managers. Product planning, demand analysis, and overall marketing activities will become much more important.

In general, marketing (particularly marketing research, sales and demand analysis, and sales promotion) has become much more important with regard to consumer goods in recent years, as rising living standards and greater consumer choice have evolved. This field will become even more important since substantially greater resources are to be allocated to the consumer goods industries during the 1966-70 Five-Year Plan period. However, serious deficiencies in marketing know-how and techniques, and not only defective managerial incentive systems, are resulting in growing stocks of unsalable and wasteful consumer goods production worth billions of rubles each year.[18]

Even when industrial and trade personnel make a serious attempt to predict and satisfy consumer demand—as was the case under the Beacon and Bolshevichka experiments discussed earlier—poor marketing research techniques, deficient sales analysis, and inadequate sales promotion and advertising greatly limit their effectiveness. There is clearly a very critical shortage of competent marketing managers and specialists in the present-day Soviet economy.

Since 1962, high ranking Soviet authorities, the press, and specialized journals have expressed growing concern about the deficient marketing practices and personnel in Soviet industry and trade. In May, 1963, the State Trade Committee set up a Demand and Market Department to analyze and disseminate consumer demand to distributors and producers.[19] However, there were only ten employees in this department while there were 603,401 retail stores in the country. Although this department conducted market surveys in many cities, their projections were typically inaccurate by 40 percent or more. They did virtually nothing in the way of sales or inventory analysis, or sales promotion.

The Soviets now realize that better techniques, data, and trained people are needed for such critical activities as marketing research and demand analysis, and inventory planning and control.[20] Influential persons and publications are urging that the techniques and practices used in America and Western Europe be studied carefully and, wherever applicable, applied in the Soviet economy. The leading Communist Party journal *Kommunist,* points out that understanding human needs, behavior, and motivation is the key to accurate demand analysis, and that the United States has 3,600 specialized organizations to study marketing problems—including numerous marketing research and advertising agencies.[21] Several prominent trade and industrial officials are advocating the widespread use of electronic computers for market planning and demand and sales analysis, realizing that information reporting and data collection would have to be improved immensely under such a system.[22] Since early 1964, a large Moscow department store has been experimenting with the utilization of a computer for sales analysis, but major problems have been deficient data collection and not enough trained employees.[23] In mid-1964 a small computer center to be used for studying consumer demand was being set up under the Moscow Economic Council.[24]

Many influential Soviet officials, newspapers, and journals are also advocating much greater and more effective use of sales promotion and advertising.[25] In a recent article in *Izvestia* entitled "Is Commerce Possible Without a Sales Force," a high level trade official points out that there were many more and better marketing specialists and merchandising experts before the war, in the 1930's, than at present.[26] With so little attention paid to advertising and selling, even desirable and needed goods pile up in storerooms and warehouses.

Other sources and authorities point out that effective advertising is not only an art, but it must be based, wherever possible, on concepts. It is also stressed that informative advertising and sales promotion, while essential, is not enough under present Soviet conditions; sales promotion must also take into account the psychology of the customer. To effectively carry out such activities, trained merchandising specialists, economists, artists, designers, psychologists, and copywriters are urgently needed, but very few are available.[27]

Soviet sources are urging that Western sales promotion and advertising practices be studied carefully and applied in the Soviet economy wherever feasible.[28] In May, 1965, it was announced that several new State Advertising Agencies were being set up in the Soviet Union.[29] It was pointed out that many administrators and specialists including writers, artists, poets, and media specialists would be needed to effectively staff these agencies.

At present, numerous important marketing jobs are vacant at trade and industrial organizations because suitable personnel is not available.[30] As the need for new and additional positions in this field continues to grow, the problem of filling these positions with adequate numbers of properly trained managers and specialists will grow more serious. It is clear that a large-scale expansion and major improvements in marketing education are essential at the present stage of Soviet economic development.

Another trend that is enlarging and making more complex the micro-managerial job in Soviet industry is the merger movement among producing enterprises, which has been underway since the early 1960's.[31] This movement, discussed briefly in earlier chapters, entails the establishment of large integrated "firms" (also called "production associations"); hundreds of such firms have already been formed, and the number is increasing substantially every year. This may eventually become the predominant form of industrial organization at the enterprise level, particularly where large-scale, modern technology can be employed. A desire for maximum economies of scale in all modern industrial societies tends to pull diverse organizational frameworks in the same direction.

In the Soviet case another aim of this reorganization is to improve the supply situation. It is hoped that horizontal integration will give the much larger amalagamated enterprises more bargaining power with suppliers. In the case of vertical integration it is also anticipated that the source of supply will become more dependable. With the establishment of large integrated enterprises, the managerial job is enlarged and becomes more complex. Managers of these firms have already acquired considerably more authority in the execution of their functions, and will undoubtedly continue further in this direction under the emerging system of industrial management.

There is a definite trend involving the increasing use of more sophisticated and scientific tools and techniques for planning and control purposes in the Soviet economy. These include linear programming, input-output analysis, mathematical models, econometrics, operations research, cybernetics, and electronic computers. Thus far, such techniques and tools have been used mainly experimentally and chiefly for macro-planning and control purposes at the national and republican levels.[32] There have even been experiments with Systems of Network Planning and Control or NPC making use of the critical path method, including PERT time and PERT cost. However, there tends to be great resistance to such experiments on the part of high level managers and planners accustomed to less sophisticated practices.

At the enterprise level, most of the limited use made of electronic computers and advanced planning and control techniques have involved scientific-technical rather than administrative or commercial applications. The lack of adequately trained personnel has been a major constraint regarding more extensive administrative and commercial applications.[33] However, more computer installations used for other than scientific-technical purposes are being set up in various regions and gradually at a limited number of large firms and retail department stores.[34]

While certain aspects of central planning and control may be facilitated by greater and more effective use of sophisticated and more scientific tools and techniques, advances in these tools and techniques are also compatible with greater decentralization of authority. This is especially the case if the development of an operational, more rational price system and timely information feedback for purposes of strategic control are facilitated by such advances. In general, it is clear that substantial improvements in the application of more scientific and effective tools and techniques for planning and control will require large quantities of highly trained specialists, as well as administrators, in the newly emerging quantitative and computer fields.

Reforms and Industrial Management Under New Soviet Leadership

The reforms set forth in Premier Kosygin's memorable report at the Plenary Session of the Central Committee of the Communist Party on September 27, 1965 will significantly change the nature and structure of Soviet industrial management over the next five years. His report was appropriately titled, "On Improving Management of Industry, Perfecting Planning, and Strengthening Economic Incentives of Industrial Production."[35] The speech by party leader Leonid Brezhnev on September 29, 1965 was in complete harmony with Kosygin's report, and Brezhnev elaborated on several of the problems and reforms discussed by Kosygin.[36] The reforms advocated by these two Soviet leaders were formally put into law on September 29, 1965.[37] However, many of the details of implementation remain to be worked out.

The managerial and industrial reforms will be introduced gradually and apparently cautiously during the 1966-70 Five-Year Plan period. However, the system will remain in large part intact during the 1966 plan year, and the new system will begin to take full shape as of 1967. This will be the key year of transition.

Under the new system the micro-managerial job will increase substantially in scope and complexity, and to quote Kosygin, "the reforms will further raise the importance of the industrial enterprise as the main economic unit in the economy." Some branches of industry will switch over to the new system earlier than others, but by 1960 virtually all of Soviet industry should be operating under the new system of management.

Under the new system only the following enterprise targets and indices will require higher approval:

1) Total volume of goods to be sold.

2) Quantities of major items of the product-mix to be produced—the number of such items to be reduced gradually through time as scarcity decreases.

3) Amount of profit—called profitableness—per ruble of fixed assets and total profit.

4) Total enterprise payroll—which Kosygin feels will not require higher approval when a high level of consumer affluence is achieved.

5) Payments to and from the state budget, including centralized capital investment and main assignments for introducing new technology.

6) Indices relating to the allocation of major suppliers of materials and equipment—the number to be reduced as shortages disappear.

Profitability-profitableness will serve as the key enterprise success indicator for managerial bonuses. An attempt will be made to have effective incentive schemes designed for virtually all enterprise personnel that take into account both an individual's performance and his contribution to overall enterprise profitability. Managerial incentives will be greater where targets are set high and then fulfilled, and this will entail a system of "stable" profitability norms by branch of industry or groups of comparable enterprises. The increase in profitability achieved over several years will be central to maximizing managerial incentive compensation. There will also be more incentives with a greater share of new and better quality products produced and sold.

A serious attempt will be made to establish more operational five-year plans at industrial enterprises accompanied by long-term supplier ties and contracts, although the annual plan will remain as the key operating document. However, greater emphasis on long-range plans will certainly make the managerial job more complex. As long-run considerations, such as innovation and investment, become more important, enterprise managers will be confronted with greater choice and uncertainty in the formulation and selection of future action.

Substantially more of the profits earned at enterprises will remain there and be under the independent control of management. The actual amount of profit retained will depend on how well the enterprise achieves its key targets, and the amount of profit remitted to the state will vary according to the value of the enterprise's fixed and working capital. Retained profits will be used for bonuses, fringe benefits, developmental activities, and improvement and expansion of plant production operations.

As for financing enterprise operations, much less use will be made of outright state grants, and there will be a growing use of a system of credits, that is, interest-bearing loans. Long-term credits will be increasingly used at existing enterprises and at new plants where a fast recoupment or payback period is anticipated. Enterprises will also keep a much greater share of their amortization funds, and by 1967 enterprises will have independent control over three times as much capital as in 1965. With regard to working capital, instead of supplemental grants from the state budget, a system of short-term credit will be utilized where additional funds are required. In general, enterprise managers will be given much greater authority and independence in the use of such items as fixed and working capital, depreciation charges, profits, savings from payroll, and the sale of unneeded assets and stocks. These financial reforms will clearly make the tasks of financial planning and control, cost accounting, and economic analysis much more important and complex at the enterprise level.

Enterprise managers will have greater authority to independently determine the organizational structures and internal work relationships at their enterprises, as well as the amount of administrative and general overhead expenses. They will also have considerably more independence over the design and implementation of personnel incentive systems. Apparently enterprise managers are to be granted greater powers in other areas as well, and a detailed list of laws regarding their authority and independent rights is being prepared and will be completed and implemented in the not-too-distant future.

In his report, Kosygin is clearly aware of the greater demands that the new system will make on managerial skill and ability, particularly at the enterprise level. He also forcefully acknowledges that the existing state of Soviet research, education, and training in the fields of management, business administration, and economics is significantly deficient, given the current and projected direction of Soviet industrial management. He calls for much greater research effort pertaining to "the scientific principles of the management and organization of socialist production," and for more effective education and training for management development. Some of his key statements regarding the emerging managerial job, and required education and training are quoted below:

> The necessary measures should be taken to provide highly qualified personnel for our enterprises: after all, the success of the matter is decided there . . . The demands on our industrial and managerial personnel are seriously growing. They are advanced by life itself. Initiative based upon competence, an ability to take quick decisions, a business-like approach, a sense of the new, an ability to make the maximum use of productive resources in each concrete situation—such is the gist of the new demands.
>
> With the broadening of their powers, the sense of responsibility of business managers before the Party and the State must also be heightened. They will have to solve themselves, together with their work force, problems which used to be decided for them by the people above.
>
> The training of managerial cadres and specialists for industry under the new conditions assumes much greater importance. There are serious shortcomings here for which the Ministry of Higher and Special Secondary Education and the State Planning Committee are to blame.
>
> All the shortcomings in the training and use of industrial personnel must be eliminated.
>
> The cadres of industrial managers bear the entire brunt of personal responsibility for the work they are charged with by the state. This responsibility, the role of one-man command in industry is becoming of special importance now. But one-man command must organically blend with the broadest participation of the works and office employees in the discussion of all the most important questions of the economic life of the enterprise and of production management. The success of a manager's work depends on his support by the work force and the authority he wins by his business efficiency and adherence to principle.

Kosygin is also keenly sensitive to the need for major reform in the pricing system—especially wholesale factory practices—if the emerging system of enterprise management is to function correctly. He is as certain, however, as the experts about any definitive and effective solution to the price problem. A State Committee for Prices under the USSR State Planning Committee (Gosplan), which is once again being made the key central planning agency, was set up in the autumn of 1965. The Price Committee has been charged with working out by January, 1966, "concrete proposals relating to the main trends in the evaluations of wholesale prices of industrial goods." These proposals are to be based as far as is practical on the labor value of commodities.

It will probably be possible to introduce more rational and realistic prices for many major commodities; this will be evidenced first on the products of those industries switching to the new system. It is recognized that sound solutions to the price problem will be very time consuming and expensive, and will require the skill of many leading Soviet experts.

Major reforms relating to the macro-managerial industrial structure were also set forth by Kosygin and approved at the September, 1965, Plenum. Because of serious problems of localism, growing disproportions and dislocations among different branches of industry, and various other significant deficiencies under the territorial system of industrial management, the regional economic councils (sovnarkhozy) are to be eliminated by 1967. Branch-of-industry ministries are to be reestablished; however, unlike the ministerial system prior to 1957, the new system is to allow for much more authority and independence at the enterprise level. Kosygin also stresses that he will not tolerate empire building, the evolution of a large bureaucracy, or overcentralization and administrative fiat under the new ministerial system—but this remains to be seen. The ministries will have decision making powers over important matters pertaining to technical progress, research and development, capital investment, production, and supply. Nevertheless, more problems and decisions than ever before are to be dealt with and solved independently by enterprise managers.

In total, more than two dozen industrial ministries are to be established. There will be All-Union or National Ministries in major branches of industry, such as heavy machinery and equipment, power engineering, electronics, machine tools and instruments, and automobiles. Union-Republic Ministries, which consist of a central ministry with a counterpart in the various republics, will be established for such industries as ferrous and nonferrous metallurgy, chemicals, coal, oil, timber, food, building materials, and light industry. These republican ministries will be subordinate to both their central ministries and the

Republic Council of Ministers. There will also be republican ministries with no central counterpart established for local industries and various industries of minor importance.

Under this system the republics will acquire substantially greater authority over such important matters as planning, capital construction, supply, production, finance, and labor and wages, and in general authority will be considerably more decentralized at this level than it has been in the past.

The USSR State Planning Committee (Gosplan) will again play the major role in central economic planning and decision making, and this agency is again being placed directly under the USSR Council of Ministers. The USSR Supreme Economic Council, the USSR National Economic Council, and the republic-level and regional economic councils are all to be abolished. The State Planning Committees of the Republics are charged with the task of ensuring sound and effective territorial planning and development.

The branch ministries will control the central system of material and technical supply under the jurisdiction of Gosplan USSR. They will be aided and supported by the central network of supply and sales boards and departments and the present network of territorial supply and distribution organizations. New Union-Republic State Committees will also be involved in the system of supply and distribution. At the same time, however, more long-term direct ties and contracts are to be established between supplier and customer enterprises, and enterprises will gradually procure a growing number of commodities independently without higher approval.

Each ministry will establish networks of cost accounting organizations in order to control the enterprises under their jurisdiction, and the shortage of properly trained cost accountants is acknowledged and seen as a problem.

In general, Kosygin's objective is to staff each newly organized industrial ministry with a hard core of the most competent executives available, as he recognizes the importance of sound macro- as well as micro-management. In this regard he states:

In view of the transition to the new industrial management system it will be necessary to reshuffle executive personnel. This large and important business must receive serious attention from the Central Committees of the Communist Parties of the Union Republics, the Councils of Ministries of the Union Republics, ministries, local party, government and economic organizations . . . . Experts should be carefully selected for the newly organized ministries, for the whole work of industrial management will largely depend on this for its efficiency. We must display maximum concern for executive personnel and use every worker sensibly.

Even though the enterprise manager's job is to be substantially enlarged and will become increasingly more complex this does not mean that central planning and control will be eliminated as basic features under the emerging system. There can be little doubt that central party, governmental, and administrative authorities will continue to determine basic economic objectives for the country and the key policies for their achievement. They will continue to plan and control those aspects for economic activity deemed strategic and significant for the accomplishment of the country's goals. Both Kosygin and Brezhnev make it clear that the Communist Party will remain the dominant force in all phases of Soviet life.

It is highly improbable that micro-managers will acquire the authority to formulate the basic economic, humanistic, or social goals of their enterprises in the foreseeable future. The state will continue to prescribe the ultimate objectives to be pursued by all industrial organizations. At the same time, however, it can safely be predicted that the requirements of a complex and expanding Soviet industrial economy will continue to place greater demands for efficiency on all levels and types of managerial personnel.

As the Soviet economy continues to approach the American economy in volume and diversity of industrial production, technological complexity, and scope and complexity of market requirements and relationships, the structure, techniques, and problems of the two economies will continue to become more alike in many aspects. Increasingly similar industrial organization calls for an increasingly similar type of managerial class upon which economic well-being largely depends. This in turn calls for increasingly similar systems of education and training for management development.

There appear to be certain highly significant implications for Soviet management development in view of the discussion and analysis presented in this chapter. The crucial issues that must be dealt with if the Soviets are to turn out managerial resources geared to future economic growth and development are the following: First, the economy and industry will require of managers more emphasis on independent thought, creativity, analytical and problem solving ability, and initiative. Second, it is evident that managers, particularly middle and upper level executives, will require better and broader training, and knowledge in more fields than they do today. Third, the development of a systematized body of management and organization theory, having widespread application, which can be utilized for developing managerial skills and improving the practice of management, will become increasingly important.

IX

The Emerging Soviet Educational and Research Revolution

The free discussion and debate looming in the realm of Soviet industrial reform is also present in the sphere of educational reform. Khrushchev opened the door to general discussion and criticism of the entire Soviet system. He could have buried Stalin quietly. Instead in his "secret" speech of 1956, and in many later speeches, he viciously denounced Stalin. The present Soviet leaders must have certain misgivings about the wiseness of such actions in light of the ferment that has been stirred up not only by the intellectuals, the educators, the scientists, and the artists, but also by the masses. How to deal with the ferment without either returning to Stalinism or permitting a freedom that might endanger the whole Soviet system? This is the problem that now confronts the Soviet ruling class.

The discussions currently prevalent in connection with the Soviet research and educational system are perhaps the most significant of all. We are concerned here chiefly with those research trends emerging and educational changes taking place, and those likely to occur, which have implications for management development. The Soviets are aware that their educational system is no longer adequate to prepare those students destined to become the industrial managers and leading specialists of tomorrow. Thus, they now appear to be on the threshold of a new research and educational revolution.

Liberalization and Broadening of Soviet Higher Education and Research Activity

One major consequence of the Soviet's successful buildup of highly specialized manpower—which has been essential to rapid industrialization—is that it has occurred largely at the expense of general or liberal education. The social sciences and humanities have suffered the most during this process. Although there has been some broadening of higher education recently, the system is still geared to the production of narrowly trained specialists and technicians who are taught primarily what to think rather than how to think. If the Soviet manager is to be granted more authority and his job becomes increasingly complex and requires more judgment, breadth of training and creativity and independent thought become increasingly significant.

However, the production of creative, independently thinking generalists is no doubt perceived with some negative feelings by the Soviet ruling class. Well-rounded generalists can more readily shift not only from enterprise to enterprise, but also from industry to industry. This would tend to hinder central planning and coordination in connection with educational enrollment quotas, industrial manpower needs, and economic goals. Even if the party maintains its dominant role in the placement of key personnel, much greater pressures and frictions would emerge in the system, and manpower mobility problems would surely be much greater than they are today. Perhaps more important is that a managerial elite composed of well-rounded, creative, independent thinkers would be a potential threat because its members might be more inclined to overtly oppose the social, economic, humanistic, or political goals prescribed by the ruling class.

Therein lies the dilemma: the realization of the need for greater breadth and quality of training in the educational system on the one hand, and the potential threat this poses on the other hand.

Khrushchev and his successors have made it clear that the party will continue to direct Soviet research and educational activity. In addition, there is little doubt that in the future the Soviet citizen will still only be permitted to develop his intellectual capacity and professional competence along the lines set by the planners. However, it is very likely that these lines will broadened, and that creativity and independent thought will receive a more prominent place in the educational system. At the same time, large doses of indoctrination and ideology will continue to be utilized to develop a "Communist Man" who accepts the goals and values laid down by the regime.

It appears that more flexibility will emerge in the monolithic system of Soviet higher education. Faculty members are likely to be granted more authority over the curricula at their institutions, and the rigid standardization among similar specialties will probably be somewhat reduced. Simultaneously, more attention will probably be devoted to improving the creative, analytical, and problem solving abilities of students. The Soviets realize that new, high-quality textbooks in all fields are required for this purpose, and there is currently a widespread campaign underway to develop such texts.

The pressure from educators for corrective action along the above lines is steadily mounting. For example, a professor at a leading Moscow engineering institute condemns text materials because they do not touch on debatable problems, and rigid central direction over curricula for stifling the abilities of both faculty and students:

> The basic requirement for a textbook is that its presentation of materials must not give rise to questions in the student's mind. The idea is persistently brought home to him that everything written in the textbook is eternal truth. Which means there is nothing to think about, the only thing to do is memorize . . . . More often than not a stream of directives, regularized and qualified with scores of instructions on how and what to teach, how and what to ask on tests, engulfs the teaching collective, gives it no chance to find out the capabilities of each student.[1]

Igor Tamm, a Soviet Nobel Prize winner and ranking member of the USSR Academy of Sciences, condemns the existing educational system for stifling original thinking and creativity. He goes on to state that the key talent that an individual can possess is that he be a gifted organizer in any sphere of human activity, and the educational system stifles such talent.[2] Several prominent authorities urge that engineers be trained to create the technology of tomorrow rather than to merely borrow and adapt technology from other countries.[3] This requires better analytical and theoretical training with a view to the long run.

Criticisms about deficiencies in economics education are the most severe. Numerous sources are clamoring for the preparation of "independent, creative thinking economists" who can effectively serve as specialists and managers in industry. We shall deal with this subject in more detail shortly.

Indications are that corrective action is in the making to overcome the above shortcomings in higher education. Vyacheslav Elyutin,

Minister of Higher Education, has recently called for more emphasis on the development of independent thought, creativity, and analytical ability "since formal education does not give the student adequate knowledge for a lifetime." [4] He has also called for greater flexibility, more stress on basic theory, and broader training in both engineering and economic education.

In general, Soviet discussions on scientific research and educational changes are most intensive in connection with economics, the other social sciences, and the humanities. In October, 1962, a two-day conference of the General Assembly of the USSR Academy of Sciences was held in Moscow under the title, "The Building of Communism and the Social Sciences." The purpose of this gathering was to consider and adopt measures for the improvement and further development of research and education in the social sciences and humanities. Many leading Soviet educators, scientists, and researchers took part and presented reports. In fact, the participants represented a large segment of the "Who's Who" among the Soviet intelligentsia. The pronouncements and recommendations of social science research and education which evolved are closely in line with those presented at the Party Plenums in 1960, 1961, and 1962.[5]

At the meetings Stalin was blamed more vigorously than ever before for existing shortcomings in the humanities and social sciences, particularly economics. For example, one participant stated: "During the period of Stalin the social sciences were suffering the most because research was not based on statistics, facts and analysis, but on directives and slogans from higher up." [6] In turn, a leading economist stated: "During the period of Stalin there was a systematic liquidation of all scientific-research institutions in the field of economics." [7] Another prominent economist had this to say: "The economic sciences (including planning and management) have suffered greatly under Stalin because of the separation of theory from its applications." [8]

The resolutions adopted at the meetings for overcoming existing shortcomings in social science research and education will undoubtedly in large part shape the future course of Soviet research and education. In fact, major impact has already been made as of the end of 1965, as will be seen from the discussion in the following section.

The consensus at the conference was that there is now a definite need for more liberal higher education, and that students should be exposed to disciplines outside their fields of specialization. In this connection it was strongly urged that a more prominent place be given to the social sciences and humanities in all higher and graduate programs. This would include courses in psychology and sociology. Currently, psychology is reserved primarily for teachers' colleges, and there is not even a Ph.D. degree given in sociology. Moreover, sociology has traditionally not been viewed as a professional field by the Soviets.

It was widely acknowledged that the design of appropriate courses and textbooks in all social science fields must be preceded by much intensive research activity. Steps are now being taken to improve social science education through extensive research not only in economics, but also in psychology, sociology, anthropology, logic, and other fields. In light of the meetings there has already been an increase in the number of research and educational organizations dealing with the social sciences and humanities. At the same time it is clear that communist ideology will continue to play a major role in both social science research and educational activity, and that much lip-service will continue to be given to dialectical materialism. However, there is to be much more emphasis on operational theory and practical results.

It was strongly urged and resolved at the October, 1962, meetings that social science research be based on "scientific methodology, especially mathematics, statistics, cybernetics, experimentation and empirical studies." In economics and business fields wide use is to be made of empirical studies and the testing of theories at industrial enterprises, with a view to improving education in economics and managerial decision-making.

Several participants advocated that considerably more attention and study must be devoted to human needs, motivation, and behavior. For example, one expert stated:

> There is a lack in the study of all aspects of man . . . . One of the main problems facing the economy is industrial psychology. Another problem which should be investigated is that of man's needs and the best methods to satisfy those needs . . . . A more closer examination of the facts is required in order to solve the existing problems faced by man in daily life. The philosophers are at the present time dealing with this problem. Present day discussions are based on historical materialism which in turn may not apply to present day problems.[9]

Another leading social scientist had this to say: "Automation creates certain psychological problems which cannot be overlooked if the production process is to operate efficiently." He called for intensive studies on the role of man and his reactions in an automated society.[10]

It was revealed at the meetings that the Department of Industrial Psychology of the USSR Academy of Sciences is engaged in extensive socio-psychological research.[11] It is likely that the accumulated data and findings will be utilized in the design of courses and textbooks in this area. Eventually, such courses and text materials are likely to be adopted at both economic and engineering institutes. Some of the topics under investigation that may well have implications for management development are the following:

a) The most efficient managerial system composed of man and machine.

b) The role of man in highly automated systems.

c) How to provide man with all the information necessary for decision-making under the best conditions for man's perception.

d) An investigation to find the algorism of the process of man's digestion of information, and also the output of that process in connection with the optimum distribution of functions between man and machine.

e) Ways to provide man employed in any productive activity with acceptable conditions that will free him from monotonous, tiring activities and movements, in favor of more creative work.

Another major resolution adopted at the October gathering was needed to increase ties and the exchange of information between and among the different branches of the natural and social sciences, and particularly betwen educators and researchers in different disciplines. Rigid compartmentalization greatly hinders the exchange and dissemination of the knowledge that is necessary for solving the complex problems facing the country. The breakdown of departmental barriers would also be an essential initial step in the direction of more liberal higher education.

However, the dominant form of Soviet higher education is specialized institutes rather than universities; but the institutes are not organized in such a way as to enable much interdisciplinary research or education. Unless the institutes are substantially reorganized and their programs and faculties broadened, the task of fostering interdisciplinary cooperation must be undertaken by the universities. In fact, as will be seen in the following sections, the universities rather than the institutes are already emerging as the major force in interdisciplinary research and education, especially in the social sciences, which include the behavioral sciences, economics, and management.

Current Progress in Social Science Research and Education

In this section consideration will be given to the progress that has been made in social science research and education during the 1962-65 period. Emphasis will be given to those aspects that have significant implications for management development both at the macro- and micro-levels of the Soviet economy. However, the discussion of the social sciences in this section will focus on the behavioral sciences rather than the fields of management, business administration, or economics; these latter fields warrant special attention and will be dealt with in later sections.

Since the early 1960's a growing number of research organizations, groups, and projects dealing with the social sciences—including the behaviorial sciences of sociology, psychology, and socio-psychology—have emerged in various major Soviet cities such as Leningrad, Moscow, Kiev, Novosibirsk, and Sverdlousk. Leningrad has become the leading center for social science research in the Soviet Union. The findings of these research studies are being widely published not only in specialized journals but also in the popular press; and, in general, the social sciences are the subject of much more discussion and debate than in the past.[12] Some of the important organizations, groups, and projects in the field of social science research are outlined below.[13]

Leningrad State University currently has a number of laboratories, institutes, and groups undertaking social science research projects. The Laboratory for Sociological Research is studying the factors influencing the attitude of young workers toward their work, the emerging social structure of Soviet society, and research projects dealing with the processes of cognition and motivation. The Social-Psychology Laboratory is investigating mutual relationships in work collectives (groups) and optimal conditions for the effective performance of the collective. This study deals with interrelationships in work groups and their effect on labor productivity, and is based on experiments being conducted at industrial enterprises. The Laboratory for Economic Research is focusing on long-term planning and the preparation of qualified manpower for industry. This project deals with changes in the occupational structure of the labor force in the Leningrad region.

A group of Leningrad University researchers composed primarily of sociologists and economists aided by numerous industrial personnel has conducted a large-scale survey involving a questionnaire study and 11,000 respondents, of the causes of labor turnover in Soviet industry. (This study was referred to in Chapter VIII.) The project was coordinated by Leningrad University's Institute for Integrating Social Research. The results of this study are providing guidelines for both macro- and micro-managerial action. For example, on the basis of the findings many enterprises are reducing personnel turnover, and several management training seminars have been organized in order to disseminate the findings of the study.

Some applied social research projects in Leningrad are being conducted on a contract basis for other organizations. For example, the Economic-Mathematical Methods Laboratory at Leningrad University, in collaboration with several of the University's sociologists and psychologists have undertaken a project during 1964-65, which has been financed by the Leningrad Economic Council. The focus of this project is on long-term scientifically based plans for the training and retraining of industrial personnel, and the changes in qualifications required of the industrial labor force. The Labor Reserve Institute has financed a research project at Leningrad University's Social Psychology Laboratory that deals with effective forms and methods of vocational-technical training.

The Leningrad Public Institute for Social Research, established in 1963, is investigating social and psychological problems linked with technological innovation and technical progress, rationalizing the activities of workers, and man's labor activity in general. The Socio-Economic Department of the Leningrad Mechanics Institute is studying such problems as interclass differences in industry and society at large, and factors affecting occupational choice. A research group at the Leningrad Electro-Technical Institute is concerned with problems of communication and information theory.

Novosibirsk State University's Laboratory for Economic-Mathematical Research is exploring a broad range of economic, sociological, and psychological problems including the social prestige and attractiveness of different occupations, occupational characteristics and social mobility, and labor turnover. Other research groups in Leningrad, Novosibirsk and other cities are undertaking projects that deal with motivational factors bearing on work satisfaction and productivity, human needs and performance, optimum range of labor turnover, and various aspects of human behavior in both individual and group contexts. Studies are also being conducted in industrial organizations.

While considerable progress is being made in the expansion of social research in the Soviet Union, methodological problems still serve as a significant restraint with regard to the quality of research in most instances. With very few exceptions, it is unlikely that the current social science research studies would be published in the better American or Western European professional journals on the basis of their scholarly merits.

More often than not the Soviet studies are much more philosophical than scientific or objective, since the researchers attempt to rationalize their work and findings in terms of traditional Marxist-Leninist dogma. Of course it is difficult to eliminate value judgments completely in social research even in the United States. However, in many cases, the Soviet researchers seem to set out to prove that Communist values and attitudes are dominant by using leading, rigged, or highly naive questionnaires, interview techniques, observational methods, and classification schemes.

Leading Soviet experts are urging that much greater use be made of objective questionnaires, observation and empirical studies, quantitative methods, and computers in social science research.[14] An editorial in the highly influential party journal, *Kommunist,* agrees that objective, concrete, empirical, and scientific research is necessary, but at the same time points out that research in this area should adhere to and support the party line.[15] Whether a substantial amount of high quality research that would enable meaningful exploration, prediction, and prescription for planners, policy makers, and managers can emerge with this dichotomous attitude of philosophy and science in the social sciences remains to be seen. It does appear rather doubtful.

An article in a 1965 issue of the prominent and progressive Soviet literary journal, *Novy Mir* (New World), points out that more Soviet books on sociology and the other social sciences have been published in the last few years, and more Western works are being translated into Russian. This article goes on to state:

> There is something to be learned from Western sociology in the field of techniques and methods of research, the selection and processing of information.
>
> Until just recently (Soviet) sociology, the Cinderella of our social sciences, was kept in the background. Even the very word sociology was in effect banned. Social research, like the study of facts in general was neglected. In recent years the situation has been changed and great attention has been focused on sociology. Only the first steps have been taken.

Not all of the consequences of the personality cult have as yet been fully overcome in this field.[16]

Other influential sources are also urging that Western behavioral science concepts and research techniques be used wherever practical in the Soviet Union. Some also point out that the works of Soviet scholars in the field in the 1920's and early 1930's—before the "personality cult" evolved—also warrant careful study and reappraisal at this time.[17]

Even where Soviet social science researchers make a serious attempt to conduct objective, scientific studies they are typically handicapped because of inadequate training and preparation with regard to research methodology. Since behavioral science in particular is a newly emerging field—virtually in embryonic state—in the Soviet Union of today, there is an almost complete absence of operational conceptual frameworks, sound classification schemes, and testable hypotheses that can be verified through objective empirical studies. Hence, even when useful information is gathered about the motivation, behavior, attitudes, problems, operations, or activities of a particular group, organization, or administration, the absence of sound research methodology frequently leads to insignificant findings and results.[18]

Another serious methodological problem is the lack of workable concepts and the inconsistent definitions of key terms utilized. Some Soviet social science experts recognize this problem in connection with such concepts and terms as (a) social and work group, (b) social relations, (c) structure of social consciousness, (d) motivation and its effectiveness, and (e) the content and nature of labor, which is largely about economic problems.[19]

It is evident that effective courses and even programs dealing with the behavioral sciences would undoubtedly be of considerable benefit for management education and training in the present-day Soviet economy. It is also clear, however, that there remains much to be done before this type of education and training for management development can become effective on a substantial scale.

Much more high quality social research is needed before effective course materials and courses can be designed and implemented, although a substantial amount of work done in the United States and other Western countries—as well as various other communist countries such as Poland, Czechoslovakia, and Hungary[20]—is probably applicable to the Soviet Union. If the Soviets see fit to explore and capitalize on foreign research studies (and it appears that they are moving in this direction) it would greatly facilitate their own social science research. At the same time, however, it is essential that the Soviets do much more than they have to develop high quality researchers and educators in such fields as sociology, psychology, and socio-psychology. There are signs that they are prepared to move in this direction.

The behavioral sciences, as a profession, are gradually gaining greater status through the support of the Soviet leadership and party. The fact that so much is currently being published in this field is one strong indication of acceptance and support.

Several leading Soviet sources and experts are calling for the establishment of new departments and faculties of sociology as well as the other behavioral sciences, at many higher education institutions —including engineering and economic institutes. Some are urging that eclectic and interdisciplinary research institutes and departments be set up in this field, involving such disciplines as statistics, mathematics, economics, data processing and electronic computers, demography, philosophy, and social medicine.[21]

Since 1962 the Social Research Laboratory in conjunction with the Philosophy Department at Leningrad University has been conducting courses on concrete sociological research with the aim of improving the qualifications of researchers and educators in the field. Similar courses are being given by the Leningrad Public Institute for Social Research.[22] In both these programs the ultimate aim is to prepare and train personnel to undertake significant empirical research studies, which result in a high degree of theoretical generalization and extensive application.

In general, the development of new and improved courses and course materials in such applied fields as management and organization theory, decision making, personnel, and marketing is dependent to a considerable degree on the effectiveness of research and education in the behavioral sciences.

Current Trends and Prospects in Economics, Quantitative Methods, and Business Administration Functional Fields

It is now widely acknowledged by influential Soviet sources and experts, as well as the Soviet leaders, that economic research and education needs great expansion and improvement at this stage of Soviet industrial development. This is deemed of paramount importance since it would greatly improve both macro- and micro-managerial decision making. Since engineers will continue for some time to constitute the prime source of managerial personnel in Soviet industry, it is essential that economic training in engineering, engineering-economics, and on-the-job programs be improved and further expanded on a much more substantial scale.

Kosygin, in his milestone report at the September, 1965, Plenum placed high priority on broader and better economic education and training. In this connection he stated:

> The economic training of engineers and technicians is poorly organized. It is intolerable under modern conditions for an engineer, a designer, or a constructor to have a superficial understanding of economics . . . . Today the training of economists is of paramount importance. It is more necessary to give attention to this matter because the country experiences a serious shortage of trained economists.[23]

It is now evident to the Soviets that a mere expansion of economics education is not enough. The qualitative content of economics training must be greatly improved as well. New applied courses in economic analysis that will provide operational criteria for, and thus improve, managerial decision making are urgently needed. Courses which integrate economic and technical problems are deemed highly important, as are courses that deal more scientifically with such concepts as marginal analysis, price and value, costs, criteria for investment choice, and other elements of Western macro- and micro-economics. Several leading Soviet authorities are putting forth proposals for subjects to be covered in new and improved economics courses, and many of these topics are similar to those dealt with in American courses.[24]

Much research is still required, however, before many of the needed courses can be designed and adopted, and before the quality of economics education can be substantially improved. With the growing freedom and leeway for debate that has emerged in the field of Soviet economics in recent years, it is likely that gradual but significant progress will be made in Soviet economics research, education, and application. To assure progress in these areas, much more use of quantitative tools and techniques—econometrics, operations research, mathematics, statistics, linear programming, input-output analysis, cybernetics, information theory, computers—is essential, and the Soviets are clearly moving in this direction. In all likelihood new courses and specialties in the above fields will continually be added to engineering and economics programs, probably at an increasing rate.

Quantitative tools and techniques and economic analysis, as well as the behavioral sciences, are also essential to the improvement of business administration courses in the functional fields, and this is acknowledged by a growing number of influential Soviet written sources and experts.[25] Production, procurement, and financial planning and control, cost accounting, research and development, and marketing courses can be substantially improved through greater emphasis on quantitative methods and economic analysis. The behavioral sciences can make major contributions to courses dealing with marketing research, demand analysis, sales promotion and advertising, in addition to personnel administration. The trade institutes, in particular, need major revisions in their curricula if they are to turn out competent marketing managers and specialists.

It appears likely that the number of graduates in business administration may still continue to be viewed as part of the economic sciences by the Soviets. It also seems inevitable that new and improved business administration courses of the types noted above will gradually be designed and adopted at engineering, engineering-economics, economics, and trade institutes. As is the case with economics, many of the business courses proposed by Soviet experts involve subjects similar to those covered in American higher educational and business training programs.[26]

One major aspect of the emerging Soviet educational and research revolution, which is of central importance to this study, remains to be discussed. That is management education in the purest sense; the utilization of a systematized body of theory for developing managerial skills and improving the practice of management. This subject warrants a separate section because of its significance.

Recognition of the Need for Research, Theory, and Education in the Field of Management

The importance of managerial skills, and the concept of management as an independent field of research, education, and application is now being acknowledged by a growing number of Soviet authorities. In the last few years the Soviets have come to recognize the need for management education, and the accompanying need for management research and theory, in order to improve both micro- and macromanagerial performance.

The current emphasis on all aspects of management received support and a go-ahead signal from Khrushchev in his report at the November, 1962, Communist Party Plenum when he advocated that foreign experiences in the field of management research, training, and practice be studied and introduced wherever beneficial, particularly the experiences of the United States where the science of management has reached great heights since World War II.[27] Khrushchev's successors—Premier Kosygin in particular, who is well known and highly regarded as an efficient professional administrator—have placed even greater emphasis on the improvement of Soviet management research, education, and practice.[28]

The vice-chairman of the USSR State Committee for Coordinating Scientific Research, D. Gvishiani, writes in a recent issue of the Government newspaper, *Izvestia:* "It is known that as specialization and the accompanying need for coordination grows, and as science and technology develop, the role and significance of management grows larger and larger." Gvishiani, who has become the leading Soviet expert on management theory, research, and education in recent years, goes on to cite his opinion on the question of technical *vs.* managerial skills in education and training for management development:

> Obviously, for a manager in this or that branch of the economy the appropriate technical and economic preparation received in specialized higher education is mandatory. However, any specialist who has occasion to engage in the practical job of administration immediately runs head-on into a variegated and enormous complex of questions beyond the bounds of technical knowledge. Engineering alone, like any other production-branch training, proves inadequate for the job of management.[29]

In another article in the leading party economics publication, *Ekonomicheskaya Gazeta,* this same official strongly advocates that the system of training branch of industry specialists and technicians should be augmented by educational programs that would effectively prepare managerial generalists.[30]

Another prominent Soviet expert has this to say about the existing system of Soviet management development:

> As we know, our academic training of executive personnel for industry, construction, agriculture, trade and research organizations is handled for the most part from the angle of their specialization in the particular branch. Executive personnel acquire their administrative skills only in the actual process of managing an enterprise. The cadres of directors, shop superintendents and other administrators are made up of people who have had a specialized technical education and have acquired a considerable amount

The author goes on to advocate the establishment of special schools of "management science" in the Soviet Union. He feels that such schools should have 1½- to 2-year graduate programs. Accepted students should have specialized higher educations and from 3- to 5-years working experience. They should also have the basic qualifications necessary for responsible managerial positions. These schools, he feels, should also offer 3- to 4-month, full-time executive programs for existing managers. The emphasis in all programs would be a general management education stressing case work, management theory, the application of principles, and individual creative work, with a minimum of time devoted to formal lectures. The schools would train both managers for industrial enterprises and the macro-managerial organizations.

A number of Soviet sources advocate that industrial engineers in particular should receive management training through postgraduate programs since engineers are the prime source of industrial managers in the Soviet economy. It is emphasized that such graduate education should stress management theory, decision making, and problem solving, as well as economics.[37] A recent editorial in a leading Soviet economics journal contains the following statement regarding management education for engineers:

> The experience in the selection of managers in many countries shows the advisability of establishing special educational institutions in which engineers having a practical knowledge and showing a capability for leadership are selected for training as managers for enterprises.[38]

Several Soviet sources advocate that management education should not be confined to engineering programs, since a growing number of economics graduates also become managers. Some sources even call for the design and introduction of courses and even specialties in management theory and general management at all economics and engineering institutes.[39] In this connection, N. Adfeldt, the head of the recently established laboratory for the Study of Problems of Production Adminstration at Moscow University states:

> Engineers, economists, planners, finance specialists, and accountants must acquire in educational institutions systematic knowledge of the principles underlying management . . . .
>
> The system of training managers must have considerably greater differentiation and be designed to produce specialists not only equipped with a definite sum of useful knowledge but also very well prepared for the practical performance of the functions that lie ahead of them.
>
> We must now make every effort to narrow the persisting gap between academic training and the needs of life. We know of course, that the

specific details of a profession are learned only by experience. But a person will be far more successful in independently selecting or devising the most efficient techniques in any job if he is equipped with knowledge of the fundamental and organizational principles of that job.[40]

Other sources point out that management education programs are needed not only to develop good higher level executives but also middle level managers, since there is a critical shortage of effective and efficient managers at this level in Soviet industry.[41]

The need for special management training programs for experienced managers is now also recognized by the Soviets. Since the end of 1963, the influential *Ekonomicheskaya Gazeta* has been conducting informal management development programs for high level enterprise executives and macro-managers in a number of major Soviet cities.[42] These programs are referred to as "Business Clubs" and they entail weekly meetings at which the participants discuss, analyze, and exchange information on managerial problems and ways to overcome them, new concepts and techniques in the field of management, and so forth. However, the business club approach to management training is limited in its effectiveness since there is still no systematized and operational body of management theory available to the participants.

In the spring of 1964, Edward Lamb, a leading American industrialist connected with Seiberling Rubber and many other business enterprises, went to the Soviet Union as an informal U. S. ambassador of modern management science and education. He had the unofficial blessing and cooperation of the State Department, and he talked to a number of leading American business school deans and educators in preparation for his trip. He also had the whole-hearted cooperation of Soviet authorities. His mission was strictly nonpolitical. He went to inform the Soviet leadership, experts, and general public of the nature, role, and significance of management research, theory, education, and practice in the United States, and of the benefits that the Soviet Union could derive from the American experience. He talked with many prominent Soviet government officials, administrators, and educators, and he delivered a well received speech on Russian television. (One prominent Soviet official, referred to above, who showed much enthusiasm was D. Gvishiana, Vice-Chairman of the USSR State Committee for Coordinating Scientific Research.)

During Mr. Lamb's trip and subsequently, various high placed Soviet officials expressed a serious interest in the possibility of sending a substantial number of Soviet citizens to attend U. S. business and industrial administration schools and management development programs. Mention was also made of inviting some leading American management educators to the Soviet Union. In addition, the Soviets appeared to be interested in establishing some U. S. type business schools in the Soviet Union, possibly with the help of U. S. experts, in the next few years.

I had an opportunity to discuss management education in the USSR with a visiting Soviet engineering-economics professor from the Tallin Polytechnical Institute, who was doing research at the University of California during 1964. He stated that an attempt was being made to design new courses in management theory at some Soviet engineering and economics institutes. He also said that it is possible that special management training institutes will also be set up. At this time there is evidently widespread support among Soviet leaders, educators, and managers for general management education.

In 1965 a decision was adopted to set up departments for preparing organizers of industrial production at 18 higher educational institutions in the Soviet Union; as of the 1965 fall term, 2,000 directors and chief engineers of industrial enterprises were studying in them.[43] There is, however, no information available on the content of these new programs.

At the end of 1965 a tentative agreement was reached between M.I.T.'s Sloan School of Management and the Soviet government which would have five M.I.T. faculty members visit Russia to explore a collaboration in management education. This agreement also provides for a number of Soviet students to attend M.I.T. to study industrial management. The M.I.T. group was originally supposed to go to Moscow during the summer of 1966, but this trip has been delayed, apparently only temporarily.

In June, 1966, the highly influential State Committee of the USSR Council of Ministers for Science and Technology extended me an invitation to bring the Soviet management specialists up to date on management education in America. I was supposed to go during July and August, 1966, but due to other committments I temporarily postponed this trip.

Hence, it seems inevitable that new courses and programs in general management and management theory will be added to the curricula of both engineering and economics institutes. It is very likely that in the future some American type schools of business and industrial administration and executive development programs will be established.

Premier Kosygin, in his milestone September, 1965, report to the Party Plenum, clearly supports the expansion and improvement of management education and training. This is evident from some of his statements quoted in the previous chapter and from a statement made in his report: "The system for raising the qualifications of managerial cadres that used to exist and that proved itself in practice must be restored. The abolition of this form of training executive cadres was a grave mistake."[44]

The Soviets realize that appropriate textbooks and other course materials are needed for effective management education. But there is currently very little in the way of course materials available. As one prominent Soviet economist who is the head of a major economics institute states:

> There are no books which give a profound theoretical discussion, practical experiences, and suggestions of how to manage. Such books, theoretical in content, practical and useful for everyday use are non-existent despite the fact that they are needed by thousands and thousands of directors, chief engineers, planners, accounting personnel and other managers.[45]

Another source reveals that the last good Soviet book on management was published in 1925: *The Scientific Organization of Labor.*[46]

The same Soviet writer who reported on the Harvard Business School has this to say about Soviet management literature and research:

> We have few texts and other educational materials in the field of management, and very little scientific effort in this field. There is no special periodical literature and there are no scientific institutions, professional associations, or networks of educational institutions dealing with management literature or science.[47]

While Lenin advocated the translation of American and German management literature, this was done only until the early 1930's. Currently the Soviets are starting again to translate some American and British management textbooks and periodicals.[48]

During the 1963-65 period, four Soviet faculty members at various economic institutes and university economics departments interviewed by me in Russia, have written to me asking for the titles and, if possible, copies of the best and latest textbooks on management theory and general management. Two of them were also specifically interested in books about research methodology in management.

In general, many of the proposals on subjects to be covered in Soviet management courses bear striking resemblance to the content of American management courses. There is much discussion about the need for courses dealing with management principles, managerial coordination, planning, control, organization theory, personnel administration, and decision-making.[49] With growing concern about human motivation and behavior, leadership is being acknowledged as a key attribute for effective management; and courses in direction, motivation, and leadership are urged by several sources.

Clearly, the design of effective Soviet management courses and related materials cannot be achieved without much intensive thought, extensive research effort, and the development of a systematized body of knowledge. However, research in the field of management and the development of management and organization theory are barely in the embryonic stage in the Soviet Union. Not surprisingly Stalin bears the brunt of the blame for this state of affairs. For example, a leading Soviet economist states in a recent issue of the influential economics journal, *Planavoe Khoziaistvo:* "In the 1930's as the elements of the personality cult of Stalin became stronger, scientific management was replaced by administrative fiat . . . . The deficiencies in the realm of management are in large part due to the falling behind of the economic sciences." [50] Khrushchev has referred to the absence of research and theory in the field of management as the "blank spot" in Soviet economic research.[51]

In his 1963 *Izvestia* article entitled "Administration Is Above All a Science," D. Gvishiani states:

> Effective management can only be performed on the basis of systematized, scientifically valid knowledge. So far we have neither a system for preparing managerial personnel that meets modern requirements nor criteria for a comprehensive evaluation of the results of the manager's activity. Amateurism in the questions of management theory, underestimation of the modern means for rationalizing managerial work, and insufficient attention to the scientific working out of the problems of administration impede the utilization of the enormous industrial possibilities inherent in our socialist system.[52]

Gvishiani points out that there is no sound conceptual framework available that would enable systematic study and research in the field of management theory. He advocates that management should be converted from an art to a science through extensive research, experimentation, and valid generalizations (principles). This can best be achieved, he claims, by undertaking empirical studies and investigating managerial practices both in the Soviet Union and abroad.

N. Adfeldt, who was quoted earlier, writing in *Ekonomicheskaya Gazeta* at the end of 1962, calls for an extensive study of the experiences of outstanding Soviet managers, past and present. Through inductive methodology he feels that a sound theory of management containing useful concepts, guidelines, principles, and techniques can evolve. He also advocates the study of management practices and literature in the most advanced capitalist countries.

In this article, "Management Personnel and the Science of Administration," Adfeldt cites the following case which clearly reveals the need for a conceptual framework and sound theoretical underpinning for improving Soviet management research, education, and practice.

On the initiative of the plant's party organization, a group of engineers of the Young Communist League Machinery enterprise in Donetsk set out to improve the plant's management apparatus. The members of the group that was formed for this purpose realized that for the accomplishment of this big project the experience of their own enterprise was not enough, that attempts at the immediate streamlining of individual facets of the management apparatus could not radically improve the situation. They had first to subject all of the functions of management, all links in the apparatus, to critical reexamination, and for this purpose it was necessary for them to arm themselves with some information on progressive methods and scientific principles in the organization of management. Unfortunately, however, they were unable to find a systematic exposition of these matters in the literature, and hence they undertook to do themselves what should have been done by science. They set about studying and drawing general conclusions from the prevailing methods.

Members of the group visited many machine-building enterprises in several cities. A great deal of empirical data was accumulated as a result, but it proved not quite so easy to draw general conclusions from these data and act on them at their own plant. The study of practices at other enterprises and the analysis of their own operations without any help from science have required a large expenditure of time, and even so they have thus far failed to yield the results on which the plant personnel had counted.[53]

Adfeldt goes on to point out that many other enterprises are also looking into the problem of improving management through research studies and educational programs. He advocates a great expansion of such activities, the dissemination of information regarding pertinent findings, and top level support and coordination in the development of management theory.

There is currently considerable discussion among Soviet experts in different disciplines who are interested in the development of management theory regarding the boundaries and content of management research, education, and theory, and the role to be played by the various disciplines.

Economists tend to view their discipline as highly important. For example, at the important June, 1965, Economic Conference, held at Moscow University, economics institutes were called on "to play a decisive role in the development and elaboration of theories and methods of industrial management." [54]

Sociologists interested in the field of management see their discipline as being integral to the emerging managerial research and educational revolution. As one prominent sociologist states: "Every higher engineering school should have at least at the beginning a sociological group for the study of management problems." [55]

Political scientists and lawyers feel that their disciplines are indispensible since they deal in large part with such concepts as authority, responsibility, obligation, the assignment of duties, and the selection, promotion, and training (indoctrination) of personnel at all levels of management.[56]

There is, however, growing acceptance that the development of management theory, and effective management research and education, require an interdisciplinary approach—including mathematics, statistics, logic, engineering, and so forth, but with the social sciences playing a much greater and central role. In this connection, the concensus at the June, 1965, Economic Conference was that: "An urgent task of the social sciences is to formulate a scientific theory of management and to broaden the scientific bases of managerial activity in all branches and levels of the economy." [57]

A prominent political scientist states in a recent issue of *Pravda:*

It is really possible to acknowledge as normal that not a single field of the social sciences is deeply engaged in the study of questions of management. And does this not account for the errors that were made in decisions on improving the structure and methods of work of the State's management apparatus?[58]

D. Gvishiani, in an article entitled "Develop the Science of Management," published in *Ekonomicheskaya Gazeta,* points out that the development of management theory through research entails a concerted interdisciplinary effort involving experts in such fields as economics, sociology, psychology, engineering, mathematics, statistics, logic, and philosophy. In the area of decision making in particular, he sees psychology and logic as well as quantitative fields making major contributions. He realizes that a clear definition of the management field and the managerial functions is essential.[59]

There is as yet no unanimous agreement among the Soviet experts as to the boundaries or content of the field of management. As one source states: "The actual determination of definition of the content of the study of socialist management belongs to the future. This will be the work of large groups of scientists." [60]

Only lately have there been serious attempts to define and delineate the key activities and problems relating directly to the managerial job. It is not surprising that the evolving Soviet conception of management, and the functions of management in particular, is essentially similar to the American conception. Not only planning, control, organizing, and coordination are being recognized as key managerial functions, but also the human oriented functions of direction, leadership, motivation, and staffing. For example, the party journal *Kommunist* states:

To manage industry means not only to manage material and technical resources of the enterprise. It means to lead people. It entails creating the proper environment and conditions for effective, coordinated work. It is inadequate to control subordinates only by figures. They must be motivated to work better, and the manager must develop initiative and creative powers in his subordinates.[61]

An article entitled "The Art of Managing People," which recently appeared in *Ekomicheskaya Gazeta* points out:

Not many people understand that the art of managing is first of all the art of managing people. This aspect of management has been completely neglected. Managers should see more than machinery in the enterprise. They should command as little as possible, but rather they should train, teach, help and motivate their subordinates.[62]

With growing awareness among Soviet leaders, educators, researchers, and administrators of the need for an operational theory of management and extensive research in the field, several concrete steps have been taken since 1962.

A number of research institutions have been organized specifically to undertake research projects in the field of management with the aim of developing operational management theory and improving management education in practice. These include:

1) The Scientific Council on the Development of Scientific Principles of Management established under Gvishiani's USSR State Committee for Coordinating Scientific Research.

2) Adfeldt's Laboratory for the Study of Problems of Production Administration at Moscow University.
3) Institute for Organization of Management under the USSR National Economic Council.
4) Central Research and Design Institute in Minsk, which is concerned with the organization and technology of management in the machine building industry.
5) The Labor Research Institute, which set up a department to undertake studies pertaining to the mechanization of management work.

It appears that the above recently established organizations and programs have not been very effective in their research work in the field of management; and at the important June, 1965, Economic Conference at Moscow University, it was strongly and unanimously recommended by the participants that a new institute staffed with highly qualified experts be set up to deal exclusively with research and problems in industrial management and organization theory.[63] It was also revealed at this Economic Conference that some 50 other research and educational institutions have recently become interested in management theory and research, but here too the interest has been mostly peripheral and the results disappointing.

In spite of serious problems and the rather disappointing results achieved to date, some progress in Soviet management research is nevertheless being made. A growing number of studies are being conducted at Soviet enterprises, and special facilities are being formed in some regions and at various industrial establishments in order to collect pertinent data and aid in the development of management theory. Experiments, which have traditionally been taboo and illegal in Soviet industry, are now being encouraged at industrial organizations with the aim of devising and testing new and improved management practices and techniques. This change in attitude by the Soviet ruling class can greatly enhance the evolution of a scientific body of knowledge for improving the practice of management.

Since 1964, a research project dealing with the organization of tractor enterprises has been conducted by a number of economists and engineers, including some faculty members of the Moscow Auto Mechanics Institute.[64] In 1965, a research study dealing with the planning, organizing, and directing of work, and the efficient use of working time in both the plant and white-collar departments of the Kirov Machinery enterprise was being undertaken by key enterprise managers with the help of outside experts.[65]

A Laboratory for the Scientific Organization of Production was established at the large Leningrad Optical Mechanics firm during 1965. The staff of this department is analyzing the organization structure and managerial work at the firm with the goal of developing theoretical insights and improving managerial performance. However, only economists and engineers have participated in this research project thus far, and it is now realized that sociologists, psychologists, and even physiologists can make major contributions if they are drawn into this study. On the basis of this study it is recommended that special departments that would undertake research projects in the field of management be established at other large firms. It is also urged that such scientific studies of management problems should be interdisciplinary in nature, with outside experts participating on a contract basis, and with a major research institute coordinating such studies.[66]

At the end of 1965, Leningrad University's Institute for Integrating Social Research began a management research study at the Svetlena plant. This is a pioneering Soviet effort since it involves an interdisciplinary team of sociologists, psychologists, economists, and lawyers. This research group is going to study such problems as the organization of work activities, incentives, methods of selection of managerial personnel, superior-subordinate relationships, and individual-group relationships. As one technique they will make use of sociometric method by employing unsigned questionnaires containing such questions as: "With whom would you like to work and why? Would you prefer to work on a team or on a specific individual assignment? Who would you like to have as personal friends both on and off-the-job, and why?" It is hoped that this phase of the research project will help in distributing personnel more correctly and effectively among jobs, work groups, and departments. A limited amount of research utilizing this sociometric method has recently been conducted by Y. Kuzmen, a prominent Leningrad University psychologist.[67]

It may be recalled that reference has already been made in an earlier section to the Institute for Integrating Social Research. This organization recently conducted an extensive questionnaire study that dealt with the causes of labor turnover in Soviet industry. While this study has been labeled as sociological research, it clearly has direct implications for management theory and education.

Leading experts in the USSR taking an inventory of research in the field of management to date conclude that the projects and experiments already undertaken clearly show that research must take place at all levels of management; thus far almost all of the research has involved workers and lower level managers. Such research should be based not only on written questionnaires and opinion polls, but also on concrete empirical research including observation, personal interviews, and the systematic cataloguing of experiences.[68]

It is evident from the current Soviet experience, as well as the American experience which began in earnest several decades ago, that the development of useful management theory and the design of effective management courses and programs are difficult and lengthy tasks beset by many problems. Fortunately, the Soviets can utilize much of the knowledge accumulated about management in the West since there is much in the way of universally applicable concepts; for the Soviets are faced more and more with the same basic management issues and problems common to the West.

Only a very few of the Soviet publications concerned with management research and education express the opinion that a socialist economy of the Soviet type requires its own special brand of management theory and education.[69] It is true that the Soviet economic-politico-social environment and Communist ideology may render some of the American or capitalist theoretical concepts of sound management of little or no value. However, there are many growing indications that the Soviets intend to borrow much from Western—particularly American—management literature, theory, research, methodology, and education, as well as practice. Most of the influential Soviet leaders and experts urging the development and expansion of theory, research, and education in the field of management realize that much can be gained by carefully studying American experiences and efforts.

A small number of the Soviet authorities currently concerned with management research and theory are of the opinion that there are virtually no universal theoretical concepts applicable to all types of business and industrial managerial jobs. They feel that specific knowledge and types of training are needed for different kinds and levels of managerial personnel.[70]

However, most Soviet experts recognize the need for a systematized body of widely applicable concepts, principles, criteria, and techniques for sound management practice. Until such a body of theory evolves in the Soviet Union, education and training for management development will be greatly retarded.

If the Soviets do not soon fill the growing gap between the requirements of the managerial job and their existing system of education and training for management development, the United States will have a definite advantage in the competitive development of the two economies. Without effective management education based on sound theoretical underpinnings, the Soviet economy cannot move from an effective to an efficient economy. Indeed, it is highly questionable whether it can even remain an effective economy at this stage of Soviet industrialization.

X
Conclusion

Modern industrialism has a uniform prescription for sound management. In the end the managerial task and the requirements for effective management development are likely to be similar in many significant aspects in any advancing industrial society.

Business and industrial managers in the Soviet Union and America are more and more doing the same kinds of things in the same kinds of ways. This in turn calls for an increasingly similar type of education and training if management development is to be effective. A major reason for existing differences in the Soviet and American managerial jobs is that the macro-managerial structures of the two countries still differ rather dramatically. However, even in this aspect the difference is slowly being resolved, since in this case, also, the best methods will probably prevail.

As the Soviet economy continues to approach the American economy in terms of affluence, volume and diversity of production, technological complexity, and scope and complexity of market requirements and inter-organizational relationships, the macro-managerial structures in both countries will become more alike in many respects.

Soviet leaders are no longer relying rigidly on blind adherence to faith and Marxist dogma in their economic and educational system. It is clear that if various techniques, methodologies, and practices of the capitalist world will best serve the Soviet cause, the Soviets are much more willing to utilize them than in the past. The ultimate criteria in the modern industrial world are workability and results. If the system works badly, leaders will press for changes that improve performance, since the penalty for failure and inefficiency is too great to allow much reliance to be placed on timeworn mystical incantations. Ironically, the measures being adopted by the Soviets are converging toward capitalist techniques and methodology to a considerable extent. It is clear that the Soviet Union no longer hesitates to modify its system when it proves to be highly defective.

The requirements of an intricate, expanding Soviet economy will continue to place growing demands on managerial ability. The new industries that have sprung up in recent years—notably chemicals, electronics, various types of consumer goods, complex machine tools, instruments, and equipment—are much less amenable to rigid central planning, control, and direction than the traditionally high priority steel, coal, electric power, and oil industries, because of rapidly changing conditions and the need for greater flexibility. With expanding modern industries, and large-scale, complex productive enterprises, greater decentralization of authority is clearly essential for continued economic progress. Excessive economic centralization hinders both management development and the achievement of desired economic results.

Managerial planning and control, with regard to all enterprise functions and all levels of the industrial hierarchy, become more difficult tasks as the volume, variety, and complexity of activities that need to be coordinated increase. More varied and delicate factor inputs and product mixes, greater technological complexity, more intricate market requirements and inter-organizational relationships, and more rapid innovation and change, all serve to make greater demands on the planning and control functions. In addition, there is an increase in the complexity, quality, and quantity of information required for planning and control purposes.

Greater organizational ability is required in order to effectively assign and integrate the work of a growing number of varied technicians and specialists. The interrelationships between individual and group activities become more delicate and authority relationships tend to become more complex during the time that existing administrative units are reorganized and new ones are created.

The problems of appraising, selecting, and training personnel become intensified as it becomes harder to clearly define jobs and as the qualifications required of personnel become more difficult to discern. The staffing function also becomes more difficult with greater freedom to change jobs and with greater labor mobility resulting from increased competition among organizations for qualified personnel in short supply.

As the Soviet population becomes more affluent, as the human environment is further liberalized, as the education level of the population continues to rise, as individual jobs become more complex, and as the Soviet economic system becomes more flexible, greater demands are placed on the managerial function of direction, leadership, and motivation. It becomes more difficult to supervise subordinates, to motivate them in desired directions, and to communicate effectively with them. If he is to get things done effectively and efficiently, the leadership ability of the manager acquires greater significance. The tasks of integrating individual and group needs and goals with organizational objectives tends to require greater skill. Not only does it become more difficult to design effective monetary incentive systems, but material gain tends to lose some of its potency as a motivating force as psychic and social needs assume greater importance. Hence, the effective manager requires a deeper understanding of, and sensitivity for, human motivation and behavior.

Given these circumstances, the implications for management development are clear, and the Soviets are now taking steps to adjust their system of research, education, and training accordingly. They have come to realize that a competent manager must know something about a lot of things, not solely a great deal about a few things. It is true that without the great stress on highly specialized technical and scientific training the Soviet march toward industrialization would have bogged down. However, an advanced industrial economy requires not only functional orientation to the training of specialized engineers, technicians, and scientists, but it also requires a system of broad education.

The Soviets are now taking steps in this direction. More and more engineers are receiving training in economic and business administration fields. New courses dealing with electronic computers and quantitative techniques for planning and control are being added to engineering and economics programs. It appears likely that in the next few years improved and new courses in finance, marketing, production, research and development, cost accounting, personnel, and the behavioral sciences will also be designed and adopted.

At the present stage of Soviet economic development, creativity, independent thought, and analytical ability are becoming increasingly important managerial attributes. If education and training for management development is to be effective, more attention must be given to the cultivation of these qualities. The Soviets are apparently moving in this direction, although heavy doses of indoctrination in Communist ideology will continue to be required in all educational programs. It is unlikely that in the near future the Soviet educational system will be geared to the production of independent thinkers in the Western tradition. The Soviet system will continue to produce a "Communist man" who is not likely to be very critical of the goals and values of his society. While this tends to somewhat hinder individual intellectual development, it will probably not have a significantly adverse effect on Soviet management development. The ultimate objectives to be pursued and the basic policies to be followed by industrial executives will continue to be prescribed by a relatively small handful of Soviet leaders.

Of major interest in this study is that the type of management education found in America—courses in management theory in particular—will in all likelihood soon be given a prominent place in the Soviet educational system. It is to little or no avail to have engineering skills, competent technicians, or even advanced scientists unless the quality of management in productive organizations permits the coordination of these talents and human resources towards the achievement of desired results. The manager must effectively and efficiently plan, control, organize, staff, and direct the activities within his area of authority if the objectives sought are to be accomplished. Sound management, particularly in complex organizations, requires the understanding and utilization of principles, concepts, practices, and techniques quite different from those required by the expert engineer, economist, or accountant. It is the Soviet recognition of this fact—in light of the growing complexity of Soviet industry—that is leading to an increasing awareness of the importance of management education and training in the development of managerial skills. This in turn is leading to extensive research activity in an effort to develop an operational theory of management that has widesperad application.

It is important to emphasize that the Soviet experience forcefully substantiates the soundness of the direction that management research, theory-building, education, and practice has taken in the United States in the last several decades. This is evident from the serious deficiencies that have evolved in the Soviet management system, which are due in large part to their failure to follow a similar path more expeditiously.

In sum, it is obvious that complex industrial organizations require competent managers if desired economic results are to be obtained. While many of the tasks undertaken by managers and the groups or enterprises they head may vary, as managers they all perform similar basic functions. Hence, a scientific body of management theory would be universally applicable in many respects in any business and industrial managerial job. For this reason, management theory greatly facilitates management development, particularly where the administration of complex organizations is involved. Scientific management and management theory may well become a common denominator that provides industry in every country with meaningful answers to the crucial questions that arise out of increased technical progress and economic development.

Appendix A

List of Interviews in the USSR

Enterprises

Leningrad

1) Machine Building—
   Director, Chief of Planning, Head of Technical Information
2) Electrical Equipment—
   Head Engineer, Deputy Chief of Planning
3) Shoes—
   Director, Head Engineer, Chief of Planning, Chief of Labor and Wages

Moscow

1) Machine Tool (lathes)—
   Director, Chief of Planning
2) Machine Tool (precision tools)—
   Director
3) Textile Fabrics—
   Director, Chief of Planning,
   Chief of Labor and Wages,
   Deputy Chief of Art Department,
   Chief of Chemical Laboratory,
   Party Secretary,
   Two shop chiefs, one production worker
4) Watches—
   Director, Deputy Chief of Planning
   Deputy Chief of Labor and Wages

Kharkov

1) Clothing—
   Director, Chief of Planning
2) Ball Bearings—
   Director, Chief of Planning
3) Ventilation Equipment—
   Head Engineer, Chief of Planning,

Chief of Cadres, Deputy Chief Technologist
4) Mining Equipment—
Director, Deputy Head Engineer, Shop Chief,
Head of Enterprise Trade Union Committee
5) Book Factory—
Director, Chief of Planning,
Chief Technologist
Kiev
1) Machine Tool—
Chief of Planning

Regional Economic Councils
Leningrad
Deputy Chief of Planning,
Chief of Protocol
Kharkov
Deputy, External Relations

Economic Gazette of the USSR
Various editors, journalists, and correspondents

Institutes and Universities
Leningrad
1) University
Four economists
2) Institute of Economics and Finance
Four faculty members in the fields of planning,
finance, labor and economics
Moscow
1) University—
Professors of administration and economics
2) Institute of Economics (Academy of Sciences)
Four economists
3) State Economic Council—
One economist
4) Committee on Labor and Wages
Two economists
Kiev
Institute of Economics (Ukraine Academy of Sciences)
Two economists
Kharkov
Engineering—Economics Institute

Retail Organizations
Leningrad
1) Dresses
Sales manager
Moscow
1) Shoes, Clothing
Sales managers
2) GUM Department Store

Appendix B

Soviet Textbooks for Management Development

This appendix contains a small sample of Soviet textbooks that are the closest equivalent to literature used for management development purposes in American educational and training programs. Several of the books are recommended for self-study by managerial personnel, in addition to being required course materials in formal education programs in the USSR.

The contents of the books presented below are broadly reflected in their introductions, parts of which will be cited. It should be pointed out that none of the Soviet textbooks investigated by this writer devoted much, if any, attention to problem-solving, human behavior, or theoretical concepts, principles, and criteria that could serve as meaningful guidelines for managerial decision-making. The emphasis is on formal rules, regulations, procedures, forms and standard calculations. There is a modest improvement in the quality of a textbook on economics and planning issued in 1963 (see VIII below). This may be the result of growing concern about inadequate books in economics and business fields.

In total, more than 100 Soviet textbooks used in engineering, engineering-economics, and economics programs were investigated.

I

I. Gratershtein and D. Malinova, *Organization and Planning at Non-ferrous Metallurgical Enterprises,* Metallurgizdat, Moscow, 1961 (new edition, 1963).

This book is used at engineering and engineering-economics institutes where specialties dealing with the metallurgical industry are offered. It is also recommended for self-study by managers, engineering-technical personnel, economists, and planners.

Contents

"The text develops the basic problems of organization and planning in the enterprises of non-ferrous metallurgy and concentrating mills. It shows the role of non-ferrous metallurgy as an important branch of industry.

The book develops in detail the issues of the structure and organization of production and administration in the industry, technical control, technical norms, organization of labor, and payroll. It also examines the problem of internal planning, planning of technical development and the use of productive resources, material-technical supply, and financial planning of the enterprise.

There are also short discussions concerning organization and planning of secondary branches of the enterprises:

1) Transportation department
2) Repair and maintenance
3) Energy and furnace department
4) The basic accounting and analysis concerning the production and finance activities of the enterprise."

There are similar books dealing with organization and planning at enterprises in all major branches of industry. For those interested and who read Russian the following two texts are probably available at many American university libraries:

a) E. Liberman and Yu. Zuyagintsev, *Organization and Planning at Machine Building Enterprises,* Mashgiz, Moscow, 1960.
b) I. Ioffe and L. Maizlin, *Economics of the Textile Industry,* Moscow, 1959.

II

S. Kamenitser, V. Kontorovich and G. Pishchulin, *Economics, Organization, and Planning of Industrial Enterprises,* Gospolitizdat, Moscow, 1961.
This book is used primarily at economics institutes and economics departments at universities. It is also recommended for use by enterprise and regional economic council managerial personnel. It is also authorized for use at semiprofessional schools.
Contents

"This book reviews the natural development of the socialist industrial enterprise, the basic economic problems, organization of production, and the planning of its activities.

Examined mainly are the methods of preparing the technical-industrial-financial plan of the enterprise, and an analysis of its activities. It also examines the planned work of the enterprise, the basis for determining the proper output, the accounting methods, and the organization of the manufacturing process and its maintenance."

III

V. Ganshtak, *Economic Analyses of Reserves in Machine Building Enterprises,* Mashgiz, Moscow, 1960.

This book is written chiefly for personnel of economics and technical departments at machine building enterprises. It is also authorized as a textbook for formal educational courses in economic analyses in engineering and economics programs.

Contents

"The book sets forth the contents and methods of the economic analyses concerning the production reserves in machine building enterprises. Parallel with the development of the methods for analysis and its organization within the enterprise, the book introduces the characteristics of production reserves.

1) Economies of materials
2) Increase in production output
3) Reduction in costs

Special attention is paid to the methods of bringing out reserves due to:

a) Perfection in technology
b) Perfection in techniques and organization of production
c) The basic conditions for the increase in efficiency of production."

IV

A. Margulisa, *Economic Analysis of Enterprise Activities—According to Accounting Data and Reports,* Gosfinizdat, Moscow, 1960.

This book is used at correspondence economics institutes and university economics departments. It is also recommended for personnel in the field of finance and banking.

Contents

"In the textbook are set forth:

1) Analysis of economic activities of industrial enterprises.
2) Analysis of economic activities of the construction industry, collective forms, sales and purchasing organizations, etc. . . .

The text is divided into five parts. Part I considers (a) theoretical basis for analysis of enterprise activities, (b) analysis of the activities of industrial enterprises, (c) analysis of activities in the construction field.

Parts 2, 3, 4, and 5 develop the particulars of the analyses of accounting reports of the economic councils.

In order to facilitate its use by students in correspondence courses, at the beginning of each chapter there is an outline of the chapter, and at the end there are questions for study and examinations.

The examples used in the text are based on the accounting forms of 1960."

V

A. Birman, *Finance of Enterprise and Branches of the National Economy.* Gosfinizdat, Moscow, 1960.

This book is used at economic institutes and university economics departments.

Contents

"This course is designed for the preparation of financial personnel with broad backgrounds to be employed by:

a) Large enterprises
b) Economic councils and universities

c) Financial agencies
d) Banks

The course is geared to the study of the finances of all basic sectors of the national economy: production, construction, financing, communications, transport, material—technical supplies, purchasing, trade, housing, utilities, roads. The main emphasis is on the leading sector of the national economy—socialist industry."

VI

R. Dmitrieva, *Profitability of the Industrial Enterprise and How to Increase It,* Gosplanizdat, Moscow, 1961.

The book is addressed to economists, financiers, and accountants of industrial enterprises and economic councils. It is used as a textbook for the study of branch economics, organization and planning of production, financing industry, analyses of economic activities and rate selling at higher educational and semiprofessional schools.

Contents

"This book deals with the problem of profitability for broadening the socialist reproduction and the factors influencing its level. It also examines methods of planning and analysis of the profitable work of industry and particularly the industrial enterprise.

The book is written on the basis of studies and conclusions from experiences in industrial enterprises and economic councils. It also includes works of the USSR Ministry of Finance concerning the problem of planning and analysis of profit."

VII

Legal Problems Concerning the Organization and Activities of the Economic Councils (many contributors), edited by K. Udelson, Gosurizdat, Moscow, 1959.

The book is prepared for (1) Economic Council personnel, (2) managers of enterprises and other organizations, as well as lawyers, (3) personnel of the local departments of the state arbitration authorities, (4) teachers and students of economic and law institutes. (It is used primarily in business law courses.)

Contents

"This work is dedicated to the organizations and activities of the economic councils and deals with the following problems:

1) Legal status of the economic council for the administrative economic region
2) Structure of the economic council
3) Interrelationship between the economic council and the city council
4) The legal nature, functions, rights and duties of the administrative branches, trusts, combines, enterprises and building departments of the economic council.

5) Legal problems concerning contracts in connection with capital construction
6) Cooperative deliveries, etc."

VIII

Organization, Administration and Planning in Industry (several contributors), edited by B. Borisov and N. Razumov, Gosplanizdat, Moscow, 1960; prepared by the Moscow City Economic Council.
I was informed by several Soviet educators, economists, and managers that this book has been recommended reading for industrial enterprise managers in the Moscow region. It has also apparently been required reading in many candidate programs, particularly in economics fields.

Contents

"This is a three-year case study of the work of the Moscow City Economic Council. It shows the improvement in the effective guidance of the work of the enterprise, new methods for the planning of production, and the achievement in the development of production through technical progress. The questions which are emphasized are:

1) Problems of specialization and coordination of production
2) Organization of material and technical supply

Special emphasis is given to the utilization of various methods of participation of large groups in the management of production, and the role of the technical-economic council in the development of advanced techniques and technology of the production process."

IX

B. Reabinkii, *Planning and Economics of Metallurgical Enterprises,* Moscow, 1963; issued by the State Scientific-Technical Publishing House of the Ferrous and Non-ferrous Metallurgy Industry.

This recent publication is somewhat more action oriented than typical Soviet textbooks in business and economics fields. It gives more attention to analysis and criteria, although it is still highly descriptive. The improved quality of this book as compared to Soviet texts in the past may reflect the growing concern about deficiencies in economics and business education.

The book is designed for managers, engineers, economists, and accounting personnel in metallurgical enterprises, economic councils, republic planning and statistical agencies, and research and design institutes. It is authorized as a textbook for engineering and engineering-economics institutes, universities, and metallurgical semiprofessional schools.

Contents

"The book develops the basic economic problems of the metallurgical enterprises as a whole and its individual departments. There is a detailed discussion of the problems concerning the utilization of fixed and working capital, labor productivity, payroll, costs, and profits.

On the basis of the experiences of leading enterprises, the main measures for the improvement of technical-economic indicators, and the increase of output in the metallurgy industry are examined.

In close connection with the economic problems, this book develops methods for planning in all basic, service, and supplementary departments, and the development of the technical-industrial-financial plan for the whole enterprise. The examples used for planning methods are based on large scale enterprises. All planning calculations beginning with the production program and ending with the financial plan, are mutually consistent."

Appendix C

Table C-1

Mechanical Engineering—Design and Technology and Machine Tools—Institute Curriculum, 1955 (Specialty 0501)

Subjects of Instruction	*Hours total*	*Lec-ture*	*Labora-tory*	*Seminar and practice session*	*Course projects*	1	2	3	4	5	6	7	8	9	10
Foundations of Marxism-Leninism	250	160		90		4	3	4	4						DP
Political economy	140	100		40						3	2	2	3		DP
Foreign language	256			256		2	2	2	2						DP
Higher mathematics	360	180	16	164		8	7	4	2						DP
Descriptive geometry	90	54		36		5									DP
Drafting	188			188		3	3	3	2						DP
General chemistry	120	68	52			4	3								DP
Physics	232	120	96	16			6	4	4						DP
Theoretical mechanics	182	100		82			4	3	4						DP
Strength of materials	204	120	34	50				6	6						DP
Theory of machines and mechanisms	174	96	24		54				3	7					DP
Machine components	172	90		18	64					6	4				DP
Lifting and transportation machines and devices	74	32			42						2	3			DP
Technology of metals	176	168	8			2	2	2		4					DP
Workshop	172		172			6	4								DP
Metallography and thermal processes	102	60	42						3	3					DP
Interchangeability and technical measurements	72	40	30							4					DP

Table C-1 (Cont.)

Subjects of Instruction	*Hours total*	*Lec-ture*	*Labora-tory*	*Seminar and practice session*	*Course projects*	1	2	3	4	5	6	7	8	9	10
Hydraulics and hydraulic machines	72	48	24							4					DP
General power engineering	106	76	30								4	3			DP
General electric engineering	134	90	44								4	5			DP
Metal cutting	80	55	25								5				DP
Metal cutting machine tools	286	192	46		48						9	5	6		DP
Electrical equipment of machine tools	48	36	12										4		DP
Design and production of metal cutting	144	120	24									6		6	DP
Technology of machine building	188	164	24									5	4	7	DP
Design of control equipment	48	48											4		DP
Automation of technological processes	50	40	10											5	DP
Design of machine shop and construction	70	70												7	DP
Technology of hot processes	48	48											4		DP
Economics of industry and organization and planning of production	98	76		22									4	5	DP
Safety and fire prevention	36	26	10										3		DP
Physical education	136			136		2	2	2	2						DP
Total	4,508	2,479	723	1,098	208	36	36	30	32	31	30	29	32	30	DP
Weeks per term						18	16	18	16	18	16	14	12	10	17

DP-Diploma project

Table C-1 (Cont.)

Additional Information on Curriculum

I. Optional Courses:

1. Physical education
2. Special chapters in mathematics
3. Special chapters in equipment design
4. Assembly and testing of machine tools
5. Supplemental chapters in design of machine tools
6. Design of automatic machine tools and automatic lines

II. Specialization Courses and Electives: None.

III. Time Budget in Weeks:

1. Instruction	138
2. Examination sessions	30
3. Practice assignments	21
4. Diploma project	17
5. Vacations	45
Total	251

IV. Instruction Schedule: see Table IV-B-11A.

V. Examination Schedule:

1. Graded examinations	41
2. Qualifying examinations	49
3. Graded course projects	1

SOURCE: N. Dewitt, *Education and Professional Employment in the U.S.S.R.*, prepared for the National Science Foundation (Washington, D.C.: U. S. Government Printing Office, 1961), p. 727.

Table C-2

Engineering Economics—Economics and Organization of Machine Building Industry: Comparison of 1955 and 1959 Curricula (Specialty 1709)[a]

	1955 program (5 years)					1959 program (5½ years)				
Subjects of Instruction	Term	Lecture	Laboratory	Seminar or practice session	Total	Total	Lecture	Laboratory	Seminar or practice session	Term
(A) Foundations of Marxism-Leninism	4-7	140		90	230	None				
(B) History of Communist Party					None	220	120		100	2-6
Political economy	1-4	200		100	300	300	180		120	3-7
Historical and dialectical materialism	2-3	60		20	80	90	50		40	7-8
Economic geography of U.S.S.R.	1	70		20	90	90	70		20	1-2
Higher mathematics	1-3	150		150	300	380	190		190	1-5
Physics	2-3	100	50	20	170	200	110	60	30	3-5
Chemistry	1	50	40		90	90	60	30		1-2
Foreign language	1-4			140	140	250			250	1-6
Descriptive geometry and drafting	1-2	30		120	150	160	40		120	1-3
Theoretical mechanics	2-3	60		40	100	110	60		50	4-5
Strength of materials	3-4	20	40		60	130	80		50	5-6
Theory of machines and mechanisms	4-5	50	10	40	100	130	80		50	6-7

Table C-2 (Cont.)

	1955 program (5 years)					1959 program (5½ years)				
Subjects of Instruction	*Term*	*Lec-ture*	*Labora-tory*	*Seminar or practice session*	*Total*	*Total*	*Lec-ture*	*Labora-tory*	*Seminar or practice session*	*Term*
Electrical technology and equipment of machine building plants	3-4	80	40		120	130	70	60		6-7
Electrical engineering					None	50	40	10		6
Power engineering	5	50	20	10	80	70	40	10	20	7
General statistics	5-6	60		30	90	70	40		30	8
Industrial statistics	7	50		20	70	60	40		20	8
Accounting and bookkeeping	7-8	100		60	160	130	70		60	9-10
Materials technology	3-5	120	60	20	200	200	140	60		5-7
Metal cutting, machine tools and instruments	4-5	100	100		200	160	90	40	30	7-8
Technology of machine building	5-7	100	50	50	200	170	100	40	30	8-9
Automation in machine building					None	90	60		30	9-10
Technical norm setting	5-6	70	20	50	140	160	80		80	9-11
Economics of machine building	6-8	130		60	190	130	80		50	8-9
Organization and planning of machine building	6-9	200	50	130	380	320	160		160	8-11
Mathematical methods of planning, and computers					None	130	50		80	9-10

Table C-2 (Cont.)

Labor law	9	60			60	50	50			11
Financing and credit in Soviet industry	9	40		10	50	50	40		10	10
Special elective					None	50			50	2
Principles of machine building (advanced)					None	70			70	11
Physical education	1-4			140	140	140			140	5-8
Special seminar on planning	9			50	50	None				
Industrial safety	9	40			40	None				
Grand total		2,170	460	1,410	4,040	4,380	2,190	310	1,880	

a. The 1959 curriculum is for students admitted to higher educational establishments without two or more years of work experience. The curriculum for students with two years' experience is based on four years, ten months of study, with 4,310 instruction hours and no requirement for full-time employment—part-time study during terms 1-4.

SOURCE: N. Dewitt, *Education and Professional Employment in the U.S.S.R.*, prepared for the National Science Foundation (Washington, D.C.: U. S. Government Printing Office, 1961), p. 734.

Table C-3

Economics—Political Economy in Universities: Comparison of 1955 and 1959 Curricula (Specialty 2010)[a]

	1955 program (5 years)					1959 program (5 years)				
Subjects of Instruction	*Term*	*Lecture*	*Laboratory*	*Seminar and practice session*	*Total*	*Total*	*Lecture*	*Laboratory*	*Seminar and practice session*	*Term*
(A) History of Communist Party					None	224	120		104	5-7
(B) Foundations of Marxism-Leninism	6-9	144		80	224	None				
Political economy	1-6	220		180	400	400	220		180	1-5
Dialetical and historical materialism	1-3	80		60	140	140	70		70	2-4
Economic geography (development of resources)	1-2	136			136	70	70			1
History of economic doctrines	5-7	140			140	140	100		40	4-7
History of national economics	3-4	180			180	120	120			1-2
Technology of various industries	2-3	80		20	100	90	70		20	1
Foundations of agriculture and animal breeding	1-2	66		20	86	70	50		20	3
Economics of socialist industry	5-6	90		30	120	90	60		30	5-6
Economics of socialist agriculture	5-6	75		25	100	70	40		30	5-6
Economics of labor					None	36	18		18	7
Planning of national economy	7-8	100		20	120	120	80		40	6-8
Theoretical statistics }	3-6	140		130	270	90	36		54	3
Economic statistics }						200	84		116	3-5
Accounting and cost analysis	2-4	100		86	186	170	90		80	2
Accounting machines	1		70		70	70		70		2-3
Higher mathematics	1-2	80		90	170	200	100		100	1-2

Table C-3 (Cont.)

Subjects of Instruction	1955 program (5 years) Term	Lecture	Laboratory	Seminar and practice session	Total	1959 program (5 years) Total	Lecture	Laboratory	Seminar and practice session	Term
Mathematics of economic calculations and planning					None	70	30		40	8-9
Foreign language	1-5			360	360	470			470	1-6
Methodology of teaching political economy	9	36		144	180	180			180	8-9
Special seminar on Marx: "Capital"	4-5			120	120	136			136	4-5
Special seminar on imperialism	7		-	72	72	72			72	6
Special seminar on socialism	8-9			120	120	140			140	7-8
History of philosophy	4-5	72			72	None				
Economics of Soviet trade	5	36			36	36	36			5
Finance and credit in U.S.S.R.	7	96			96	80	60		20	5
Civil, labor and agricultural law	8	90			90	50	50			9
Organization and planning of agricultural enterprises	8	40		20	60	36	24		12	7
Organization and planning of industrial enterprises	9	40		30	70	50	30		20	9
Specialization electives	7-9	142		140	282	170	170			6-9
Physical education	1-4			128	128	136			136	1-4
Grand total		2,183	70	1,875	4,128	3,924	1,728	70	2,126	

a. The 1959 curriculum is for students with 2 years of employment experience. There is another version of this curriculum based on 6 years of study with 2,306 instruction hours. In the latter version the entire program is taken on a part-time basis with a maximum load of 14 instruction hours per week.

Table C-3 (Cont.)

Additional Information on Curriculum

I. Optional Courses (1959 curriculum):

1. Economics of one foreign country
2. Economics of international trade
3. Finance and credit in one foreign country
4. Second foreign language
5. Specialty electives

II. Specialization Courses and Electives: unknown.

III. Time Budget in Weeks:	1955	1959
1. Instruction	142	[a]128 (23)
2. Examinations	31	30
3. Practice assignments	14	36
4. Diploma project and state examinations	20	18
5. Vacations	44	41
Total	251	253

a. Additional 23 weeks of instruction during the 9th term are on a part-time-study–full-time employment basis.

IV. Instruction Schedule:

	Weeks in term									
	1	2	3	4	5	6	7	8	9	10
1955 (5 years)	18	16	18	12	18	12	18	12	18	20
1959 (5 years)	18	16	18	16	18	12	18	12	23	16
	Hours per week in term									
1955		32	32	32	32	26	25	26	28	30 DP
1959		32	32	28	28	28	29	26	26	[a]13 DP

a. Part-time study–full-time employment.

DP–Diploma project and state examinations.

V. Examination Schedule:	1955	1959
1. Graded examinations	31	33
2. Qualifying examinations	31	34
3. Graded course work	3	3

SOURCE: N. Dewitt, *Education and Professional Employment in the U.S.S.R.*, prepared for the National Science Foundation (Washington, D.C.: U. S. Government Printing Office, 1961), p. 721.

Notes

CHAPTER I

1. The classification used in this study is similar to the one presented in R. Farmer and B. Richman, *Comparative Management and Economic Progress* (Homewood, Ill.: Richard D. Irwin, Inc., 1965), chapter 2.
2. *Ibid.*, pp. 18-19. For a detailed classification of business policies having universal application see W. Newman and J. Logan, *Business Policies and Central Management* (Cincinnati: Southwestern Publishing Co., 1965).
3. For a fuller discussion of these functions see H. Koontz and C. O'Donnell, *Principles of Management* (3rd ed; New York: McGraw-Hill Book Co., 1964); W. Newman and C. Summer, *The Process of Management* (Englewood Cliffs, N.J.: Prentice-Hall, Inc., 1961); W. Newman, *Administrative Action* (2nd ed; Englewood Cliffs, N.J.: Prentice-Hall, Inc., 1963).
4. This statement is based on the experience of my colleague, Professor Richard Farmer, who spent more than three years in Saudi Arabia and other mid-eastern countries working as a manager, consultant, researcher, and educator, as well as my own experiences in the Soviet Union, other eastern and western European countries, Japan, and India. With regard to the Soviet Union, see B. Richman, *Soviet Management: With Significant American Comparisons* (Englewood Cliffs, N.J.: Prentice-Hall, Inc., 1965), especially chapters 1-5.
5. We have been greatly influenced in our classification of behavioral and problem-oriented variables by C. Argyres, *Integrating the Individual and the Organization* (New York: John Wiley and Sons, Inc., 1964); L. Sayles, *Managerial Behavior* (New York: McGraw-Hill Book Co., 1964); R. Likert, *New Patterns of Management* (New York: McGraw-Hill Book Co., 1961); R. Tannenbaum, I. Weschler, and F. Massarik, *Leadership and Organization* (New York: McGraw-Hill Book Co., 1961); R. Dubin, *Human Relations in Administration* (Englewood Cliffs, N.J.: Prentice-Hall, Inc., 1961); J. March and H. Simon, *Organizations* (New York: John Wiley and Sons, Inc., 1958).
6. The concept of micro- and macro-management was initially presented in B. Richman, 1965, *op. cit.*, pp. 7-21; and B. Richman and R. Farmer, "Ownership and Management: The Real Issues," *Management International,* V, 1(1965), 31-32.
7. For a fuller discussion on economic organization and macro- and micro-management in the USA and USSR see B. Richman, 1965, *op. cit.*, pp. 9-21.
8. The problem of educational match is dealt with at length in B. Richman and R. Farmer, 1965, *op. cit.*, chapter 6; and three books by F. Harbison and C.

Myers, *Management in the Industrial World* (New York: McGraw-Hill Book Co., 1964); *Education, Manpower and Economic Growth* (New York: McGraw-Hill Book Co., 1964) and *Manpower and Education* (New York: McGraw-Hill Book Co., 1965). With special reference to the Soviet Union, see N. Dewitt, *Education and Professional Employment in the USSR* (Washington, D.C.: National Science Foundation, U. S. Government Printing Office, 1961).

CHAPTER II

1. V. Tereshchenko, *Izvestia*, March 29, 1964, p. 50. Also translated in *Current Digest of the Soviet Press* (CDSP), XVI, 13 (1964), 17-18.
2. Figures derived from *Monthly Labor Review, and Employment and Earnings* (U. S. Department of Labor, Bureau of Labor Statistics); *Economic Report of the President* (Washington, D.C.: GPO, 1965), pp. 122 ff; "Occupational Profile of the Factory Work Force," *NICB Business Record*, XX, 3 (March, 1963), 17-19.
3. J. Folger and C. Nam, "Trends in Education in Relation to Occupational Structure," *Sociology of Education*, XXXVIII, 1 (1964), 26, table 2; March, 1963, issue of *Monthly Labor Review*.
4. From data issued by U. S. Bureau of the Census; U. S. Bureau of Labor Statistics, *Employment and Earnings*.
5. R. Thorndike and E. Hagan, *Ten Thousand Careers* (New York: John Wiley and Sons, Inc., 1959).
6. Cf., D. McClelland, *The Achieving Society* (New York: D. Van Nostrand Co., 1961), chapters 6 and 7; R. Farmer and B. Richman, *Comparative Management and Economic Progress* (Homewood, Ill.: Richard D. Irwin, Inc., 1965), chapter 8, especially pp. 154-56 and the sources cited therein.
7. *Ibid.*
8. McClelland, 1961, *op. cit.*, especially chapters 5, 7, and 9.
9. Cf., L. Warner and J. Abegglen, *Occupational Mobility in American Business and Industry* (Minneapolis: University of Minnesota Press, 1955); S. Lipset and R. Bendix, *Social Mobility in Industrial Society* (Berkeley and Los Angeles: University of California Press, 1959).
10. McClelland, *op. cit.*, 1961, pp. 277-78.
11. See, for example, the following studies dealing with discrimination and prejudice in American business and industry: "Invisible Persuader on Promotions," *Business Week*, December 12, 1964, pp. 154-58; R. Powell, "How Men Get Ahead," *Nation's Business*, March, 1964, pp. 56 ff.; Powell, "Elements of Executive Promotion," *California Management Review*, Winter, 1963, pp. 83-90. Powell has recently completed a comprehensive field study on prejudice in management staffing, *The Executive Promotion Process*, to be published by McGraw-Hill.
12. F. Pierson, *The Education of American Businessmen* (New York: McGraw-Hill Book Co., 1959), p. 99.
13. M. Newcomer, *The Big Business Executive* (New York: Columbia University Press, 1955), pp. 68-70.
14. L. Warner and J. Abegglen, "The Social Origins and Acquired Characteristics of Business Leaders," in L. Warner and N. Martin, *Industrial Man, Business and Business Organizations* (New York: Harper and Bros., Inc., 1959), pp. 101 ff.
15. *Ibid.*
16. *Ibid.*

17. F. Bond, D. Leabo and A. Swinyard, *Preparation for Business Leadership* (Ann Arbor, Mich.: Bureau of Business Research, University of Michigan, 1964), chapter 1.
18. "Technicians Moving in at the Top," *Business Week*, June 12, 1965, pp. 118-20; see also J. Gould, *The Big Business Executive/1964: A Study of His Social and Educational Background* (New York: Scientific American, Inc., 1965).
19. "Broader Education at the Top," *Business Week*, November 21, 1964, p. 202.
20. R. Gonzalez and A. Negandhi, *The American Overseas Executive: His Orientations and Career Patterns*, manuscript in preparation, to be published by the Institute for International Business and Economic Development Studies, Division of Research, Graduate School of Business Administration, Michigan State University, probably in 1966.
21. Cf., sources cited in footnotes 18 and 19 above.
22. Cf., the articles by E. Brooks and C. Davis in *Fifty Years Progress in Management* (New York: American Society of Mechanical Engineers, 1960); other pertinent sources on management training and executive development programs include R. Powell, *Executive Education* (Los Angeles: Division of Research, Graduate School of Business Administration, University of California, 1962); J. Miner, *Studies in Management Education* (New York: Springer Publishing Co., 1965); "Why Businessmen Go Back to School," *Business Week*, April 27, 1963, pp. 47-50; "The Poor Man's B-School," *Business Week*, June 6, 1964, pp. 160-62.
23. Cited in E. Jennings, "Future Problems of Business Education," *Education for Business: A Balanced Appraisal* (New York: American Management Association, Management Bulletin No. 34, 1963), p. 20.
24. Other pertinent sources include L. Silk, *The Education of Businessmen* (New York and Washington: Committee for Economic Development, Supplementary Paper No. 11, 1960); *Educating Tomorrow's Managers* (New York: Committee for Economic Development, 1964).
25. *Time Magazine*, May 7, 1965, pp. 92-94.
26. A. Marshall, *Principles of Economics* (8th ed.; New York: Macmillan Co., 1963), particularly Chapter 12. (First published in 1890.)
27. H. Fayol, *General and Industrial Management* (London: Sir Isaac Pitman and Sons Ltd., 1949). Original French edition published in 1916.
28. *Educating Tomorrow's Managers*, 1964, *op. cit.*, p. 6.
29. *Ibid.*, p. 18; and R. Sheehan, "New Report Card on Business Schools," *Fortune*, December, 1964, pp. 9-11.
30. L. Silk, 1960, *op. cit.*, pp. 9-10; *Educating Tomorrow's Managers*, p. 18; "Ringing a Bell for B-School Support," *Business Week*, November 7, 1964, p. 172.
31. L. Silk, 1960, *op. cit.*, p. 11.
32. Figures derived from the annual *Digests of Educational Statistics*, and annual reports on *Earned Degrees Conferred*, both published by the U. S. Department of Health, Education and Welfare, Office of Education, Washington, D.C.
33. *Ibid.*, see also *Educating Tomorrow's Managers*, 1964, *op. cit.*, pp. 18-19.
34. From 1963 Department HEW sources.
35. A. Gordon and J. Howell, *Higher Education for Business* (New York: Columbia University Press, 1959); F. Pierson, *The Education of American Businessmen* (New York: McGraw-Hill Book Co., 1959).
36. See *Educating Tomorrow's Managers*, 1964, *op. cit.*
37. A number of authors have discussed the various approaches to management theory; some have categorized them into management schools. For pertinent

discussions and references of major sources relating to each approach see, *Toward a Unified Theory of Management,* ed. H. Koontz (New York: McGraw-Hill Book Co., 1964); H. Koontz, "The Management Theory Jungle," *Journal of the Academy of Management,* December, 1961, pp. 174-88; P. Gordon, "Transcend the Current Debate on Administrative Theory," *Journal of the Academy of Management,* December, 1963, pp. 290-302; W. Scott, "Organization Theory: An Overview and Appraisal," *Journal of the Academy of Management,* April, 1961, pp. 7-26; J. Meij, "Management, A Common Province of Different Sciences," *Management International,* No. 5, 1962.

38. Cf., Farmer and Richman, 1965, *op. cit.*
39. For example, W. Newman and C. Summer have published a book that essentially presents an eclectic approach to management theory. They have synthesized pertinent concepts and findings from traditional theory, the behavioral sciences, and decision theory. Their central core revolves around the functions of management. See *Process of Management* (Englewood Cliffs, N.J.: Prentice-Hall, Inc., 1961).

    It is also interesting to compare the 1955, 1959, and 1964 editions of H. Koontz and C. O'Donnell, *Principles of Management* (New York: McGraw-Hill Book Co.). Each subsequent edition has added more pertinent findings and theories of the behavioral science and decisional approaches to management theory, integrating them into the basic framework of managerial functions.

    See also *Toward a Unified Theory, op. cit.,* pp. 248 ff.

CHAPTER III

1. Cited by H. Schwartz in "The Organization Man, Non-Soviet Style," *The New York Times Magazine,* June 2, 1957. Lenin made numerous similar statements that reflected his unconcern about management around the time of the revolution. These can be found extensively in his collected works. See for example, *State and Revolution* (New York: International Publishers, 1932). For other pertinent quotations see F. Harbison and C. Meyers, *Management in the Industrial World* (New York: McGraw-Hill Book Co., 1959), chapter 17.
2. This, and the next section are based largely on the following sources: D. Gvishiani, *Ekonomicheskaya Gazeta,* October 3, 1963, pp. 19-30; V. Tereshchenko, *Izvestia,* March 29, 1964; also translated in *Current Digest of the Soviet Press (CDSP),* XVI, 13 (1964), 17-18; V. Lenin, *Selected Works,* Vol. XVI (New York: International Publishers, undated), pp. 332 ff.
3. For a comprehensive historical exposition of Soviet education (primarily higher and graduate education) from the beginning of the 19th century until current times see K. Galkin, *The Training of Scientists in the Soviet Union* (Moscow: Foreign Language Publishing House, 1959).

    The most exhaustive study on the overall Soviet educational system is a massive document compiled by Nicholas Dewitt. See *Education and Professional Employment in the USSR* (Washington, D.C.: National Science Foundation, U. S. Government Printing Office, 1961). Reference will be made to this work quite frequently in this study.

    See also N. Grant, *Soviet Education* (Baltimore: Penquin Books, 1964).
4. J. Stalin, *Problems of Leninism* (11th ed.; Moscow: Foreign Languages Publishing House, 1940), pp. 378-79.
5. *Ibid,* p. 379.
6. L. Tulchinsky, *Finansy SSSR,* 1964, *op. cit.,* p. 32.
7. *Ibid.,* p. 33.

CHAPTER IV

1. This section is based primarily on the sources cited and the presentation in B. Richman, *Soviet Management: With Significant American Comparisons,* (Englewood Cliffs, N.J.: Prentice-Hall, Inc., 1965), chapters 2 and 6. Kosygin's 1965 report on the reorganization of the Soviet management system, which is dealt with in detail in chapter 13, is presented in *Pravda,* September 28, 1965; and also translated in *Current Digest of the Soviet Press (CDSP),* XVII, 38 (1965), 3-15.
2. *Economic Report of the President* (Washington, D.C.: GPO, 1965); *NICB Business Record,* XX, 3 (March, 1963), 18; J. Folger and C. Nam, "Trends in Education in Relation to Occupational Structure," *Sociology of Education,* XXXVIII, 1 (1964), 26, table 2; March, 1963, issue of *Monthly Labor Review;* from data issued by U. S. Bureau of the Census; U. S. Bureau of Labor Statistics, *Employment and Earnings.*
3. N. Dewitt, *Education and Professional Employment in the USSR* (Washington, D.C.: GPO, 1961), p. 486.
4. L. Smolinski and P. Wiles, "The Soviet Planning Pendulum," *Problems of Communism,* November-December, 1963, pp. 31-32.
5. *Ibid.,* p. 32.
6. This is evident from the occupational data presented in "'Occupational Profile of the Factory Work Force," *National Industrial Conference Board Business Record,* XX, 3 (March, 1963), 17-19; and N. Dewitt, 1961, *op. cit.,* p. 498, table VI-50.
7. This section is based largely on B. Richman, 1965, *op. cit.,* pp. 53-58.
8. This section is based on data obtained from personnel interviews with Soviet managers as well as the following sources: Richman, 1965, *op. cit.,* pp. 58-64; *Ekonomicheskaya Gazeta,* September 14, 1963, pp. 3-6, and October 26, 1963, pp. 24-27; P. Maksimov, *Partinaya Zhizn,* No. 18, September, 1963, pp. 16-23; P. Zhukov, *Planovoe Khoziaistvo,* No. 9, September, 1963, pp. 41-44.
9. See also B. Richman, 1965, *op. cit.,* chapter 4; G. Von Wrangel, "Die Staatlichen Industrie-Manager in der Sowjetunion," *Osteuropa,* March, 1963, pp. 113-27; V. Laptev, *Voprosy Ekonomiki,* No. 6, 1963, pp. 26 ff.; *Ekonomicheskaya Gazeta,* January 5 and October 26, 1963.
10. While there are no overall released figures on labor turnover in Soviet industry, Khrushchev has stated that "turnover of personnel is causing great injury to the national economy." There is much evidence that hundreds of employees at many individual enterprises change jobs each year. At many plants the turnover figure is as high as 15 percent to 20 percent annually. Cf., "Restless Russians," *Wall Street Journal,* September 12, 1963, p. 1; *Trud,* February 8, 1963, p. 2; A. Gromov (Director of the State Ball Bearing Plant), *Pravda,* April 9, 1962, p. 2; *CDSP,* XV, 6 (1963), 35 (an article entitled "The Main Thing Is Concern for Man"); *Pravda,* December 8, 1962, p. 2; and *Pravda,* November 22, 1962, p. 4; R. Fakiolas, "Problems of Labor Mobility in the USSR," *Soviet Studies,* July, 1962, pp. 62 ff.
11. For a more detailed discussion see B. Richman, "Raising Worker Productivity; How the Soviets Do It," *Personnel,* January, 1964, pp. 8 ff., and Richman, 1965, *op. cit.,* chapter 10.
12. V. Gvishiani, *Izvestia,* May 19, 1963, p. 2; also partially translated in *CDSP,* XV, 20 (1963), 25 ff.

CHAPTER V

1. For a fuller discussion on Soviet ETMP see N. Dewitt, *Education and Professional Employment in the USSR* (Washington, D.C.: GPO, 1961), pp. 496-98.
2. This is based largely on this author's experiences and observations; see also, D. Granick, *Red Executive* (New York: Doubleday, 1961), p. 80.
3. See the data on education of American managers presented in Chapter II of this study.
4. Ye. Averin, (Director of the Iron and Steel Costing Association), *Pravda,* July 19, p. 2.
5. Cf., R. Bauer and B. Tschirwa, "The Illiberal Education of Soviet Managers," *PROD,* July, 1958, p. 4.
6. F. Bond, "USSR's Organization Men," *Saturday Review,* January, 1961, p. 32.
7. Cf., A. Agronovsky, *Izvestia,* May 5, 1963; also translated under the title "Waste of Education," in *Current Digest of the Soviet Press (CDSP),* XV, 19 (1963), 5-7.
8. N. Buzulukov and S. Kamenitser, "On the System of Training Highly Qualified Economists," *Problems of Economics,* II, 6 (October, 1959); *Planovoe Khoziaiztvo.*
9. Editorial in *Planovoe Khoziaztvo,* No. 11, November, 1962, pp. 1-7.
10. Editorial *Ekonomicheskaya Gazeta,* July 25, 1964; *Problems of Economics,* II, 6 (1959), 80.
11. *Ekonomicheskaya Gazeta,* July 25, 1964.
12. *Problems of Economics,* 1959, *op. cit.,* p. 81; *Izvestia,* November 6, 1963, p. 4.
13. *Izvestia,* January 30, 1962, p. 3.
14. *Plan. Khoz.,* 1962, *op. cit.,* p. 4.
15. Cf., *Pravda,* October 4, 1965, pp. 2-3; *CDSP,* XVII, 40 (1965), 31; *CDSP,* XVI, 37 (1964), 37-38; *Soviet Teaching and Research in Economics* (Washington, D.C.: GPO, 1964), pp. 10 ff.
16. V. Girovsky (Moscow Engineering–Economics Institute) in *CDSP* XIV, 5 (1962), 30-31.
17. *Plan. Khoz.,* 1962, *op. cit.,* p. 80.
18. Granick, 1961, *op. cit.,* p. 47.
19. *Pravda,* March 11, 1965, p. 2.
20. *Nar. Khoz. V 1963 Godu,* pp. 486-89; Dewitt, 1961, *op. cit.,* pp. 466-72.
21. Dewitt, 1961, *op. cit.,* p. 488; *Nar. Khoz. V 1963 Godu.*
22. *Pravda,* December 8, 1962, p. 2.
23. *Ibid.;* see also *Staffing Procedures and Problems in the Soviet Union* (Washington, D.C.: GPO, 1963), p. 54.
24. N. Dewitt, "Education and the Development of Human Resources; Soviet and American Effort," *Dimensions of Soviet Economic Power* (Washington, D.C.: GPO, 1962), pp. 266-67.
25. See the related discussions in D. Granick, *op. cit.,* chapter 4; and F. Bond, *op. cit.,* pp. 31 ff.
26. Cited by F. Bond, *op. cit.,* p. 32.

27. This case and others are cited by V. Elyutin (Soviet Minister of Higher Education), *Higher Education in the USSR* (New York: International Arts and Science Press, 1959), pp. 34-35.
28. E. Brown, "The Soviet Labor Market," *Industrial and Labor Relations Review,* January, 1957, p. 186. The term factory school pertains to the technicums or semi-professional schools operated by some enterprises.
29. Cf., D. Granick, *op. cit.,* chapter 5.
30. The role of the party in managerial appraisal and promotion is discussed in B. Tschirwa, *Management Training in the USSR* (mimeograph), prepared for the Inter-University Study of Labor Problems in Economic Development, 1957, p. 6 ff; J. Haugh, *The Role of the Local Party Organization in Soviet Industrial Decision-Making,* unpublished Ph.D. dissertation, Harvard University, 1961; N. Dewitt, 1961, *op. cit.,* pp. 463-66.
31. Cf., N. Dewitt, 1961, *op. cit.,* p. 466; *Pravda,* March 20, 1959.
32. *Ibid.*
33. B. Richman, *Soviet Management: With Significant American Comparisons* (Englewood Cliffs, N.J.: Prentice-Hall, Inc., 1965), chapter 7; J. Berliner, *Factory and Manager in the USSR* (Cambridge, Mass.: Harvard University Press, 1957), chapter 3.
34. In addition to my personal experiences and observations in the Soviet Union, this section is based on the following sources: N. Dewitt, 1961, *op. cit.,* pp. 201-203, 354-60, 420, 530-33, 656-57, 769; Granick, 1961, *op. cit.,* Part II; *Nar. Khoz. V 1963 Godu,* pp. 493-96.
35. Cf., Dewitt and *Nar. Khoz., ibid;* A. Vergelis, *CDSP,* XVI, 19 (1964), 15.
36. For data on women among Soviet professionals, semiprofessionals, and managerial personnel see, *Staffing Procedures and Problems in the USSR, op. cit.,* pp. 4-5; and N. Dewitt, 1961, *op. cit.,* pp. 492 ff.
37. Dewitt, 1961, *op. cit.,* p. 492.
38. *Staffing Procedures,* 1963, *op. cit.,* p. 5, Figure C.
39. D. McClelland, *The Achieving Society* (New York: D. Van Nostrand Co., 1961), p. 413. Current Soviet stress on achievement and hard work persists as strongly as ever. Cf., S. Pavlov, *Pravda,* June 27, 1965, p. 2.
40. See sources cited in footnote 6 of chapter 2.
41. For comprehensive presentations dealing with Soviet managerial behavior see, Richman, 1965, *op. cit.,* especially pp. 127-29 and chapter 8; Granick, 1961, *op. cit.,* especially parts one, three, and five.
42. See the occupational income data presented in E. Nash, "Purchasing Power of Workers in the USSR," *Monthly Labor Review* (U. S. Department of Labor, Bureau of Labor Statistics), April, 1960, p. 362.
43. For a detailed discussion on managerial incentives in the Soviet Union see Richman, 1965, *op. cit.,* chapter 7.
44. R. Bauer, *Nine Soviet Portraits* (New York: John Wiley and Sons, Inc., 1955), p. 183.

CHAPTER VI

1. This reform is presented in N. Khrushchev, *Pravda,* September 21, 1958; (also translated in *Current Digest of the Soviet Press (CDSP),* X, 38, 1958, 1-7; *CDSP,* XI, 4, 1959, 12-13). For the most comprehensive analysis and compilation of sources pertaining to the reform see N. Dewitt, 1961, *op. cit.,* chapter I and related appendices.
2. For comprehensive discussions on the 1964 Soviet educational reform see E. Moos, "The Changes in Soviet Schools in September 1964," *Comparative*

Education Review, December, 1964, pp. 264-68; N. Dewitt, *The Soviet System of Education* (mimeograph) (New York: Institute of International Education, 1965); *Pravda,* and *Izvestia,* August 13, 1964, p. 1; *CDSP,* XVI, 33 (1964), 20-21; M. Prokofyev in *Pravda,* August 31, 1965, p. 2.

3. B. Tschirwa, *Management Training in the Soviet Union* (mimeograph), prepared for the Inter-University Study of Labor Problems in Economic Development, 1957, p. 24.
4. *Pravda,* January, 22, 1956.
5. The following higher institutes were offering courses in the cited fields in 1961: Moscow Economic and Statistics; Moscow State Economic; Leningrad Polytechnical; Moscow and Kharkov Engineering-Economic. See P. Polukhin, "The Higher Technical School at a New Stage," *Soviet Education,* December, 1961, pp. 31 ff.
6. For discussions on the use of advanced tools and techniques for planning and control in the Soviet economy see the series of articles in *CDSP,* XV, 22 (1963), 8 ff. For discussions pertaining to industrial enterprises see V. Nemchinov, *Izvestia,* April 30, 1960, and *Pravda,* May 31, 1961; Yu. Chernyak, *Izvestia,* May 30, 1963.
7. The following sources provide extensive background information on Soviet higher education: V. Elyutin, *Higher Education in the USSR* (International Arts and Science Press, New York: 1959); K. Galkin, *The Training of Scientists in the Soviet Union* (Moscow: Foreign Languages Publishing House, 1959); N. Dewitt, *Education and Professional Employment in the USSR* (Washington, D.C.: GPO, 1961), chapter 4; N. Grant, *Soviet Education* (Baltimore: Penquin Books, Inc., 1964); S. Rosen, "Problems in Evaluating Soviet Education," *Comparative Education Review,* VIII, 2 (October, 1964), 153-65; *Structure and Decision Making in Soviet Education* (Washington, D.C.: GPO, 1964).
8. See *Pravda,* April 8, 1964, p. 1.
9. See the listing in S. Rosen, 1963, *op. cit.,* pp. 84 ff.
10. This chart is from Dewitt, 1961, *op. cit.,* p. 301.
11. Cf., *Komsomolskaia Pravda,* August 5, 1959; *Promyshlenno-Ekonomicheskaya Gazeta,* August 12, 1959; *Vestnik Vysshei Shkoly,* October, 1960, p. 22; *Izvestia,* March 14, 1963, p. 3.
12. David Granick attended a final exam and a thesis defense in the Soviet Union; see his *Red Executive* (New York: Doubleday, 1961), pp. 59 ff.
13. V. Elyutin, "The Higher School at a New Stage," *Soviet Education,* January, 1962, pp. 38-39.
14. D. Granick, *op. cit.,* pp. 65-67. See also, *Vestnik Vysshei Shkoly,* No. 7, July, 1959, pp. 71 ff.
15. *Pravda,* January 15 and February 22, 1956.
16. Cited in B. Tschirwa, 1957, *op. cit.,* p. 17.
17. *Ibid.,* p. 18.
18. See D. Troitsky, *Training Technicians in the Soviet Union,* Soviet News Booklet No. 6, London, 1957, p. 21; and N. Dewitt, 1961, *op. cit.,* p. 283.
19. V. Elyutin, 1959, *op. cit.,* p. 28.
20. Cf., M. Chikhin (Rector of Moscow Power Institute), *Pravda,* January 25, 1965, p. 2; V. Tselebrovsky (Professor of Tomsk Polytechnical Institute), *Izvestia,* May 6, 1964, p. 4; *CDSP,* XVI, 29 (1964), 34-35; "Engineer Organizers Needed by Industry," *U. S. Joint Publications Research Service,* No. 21, September 17, 1963, pp. 1-12.
21. For discussions on Soviet-American comparisons with respect to engineering education, see N. Dewitt, 1961, *op. cit.,* pp. 283 ff., and charts on pages

726 and 728; A. Korol, *Soviet Education for Science and Technology* (New York: John Wiley and Sons, Inc., 1957), pp. 235 ff.; P. Abetti, and G. Lincks, *Electrical Engineering Education in the USSR* (American Institute of Electrical Engineering, CP 58-147, February, 1958).

22. Cf., Professor N. Strelchuk (Head of Moscow Construction Engineering Institute), *Izvestia,* March 17, 1963, p. 3; E. Maximova, *Izvestia,* April 27, 1962; S. Sobolev, *Izvestia,* March 24, 1963; *CDSP,* XV, 11 (1963), 33 ff.; P. Lederer, "The Horizons of Our Engineers Must Be Extended," *Soviet Education,* December, 1960, pp. 43 ff.
23. Cf., Professor L. Lazarev (Rector, Moscow Bauman Higher Technical School), *Izvestia,* March 14, 1963; partially translated in *CDSP,* XV, 11 (1963), 31-32; *Komsomolskaia Pravda,* August 5, 1959; *Promyshlenno-Ekonomicheskaya Gazeta,* August 12, 1959; *Vestnik Vysshei Shkoly,* March, 1959, p. 7; N. Dewitt, 1961, *op. cit.,* pp. 292-93; M. Prokofyev (Deputy Minister of Higher Education), *Pravda,* August 31, 1965, p. 2; *Izvestia,* May 6, 1964, p. 4; *Pravda,* June 20, 1964, p. 4.
24. *Ekon. Gaz.,* September 21, 1963, pp. 18-21; *Pravda,* January 25, 1965, p. 2; *Pravda,* October 4, 1965, pp. 2-3; *CDSP,* XVII, 35 (1965), 14-15.
25. See the discussions in N. Dewitt, 1961, *op. cit.,* p. 293-94; *Vestnik Vysshei Shkoly,* April, 1959, pp. 15-16; N. Strelchuk, *op. cit.,* p. 3.
26. M. Chilikin, *Pravda,* January 25, 1965, p. 2.
27. V. Tselebrovsky, *Izvestia,* May 6, 1964, p. 4.
28. A listing of the "Economic and Organization" specialties can be found in S. Rosen, 1963, *op. cit.,* p. 89.
29. Cf., *Pravda,* January 25, August 31, and October 4, 1965; *Ekon. Gaz.,* September 21, 1963, pp. 18-20; *CDSP,* XVII, 40 (1965), 31-32.
30. Editorial, *Planovoe Khoziaistvo,* No. 11, November, 1962, pp. 1-7.
31. *Ibid.;* see also *Izvestia,* January 30, 1962, p. 3.
32. This information was obtained from faculty personnel at a number of Soviet Institutes. See also the data presented in N. Dewitt, 1961, *op. cit.,* pp. 291-92, and pp. 734-35.
33. The breakdown of specialties offered at different economics institutes has been compiled from the data presented by N. Dewitt, 1961 *op. cit.,* appendix IV-B-3; and HEW publications.
34. The figures are based on information obtained from faculty members at two Soviet economic institutes. The breakdown is quite similar to the political economy specialty offered at Soviet universities, although there is less time devoted to indoctrination. See *Vestnik Vysshei Shkoly,* April, 1959, pp. 45 ff. The university program is discussed in the next section.
35. Many sources condemn all aspects of economic education. See, for example: Editorial, "Qualified Economic Personnel," *Planavoe Khoziaistvo,* No. 11, November, 1962, pp. 1-7. A. Konson, "Courses in Practical Economy and Their Teaching Within Higher Polytechnical Institutes," *Voprosy Ekonomiki,* No. 3, March, 1963, pp. 136-40. A. Birman in *Plan. Khoz.,* No. 3, March, 1963, pp. 11-21. A book entitled *Stroitelstva Kommunisma I Obshestvennie Naukii* (Building of Communism and the Social Sciences) contains several pertinent articles dealing with Soviet economics education. It is issued by the Publishing House of the USSR Academy of Sciences, Moscow, 1962. *Pravda,* May 10, 1964, January 25 and August 31, 1965; *Ekon. Gaz.,* September 21, 1963, pp. 18-20; *CDSP,* XVII, 35 (1965), 14-16.

    See also the following translated and western sources: "The Training of Economists and the Demands of Life," *The Soviet Economic System: Structure and Policy, JPRS Report No. 21, 175,* September 20, 1963, pp. 18-21.

"What the National Economy Expects for Scientific Management," *The Soviet Economic System: Structure and Policy, JPRS Report No. 22, 117,* December 4, 1963, pp. 15-25; R. Meek, "The Teaching of Economics in the USSR and Poland," *Soviet Studies,* April, 1959, pp. 343 ff.; *Soviet Teaching and Research in Economics,* Department of Health, Education and Welfare (Washington, D.C.: GPO, 1964); N. Dewitt, "Soviet Economic Education," *Comparative Education Review,* February, 1964, pp. 262-66.

36. See N. Dewitt, 1964, *op. cit.,* pp. 262-64.
37. Cf., *Pravda,* May 31, 1961; *Izvestia,* April 30, 1960.
38. See the discussions by Daniel Bell, "Erosion of Ideology," *Survey,* April, 1963, pp. 64 ff.; R. Bauer, "Our Big Advantage: The Social Sciences," *Harvard Business Review,* May-June, 1958, pp. 125 ff.; A. Broderson, "Soviet Social Science and Our Own," *Social Research,* Autumn, 1957, pp. 253 ff.; R. Meek, *op. cit.,* pp. 343 ff.
39. O. Antonov, *Izvestia,* May 25, 1962, p. 3; also translated in *CDSP,* XIV, 21 (1962), 14-15; Editorial, *Plan. Khoz.,* 1962, *op. cit.*
40. N. Dewitt, 1964, *op. cit.,* pp. 265-66.
41. V. N. Shubkin, *Voprosy Filosofi,* No. 5, May, 1965, pp. 57-70; also translated in *CDSP,* XVII, 30 (1965), 3-9.
42. Cf., editorials in *Ekon. Gaz.,* September 21, 1963, July 25, 1964, and April 28, 1965; V. Lisitsyn, *Ekon. Gaz.,* October 22, 1963, pp. 7-8; *Pravda,* January 25 and October 4, 1965; Editorial, *Plan. Khoz.,* November, 1962, pp. 4 ff.; A. Kosygin in *Plan. Khoz.,* No. 4, April, 1965, pp. 3-10.
43. Professor V. Girovsky (Moscow Engineering-Economic Institute), *Izvestia,* January 30, 1962, p. 3, translated under the title "Commander or Statisticians," *CDSP,* XIV, 15 (1962), 30-31.
44. N. Dewitt, 1964, *op. cit.,* pp. 263-65.
45. For data on the departments and specialties offered at Soviet universities see N. Dewitt, 1961, *op. cit.,* Appendix IV-B-3; and V. Elyutin, 1959, *op. cit.,* Appendix.
46. N. Dewitt, 1961, *op. cit.,* p. 282.
47. *Ibid.*
48. D. Granick, *op. cit.,* pp. 59 ff.
49. R. Meek, 1959, *op. cit.,* pp. 343 ff.
50. For comprehensive presentations on part-time higher education in the Soviet Union see Rosen, 1962, *op. cit.,* pp. 289-92; N. Dewitt, 1961, *op. cit.,* chapter IV, especially pp. 229 ff.; *Izvestia,* April 23, 1964, p. 4; *CDSP,* XVI, 18 (1964), 32-34.
51. *Pravda,* March 20, 1965, p. 6.
52. N. Dewitt, 1961, *op. cit.,* pp. 321-22.
53. *Ibid.,* p. 235.
54. Cf. *Izvestia,* April 23, 1964, p. 4; *Pravda,* June 20, 1964, p. 4; *Vestnik Vysshei Shkoly,* June, 1962; V. Elyutin, 1962, *op. cit., CDSP,* XV, 21 (1963), pp. 9 ff. For other sources and evidence see Rosen, 1962, *op. cit.,* pp. 291-92.
55. *CDSP,* XV, 21 (1963), 9-10.
56. Cases cited in N. Dewitt, 1961, *op. cit.,* p. 236.
57. *Izvestia,* May 5, 1963, p. 3; V. Stoletov, *op. cit.,* p. 10.
58. V. Elyutin, 1959, *op. cit.,* p. 33.
59. *CDSP,* XV, 21 (1963), 9-10.
60. *Ibid., Izvestia,* May 5, 1963, p. 3.
61. A. Agronovsky, "Against Waste of Education," in *CDSP,* XV, 19 (1963), 5-7.
62. *Ibid.*
63. *Ibid.*

64. Rosen, 1962, *op. cit.*, p. 291.
65. A. Steklov (Director of Penza Factory School), *Pravda,* April 12, 1961, p. 3; also partially translated in *CDSP,* XIII, 15 (1961), 38-39.
66. *CDSP,* XV, 21 (1963), 9-10; see also comments by V. Elyutin in *Pravda,* June 23, 1960.
67. A comprehensive discussion of the anticipated system is found in N. Dewitt, 1961, *op. cit.*, pp. 236-42.
68. *CDSP,* XV, 21 (1963), 10.
69. This section is based largely on N. Dewitt, 1961, *op. cit.*, pp. 32-33, 220-23; N. Dewitt, 1964, *op. cit.*, pp. 265-66. See also the discussion on the party educational system in V. Stepakov, *Pravda,* August 4, 1965, p. 2; and *CDSP,* XVII, 31 (1965), 3-5.
70. N. Dewitt, 1961, *op. cit.*, p. 33.
71. Much information on Soviet graduate education was obtained from interviews with personnel at the institutes of economics of the Academy of Sciences in Moscow and Kiev. For figures and comprehensive expositions pertaining to Soviet graduate programs and degrees see N. Dewitt, *op. cit.*, chapter 5; M. Galkin, *The Training of Scientists in the Soviet Union* (Moscow: Foreign Languages Publishing House, 1959); *Pravda,* March 14, 1964, pp. 1-2; G. Kharatian in *Soviet Education,* June, 1962, pp. 3 ff.
72. *Annual Economic Indicators for the USSR* (Washington, D.C.: GPO, 1964), p. 83, tables VI-B-19 and VI-B-20.
73. See N. Dewitt, 1961, *op. cit.*, pp. 385 ff.
74. From B. Tschirwa, *Management Training in the Soviet Union* (mimeograph), prepared for the Inter-University Study of Labor Problems in Economic Development, 1957, p. 3.
75. *Sovetskaia Rossiia,* April 17, 1959, pp. 3-4. See also N. Dewitt, 1961, *op. cit.*, p. 35.
76. *Annual Economic Indicators,* 1964, *op. cit.*, p. 83.
77. *Ibid.*, p. 19.
78. Cf., D. Orechkin, "Plants Await Scientists," *Izvestia,* August 20, 1963, p. 3; *Pravda,* June 5, 1965, p. 2; *CDSP,* XVI, 34 (1964), 30.
79. Cf., Tschirwa, 1957, *op. cit.*, p. 58; *Izvestia,* August 20, 1964, p. 3; *Pravda,* March 14, 1964, p. 2.
80. *Annual Economic Indicators,* 1964, *op. cit.*, p. 84, table VI-B-22; N. Dewitt, 1961, *op. cit.*, p. 754. For a further breakdown of students and fields in economic programs see Kharatian, 1962, *op. cit.*, pp. 3 ff.
81. Cf., C. Bogonsosova, *Ekonomicheskaya Gazeta,* December 9, 1964, p. 6; editorial, *Ekon. Gaz.*, April 28, 1965, *Pravda,* October 4, 1965, pp. 2-3; *CDSP,* XVII, 40 (1965), 31.
82. Cf., *Planovoe Khoziaistvo,* No. 4, April, 1963. An announcement of acceptances for graduate study at the Moscow Institute of National Economy (named for G. V. Plechanov) appears in this journal. The Leningrad Technical Institute advertised in *Ekon. Gaz.*, August 1, 1964, p. 46, for postgraduate students to specialize in "Organization and Planning in the Metallurgical, Machine-Building" and various other branches of industry.
83. Cf., the announcement in *Plan. Khoz.*, April, 1963.
84. B. Tschirwa, 1957, *op. cit.*, p. 54; *Pravda,* February 7, 1960.
85. For a discussion of the quality of Soviet dissertations see, N. Dewitt, 1961, *op. cit.*, pp. 387 ff.
86. *Ibid.*, p. 405, table V-10.
87. *Ibid.*, p. 407, chart XXXI.
88. *Ibid.*, p. 318, table IV-36.

89. F. Sabitov, *Plainrovanie Tovarnoi i Volovoi Produktsii Tsekhov V Tsennostnam Vipadzenii Pri Individual Bnom i Telkosershinom Tinakh Proizvodstva.*
90. U. Artimov, *Sebestoimost Promiishlennoi Produktsii i Rezervii ee Enizheniy za Schot Sovershenstovovaniy a Upravlenia Prozvodstvom.*
91. This program is discussed in B. Tschirwa, 1957, *op. cit.*, pp. 49-52.
92. Cf., editorial, *Plan. Khoz.*, November, 1962, pp. 1 ff; *Ekonomicheskaya Gazeta*, No. 40, September 20, 1962, p. 7. *Izvestia*, May 19, 1963, p. 2.
93. See V. Gvishiani, "Administration Is Above All a Science," translated in *CDSP*, XV, 20 (1963), 25 ff.
94. For a comprehensive discussion on Soviet semiprofessional education see N. Dewitt, *Education and Professional Employment in the USSR* (Washington, D.C.: GPO, 1961), chapter III. See also editorial, *Pravda*, March 18, 1965; *Izvestia*, August 13, 1964, pp. 1-2.
95. Computed from data in N. Dewitt, 1961, *op. cit.*, p. 501, table VI-52: p. 803, table VI-C-5; p. 779, table VI-A-1.
96. *Ibid.*, p. 170.
97. Cf., *Srednee Spetsialnoe Obrazovanie*, No. 7, 1958, pp. 3 ff. See also N. Dewitt, 1961, *op. cit.*, pp. 170-71, and 205.
98. See editorial, *Pravda*, March 18, 1965, p. 1.
99. N. Dewitt, 1961, *op. cit.*, p. 205.
100. *Pravda*, April 7, 1960, p. 1.
101. See editorial, *Pravda*, March 18, 1965; *CDSP*, XVII, 10 (1965), 10.
102. *Pravda*, March 18, 1965, p. 1.
103. N. Dewitt, 1961, *op. cit.*, pp. 196-98 and table III-19.
104. Cf., editorial, *Plan. Khoz.*, No. 11, November, 1962, pp. 1-7.
105. N. Dewitt, 1961, *op. cit.*, p. 165.
106. *Narodnoe Obrazovanie*, No. 7, July, 1958, p. 18.
107. A listing of all semiprofessional specialties as of 1959 is found in N. Dewitt, 1961, *op. cit.*, Appendix III-B-1, pp. 614 ff.
108. *CDSP*, XVII, 10 (1965), 10.
109. N. Dewitt, 1961, *op. cit.*, p. 174, table III-7.
110. *Ibid.*, p. 204.
111. The figures presented in this section are obtained from M. Weitzman, *et al.*, "Employment in the USSR: Comparative USSR-U. S. Data," in *Dimensions of Soviet Economic Power* (Washington, D.C.: GPO, 1962) pp. 636-37.
112. *Ibid.*
113. V. Oreshkin in *Trud*, February 8, 1963, p. 2.
114. See the related discussions in D. Granick, *Red Executive* (New York: Doubleday, 1961), chapter 5; J. Schwitter, "Training Russian Managers," *Advanced Management-Office Executive*, February, 1962, p. 22.
115. D. Gvishiani, *Izvestia*, May 19, 1963, p. 2; also translated in *CDSP*, XV, 20 (1963), 25 ff.
116. Cf., *ibid.*
117. For a comprehensive presentation on participative management and organizational bodies at Soviet enterprises see B. Richman, *Soviet Management: With Significant American Comparisons* (Englewood Cliffs, N.J.: Prentice-Hall, Inc., 1965), chapter 10.
118. Cf., P. Voronkov, *Voprosy Ekonomiki*, No. 2, February, 1963, p. 35 (article titled "New Forms of Economic Service in the Enterprise"). F. Tabeyev, *Pravda*, May 12, 1963, p. 2; *CDSP*, XV, 19 (1963), 21-22.
119. P. Voronkov, *op. cit.*, pp. 35 ff.
120. F. Tabeyev, *op. cit.*, p. 2.

121. M. Paromov, *Metodika Provendenia Zaiatii V Ekonomicheskiz Krudzkakh i Seminarakh* (Methods for Economic Education in Groups and Seminars), Moskva Rabochii, Moscow: 1962.

   In 1962 a widespread system of economic training programs was set up by party organizations and committees in the Moscow region. Many thousands of enterprise engineers and technicians have gone through these programs. In 1964, for example, 32,000 engineers and technicians attended such programs. See. N. Yeyorychev (First Secretary of Moscow City Party Committee) in *Pravda,* October 4, 1965, pp. 2-3, partially translated in *CDSP,* XVII, 40 (1965), 31-32.
122. G. Osipov. *Voprosy Filosoffi,* No. 8, August, 1962, pp. 120-31. Partially translated under the title, "Some Characteristics and Features of 20th Century Bourgeois Sociology," *CDSP,* XIV, 42 (1962), 8 ff. See also the discussions on Soviet-American comparisons of sociological research in M. Iovchuck, *Voprosy Filosofii,* No. 12, 1962, pp. 23 ff.; *CDSP,* XV, 6 (1963), 15 ff.
123. Cf., M. McNair, "Thinking Ahead: What Price Human Relations," *Harvard Business Review,* March-April, 1957, pp. 15-23.
124. Discussions of Soviet student administrative and organizational activities can be found in: V Korotov, "An Effective Means of Education," Soviet Education, April, 1962, pp. 16 ff; D. Granick, *Red Executive* (New York: Doubleday, 1961), pp. 54-55; *Izvestia,* March 17, 1963, p. 3.
125. Cf., *Pravda,* November 20, 1962; also translated in *CDSP,* XIV, 47 (1962), 12-13.

CHAPTER VII

1. For general discussions on deficiencies with regard to the organizing function see, for example, *Ekonomicheskaya Gazeta,* September 21, 1963, pp. 18-20; *Pravda,* June 23, 1965, p. 2; A. Afanasyev, "The Economic Manager's Business Sense," *Current Digest of the Soviet Press (CDSP),* XVI, 37 (1964), 37-38; V. Laptev in, *Voprosy Ekonomiki,* No. 6, 1963, pp. 26 ff.; "Engineer Organizers Needed by Industry," *JPRS Report* No. 21, 110 (Translations on USSR Labor), September 17, 1963, pp. 1-12; K. Maximovich, *Izvestia,* March 13, 1964, p. 3.
2. For concrete discussions and examples pertaining to these organizational problems see especially, Laptev, 1963, *op. cit.,* pp. 27-31; Editorial in *Izvestia,* July 6, 1963; I. Sonin (Executive of Moscow Economic Council), *Ekon. Gaz.,* March 23, 1963, pp. 2-4; V. Kokushin (enterprise manager), *Ekon. Gaz.,* January 5. 1963; *Izvestia,* March 13, 1964, p. 3.
3. N. Adfeldt, "Management Personnel and the Science of Administration," *Ekonomicheskaya Gazeta,* No. 40, September 29, 1962, p. 7; also translated in *CDSP,* XIV, 40 (1962), 3-4.
4. S. Goncharov, "Cult of Duties and the Style of Management," *Ekon. Gaz.,* March 2, 1963.
5. *Ekon. Gaz.,* November 23, 1963.
6. Interesting discussions about the lack of criteria regarding the grouping of activities, departmentalization, organization structure, and decentralization can be found in *Ekon. Gaz.,* October 26, 1963, pp. 7-8; N. Khrushchev, *Pravda,* April 26, 1963, pp. 1-6; *Izvestia,* April 27, 1962, p. 3; S. Kheinman, "Problems of Production Organization in Industry," CDSP, XIII, 8 (1960), 5 ff.; A. Konson, in *Voprosy Ekonomiki,* No. 3, March, 1963, pp. 136-40; A. Birman, "For a Thorough Development of the Problems Concerning Management," *Planovoe Khoziaistvo,* No. 3, March, 1963, pp. 11-21; D. Gvishiani, *Ekon. Gaz.,* March 10, 1963; and *Izvestia,* May 19, 1963.

7. *Pravda,* November 20, 1962.
8. Cf., Kheinman, 1960, *op. cit.,* pp. 5 ff.; Konson, 1963, *op. cit.,* pp. 136-40; L. Likhadeyev, *CDSP,* XVII, 25 (1965), 11, 33; *Izvestia,* March 29, 1964.
9. Cf., A. Afanasyev, *CDSP,* XVI, 37 (1964), pp. 37-38; P. Maksimov, *Partinaya Zhizen,* No. 18, September, 1963, pp. 16-23; *Sovetskaya Rossia,* July 3, 1965, p. 3.
10. Birman, 1963, *op. cit.,* pp. 11 ff.; *Pravda,* June 23, 1965, p. 2; V. Shinkarev, *Izvestia,* August 4, 1964, p. 4; *CDSP,* XVI, 31 (1964), 11-12.
11. Cf., *Pravda,* December 12, 1964 and September 27, 1965; *CDSP,* XVII, 2 (1965), 18-20.
12. A. Kosygin, *Pravda,* September 28, 1965, pp. 1-4 and *CDSP,* XVII, 38 (1965) 3-15; *Ekon. Gaz.,* October 3, 1963, pp. 19-30; I. Solomonov, *Pravda,* December 1, 1964, p. 3; *Pravda,* January 12, 1965, pp. 2-3; *Plan. Khoz.,* No. 4, April, 1965, pp. 3-10; Laptev, 1963, *op. cit.,* pp. 26 ff.
13. For concrete examples and detailed discussions see editorial, "Use All Working Time for the Job," *Kommunist,* No. 3, February, 1963, pp. 11-18; also partially translated in *CDSP,* XVI, 12 (1964), 14-15; *Izvestia,* August 4, 1964, p. 4; I. Sonin, 1963, *op. cit.,* pp. 2-4; A. Afanasyev, 1964, *op. cit.,* pp. 37-38.
14. A. Kosygin, *Pravda,* September 28, 1965, p. 3; and *CDSP,* XVII, 38 (1965), 14; No. 4, April, 1965.
15. Cf., A. Kosygin, "The Scientific Soundness of Plans Is the Most Important Task of Planning Bodies," in *Plan. Khoz.,* No. 4, April, 1965, pp. 3-10; Birman, 1963, *op. cit.,* pp. 14-19; Konson, 1963, *op. cit.,* pp. 136-39; *Ekon. Gaz.,* October 5, 1963, pp. 3 ff., and October 22, 1963, pp. 7-8; *Izvestia,* April 7, 1962, p. 3, March 26, 1964, p. 3, and March 2, 1965, p. 5; *Pravda,* December 7, 1962, p. 1, December 12, 1964, p. 2, and May 12, 1965, p. 2; Likhodeyev, 1965, *op. cit.,* p. 11.
16. Cf., Kosygin in *Plan. Khoz.,* 1965, *op. cit., CDSP,* XVII, 18 (1965), 17-20; *Pravda,* December 12, 1964, p. 2, and September 28, 1965, pp. 1-4.
17. For examples and discussions on deficient planning in connection with the various enterprise functions see Lisitsyn, 1963, *op. cit.,* pp. 7-8; V. Nemchinov in *Kommunist,* No. 5, March, 1964, pp. 74-87; M. Chilikin in *Pravda,* December 12, 1964, p. 2; K. Maximovich, *Izvestia,* March 13, 1964, p. 3; A. Weimer, *Izvestia,* August 5, 1965, p. 3; *Izvestia,* March 26, 1964, p. 3 and March 2, 1965, p. 5; *Ekon. Gaz.,* October 28, 1964, p. 4; *CDSP,* XVII, 9 (1965), 28.
18. Weimer, 1963, *op. cit.,* p. 3; *Sovetskaya Rossia,* July 3, 1965, p. 3; D. Gvishiani, *Ekon. Gaz.,* March 10, 1963, pp. 19-30; G. Bogonsosova, *Ekon. Gaz.,* December 9, 1964, p. 6.
19. L. Kozlov (manager of Odessa Cable Enterprise), "Who Is Responsible for Flaws in Planning," *Pravda,* May 12, 1965, p. 2, also partially translated in *CDSP,* XVII, 19 (1965), 32; *CDSP,* XVII, 2 (1965), 18-20.
20. Editorial in *Kommunist,* No. 3, February, 1964, pp. 11-18; editorial in *Pravda,* February 26, 1965, p. 1; *Izvestia,* March 29, 1964, p. 5; V. Tereshchenko, "The Effect of Trifles," translated in *CDSP,* XVI, 13 (1964), 17-18; *CDSP,* XVI, 12 (1964), 14-15.
21. See the comprehensive presentation in V. Laptev, 1963, *op. cit.,* pp. 26 ff.
22. R. Levin, "Are Experiments Needed Only in Physics," translated in *CDSP,* XIV, 14 (1962), 3 ff.
23. *Ibid.*
24. A. Gromov, *Pravda,* April 9, 1962, p. 2; also translated in *CDSP,* XIV, 14 (1962), 5-6. See also the discussion on faulty control at Soviet enterprise in *Izvestia,* February 7, 1962, p. 3.

25. Cf., D. Gvishiani, *Ekon. Gaz.*, March 10, 1963, pp. 19-30; Laptev, 1963, *op. cit.*, pp. 28 ff.; Koslov, 1965, *op. cit.*, p. 2 and p. 32.
26. Cf., Y. Averin (Director of Iron and Steel Costing Association), in *Pravda*, July 19, 1965, p. 2; N. Kostromin (Director of Personnel, Atlai Tractor Works) in *Ekon. Gaz.*, June 27, 1964, p. 39; *Ekon. Gaz.*, March 3, 1963, pp. 20 ff.; *Izvestia*, March 29, 1964, p. 5; A. Sventsitsky, "The Questionnaire Seeks to Join the Search," translated in *CDSP*, XVII, 31 (1965), 10-12.
27. Cf., V. Goldenberg (Professor of Engineering-Economics) in *Pravda*, July 22, 1965, p. 2; Averin, 1965, *op. cit.*, p. 2; Kostromin, 1964, *op. cit.*, p. 39; A. Kosygin, *Pravda*, December 12, 1964, p. 2; A. Zdravomyslov, *Sovetskaya Rossia*, May 21, 1964, p. 2. See also the 1962 and 1963 sources cited in footnote 10, chapter 4 of this study.
28. Editorial, *Pravda*, February 26, 1965, p. 1; also translated in *CDSP*, XVII, 8 (1965), p. 29.
29. Cf., N. Khrushchev in *CDSP*, XIV, 47 (1962), p. 13; *Time Magazine*, August 30, 1963, p. 22; Goldenberg, 1965, *op. cit.*, p. 2; Kostromin, 1965, *op. cit.*, p. 39.
30. A. Sventsitsky, 1965, *op. cit.*, p. 10.

CHAPTER VIII

1. Cf., B. Richman, *Soviet Management: With Significant American Comparisons* (Englewood Cliffs, N.J.: Prentice-Hall, Inc., 1965), Part III; A. Kosygin in *Current Digest of the Soviet Press (CDSP)*, XVII, 38 (1965), 3-15, and also in *Soviet Review*, II, 51 (October 5, 1965); L. Brezhnev, in *CDSP*, XVII, 39 (1965), 3-9, and also in *Soviet Review*, II, 52 (October 9, 1965); K. Mazurov, in *CDSP*, XVII, 40 (1965), 4-10.

   See also the following pertinent earlier sources. L. Smolenski and P. Wiles, "The Soviet Planning Pendulum," *Problems of Communism*, November-December, 1963, pp. 30 ff.; A. Nove, "The Liberman Proposals," *Survey*, April, 1963, pp. 112 ff., "Revamping the Economy," *Problems of Communism*, January-February, 1963, pp. 10 ff.; M. Goldman, "Economic Controversy in the Soviet Union," *Foreign Affairs*, April, 1963, pp. 498 ff.; A. Nove, *The Soviet Economy* (New York: Frederick A. Praeger, 1961).
2. N. Khrushchev, translated in *CDSP*, XIV, 47 (1962), 3 ff.
3. Liberman's own articles containing his proposals are translated in *CDSP*, XIV, 36 and 46 (1962), and *Problems of Economics*, December, 1962. For a detailed analysis of the Liberman Plan see Richman, 1965, *op. cit.*, pp. 229 ff.; Goldman, 1963, *op. cit.*, pp. 498 ff.; Nove, in *Survey*, 1963, *op. cit.*, pp. 112 ff.
4. Cited in L. Gatovskii, *Soviet Review*, Summer, 1963, p. 19.
5. Khrushchev, 1962, *op. cit.*, pp. 3 ff.
6. See the related discussion, analysis, and sources cited in Richman, 1965, *op. cit.*, pp. 235-39. See also, G. Sotnikov, *CDSP*, XVII, 25 (1965), 26; K. Ketebayev, *Pravda*, June 23, 1965, p. 3.
7. Cf., *CDSP*, XVI, 42 (1964), 27-28; K. Vaino, *Pravda*, October 16, 1964, p. 5; K. Maximovich, "Bank Money and Credit," *Izvestia*, March 13, 1964; editorial, *Ekonomicheskaya Gazeta*, January 2, 1965, p. 15.

   On the basis of Kosygin's proposals at the September, 1965, Party Plenum, to be discussed shortly, a new system of industrial financing, credit, and interest is actually being introduced as of 1966. See V. Garbuzov (USSR Minister of Finance), "Financing and Economic Incentives," *Ekon. Gaz.*, October 13, 1965, pp. 4-5; also translated in *CDSP*, XVII, 41 (1965), 13-17.

8. For a fuller discussion on the Yugoslav system see A. Waterson, *Planning in Yugoslavia* (Baltimore: Johns Hopkins Press, 1962); Richman, 1965, *op. cit.*, pp. 239-41.
9. For a further discussion of these strategic factors see Richman, *ibid.*
10. Reports on this experiment can be found in K. Michurin, *CDSP,* XVII, 4 (1965), 24 ff.; M. Kuznestsova, *CDSP,* XVI, 41 (1964), 12-15; *CDSP,* XVI, 42 (1964), 8 ff.
11. See the sources cited in footnote 10 above; see also, V. Shubkin, *Kommunist,* February, 1965, No. 3, pp. 48-57; *Izvestia,* March 26, and June 8, 1964; *Pravda,* October 8, 1964, p. 2.
12. *Pravda,* January 26, 1965, p. 2.
13. *Pravda,* March 4, 1965, p. 1; *Izvestia,* December 26, 1964, p. 3.
14. Kosygin in *CDSP,* 1965, *op. cit.*, pp. 10-11.
15. *Izvestia,* September 13, 1963, p. 4.
16. *Ibid.*
17. *Ibid.*, see also, *Pravda,* January 26, 1965, p. 2; *Ekon. Gaz.*, October 28, 1964, p. 4.
18. See the data presented in Richman, 1965, *op. cit.*, pp. 176-78; *CDSP,* XVI, 42 (1964), 8-10; *Izvestia,* October 21, 1964, p. 1.
19. A. Druzenko, "Mysteries of Demand," translated in *CDSP,* XVI, 13 (1964), 30-32.
20. Cf., *ibid.;* "Trade Statistics," translated in *CDSP,* XVII, 9 (1965), 28; S. Kapralov, "Key to Mysteries of Demand," translated in *CDSP,* XVI, 25 (1964), 27; V. Parfenov and N. Petrov, in *CDSP,* XVII, 25 (1965), 25-26; G. Fokin (Director of Central Department Store in Moscow) in *Pravda,* May 4, 1965, p. 2; *Izvestia,* March 26, 1964, p. 3, June 18, 1964, p. 3, and March 2, 1965, p. 5.
21. Shubkin, 1965, *op. cit.*, pp. 48 ff., also partially translated in *CDSP,* XVII, 17 (1965), 15-18.
22. Cf., Druzenko, 1964, *op. cit.*, pp. 30-32; *Kapralov,* 1964, *op. cit.*, p. 27; *Pravda,* March 26, 1964, p. 3, and July 12, 1964 p. 4; *Izvestia,* June 8, 1964, p. 2, and September 6, 1964, p. 4; L. Kantorovich, *Pravda,* August 24, 1965, p. 2.
23. Druzenko, 1964, *op. cit.*, pp. 31-32.
24. Kapralov, 1964, *op. cit.*, p. 27.
25. Cf., Y. Kriger, "Do We Need Advertising," translated in *CDSP,* XVI, 17 (1964), 25; K. Michurin and K. Fedorov, "Trade and Advertising," translated in *CDSP,* XVII, 18 (1965), 32-33; V. Shubkin, in *Kommunist,* 1965, *op. cit.*, pp. 48-57; "Once More About Advertising," translated in *CDSP,* XVI, 21 (1964), 31-32; *Izvestia,* April 28, 1965, p. 3, and March 18, 1965, p. 3; *Pravda,* March 2, 1965, p. 2, and May 4, 1965, p. 2.
26. N. Klepikov (Director of the Ukraine Haberdashery Trade Trust), translated in *CDSP,* XVII, 17 (1965), 32-33.
27. Cf., Y. Kriger, 1964, *op. cit.*, p. 25; Michurin and Fedorov, 1965, *op. cit.*, pp. 32-33; Klepikov, 1965, *op. cit.*, pp. 32-33; *CDSP,* XVI, 21 (1964), 31-32; *Izvestia,* May 23, 1964, p. 3.
28. Cf., Michurin and Fedorov, 1965, *op. cit.*, p. 33; Druzenko, 1964, *op. cit.*, pp. 30-32; Shubkin, 1965, *op. cit.*, p. 48 ff.; *Pravda,* May 4, 1965, p. 2.

    It is interesting to note that in November, 1965, executives of Time-Life International gave a presentation on advertising and sales promotion to 80 Russian marketing specialists in Moscow. The presentation was apparently received with considerable enthusiasm and interest by the Russians. See "A Letter from the Publisher," *Time Magazine,* November 12, 1965.

29. *Pravda,* May 4, 1965, p. 2.
30. Cf., Klepikov, 1965, *op. cit.,* pp. 32-33; *Izvestia,* April 25, 1965, p. 3, and May 23, 1964, p. 3; Michurin and Fedorov, 1965, *op. cit.,* pp. 32-33; *Ekon. Gaz.,* October 28, 1964, p. 4; *CDSP,* XVI, 42 (1964), 8 ff.; *CDSP,* XVI, 21 (1964), 31-32.
31. For a further discussion and analysis of this merger movement and a listing of related pertinent Soviet sources see Richman, 1965, *op. cit.,* pp. 248-49; and B. Richman, "Managerial Motivation in Soviet and Czechoslovak Industries: A Comparison," *Journal of the Academy of Management,* VI, 2 (June, 1963) 126-27.
32. Cf., C. Naidov, "On Systems Network Planning and Control," translated in *CDSP,* XVII, 9 (1965), 26; L. Kantorovich, "Mathematics and Economics," translated in *CDSP,* XVII, 34 (1965), 7-9; *Pravda,* July 12, 1964, p. 4, March 1, 1965, p. 2, and August 24, 1965, p. 2.
   See also the sources cited in footnote 6 of chapter VI.
33. Cf., V. Glushkov, "Apply Computer Technology to the Administration of the National Economy," translated in *CDSP,* XVI, 28 (1964), 23-25; *Pravda,* July 12, 1964, p. 4 and August 24, 1965, p. 2.
34. Cf., V. Glushkov and N. Federenko, "On Certain Problems of Cybernetics," translated in *CDSP,* XVI, 36 (1964), 37-39; *Izvestia,* September 6, 1964, p. 4. See also sources cited in footnotes 23 and 24 of this chapter and footnote 6 of chapter VI.
35. A. Kosygin, *Pravda,* September 28, 1965, pp. 1-4; also translated in *CDSP* and *Soviet Survey,* 1965, *op. cit.*
36. L. Brezhnev, *Pravda,* September 30, 1965, pp. 1-3; also translated in *CDSP* and *Soviet Review,* 1965, *op. cit.*
37. See *Soviet Review,* II, 51 (October 5, 1965), 44-49; *Pravda,* October 3, 1965, p. 1, and October 10, 1965, p. 1; *CDSP,* XVII, 40 and 41, (1965).

CHAPTER IX

1. Professor N. Strelchuk (Head of Moscow Construction Engineering Institute), *Izvestia,* March 17, 1963, p. 3; partially translated in *Current Digest of the Soviet Press (CDSP),* XVII (1963), 31-32.
2. I. Tamm, "In Search of Talent," *Soviet Review,* March, 1962, pp. 28 ff., from *Izvestia,* January 3, 1962.
3. See *Izvestia,* March 14, 1963, p. 3; V. Elyutin, "The Higher School at a New Stage," *Soviet Education,* January, 1962, pp. 28 ff., *Pravda,* July 5, 1961. One Western expert points out that the two notable technological innovations considered to be genuinely Soviet have been developed for military applications. The Soviets have relied primarily on "borrowed" technology for industry. See M. Boretsky, "Soviet Challenge to U. S. Machine Building," *Dimensions of Soviet Economic Power* (Washington, D.C.: GPO, 1962), p. 97.
4. Elyutin, 1962, *op. cit.,* pp. 36 ff.
5. A total of 46 reports were presented at the October, 1962, meetings. They are contained in *Stroitelstva Kommunisma i Obshestvennie Naukii* (Moscow: Publishing House of the USSR Academy of Sciences, 1962).
6. P. Fedoseev, report entitled "To Perfect the Organization of Social Research," in *Stroitelstva, op. cit.,* 1962, pp. 28 ff.
7. K. Plotnikov, report entitled "Broad Development of Economic Research," *ibid.,* p. 157.

8. A. Arzumanian, report entitled "Basic Problems of Economic Sciences," *ibid.*, p. 46.
9. A. Aleksandrov, report entitled "Variety of Scientific Problems Concerning Man," *ibid.*, p. 71-74.
10. A. Berg, report entitled "Cybernetics and the Social Sciences," *ibid.*, pp. 60-64.
11. *Ibid.*, pp. 62-63.
12. Some of the important recent published works include: A Zdravomyslov and V. Yadov, "An Experiment in Concrete Research on Attitudes Toward Labor," *Voprosy Filosoffi*, No. 4, April, 1964; also translated in *CDSP*, XVI, 20 (1964), 12-17; V. Yadov, "What the Experience of the Organization and Execution of Concrete Social Research in Leningrad Indicates," translated in *CDSP*, XVII, 31 (1965), 8-10; A. Zdravomyslov, "Sociology: Discoveries and Possibilities," *Sovetskaya Rossia*, May 21, 1964, p. 2; also translated in *CDSP*, XVI, 22 (1964), 12; V. Kelle, "Sociology's Place and Function in the Soviet System," *Kommunist*, No. 1, January, 1965; also partially translated in *CDSP*, XVII, 8 (1965), 3 ff.

    V. Shubkin, "Concrete Research into Social Processes," *Kommunist*, No. 3, February, 1965; also translated in *CDSP*, XVII, 17 (1965), 15-18; editorial, *Kommunist*, No. 4, March, 1964, pp. 3-14. A. Sventsitsky, "The Questionnaire Seeks to Join the Search," *Sovetskaya Rossia*, July 3, 1965, p. 3; also translated in *CDSP*, XVII, 31 (1965), 10-11. S. Trapeznikov, "Marxism-Leninism: Firm Foundation of Development of the Social Sciences," *Pravda*, October 8, 1965; also translated in *CDSP*, XVII, 40 (1965), 17-19.

    E. Lisavtsev and V. Masin, "On a Scientific Basis—Apply Social Research to Party Work," *Pravda*, May 11, 1965, p. 2; also translated in *CDSP*, XVII, 19 (1965), 11-14. G. Grushin, "Sociology and Sociologists," *Literaturnaya Gazeta*, September 25, 1965; also translated in *CDSP*, XVII, 40 (1965), 15-16. S. Epshtein, a review of a book on western sociology in *Novy Mir*, No. 6, 1965, pp. 272-75; also translated in *CDSP*, XVII, 31 (1965), 11-12. *Quantitative Methods in Sociological Research*, in Russian (Novosibirsk and Moscow: Novosibirsk State University Publishing House, 1964). Editorial, "On Two Neglected Fields of Sociological Research," *Kommunist*, No. 17, 1963; also partially translated in *CDSP*, XVI, 5 (1964), 11-14.

    In addition to the above sources, interested readers can find translations of recent Soviet articles on the social behavioral sciences, primarily sociology, in the journal *Soviet Sociology*, published in the United States.
13. The data on those organization groups on projects discussed in this section are derived from Yazlov, 1965, *op. cit.;* Zdravomyslov, 1964, *op. cit.;* Yazlov and Zdravomyslov, 1965, *op. cit.;* Sventsitsky, 1965, *op. cit.;* Shubkin, 1965, *op. cit.*
14. *Ibid.;* see also Kelle, 1965, *op. cit.;* Lisavtsev and Masin, 1965, *op. cit.;* G. Grushin, 1965, *op. cit.*
15. Editorial, "Ideological Wegason of the Party," *Kommunist*, No. 4, March, 1964, pp. 3-14.
16. Epshtein, 1965, *op. cit.*
17. Cf., Yadov, 1965, *op. cit.;* Grushin, 1965, *op. cit.*
18. *Ibid.;* see also, Shubkin, 1965, *op. cit.;* Kelle, 1965, *op. cit.;* Sventsitsky, 1965, *op. cit.*
19. See especially, Yadov, 1965, *op. cit.*
20. *Ibid.;* see also Zdravomyslov, 1964, *op. cit.*, These sources discuss Polish, Czech, and Hungarian research projects.
21. Cf., Shubkin, 1965, *op. cit.;* Grushin, 1965, *op. cit.;* Sventsitsky, 1965, *op. cit.*

22. Yadov, 1965, *op. cit.*
23. A. Kosygin, *Pravda,* September 28, 1965, p. 3; also translated in *CDSP,* XVII, 38 (1965), 14.
24. Cf., *Pravda,* May 10, 1964, p. 4 and January 25, 1965, p. 2; *Ekonomicheskaya Gazeta,* September 21, 1963, pp. 18-20 and April 28, 1965, pp. 2 ff.; *Plan. Khoz.,* No. 4, April, 1965, pp. 3-10; *Izvestia,* March 24, 1963; Berg, 1962, *op. cit.,* pp. 54-64; *CDSP,* XVI, 19 (1964), pp. 31 ff.
25. Cf., L. Kantorovich, "Mathematics and Economics," *Pravda,* August 24, 1965, p. 2, also translated in *CDSP,* XVII, 34 (1965), pp. 7-9; *Izvestia,* April 25, 1964, p. 3, May 23, 1964, p. 3, and March 2, 1965, p. 5; Shubkin, 1965, *op. cit., CDSP,* XVI, 19 (1964), pp. 31-32; *Ekon. Gaz.,* April 28, 1965, pp. 2 ff.; D. Gvishiani, *Ekon. Gaz.,* March 10, 1963, pp. 19-30.
26. Cf., N. Yegorychev, *Pravda,* October 4, 1965, pp. 1-2; V. Lisitsyn, *Ekon. Gaz.,* October 22, 1963, pp. 7-8; *Ekon. Gaz.,* August 1, 1964, p. 46, December 9, 1964, p. 6, and April 28, 1965, pp. 2 ff.; *Izvestia,* May 23, 1964, p. 3; *Pravda,* January 25, 1965, p. 2; *CDSP,* XVII, 9 (1965), 30, *CDSP,* XVI, 21 (1964), 31-32, *CDSP,* XVI, 25 (1964), p. 27; A. Birman, "For a Thorough Development of Problems Concerning Management," *Plan. Khoz.,* No. 3, March, 1963, pp. 11-21; A. Kouson, *Voprosy Ekonomiki,* No. 3, March, 1963, pp. 136-40.
27. N. Khrushchev, *Pravda,* November 20, 1962; see also Gvishiani, *Ekon. Gaz.,* 1963, *op. cit.*
28. Kosygin, 1965, *op. cit.;* see also Kosygin in *Pravda,* December 12, 1964, p. 2.
29. *Plan. Khoz.,* No. 4, April 1965, pp. 3-10.
30. D. Gvishiani, "Administration Is Above All a Science," *Izvestia,* May 19, 1963, p. 2; also partially translated in *CDSP,* XV, 20 (1963), 25 ff.
31. N. Adfeldt, "Management Personnel and the Science of Administration," *Ekon. Gaz.,* September 29, 1962, p. 7; also translated in *CDSP,* XIV, 40 (1962), 3-4.
32. V. Tereshchenko, *Izvestia,* March 29, 1964, p. 5; also translated in *CDSP,* XVI, 13 (1964), 17-18.
33. V. Tereshchenko, *Organization and Management,* in Russian (Moscow: Economics Publishing House, 1965).
34. L. Likhodeyev, *Lit. Gaz.,* June 22, 1965, p. 2; also translated in *CDSP,* XVII, 25 (1965), 11.
35. K. Plotnikov in *Problems of Economics,* April, 1963, pp. 25-26.
36. V. Lisitsyn, *Ekon. Gaz.,* 1963, *op. cit.,* pp. 7 ff.
37. Cf., G. Bogonsosova, *Ekon. Gaz.,* December 9, 1964, p. 6; *Ekon. Gaz.,* June 28, 1965, pp. 2 ff; *Pravda,* October 4, 1965, pp. 2-3; N. Yegorychev in *CDSP,* XVII, 40 (1965), 31-32.
38. Editorial, *Plan. Khoz.,* November, 1962.
39. Yegorychev, 1965, *op. cit.; Pravda,* October 4, 1965, pp. 2-3; Sventsitsky, 1965, *op. cit.*
40. Adfeldt, 1962, *op. cit.*
41. Cf., N. Kostromin (Director of Personnel, Atlai Tractor Works), *Ekon. Gaz.,* June 27, 1964, p. 39.
42. *Ekon. Gaz.,* September 21, 1963, pp. 18-20.
43. Yegorychev, 1965, *op. cit.; Pravda,* October 4, 1965, pp. 2-3.
44. A. Kosygin, *Pravda,* September 28, 1965, p. 3; and *CDSP,* XVII, 38 (1965), 14.
45. Birman, 1963, *op. cit.,* pp. 11 ff.
46. A. Berg, *Pravda,* October 24, 1962, p. 4; also translated in *CDSP,* XIV, 43 (1962), 23.

47. Lisitsyn, 1963, *op. cit.*, p. 8.
48. For some titles of books recently translated see L. Kositsky, *Ekon. Gaz.*, October 12, 1963. See also editorial, *Kommunist,* No. 3, February, 1964, p. 11-18; *CDSP,* XVI, 12 (1964), 14-15.
49. Cf., Gvishiani, 1963, *op. cit.;* Adfeldt, 1963, *op. cit.;* Bogonsosova, 1964, *op. cit.;* Yegorychev, 1965, *op. cit.;* Tereshchenko, 1964, *op. cit.; Pravda,* January 16, 1965, p. 4, and October 4, 1965, pp. 2-3; Konson, 1963, *op. cit.*, p. 140; Birman, 1963, *op. cit.*, pp. 12 ff.
50. Birman, 1963, *op. cit.*, p. 11.
51. *Ibid.*, pp. 13 ff.
52. D. Gvishiani, *Izvestia,* and *CDSP,* 1963, *op. cit.*
53. Adfeldt, *Ekon. Gaz.*, and *CDSP,* 1963, *op. cit.*
54. V. Parfenov and N. Petrov, *Pravda,* June 23, 1965, p. 2; also translated in *CDSP,* XVII, 25 (1965), 25-26.
55. Sventsitsky, 1965, *op. cit.*
56. Cf., F. Burlatsky, *Pravda,* January 16, 1965, p. 4, and June 13, 1965, p. 4; also translated in *CDSP,* XVII, 2 (1965) 7-8; *CDSP,* XVII, 23 (1965), 14-15; Birman, 1963, *op. cit.*, pp. 13-14.
57. Parfenov and Petrov, 1965, *op. cit.*
58. Burlatsky, 1965, *op. cit.*
59. Gvishiani, *Ekon. Gaz.*, 1963, *op. cit.*
60. Birman, 1963, *op. cit.*, p. 14.
61. *Kommunist,* June, 1963, pp. 21 ff.
62. V. Kokushin, *Ekon. Gaz.*, January 5, 1963, p. 8.
63. Parfenov and Petrov, 1965, *op. cit.* These institutes are also discussed in Tereshchenko, 1964, *op. cit.*, pp. 7-8; G. Katz, 1964, *op. cit.*, pp. 6 ff.
64. G. Katz, *Ekon. Gaz.*, August 8, 1964, pp. 6 ff.
65. Sventsitsky, 1965, *op. cit.*
66. *Ibid.*
67. *Ibid.*
68. Cf., Parfenov and Petrov, 1965, *op. cit.;* Sventsitsky, 1965, *op. cit.; Pravda,* June 23, 1965, p. 2 and October 4, 1965, pp. 2-3; *Ekon. Gaz.*, June 27, 1964, pp. 39 ff; V. Lisitsyn, 1963, *op. cit.*, pp. 7-8.
69. Cf., *Pravda,* April 9, 1961, p. 2; G. Kozlov, "The Structure of a Course in Political Economy," in *Problems of Economics,* II, 3 (July, 1959), pp. 52-53. It is evident from the dates of these sources that this view is dying out, since it is not expressed in any available more recent Soviet sources.
70. Cf., *Ekon. Gaz.*, September 29, 1962, p. 7. This view is also apparently dying out.

Index

PUBLICATIONS OF THE DIVISION OF RESEARCH

Bureau of Business and Economic Research

MSU Business Studies

Electronics in Business
Gardner M. Jones
Stanley C. Hollander

Elementary Mathematics of Linear Programming and Game Theory
Edward G. Bennion

Explorations in Retailing
Marginal Aspects of Management Practices
Frederic N. Firestone

History of Public Accounting in the United States
James Don Edwards

Contributions of Four Accounting Pioneers
James Don Edwards
Roland F. Salmonson

Life Insurance Companies in the Capital Market
Andrew F. Brimmer

Business Consultants and Clients
Stanley C. Hollander

The Automotive Career of Ransom E. Olds
Glenn A. Niemeyer

Electronic Computation of Human Diets
Victor E. Smith

International Enterprise in a Developing Economy
Claude McMillan, Jr., Richard F. Gonzalez
with Leo G. Erickson

Labor Market Institutions and Wages in the Lodging Industry
John P. Henderson

The Executive in Crisis
Eugene Emerson Jennings

Banking Structure in Michigan: 1945-1963
Robert F. Lanzillotti

Institute for International Business and Economic Development Studies

MSU International Business Studies

Michigan's Commerce and Commercial Policy Study
John L. Hazard

International Dimensions in Business
Recent Readings from Business Topics

Management Development and Education in
The Soviet Union
Barry M. Richman

The Enterprising Man
Orvis F. Collins, David G. Moore
with Darab B. Unwalla

Agricultural Market Analysis
Vernon L. Sorenson, editor